RESORTOWE DZIECI
MEDIA

D0982261

RESORTOWE DZIECI

MEDIA

DOROTA KANIA, JERZY TARGALSKI, MACIEJ MAROSZ

FRONDA

Okładka
Radosław Krawczyk

Skład i łamanie
PanDawer

ISBN 978-83-64095-09-2

Wydawca
Fronda PL, Sp. z o.o.
ul. Łopuszańska 32
02-220 Warszawa
Tel. 22 836 54 44, 877 37 35
Fax. 22 877 37 34

e-mail: fronda@fronda.pl
www.wydawnictwofronda.pl
www.facebook.com/FrondaWydawnictwo

SPIS TREŚCI

OD WYDAWCY

Seria wydawnicza „Resortowe dzieci" ma na celu pokazanie powiązań elit medialnych, biznesowych, politycznych i naukowych III RP ze strukturami PRL-u. Wiele mówiło się o kompromisie zawartym z komunistami w czasie obrad Okrągłego Stołu. Opozycja zgodziła się wówczas na uwłaszczenie nomenklatury nie tylko w sferze biznesu. Nasza seria wydawnicza zaprezentuje w syntetycznej formie, że „gruba kreska" była w rzeczywistości przyzwoleniem na opanowanie przez ludzi powiązanych z peerelowskim aparatem większości newralgicznych struktur III RP.

Tematykę „Resortowych dzieci" rozpoczynamy od „czwartej władzy", czyli od mediów. Po przeczytaniu tego tomu nikt już nie powinien się dziwić, dlaczego media głównego nurtu mówią jednym głosem w sprawach lustracji i dekomunizacji, lub też dlaczego zajmują dość jednolite stanowisko w konflikcie – sprawa polska a integracja europejska. Otóż sprawa jest dość prosta. Winne są korzenie środowiska, z którego wywodzą się luminarze polskich mediów. W tym tomie zebraliśmy informacje o ludziach, którzy stworzyli lub przejęli największe i najbardziej opiniotwórcze w Polsce media i do dzisiaj mają zasadniczy wpływ na ich linię redakcyjną. Opisujemy początki TVN-u, Polsatu i „nowych" władz w TVP. Dość dokładnie omówiliśmy środowisko „Polityki" i „Gazety Wyborczej". Właściciele i szefowie tych mediów wywodzą się z tego samego komunistycznego środowiska i w bardzo wielu przypadkach w czasach PRL-u zarejestrowani zostali jako współpracownicy wojskowych i cywilnych służb specjalnych.

Pytania i odpowiedzi dotyczące zawartości książki:

– Jak można porównywać drogi życiowe Adama Michnika czy Heleny Łuczywo do życiorysu Jerzego Baczyńskiego, Daniela Passenta lub Mariusza Waltera.

Obrazowo zagadnienie to opisałbym w ten sposób – dzieciństwo i wczesną młodość ludzie ci spędzają „na jednym podwórku". Później jedni umacniają ustrój propagandowo lub robią interesy, a drudzy siedzą w więzieniach, ale po roku 1989 znów grają „do jednej bramki".

– Czy było coś takiego jak „grzech pierworodny" solidarnościowych władz przy podziale medialnego „tortu"?

Jako odpowiedź na to pytanie polecam lekturę rozdziału czwartego o podziale RSW „Prasa-Książka-Ruch" – gazety zostały przejęte przez dotychczasowe komunistyczne redakcje, które stały się po prostu ich właścicielami. Dostosowały się do wymagań czytelników i zaczęły zarabiać poważne pieniądze. Obie ogólnopolskie koncesje telewizyjne przydzielono osobom zarejestrowanym przez służby specjalne PRL-u jako ich tajni współpracownicy. Decydenci nie mogli o tym nie wiedzieć.

– Przecież zapanował wolny rynek – każdy mógł założyć gazetę, stację telewizyjną lub radiową.

Teoretycznie tak, ale rynek radiowo-telewizyjny reglamentowany był poprzez przydział koncesji, a wejście na rynek prasowy wymagało kapitału. Po dwudziestu paru latach od zmian ustrojowych struktura mediów wygląda następująco: rynek telewizyjny jest zdominowany przez liberalne, antylustracyjne, prorządowe koncerny medialne Polsatu, TVN-u i TVP. Na drugim biegunie działają jedynie niszowe Telewizja Trwam i Telewizja Republika. Rynek prasy – wśród dzienników nadal mamy dominującą pozycję „Gazety Wyborczej" i spacyfikowanej „Rzeczpospolitej", stronę konserwatywną, opozycyjną reprezentują gazety o znacznie mniejszym zasięgu: „Nasz Dziennik" i „Gazeta Polska Codziennie". Jedynie w segmencie tygodników opinii akcenty rozkładają się względnie równomiernie – przeciwwagą dla „Newsweeka", „Polityki" czy „Wprost" są dość silne „Gość Niedzielny", „Do Rzeczy", „W sieci" i „Gazeta Polska". Natomiast w segmencie radiowym stronę konserwatywno-patriotyczną reprezentuje tylko Radio Maryja, sieć radiowa Plus i radio Wnet.

– Może ten ograniczony pluralizm wynika z oczekiwań odbiorców? Przecież czytelnicy, widzowie, słuchacze wybierają sami, nikt ich do tego nie zmusza.
Tak, często pada ten argument. Odpowiem poprzez fakty. Dominujące koncerny medialne powstawały w czasach kompletnej pustyni medialnej (oczywiście nie mówimy o reżimowych komunistycznych mediach). Dobrze współpracując z władzą zbudowały potęgi medialne. Agora zaczynała od jednej gazety – dziś jest właścicielem kilkunastu magazynów, radia, firm reklamowych itd. Wszystkie komercyjne media żyją z reklam. Państwowe firmy, ale także duże międzynarodowe koncerny niechętnie zamieszczają reklamy w opozycyjnych, „niegrzecznych" mediach – bo dobrze jest żyć w zgodzie z władzą. Dla przykładu – w tygodniku „Do Rzeczy" z 12 listopada 2013 roku na cały numer znalazłem tylko dwie i pół strony komercyjnych reklam. Brak profesjonalizmu działu reklamy? Nie sądzę.

– W książce jest bardzo dużo informacji i dokumentów dotyczących ubeckiej, komunistycznej przeszłości rodziców słynnych polskich dziennikarzy. Czy to nie jest obrzydliwe wyciągać życiorysy ojców i matek? Przecież dzieci nie miały żadnego wpływu na ich działalność.
Przedstawienie przez nas relacji rodzinnych w żadnej mierze nie zmierza do obciążenia dzieci winami ojców, gdyż każdy sam ponosi odpowiedzialność za swoje czyny. Chodziło nam o ukazanie

środowiska, w którym kształtowały się charaktery i które ułatwiało swoim dzieciom awans – choćby korzystający z tego nie miał świadomości otaczających go zależności. Przestrzeń – przede wszystkim medialna, która otworzyła się w wyniku transformacji, została zajęta w znacznym stopniu przez właśnie ten nurt rodzinno-towarzyski.

– Dlaczego media głównego nurtu są tak jednolite pod względem ideologicznym?

O pierwszym powodzie już mówiłem – kasa. Trzymaj dobrze z władzą – władza odwdzięczy się reklamami spółek Skarbu Państwa. Spółki te robią interesy z innymi bogatymi firmami – one także dadzą zarobić. Po drugie – środowisko, w którym wychowywali się medialni decydenci. W ich domach nie śpiewało się kolęd, nie chodziło na pasterkę, nie wywieszało się flagi na 11 Listopada, a dziadek nie opowiadał przy kominku o swoim udziale w wojnie przeciwko bolszewikom (chyba że po przeciwnej stronie). Skąd ludzie wywodzący się z tych środowisk mają wiedzieć, że na bochenku chleba warto zakreślić krzyż przed pokrojeniem i dlaczego mają rozumieć, że ważną rodzinną pamiątką jest powstańcza opaska? Bo przecież naród to synonim nacjonalizmu, wiara – nadal żywe pojęcie – „opium dla ludu", patriotyzm – jeżeli już, to w szczególnej formie pt. „Orzeł może". Jeżeli brat był tajnym współpracownikiem SB to nie można chwalić Piotra Gontarczyka i Sławomira Cenckiewicza za książkę „SB a Lech Wałęsa". Jeżeli ojciec naganem umacniał władzę ludową, to trudno jest napisać artykuł o bohaterstwie Żołnierzy Wyklętych. No i po trzecie – wpływ trendów ogólnoeuropejskich, zwłaszcza w sprawach obyczajowych oraz w temacie integracji europejskiej. Bo czy wypada, aby dziennikarka nowoczesnej telewizji była przeciwniczką aborcji albo zwolenniczką autonomii członków Unii Europejskiej? No nie wypada.

– Ale jeżeli nawet szefowie mediów pochodzą z jednego – dość mocno zideologizowanego środowiska, to przecież nie oni piszą

wszystkie teksty i nie oni tworzą wszystkie audycje. W tych koncernach pracuje kilkanaście tysięcy osób.

Każda redakcja ma określony charakter ideowy. Czy jest możliwe, aby Bronisław Wildstein pracował w „Newsweeku", a Jacek Żakowski w „Gazecie Polskiej"? Wykluczone.

– O czym będą dalsze tomy serii?

Zajmiemy się w nich korzeniami ludzi biznesu, polityków oraz luminarzy polskiej nauki. Będziemy dociekać, jak to się stało, że kariery niektórych rodów trwają nieprzerwanie od 1945 roku.

Pokażemy także, jak przez całe lata służby specjalne wpływały na rządowe decyzje.

Wydawca

WSTĘP

Książka ta powinna powstać przed wielu laty. Niestety, otwarcie archiwów służb specjalnych PRL nastąpiło faktycznie dopiero w 2006 roku, gdy prezesem Instytutu Pamięci Narodowej został śp. prof. Janusz Kurtyka, człowiek wielkiej mądrości i odwagi. Dopiero wtedy można było poznać rzeczywiste zasoby archiwów i zrozumieć strach elit III RP przed kryjącą się w nich prawdą.

Dopiero wówczas też można było zrozumieć, dlaczego w 1992 roku odwołano rząd Jana Olszewskiego i dlaczego zablokowano prace nad listą osób publicznych uwikłanych we współpracę z komunistycznymi służbami specjalnymi, którą przygotował Antoni Macierewicz, ówczesny minister spraw wewnętrznych. Dziś jest już jasne, że bez Antoniego Macierewicza, jego bezkompromisowości i prawości, nie byłoby lustracji. Dlatego przez lata ludzie o postsowieckiej mentalności usiłowali zablokować – a gdy się to nie udało – ośmieszyć lustrację, co jednak skończyło się fiaskiem.

Pierwszy rozdział książki nosi tytuł symboliczny – „Aleja Przyjaciół". Ta mała, urokliwie położona uliczka Warszawy jest symbolem III RP – w której w jeden węzeł splatają się służby, media, biznes i polityka. Tutaj swoje mieszkanie ma Adam Michnik, redaktor naczelny „Gazety Wyborczej", polityk i biznesmen Janusz Palikot, tutaj wreszcie znalazły siedzibę fundacje Aleksandra i Jolanty Kwaśniewskich[1], w których zasiadają i z którą współpracują byli politycy, nierzadko zarejestrowani jako tajni współpracownicy służb specjalnych PRL[2].

Tu zamieszkali też biznesmen i zarazem polityk Andrzej Arendarski[3], prawnik Aleksander Pociej[4], który reprezentował Beatę Sawicką, dziennikarz Leon Guz[5] czy nieżyjący już poeta Andrzej Mandalian[6]. Mimo że ojca – komunistę – rozstrzelało mu NKWD, pisał „Towarzyszom z bezpieczeństwa":

[...]
Śpij, majorze,
świt niedaleko,
widzisz:
księżyc zaciąga wartę;
szósty rok już nie śpi Bezpieka,
strzegąc ziemi
panom wydartej.

Brnęła noc
przez serce,
przez rżyska,
kolejami się snuła,
po torach
i przyszedł towarzysz Dzierżyński
do towarzysza majora.

[...]
Barki zdrętwiałe ból ciął,
tętno waliło w skroniach.
– Towarzyszu Dzierżyński,
pozwólcie.
Opowiem o nas.

Chyba chcecie wiedzieć,
jak dzisiaj,
jakie sprawy
i jakie troski?
Zwyciężyliśmy, towarzyszu,
nową
budujemy Polskę.

[...] Towarzyszu,
wam tylko powiem,
jakże bywa tu czasem trudno.
Jeszcze gnieździ się różna swołocz
po zapadłych, ciemnych powiatach,
ale my musimy podołać,
Rewolucja nam podpowiada.

Major pięści zaciska
a pięści ma ciężkie, czerstwe
i idzie Feliks Dzierżyński
z majorem przez gmach Bezpieczeństwa.

[...]
Tobie –
Towarzyszowi z Bezpieczeństwa
poświęcam ten wiersz.
Za Twą miłość ogromną do ludzi
i Twych nocy bezsennych niepokój
– za Twą troskę o dzień nasz powszedni
i walkę codzienną o pokój –
za Twą wierność niezłomną dla Partii,
za Twe serce – dla Partii bijące –
ściskam Twą dłoń uzbrojoną
i słowa przesyłam gorące.

(1950)

PRZYPISY

[1] Pod nr 8 w Al. Przyjaciół mieści się Fundacja „Amicus Europae" Aleksandra Kwaśniewskiego. W tym samym budynku funkcjonuje też fundacja „Bez barier" żony b. prezydenta – Jolanty Kwaśniewskiej.

[2] Adam Daniel Rotfeld ps. „Rauf", „Ralf", „Serb", „Rot" (AIPN 002082/291, AIPN 002086/758), Andrzej Załucki, b. ambasador w Moskwie, zarejestr. jako KO „Andrzej", „Łukasz" (AIPN 001102/301) i należący razem z płk. Tobiaszem i Tomaszem Turowskim do tzw. moskiewskiego trio, czy Andrzej Majkowski (AIPN 0193/3154), który sam przyznał, iż był „tajnym i świadomym współpracownikiem organów bezpieczeństwa PRL".

[3] Andrzej Arendarski pełnił funkcję ministra współpracy gospodarczej z zagranicą w rządzie Hanny Suchockiej. Dawny przewodniczący Stronnictwa Demokratycznego dziś jest prezesem Krajowej Izby Gospodarczej.

[4] Mec. Aleksander August Pociej to syn Władysława Augusta Pocieja, zarejestrowanego jako kontakt operacyjny MBP o ps. „Lucky" (1947), później jako TW SB „Lucky" w III Departamencie MSW. W latach 70. Władysław Pociej był pełnomocnikiem procesowym Piotra Filipczyńskiego (alias Peter Vogel), mordercy okrzykniętego mianem „kasjera lewicy". Po 1990 r. występował m.in. jako adwokat Bogusława Bagsika w aferze Art-B, za: Niezależna.pl.

[5] Leon Guz – wpływowy w PRL dziennikarz „Trybuny Ludu", korespondent tej gazety w Rumunii.

[6] Rodzicami Andrzeja Mandaliana byli działacze komunistyczni, uczestnicy rewolucji w Chinach i Hiszpanii. Ojca Mandaliana – Ormianina, rozstrzelało NKWD w czasie Wielkiej Czystki. Poeta swoje zaangażowanie w komunizm PRL tłumaczył wiarą w to, iż wszystkie błędy systemu będą naprawione, a „Wielka Utopia" zostanie tu zrealizowana.

Rozdział 1

ALEJA PRZYJACIÓŁ

Jesienny wieczór 2011 roku. Przed kamienicę w Alei Przyjaciół w Warszawie zajeżdża samochód, z którego wysiada Janusz Palikot. Rozmawiając przez telefon, wchodzi do potężnego, przedwojennego budynku. Chwilę później wchodzi tam mieszkający obok Adam Michnik, któremu towarzyszy młoda kobieta.

Fascynacja na linii Michnik–Palikot jest wzajemna. „Gazeta Wyborcza" szeroko informowała wówczas o nowej inicjatywie politycznej Janusza Palikota, co widać było w jej publikacjach. Z kolei Janusz Palikot nie kryje uwielbienia dla naczelnego „GW" – nawet kupił mieszkanie tuż obok Adama Michnika.

Kontakty Adama Michnika z Januszem Palikotem nie dziwią – po 1989 roku naczelny „GW" utrzymywał kontakty z ludźmi władzy, a szczególnie z tymi, którzy wywodzili się z obozu postkomunistycznego.

W swojej książce „Rosyjska ruletka" Marian Zacharski[1], były funkcjonariusz komunistycznego wywiadu PRL, a później Urzędu Ochrony Państwa, kilka razy opisuje swoje spotkania z Michnikiem. W październiku 1994 roku w domu Mariana Zacharskiego w Wilanowie odbyła się kolacja, w której uczestniczyli gen. Wojciech Jaruzelski, Aleksander Kwaśniewski, Adam Michnik, ówczesny szef MSW Andrzej Milczanowski, emerytowany funkcjonariusz peerelowskich służb specjalnych Henryk Jasik oraz aktorka Joanna Szczepkowska[2], która 28 października 1989 roku w „Dzienniku Telewizyjnym" ogłosiła: „4 czerwca 1989 roku skończył się w Polsce komunizm". Kolejne spotkanie Zacharskiego i Jasika z Michnikiem miało miejsce w 1996 roku.

> [...] W niedzielę zatelefonował Henryk Jasik z informacją, że redaktor Olejnik chciałaby w poniedziałek 29 kwietnia w swoim programie o godz. 17.30 przeprowadzić ze mną wywiad. Henryk zaprosił mnie do siebie do domu, a tam już czekała Monika Olejnik. [...] Z kolei w niedzielę na prośbę Adama Michnika spotkałem się u niego w domu z Redaktor Agnieszką Kublik [...] przyjechałem tam w towarzystwie gen. Jasika [...]

– pisze w swojej książce gen. Zacharski[3].

W II Rzeczypospolitej w Alei Przyjaciół mieszkali przedstawiciele polskiej inteligencji, która od 1939 roku swoje elity traciła w Katyniu, Powstaniu Warszawskim, w kazamatach NKWD, Ministerstwa Bezpieczeństwa Publicznego lub Informacji Wojskowej. Ludzie, o których pamięć upominała się w latach 90. Liga Republikańska, a śp. Lech Kaczyński był pierwszym prezydentem wolnej Polski, który całą swoją działalnością nawiązywał do tradycji II RP. I jest coś niezwykle tragicznie symbolicznego w tym, że prezydent Lech Kaczyński i prof. Janusz Kurtyka zginęli w roztrzaskanym TU 154 M na smoleńskim lotnisku 10 kwietnia 2010 roku, gdzie lecieli wraz z 94 osobami – przedstawicielami polskiej elity – by oddać hołd polskim jeńcom wojennym, ofiarom sowieckiego ludobójstwa.

W Alei Przyjaciół – ocalałym ze zniszczeń wojennych skrawku Warszawy – mieszkania przedwojennej inteligencji zasiedlili funkcjonariusze aparatu partyjnego i represji.

„Wyzwoliciele" z Alei Przyjaciół

W Alei Przyjaciół mieszkała funkcjonariuszka stalinowskiego aparatu bezpieczeństwa „krwawa" Julia „Luna" Brystiger z domu Prajs, najpierw p.o. dyrektora (1945–1950), później dyrektor Departamentu V ds. społeczno-politycznych MBP (1950–1954), która stosowała wyjątkowo brutalne metody przesłuchań, a kierowany przez nią departament uzyskał daleko idącą niezależność (posiadał m.in. własne więzienie[4]).

W luksusy opływał w swoim apartamencie płk Antosiewicz – dyrektor Departamentu I (kontrwywiadu) MBP (1948–1954). Po 1939 roku przeszedł szkołę NKWD w Moskwie i został zrzucony do Polski w czasie okupacji jako agent wywiadu sowieckiego. Po wojnie był szefem UB w Katowicach i Poznaniu, a później trafił do centrali warszawskiej i zamieszkał w komfortowym 6-pokojowym mieszkaniu. Luksusami cieszył się również w swoim mieszkaniu przy Alei generał Mieczysław Mietkowski (Mojżesz Bobrowicki), wiceminister bezpieczeństwa publicznego. Mieszkał tu i szef Wojewódzkiego Urzędu Bezpieczeństwa Publicznego we Wrocławiu (1948–1951), a następnie Departamentu VIII (1951–1952), Departamentu V (1956) i wreszcie Departamentu X MBP (1956) – Białorusin z pochodzenia – ppłk Jan Zabawski, znany z zażyłej przyjaźni z wiceministrem Romkowskim. Tu także miał swój komfortowy apartament płk Mikołaj Orechwa vel Mikołaj Kłyszko vel Mikołaj Malinowski, kierownik Wydziału Personalnego i dyrektor Departamentu Kadr i Szkolenia MBP (1944–1955), z pochodzenia również Białorusin. W 1920 roku brał udział w Bitwie Warszawskiej w szeregach Armii Czerwonej. Jego żona, Rosjanka, była osobistą stenotypistką Bieruta. Orechwa, dawny członek KC Komunistycznej Partii Zachodniej Białorusi, mimo bycia ważną figurą w resorcie Polski Ludowej, ani myślał przyjmować polskiego obywatelstwa. Po zakończeniu misji w 1956 roku powrócił do Związku Sowieckiego.

Przy Al. Przyjaciół zamieszkał również kierownik Wydziału Cenzury Resortu BP (1944–1946), a później dyrektor Departamentu techniki operacyjnej MBP (1951–1955), płk Michał (Mojżesz)

Taboryski, ożeniony z Rosjanką dawny działacz komunistyczny na Polesiu i Białorusi. Małżeństwa z Rosjankami stanowiły wówczas symbol lojalności wobec prawdziwej ojczyzny międzynarodowego proletariatu – Związku Sowieckiego. Nowi mieszkańcy Al. Przyjaciół mieli stąd blisko do pracy – nieopodal, w Alejach Ujazdowskich, mieścił się gmach Ministerstwa Bezpieczeństwa Publicznego, a nieco dalej, na ul. Oczki – Informacja Wojskowa. W Alejach Jerozolimskich zaś powstawała siedziba Komitetu Centralnego Polskiej Zjednoczonej Partii Robotniczej.

W komfortowym apartamencie w Alei Przyjaciół z tarasem i widokiem na Park Ujazdowski zamieszkał m.in. Ojasz Szechter z żoną Heleną Michnik i synem Adamem. Zamieszkał tam także Czesław Makowski z synem Aleksandrem. Przedwojenny szewc, po wojnie został funkcjonariuszem MBP, a następnie dyplomatą. Jego syn Aleksander Makowski był w latach 80. jednym z najgroźniejszych funkcjonariuszy SB w wywiadzie PRL. Kierował wówczas Wydziałem XI Departamentu I MSW, który infiltrował łączność „Solidarności" z zagranicą, później stał się jednym z bohaterów Raportu z weryfikacji Wojskowych Służb Informacyjnych.

W tym samym domu, co rodzina Szechter-Michnik, mieszkał stalinowski minister bezpieczeństwa Stanisław Radkiewicz[5].

Wiele postaci z tego środowiska weszło w skład utworzonego w 1962 roku przez Adama Michnika nieformalnego dyskusyjnego Klubu Poszukiwaczy Sprzeczności Związku Młodzieży Socjalistycznej. To jeden z przykładów bliskich więzów w środowisku dzieci prominentów PRL-u[6], które później będą grać pierwszoplanowe role w formowaniu III RP. O ówczesnych ścisłych związkach dzieci osób stojących na szczytach władzy zapewniała w książce Joanny Wiszniewicz „Życie przecięte" znajoma Adama Michnika – Marta Petrusewicz:

Niezrozumiała wydaje mi się jedna rzecz – że w czasach przedmarcowych nas jakby mało interesowało, kto z naszych rodziców, jaką rolę odgrywał w partii i w państwie, kto był szefem bezpieki, a kto wiceszefem i co tam robili. Znaliśmy się dobrze, mówiliśmy do nich «wujku», «ciociu», rozumiało się, że rodzice czy przyjaciele naszych rodziców to nomenklatura – a jednak nikt z nas wtedy tego nie dociekał.

W związku z tym Petrusewicz zastanawia się, czy to był rodzaj jakiegoś tabu:

Czy myśmy się przed tą wiedzą bronili? Nie wiem, ale kiedy po latach czytałam «Onych» Torańskiej [...], to mnie najbardziej tam zaskakiwało, że tymi «onymi» dla nas są nasi rodzice właśnie – którzy dla nas byli po prostu rodzicami. Chciałabym namówić kiedyś Adama, żeby napisał coś o swoim ojcu. Coś, co by z jednej strony było taką jego konfrontacją z ojcem, a z drugiej obroną ojca i wytłumaczeniem, że my, dzieci komunistów, zbuntowaliśmy się przeciw komunizmowi w sposób, który nie był sprzeczny z tym, czego nas nauczono, a przeciwnie! – zgodny z podstawami, jakie w nas wpojono.

I dalej:

Ci z naszych rodziców, którzy jeszcze żyją, milczą o dwuznaczności swego komunizmu, rzadko chcą coś o tym powiedzieć – co zresztą mają mówić, skoro wszystko im się zszargało? Ale my jednak kiedyś coś na ten temat musimy z siebie wydusić. I zrobić to, póki ktoś z nich jeszcze żyje. Bo potem oni nic z tego nie będą mieli. A tak niech przynajmniej wiedzą, że dzieci ich kochają[7].

Sama Marta Petrusewicz znajdowała się w centrum tego środowiska. Jej ojciec – Kazimierz Petrusewicz (1906–1982) był synem działaczy komunistycznych, sam również jako członek wileńskiej grupy skupionej wokół komunizującego pisma „Poprostu" aktywnie uczestniczył w akcjach KZMP (od 1931 roku) i KPP (od 1935). Po wojnie Petrusewicz został wiceministrem aprowizacji, a później wiceszefem resortu Żeglugi. W latach 1949–1952 był kierownikiem Wydziału Nauki i Szkolnictwa Wyższego KC PZPR. Od 1952 roku pracował w PAN, gdzie niszczył naukę polską, propagując teorie sowieckiego szarlatana Trofima Łysenki.

Marta Petrusewicz relacjonując jak konsolidowała się grupa osób wokół Adama Michnika, która zbierała się m.in. w jej domu, tak opisuje reakcję starego komunisty:

> I tato patrząc na nich wzruszał się okropnie, bo wielu z nich było dziećmi jego przedwojennych przyjaciół i towarzyszy. Patrzył na Jasia Lityńskiego i mówił «Och, to syn Ryśka Perla!»[8].

Ojciec Petrusewicz nie mógł wyjść ze zdziwienia, słuchając Michnika, który wiele wiedział o jego własnej historii. Michnik znał nawet przebieg procesu, w którym ojciec Marty Petrusewicz został skazany w 1937 roku w procesie członków grupy „Poprostu".

Kolegami Petrusewicza z Wilna byli Jerzy Putrament, Stefan Jędrychowski, Henryk Dembiński, Czesław Miłosz, Jerzy Sztachelski, Teodor Bujnicki, Maria i Irena Drzewickie. Dembiński zginął zastrzelony przez Niemców, a na Bujnickim, naczelnym sowieckiej gadzinówki „Prawda Wileńska", wyrok za współpracę z NKWD wykonała w 1944 roku Armia Krajowa. Pozostali wzięli udział w sowietyzowaniu Polski. Irena Drzewicka, późniejsza żona Sztachelskiego, wyznaczona przez okupantów do Sowietu Litwy w 1940 roku, była zastępcą dowódcy Platerówek ds. politycznych. W 1942 roku została skazana za kolaborację z Sowietami przez sąd Polskiego Państwa Podziemnego.

W Alei Przyjaciół splata się świat mediów, służb i biznesu, kształtujący politykę III RP, która w rzeczywistości jest pochodną tych środowisk. Sama zaś Aleja Przyjaciół jest szczególnym przykładem jednego ze środowisk elit III RP, dlatego zapraszamy Państwa do poznania źródeł tego środowiska, jego pochodzenia i – nie zawsze prowadzonej „z otwarta przyłbicą" – jego działalności.

Spadkobiercy

Sztandarowe działania „Gazety Wyborczej", m.in. atakowanie lustracji i Raportu z weryfikacji Wojskowych Służb Informacyjnych, mają swoje uzasadnienie w życiorysach wielu czołowych redaktorów pracujących w piśmie Adama Michnika. Przyczyny ideologiczne to jedynie dodatek do wstydliwie skrywanych faktów, które są prawdziwym powodem przyjęcia takiej linii.

> Wiek XX pozostawił nam w spadku dwie istotne przestrogi. Pierwsza z nich to przestroga przed tymi, którzy pogardzają pojęciem prawdy, dla których prawda jest mieszczańską konwencją, bądź fikcją literacką; którzy powiadają, że każdą prawdę można zrelatywizować, gdyż wszystko jest względne – dobro i zło, uczciwość i łajdactwo, wolność i zniewolenie

– napisał swego czasu Adam Michnik w książce „W poszukiwaniu utraconego sensu"[9]. Czytając chociażby antylustracyjne teksty w „Gazecie Wyborczej", jak na ironię, słowa te można w całości odnieść do wielu jej własnych publikacji.

Pokolenie KPP

Redaktorzy „Gazety Wyborczej" od początku istnienia gazety bardzo wyraźnie określili linię dziennika – żadnej lustracji i dekomunizacji, a „światłe dziennikarstwo" (oczywiście takim miało być to uprawiane w „GW") ma się odżegnywać od nacjonalizmu (co wprost można odczytać jako: od patriotyzmu). Adam Michnik atakując prawicę sięgał po stare, sprawdzone już wcześniej w „GW" wzorce, czyli straszaki. Tak jak na początku lat 90. straszył lustracją, tak niemal 20 lat później straszył prawicą.

„Prawo i Sprawiedliwość przypomina Komunistyczną Partię Polski" – stwierdził redaktor naczelny „Gazety Wyborczej" Adam Michnik[10]. Jego zdaniem bowiem „partia komunistyczna chciała unicestwić państwo polskie". Stanowisko Adama Michnika jest o tyle zdumiewające, że kilka lat wcześniej środowisko „GW" z oburzeniem potraktowało wypowiedź Jarosława Kaczyńskiego na temat związków rodzinnych osób pracujących w tej gazecie z KPP.

KPP było w moim przekonaniu najgorszym środowiskiem. Nastawienie tej ogromnej gazety wynika z ukształtowania z tego środowiska

– mówił wówczas Jarosław Kaczyński[11].

Jarosław Kaczyński postanowił zawalczyć z moją koleżanką Heleną Łuczywo, więc ogłosił w Radiu Maryja, że reprezentuje ona «siły wywodzące się z Komunistycznej Partii Polski». Jak mógł wygłosić takie kłamstwo!

– oburzała się po wystąpieniu Jarosława Kaczyńskiego Ewa Milewicz[12]. Tymczasem dokumenty świadczą o tym, że część założycieli i publicystów „GW" miała pokoleniowe związki z KPP.

Ojcowie z KPP i UB

Adam Michnik i jego zastępczyni Helena Łuczywo w chwili powstawania „GW" mieli niewiele ponad 40 lat. Wychowani w PRL-u, wywodzili się z rodzin o korzeniach komunistycznych.

Ozjasz Szechter

Ojciec Adama Michnika był członkiem Komunistycznej Partii Zachodniej Ukrainy. Kiedy w publikacji na temat Marca '68 wydanej

przez IPN jej autorzy stwierdzili w przypisie, iż Ozjasz Schechter został skazany „za szpiegostwo" na rzecz Związku Sowieckiego, Adam Michnik domagał się sprostowania tej informacji, a wobec odmowy skierował sprawę do sądu. Ozjasz Szechter został bowiem skazany nie za szpiegostwo, lecz za „próbę zmiany przemocą ustroju Państwa Polskiego i zastąpienia go ustrojem komunistycznym oraz oderwania od państwa polskiego południowo-wschodnich województw". Czyn ten był wówczas

Ozjasz Szechter
(IPN BU 1010/5417
Eawa 68467)

zagrożony wyższą karą niż szpiegostwo. Szechter miał brać udział w operacji szpiegowskiej NKWD przeciw Polsce pod kryptonimem „Koń Trojański" (w Obszarze C – Zachodnim). Sąd pierwszej instancji powództwo A. Michnika oddalił, Sąd Apelacyjny zmienił wyrok sądu pierwszej instancji, na skutek czego IPN opublikował oświadczenie. Czytamy w nim m.in., że Ojasz Szechter w 1934 roku został oskarżony o to, że

«należąc do KPZU wszedł w porozumienie z innymi osobami w celu oderwania od Państwa Polskiego południowo-wschodnich województw i przyłączenia ich do ZSRS, oraz w celu zmiany przemocą ustroju Państwa Polskiego i zastąpienia go ustrojem komunistyczno-radzieckim, przy czym związek ten tj. KPZU rozporządzał składami broni», tj. o zbrodnię stanu przewidzianą w art. 97 § 1 w związku z art. 93 § 1 i 2 polskiego kodeksu karnego z 1932 roku, za co został skazany wyrokiem Sądu Okręgowego w Łucku z dnia 14 kwietnia 1934 roku na karę 8 lat pozbawienia wolności[13].

Działacze KPP często zwracali się przeciwko Polsce, wykonując polecenia z Moskwy. Chcieli m.in. oderwania Śląska i przyłączenia go do Niemiec (co ciekawe, teraz „GW" aktywnie wspiera separatystyczny Ruch Autonomii Śląska).

Helena Michnik, matka Adama, zakładała komunistyczne organizacje młodzieżowe, a po wojnie uczyła kadetów Korpusu Bezpieczeństwa Wewnętrznego i pisała stalinowskie podręczniki do historii. Ojasz Szechter w latach powojennych został kierownikiem Wydziału Prasowego Centralnej Rady Związków Zawodowych, a także zastępcą redaktora naczelnego „Głosu Pracy"[14].

Ferdynand Chaber

Ojciec Heleny Łuczywo, Ferdynand Chaber, pod ps. „Bolek" działał w KPP i także został skazany za działalność przeciwko Polsce. Okres II wojny światowej spędził w ZSRS, a w marcu 1945 roku wrócił do Polski, by zostać kierownikiem Centralnego Biura Kontroli Prasy, Publikacji

Ferdynand Chaber. Podanie o zezwolenie na wyjazd za granicę

i Widowisk, czyli cenzury. Potem, aż do emerytury, pracował w KC PZPR – był m.in. zastępcą kierownika Wydziału Propagandy i Prasy.

> Nie można się dziwić, że ona [tj. Helena Łuczywo – *aut*.] ze swoim zapleczem kulturowym i genetycznym nie była specjalnie wrażliwa na to, że mordowano księży po roku 1981, czy że gen. Fieldorf był ofiarą mordu sądowego, w którym brała udział sędzia Wolińska. Misją Łuczywo było ratowanie sędzi Wolińskiej i wszystkich, obojętnie jak zapisanych w historii, Polaków żydowskiego pochodzenia przed jakimkolwiek nieszczęściem

– tak mówił o niej dziennikarz Michał Cichy po odejściu z „GW" w demaskatorskim wywiadzie dla „Dziennika" w 2009 roku[15].

Józef Gruber

Spółce Agora, wydającej „Wyborczą", przez wiele lat prezesowała Wanda Rapaczyńska. W czerwcu 2013 roku w wieku 66 lat powróciła na to stanowisko, by – jak pisano – „urato-

Józef Gruber, Katarzyna Gruber, Wanda Gruber
(fotografie z podań o zezwolenie na wyjazd za granicę)

wać tonący koncern „Agory"[16]. Jak sama stwierdziła, jej ojciec Józef Gruber – komunista jeszcze przedwojenny, jako sekretarz zarządu Związku Patriotów Polskich w Saratowie „zajmował się robieniem rewolucji". Po wojnie Gruber był dyrektorem i redaktorem naczelnym w Państwowym Wydawnictwie Ekonomicznym. Matkę Katarzynę do Saratowa również skierował Zarząd Główny Związku Patriotów Polskich. Jej rodzice przyjaźnili się już wówczas z rodzicami Heleny Łuczywo. Rapaczyńska sama opisuje, w jak wpływowych kręgach PRL obracała się jej rodzina.

Po wojnie matka Wandy Rapaczyńskiej – Katarzyna Gruber – dostała prominentną funkcję szefowania redakcji ekonomicznej wydawnictwa „Książka i Wiedza". W listopadzie 1968 roku na fali czystek antysemickich Katarzyna Gruber uzyskała zgodę wydawnictwa „KiW" na wyjazd do Izraela[17]. Blisko dziesięć lat później, w 1976 roku, pomiędzy Ministerstwem Spraw Wewnętrznych a wrocławskim Oddziałem Wojskowej Służby Wewnętrznej trwała wymiana dokumentów dotyczących Katarzyny Gruber. Zastępca wrocławskiej WSW ppłk Wacław Dziębowski wypożyczył jej akta paszportowe. Dlaczego wojskowa bezpieka zainteresowała się Katarzyną Gruber? Nie wiadomo, ponieważ w IPN zachowały się jedynie pisma przewodnie[18].

Wanda Rapaczyńska wspomina, jak wspólnie z gronem osób z rodzin wysoko sytuowanych tak w Polsce Ludowej, jak i dziś uczęszczała do tej samej szkoły – liceum im. Klementa Gottwalda w Warszawie (obecnie im. Stanisława Staszica). Byli w tym gronie m.in. Jan Lityński, Irena Grudzińska czy Marek Borowski[19]. Wanda Rapaczyńska tak mówiła o swoim ojcu narodowości żydowskiej, który przed wojną mieszkał we Lwowie: „Zajmował się głównie robieniem rewolucji, był bardzo ideowy". Dodała, że po wkroczeniu Niemców do Lwowa Józef Gruber udał się na Wschód, gdzie bezskutecznie szukał możliwości wstąpienia do Armii Czerwonej[20]. W latach 60. Józef Gruber był dyrektorem – redaktorem naczelnym w Państwowych Wydawnictwach Ekonomicznych. Ze szczątkowych archiwalnych dokumentów na temat Józefa i Katarzyny Gruberów wynika, że w latach 60. jeździli służbowo do ZSRS[21].

Wanda Gruber, studentka IV roku psychologii Uniwersytetu Warszawskiego, i jej brat Tadeusz, student III rok wydziału elektrycznego Politechniki Warszawskiej, zrezygnowali ze studiów odpowiednio 14 i 15 października 1968 roku. Już 25 listopada cała rodzina Gruberów uzyskała zgodę władz PRL na wyjazd do Izraela[22].

Bolesław Gebert

Konstanty Gebert (ps. Dawid Warszawski) od 1989 roku należał do najbliższych współpracowników Michnika. Sławomir Cenckiewicz ujawnił, że ojciec Geberta Bolesław był agentem wywiadu ZSRS w Komunistycznej Partii USA. Bill Gebert (1895–1986), agent „Ataman" Wywiadu Zagranicznego[23], był jednym z założycieli KP USA i zastępcą członka Biura Politycznego Komitetu Centralnego KP USA. Popierał Sowiety w 1920 i w 1939 roku. Tworzył w USA siatkę agenturalną dla Sowietów. Zwerbował m.in. ekonomistę prof. Oskara Langego (ps. „Friend"). W latach 1960–1967 był ambasadorem PRL w Turcji[24].

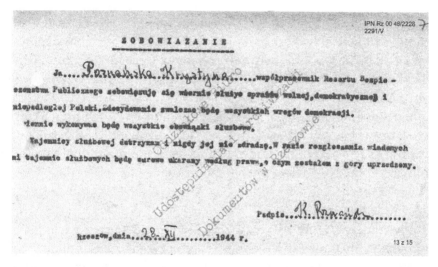

Zobowiązanie Krystyny Poznańskiej – funkcjonariusza Resortu Bezpieczeństwa PKWN, 28 XII 1944 (IPN Rz 00 48/2228 [2291/V])

Z kolei matka dziennikarza „GW", Krystyna Poznańska, przed wojną działała w KZMP, zaś w czasie wojny była w wojsku instruktorką propagandy na terenie ZSRS. W 1944 roku została najpierw współpracowniczką, a później funkcjonariuszką Ministerstwa Bezpieczeństwa Publicznego – współorganizowała UB w Rzeszowie. Jej pierwszym mężem był Artur Starewicz, wieloletni członek Biura Politycznego KC PZPR, jeden z najbliższych współpracowników Gomułki. Szukając nazwiska „Krystyna Poznańska" w Internecie można się głównie natknąć na informację o „wieloletniej dziennikarce PAP". Jej wcześniejsze zajęcie w UB jest ukrywane.

Zdzisław Andrzej Kruczkowski

Komunistyczne korzenie ma także znana z reportaży o Jedwabnem Anna Bikont, od której Bronisław Komorowski wynajmował mieszkanie na potrzeby kampanii prezydenckiej[25]. Redaktorką „Gazety Wyborczej" jest też jej siostra – Maria Kruczkowska. Mąż Anny – Piotr Bikont – również należał do grona publicystów „GW".

Ojciec Anny i Marii – Zdzisław Andrzej Kruczkowski – to przedwojenny założyciel lwowskiego pisma „Sygnały". Po wojnie współpracował z „Rzeczpospolitą" prowadzoną przez Jerzego Borejszę. Później Kruczkowski przebywał na placówkach zagranicznych delegowany przez MSZ. Po powrocie do kraju pracował w Ministerstwie Handlu Zagranicznego[26]. Z kolei matka dziennikarek, Wilhelmina Skulska (Lea Horowitz), była wieloletnią, zasłużoną dla PRL dziennikarką organu PZPR – „Trybuny Ludu". W okresie stalinizmu uchodziła za czołowego przedstawiciela prasy reżimowej[27].

Ignacy Krzemień

Od powstania w 1989 roku „Gazety Wyborczej" przez wiele lat był z nią związany Edward Krzemień. Najpierw jako dziennikarz polityczny, później redaktor, zastępca szefa działu krajowego, zastępca szefa działu opinie, a od lutego 2009 redaktor naczelny serwisu internetowego Wyborcza.pl. Edward Krzemień jest synem Ignacego Krzemienia, który jako obywatel sowiecki w latach 30. walczył w Hiszpanii w XIII Brygadzie[28]. Była to jednostka zorganizowana przez Komintern i sowiecką służbę bezpieczeństwa podległa NKWD. Po wojnie Ignacy Krzemień był szefem II, a następnie I Oddziału Głównego Zarządu Informacji LWP, czyli pracował w komunistycznym aparacie represji, a później w MSZ[29].

Z kolei Edward Krzemień, według raportu Macierewicza, miał być inspirowany przez WSI do napisania artykułów mających

Do

_____ Biura Dowodów Osobistych

w _____

ANKIETA 1481

Celem otrzymania dowodu osobistego deklaruję o sobie niżej wymienione dane:

1. a) Nazwisko *Krzemień*

   b) Dla mężatek nazwisko panieńskie i z poprzedniego małżeństwa _____

2. Imiona *Ignacy*
   (imiona wpisać we metryki) — używane podkreślić)

3. Imiona rodziców *Zygmunt i Leon*

   i nazwisko panieńskie matki *Dorohucz*

4. Data i miejsce urodzenia *2 luty 1911 r Drohobycz USRR*
   (dzień, miesiąc, rok)

   _____
   (miejscowość, gmina, powiat, województwo)

5. Stan cywilny *żonaty Maria Krzemień*
   (podać nazwisko i imię żony wzgl. męża)

6. Osoby na utrzymaniu do lat 16-tu: (podać nazwisko, imię, dzień, miesiąc i rok urodzenia, stopień pokrewieństwa)

   a) *córka Swietłana 17. IX 1943 r*

   b) *syn Edward 22. VIII 1946 r*

   c) _____

   d) _____

   e) _____

   f) _____

7. Zawód wykonywany: obecnie *urzędnik państw.* do 1939 r. *bez zawodu*

8. Narodowość *polska*

9. Obywatelstwo: obecnie *polskie*

   Czy posiadał inne obywatelstwo, jakie, kiedy *1941-44 ZSRR*

Wzór D. P. 7 — Druk Nr 2 — 481-51.

Ankieta płk. Ignacego Krzemienia (IPN BU 230/885) (strona 1)

Ankieta płk. Ignacego Krzemienia (IPN BU 230/885) (strona 2)

skompromitować Radosława Sikorskiego, wówczas wiceministra obrony narodowej w rządzie Jana Olszewskiego. Odbywało się to w ramach sprawy operacyjnego rozpracowania o krypt. „SZPAK", której figurantem był właśnie Radosław Sikorski[30].

Jerzy Wilker-Skalski

Zastępcą redaktora naczelnego „GW" Adama Michnika był Ernest Skalski, syn Jerzego Wilkera-Skalskiego i Zofii Nimen-Skalskiej, działaczy KPP. Późniejszy wicenaczelny „Wyborczej" był zarejestrowany przez SB jako tajny współpracownik działający pod ps. „Alski" i „Ren"[31]. Skalskim zainteresował się kontrwywiad SB w 1966 roku. Jak wynika z akt IPN, wywiad PRL wziął go na łączność w 1967 roku w związku z jego rocznym wyjazdem do Danii. Tam tajny współpracownik „Alski" miał osobliwą prośbę do rezydenta wywiadu „Erwina", by umożliwił mu zapoznanie się z dziennikarzami sowieckimi przebywającymi w skandynawskim kraju. Według dokumentów IPN, trzy lata później „Alski" przechodzi ponownie na kontakt kontrwywiadu PRL z zadaniem rozpoznawania obywateli państw kapitalistycznych w Warszawie. Kontakt SB przekazywał informacje pozwalające służbie namierzać interesujące dla niej osoby. Będący wówczas redaktorem działu zagranicznego „Głosu Pracy" kontakt bezpieki zapewniał ją, iż „służy jej zawsze pomocą" i będzie starał się referować wydarzenia z udziałem dyplomatów, w których będzie uczestniczył[32]. We wnioskach raportu SB po rozmowie operacyjnej ze źródłem pada stwierdzenie, iż współpracę z bezpieką „traktuje [on] jako obywatelski i zawodowy obowiązek". W 1976 roku dziennikarzem zainteresował się Departament III SB. Po analizie materiałów dotyczących TW „Rena" odstąpiono od dalszego prowadzenia sprawy. Po przejęciu materiałów SB przez UOP archiwiści stwierdzili brak wielu kart z materiałów dotyczących dziennikarza.

 Ojciec Ernesta Skalskiego – Jerzy Wilker – za działalność w KPP trafił przed wojną do więzienia. Od grudnia 1944 roku był sekretarzem Zarządu Polityczno-Wychowawczego KG MO. W maju 1945 roku

Notatka informacyjna z 15 października 1979 roku z opracowania akt sprawy
Ernesta Skalskiego (IPN BU 00191/119)

zaczął pełnić funkcję szefa wydziału personalnego KW MO Kraków[33]. W tej samej komendzie szefowała wydziałowi śledczemu jego żona Zofia Nimen, która w KPP działała od 1930 roku. Przez okres powojenny w kolejnych miejscach pracy pełniła funkcje w egzekutywach PZPR. W życiorysie Ernest Skalski chwalił się działalnością w ZWM, ZMP, a później kandydaturą do PZPR. Napisał o swoich studiach na wydziale historii Uniwersytetu Moskiewskiego i pracy w stolicy ZSRS w biurze ds. repatriacji Polaków z tego kraju oraz ożenku z Rosjanką Liją Nowikową[34].

Gdy Okrągły Stół usankcjonował wymianę władzy politycznej na kapitał, Skalski zachęcał, by oddać majątek nomenklaturze:

> To musi być oferta do całego aparatu [...] trzeba tym ludziom otworzyć możność ubiegania się o przejmowanie na własność części majątku, którym obecnie zarządzają, jeśli dają nie gorsze od innych gwarancje jego wykorzystania. Na pewno zaś należy im obiecać co najmniej roczne wypowiedzenie z zachowaniem realnej wartości zarobków, zachowanie przywilejów niechby drażniących, wszechstronną pomoc przy podejmowaniu nowego zajęcia czy samodzielnej działalności gospodarczej. Ewentualne wcześniejsze, odpowiednio korzystniejsze emerytury. Oraz – co ważne – żadnych osobistych rozliczeń z tytułu ich wcześniejszej działalności[35].

Autor proponował więc nie tylko prywatyzację nomenklaturową, ale także całkowitą bezkarność komunistów za okres komunizmu.

Regina Okrent

Ze środowiskiem „GW" związana jest Ludmiła Wujec, żona Henryka Wujca, działacza UD i UW, obecnego doradcy prezydenta Bronisława Komorowskiego. W czasach PRL Wujec zasłużyła się działaniem w ZMS, a później PZPR. Jej matka – Regina Okrent (lub Okręt), przedwojenna krawcowa, była działaczką najpierw Komunistycznego Związku Młodzieży (od 1929), a później KPP (od

1935). Po wojnie, w latach 1946–1949, Regina Okrent „pracowała"
w Urzędzie Bezpieczeństwa w Łodzi, gdzie pierwszym jej szefem
był Mieczysław Moczar. Później została dyrektorem kadr w Radiokomitecie. Od 1948 roku działała w egzekutywach komórek PZPR.
Ojciec Ludmiły Okrent – Oskar Okrent – także przedwojenny działacz KPP, zginął w 1945 roku służąc w randze kapitana w 2. Armii
Wojska Polskiego.

Mendel Kossoj

Z „GW" związany jest Michał Komar, syn generała Wacława Komara,
znanego przed wojną jako Mendel Kossoj. Przyszły generał już jako
kilkunastoletni chłopak na zlecenie KPP zabijał a także brał udział
w zabójstwach tajnych współpracowników polskiej policji. Przeszedł szkolenie w NKWD, następnie walczył w Hiszpanii, a po wojnie został m.in. szefem Zarządu II Sztabu Generalnego WP, czyli
wywiadu wojskowego, oraz szefem wywiadu cywilnego Ministerstwa
Bezpieczeństwa Publicznego.

„Środowisko, z którego pochodzę, to liberalna żydo-komuna"

Te słowa Adama Michnika przytoczyło pismo „Powściągliwość i Praca"
w numerze 6 w roku 1988.

> Środowisko, z którego pochodzę, to liberalna żydo-komuna w sensie
> ścisłym, bo moi rodzice wywodzili się ze środowisk żydowskich i byli
> przed wojną komunistami. Być komunistą znaczyło wtedy coś więcej
> niż przynależność do partii – to oznaczało przynależność do pewnego
> języka, do pewnej kultury, fobii, namiętności

– czytamy w „PiP".

W podobnym duchu wypowiedział się zupełnie niedawno Sewe-
ryn Blumsztajn. „Wywodziliśmy się z lewicy, która wybudowała
łagry"[36] – mówił w siedzibie „GW" na promocji książki Andrzeja

Friszke. Nie ma w tym wynurzeniu nic dziwnego: teść Seweryna Blumsztajna, Włodzimierz Winawer, był w Wojsku Polskim w ZSRS, a po wkroczeniu wojsk sowieckich do Polski w 1944 roku został sędzią Sądu Najwyższego. Ojciec Blumsztajna – Stefan Blumsztajn – przed wojną należał do KZMP. Jak wynika z akt IPN, odsiadywał wyrok za działalność komunistyczną. Wojnę wraz z matką Seweryna Blumsztajna spędził w ZSRS. W 1946 roku oboje wrócili do Polski. Stefan Blumsztajn działał później w PZPR[37].

W objęciach służb

Przez lata w gazecie Adama Michnika jeżeli już pisano o dostępie do archiwów służb specjalnych PRL i otwarciu „teczek", to wyłącznie negatywnie. Padały słowa o „seansach nienawiści" i o „ludziach chorych z nienawiści" – co ciekawe, takich samych sformułowań używał Wojciech Jaruzelski wprowadzając stan wojenny w 1981 roku, a także w latach późniejszych.

Dziś już wiadomo, że „Gazecie Wyborczej" nie o samą ideologię chodzi – w archiwach służb specjalnych PRL zachowały się dokumenty na temat osób zarejestrowanych jako tajni współpracownicy, którzy byli związani z „GW", bądź też nadal w niej pracują. Gdy w 2001 roku okazało się, że Lesław Maleszka był tajnym współpracownikiem Służby Bezpieczeństwa, na szefach „GW" nie zrobiło to wrażenia – mało tego, zostali zaatakowani autorzy listu – dawni koledzy Maleszki, którzy tę prawdę ujawnili.

Pseudonimy Maleszki: „Ketman", „Return", „Tomek", „Zbyszek" pojawiły się w podpisywanych przez niego raportach dla SB, dla której pracował dobrowolnie za sowitym wynagrodzeniem. Jak wynika z archiwów IPN – „Ketman" był jednym z najlepiej opłacanych agentów w Polsce.

Maleszka pracując jako publicysta w „GW" wielokrotnie wypowiadał się krytycznie na temat lustracji. W jednym z tekstów pisał o swoich obawach wobec wielu wystąpień polityków prawicowych, które rzekomo podminowują autorytet prawa i kruszą instytucje demokratycznego państwa:

> Apele o rozliczenie PRL, z iście inkwizytorską pasją wzywające do dekomunizacji, lustracji, delegalizacji SdRP, zrealizować by można jedynie w warunkach stanu wyjątkowego i zawieszenia swobód obywatelskich[38].

20 czerwca 2008 roku, tuż przed emisją w TVN filmu dokumentalnego autorstwa Ewy Stankiewicz i Anny Ferens pt. „Trzech kumpli", według oficjalnego komunikatu Agory Lesław Maleszka dobrowolnie odszedł z redakcji. Jego żona zaprzeczyła jednak, by inicjatywa zakończenia współpracy z gazetą wyszła od niego[39].

W „GW" nadal publikują bądź pracują ludzie zarejestrowani przez służby specjalne PRL jako tajni współpracownicy lub kontakty operacyjne. Według dokumentów IPN, Maciej Stasiński, dziennikarz „GW", został zarejestrowany przez Wydział IV Departamentu III jako TW „Omega". Maciej Stasiński, który w 1989 roku m.in. relacjonował obrady Okrągłego Stołu, aktualnie pracuje w redakcji zagranicznej „GW" i – chociaż zajmuje się głównie Ameryką Południową – w styczniu 2009 przeprowadził wywiad z Jerzym Urbanem, rzecznikiem prasowym rządu Wojciecha Jaruzelskiego[40].

W aktach zachowała się kserokopia podpisanego przez niego oświadczenia z 25 lipca 1977 roku:

> Zobowiązuję się do udzielania pomocy organom Służby Bezpieczeństwa i MO jako formy naprawienia szkody, jakiej dopuściłem się na Starym Mieście. Jednocześnie oświadczam, że zachowam ten fakt w tajemnicy. Informacji będę udzielał w formie ustnej i pisemnej podpisując się pseudonimem «Mega». Maciej Stasiński[41]*.

---

* W przytaczanych w książce dokumentach i cytatach autorzy zachowali ich oryginalną pisownię, jedynie w uzasadnionych przypadkach dodając wyjaśnienia.

O tym, że podpisał zobowiązanie, Maciej Stasiński poinformował mecenasa Jana Olszewskiego, który wówczas bronił w procesach politycznych, oraz Zofię Romaszewską, znaną działaczkę opozycji[42].

Jednak wiele lat później, w 2006 roku, gdy uchwalono ustawę lustracyjną i gdy „Salon" protestował przeciwko składaniu oświadczeń lustracyjnych przez dziennikarzy, Maciej Stasiński nie nagłośnił swojej historii. A przecież jej upublicznienie mogłoby się przyczynić do oczyszczenia środowiska dziennikarskiego i pokazać, że nie każdy, kto został zarejestrowany jako TW i podpisał zobowiązanie, był agentem i donosicielem służb specjalnych PRL.

Inżynierowie dusz

> „[...] drugie pokolenie, dzieci komunistów, zachowywało się często jak dzieci rozkapryszonej arystokracji. Byli przekonani, że władza rodziców jest dziedziczna, że oni, wychowani w cieplarnianych warunkach, ją przejmą"[43]
>
> prof. Paweł Wieczorkiewicz

Kierownictwo „Gazety Wyborczej" od początku jej istnienia miało jeden cel: wychować i ukształtować nowe pokolenie Polaków. Dlatego, tworząc redakcję, sięgnięto głównie po psychologów i socjologów. Nie było między nimi żadnych sporów ideologicznych – pochodzili z tych samych środowisk, często kończyli te same szkoły.

„Gazeta Wyborcza" została powołana do istnienia przy Okrągłym Stole i z założenia miała być gazetą polityczną. Do dziś w „GW" pracują byli posłowie Adam Michnik, Witold Gadomski i Mirosław Czech. Ideologiczną linię pisma nakreślił na samym początku

Michnik. Napisał, że największym zagrożeniem dla Polski są trzy fundamentalizmy: religijny, moralny i narodowy[44].

Duet

Najważniejsze funkcje redaktorskie w „GW" powierzono ludziom z wykształceniem psychologicznym[45] i socjologicznym[46]. Sądząc po wyniku wyborczym partii Palikota w 2011 roku, cel założony 22 lata temu – wychowanie nowego pokolenia przez „GW" – udał im się połowicznie.

Szefowie „GW" dbali, by w redakcji byli ludzie po studiach humanistycznych z mocnym, ideologicznym nastawianiem. Klasycznymi przykładami takich osób są Agnieszka Kublik i Wojciech Czuchnowski, nazwani w humorystycznej rubryce „Z życia koalicji, z życia opozycji" (była wówczas w tygodniku „Wprost") „cynglami" „Gazety Wyborczej".

Agnieszka Kublik w końcu lat 80. ukończyła socjologię na Uniwersytecie Warszawskim i obroniła pracę magisterską pt. „Plotka – wybrane problemy konwersacji plotkarskiej". Jeszcze w PRL trafiła do powołanego przez gen. Wojciecha Jaruzelskiego Centrum Badania Opinii Społecznej, którym kierował płk Stanisław Kwiatkowski (ojciec Roberta, w latach 1996–1998 członka KRRiT, a w latach 1998–2004 prezesa Zarządu Telewizji Polskiej S.A.).

Wojciech Czuchnowski na początku lat 90. pracował w krakowskim „Czasie" i dzienniku „Życie" – krytykowanych przez „GW" prawicowych pismach. Diametralna zmiana jego poglądów nastąpiła po rozpoczęciu przezeń pracy w „Gazecie Wyborczej". W 2002 roku, już jako dziennikarz „GW", napisał wydaną przez „Znak" książkę pt. „Blizna: proces Kurii krakowskiej 1953", krytycznie ocenioną przez historyków.

Jego niewątpliwą zasługą jest dotarcie do świadków oraz prześledzenie późniejszych losów osądzonych przed pięćdziesięcioma laty księży i świeckich. Problem w tym, że autor zniekształca fakty, dokonuje błędnych interpretacji i w złym świetle stawia wiele osób nieżyjących. Ponieważ nie mogą się bronić, obowiązek ten spada na historyka.

Autor «Blizny» wydaje się nie rozumieć, że ma do czynienia ze sprawą znakomicie przygotowaną od strony propagandowej. Powiela wykreowaną wtedy wizję, wedle której głównym oskarżonym był Kościół

– napisał w marcu 2003 roku w recenzji w „Tygodniku Powszechnym" Filip Musiał, historyk IPN.

Książka była początkiem antylustracyjnej krucjaty Czuchnowskiego. To właśnie on w 2005 roku „ujawnił" tzw. listę Wildsteina – listę katalogową IPN, pisząc, że „ubecka lista krąży po Polsce". Tekst sprzedany w sensacyjnym sosie nijak się miał do faktów – lista katalogowa nie była listą agentów, nie zgadzała się liczba nazwisk, a Wildstein mówił o katalogu na antenie RMF wcześniej, niż opisał to Wojciech Czuchnowski.

Jego histeryczne teksty stworzyły atmosferę, w której ówczesny naczelny «Rzeczpospolitej» Grzegorz Gauden zdecydował się wyrzucić Wildsteina z pracy

– zauważył Piotr Semka na łamach „Rzeczpospolitej".

W sprawie listy było prowadzone śledztwo, które ostatecznie umorzono.

Agnieszka Kublik i Wojciech Czuchnowski byli przez lata czołowymi dziennikarzami „frontu walki" w „GW". Tropili „przestępstwa" prawicy – głównie Centralnego Biura Antykorupcyjnego w czasach, gdy jego szefem był Mariusz Kamiński, szukali winnych samobójczej śmierci Barbary Blidy w prokuraturze i służbach specjalnych.

Duet Kublik–Czuchnowski bardzo mocno zaangażował się w opisywanie katastrofy smoleńskiej – to właśnie Wojciech Czuchnowski był współautorem tekstu o rzekomych naciskach na pilotów, które miał wywierać śp. Lech Kaczyński.

Agnieszka Kublik, Wojciech Czuchnowski i Paweł Wroński byli także autorami tekstu, który powinien przejść do historii antydziennikarstwa. W tekście „Awantura przed Smoleńskiem?"[47] napisali, że jeden z oficerów BOR słyszał, jak gen. Andrzej Błasik, dowódca Sił Powietrznych, w wulgarnych słowach zwymyślał kpt. Arkadiusza Protasiuka, szefa załogi TU 154 M o numerze bocznym 101, a całe zajście nagrała kamera monitoringu na lotnisku wojskowym w Warszawie.

Po wielu miesiącach okazało się, że istnieje nagranie, które dementuje te informacje[48].

Posłowie, ministrowie

Dziennikarzami „GW" są dziś osoby, które zasiadały wcześniej w ławach sejmowych. Adam Michnik był posłem Unii Demokratycznej. Złożył jedną interpelację, która dotyczyła zaopatrzenia w wodę mieszkańców Radzionkowa. Jako parlamentarzysta w sejmowych wystąpieniach bronił partyjnego establishmentu przed odebraniem mu przywilejów.

> Prostym sposobem szukania sobie popularności jest likwidowanie majątku po byłej PZPR. Jest to klasyczny zastępczy konflikt

– grzmiał 28 kwietnia 1990 roku z trybuny sejmowej poseł Michnik.

> Chcę powiedzieć, że w niektórych głosach, o czym mówię z bólem, usłyszałem coś, co bym nazwał antykomunizmem jaskiniowym. Ja jestem antykomunistą i tej jaskiniowości się boję. I chcę powiedzieć, że dziś z popisywaniem się tymi deklaracjami, gdzie się miesza PZPR z błotem, przyrównuje do katyńskich morderców, mówi się, że gorsi byli niż Hitler – ja nic wspólnego nie mam i nie chcę mieć[49].

Komentator „GW", Mirosław Czech, także był posłem UD, a później Unii Wolności. W 2001 roku wyborcy nie chcieli już jednak na niego głosować i został publicystą gazety Michnika. Mało kto również pamięta, że czołowy komentator ekonomiczny „GW", Witold Gadomski, zasiadał w Sejmie jako poseł Kongresu Liberalno-Demokratycznego[50]. Był jednak mało aktywnym posłem – nie złożył ani jednej interpelacji czy zapytania.

Inny komentator „GW", Waldemar Kuczyński, w rządzie Tadeusza Mazowieckiego pełnił funkcję ministra przekształceń własnościowych. Teściem Waldemara Kuczyńskiego był Stefan Staszewski, w latach 1948–1955 kierownik Wydziału Prasy KC PZPR, mianowany później na I sekretarza Komitetu Warszawskiego partii[51]. Głośna była sprawa przyznania Kuczyńskiemu luksusowego, ponad 100-metrowego lokalu, który później pozyskał on na własność na zgodnych z ówczesnym prawem zasadach wykupu mieszkań komunalnych[52] (w podobny zresztą sposób mieszkanie komunalne, przyznane jako służbowe, kupił Jan Krzysztof Bielecki[53]). Publicysta nazwał Prawo i Sprawiedliwość „ruchem groźnej nadziei". Sugerował związki z nazizmem, przedstawiając go jako

> ruch z ambicjami by być masowym, powstający wokół partii o bliskiej totalizmowi strukturze wewnętrznej, kierowany przez otoczonego kultem przywódcę i spojony ideą nacjonalistyczną [...][54].

PRZYPISY

[1] Marian Zacharski (ur. 1951): funkcjonariusz wywiadu PRL, aresztowany w USA w 1981 r. po uzyskaniu informacji niejawnych od pracownika Hughes Aircraft Corporation, Williama H. Bella, i skazany za szpiegostwo na karę dożywotniego pozbawienia wolności. W 1985 r., po wymianie na 25 współpracowników wywiadu amerykańskiego więzionych w krajach bloku wschodniego, powrócił do Polski. Prowadził czynności operacyjne w aferze Olina, której pokłosiem było oskarżenie z trybuny sejmowej przez ówczesnego szefa MSW Andrzeja Milczanowskiego premiera Józefa Oleksego (agent AWO „Piotr"), który w związku podejrzeniami podał się do dymisji. Po dojściu do władzy SLD Zacharski na stałe wyjechał do Szwajcarii.

[2] M. Zacharski, *Rosyjska ruletka*, Poznań 2010, s. 125, 127–128.

[3] Ibidem, s. 508.

⁴ T. M. Płużański, *PPŻ „Luna" Brystiger*, ASME.pl, http://www.asme.pl/104352417660440. shtml (dostęp: 25 stycznia 2003).

⁵ Idem, *Stefan Michnik aresztowany*, ASME.pl, http://www.asme.pl/126817549954084. shtml (dostęp: 7 lipca 2013).

⁶ W opracowaniu sporządzonym przez starszego oficera Wydziału IV Departamentu III MSW, kpt. W. Komorowskiego (AIPN BU 0248/134, t. 2, s. 2–7), czytamy: „Członkami tego Klubu są przeważnie synowie i córki działaczy partyjnych i państwowych. Podajemy niektóre znane nam nazwiska rodziców: (1) Barbara Bodalska, c. Mieczysława, obecnie Prezesa Kółek Rolniczych, (2) Helena Góralska, c. Władysława, b. kier. Wydz. Zagr. KC PZPR, obecnie ambasadora w Iranie, (3) Irena Grudzińska, c. Jana, wicemin. leśnictwa, (4) Ryszard Kole, syn. wicemin. finansów, (5) Zofia Samet, córka gen. bryg. dr Leona Samet, (6) Andrzej Rutkiewicz, s. Jana, wicemin. zdrowia, (7) Wiktor Holsztyński, syn pracownika Zarządu Głównego Tow. Szkoły Sowieckiej, (8) Jan Lityński, syn wicedyr. w Min. Łączności, (9) Barbara Popiel, c. z-cy kier. Wydz. Ekonomicznego KC, (10) Danuta Strasser, (11) Edward Strasser, dzieci dyr. dep. w Głównym Urzędzie Kontroli Prasy, Publikacji i Widowisk, (12) Lena Taboryska, córka b. dyr. dep. w MBP, (13) Elżbieta Świetlik, córka b. wicemin. MBP, obecnie inspektor Wydziału Rolnego KC PZPR, (14) Bronisław Drozdowicz, s. Bronisława. W latach 1945–48 z-ca red. naczelnego „Głosu Ludu", 1946–52 sekretarz premiera, 1954–57 inspektor Biura Politycznego KC, od 1955 r. SGGW, kier. katedry Mikrobiologii Rolnej i prac. PAN, członek PZPR, (15) Jan Gross, s. Zygmunta doc. prac. Zakładu Higieny Psychicznej i Psychiatrii Dziecięcej Wydz. Przemysłu WSE w Katowicach, (16) Joanna Kuber, córka Wiktora z-cy red. naczelnego „Kuriera Polskiego", członek PZPR, (17) Wojciech Babicki, syn Jadwigi Babickiej, prac. red. „Expressu Wieczornego", członek PZPR, (18) Leon Sfard, syn Dawida – z-cy przewodniczącego Żydowskiego Instytutu Historycznego w Warszawie i czł. Zarządu Tow. Społ. Kulturalnego Żydów w Polsce, członek PZPR, matka pracuje w KC PZPR, (19) Wanda Jurkowska, córka b. dyr. dep. w MBP, (20) Krzysztof Melchior, s. Romana, b. naczelnika Wydz. w MSW, (21) Wacław Szer, s. Seweryna kier. katedry Prawa Cywilnego UW, (22) Klaudiusz Weiss, s. Edwarda – b. wicedyr. w MSW, (23) Janina Halmin, matka – Halman-Gruszczyńska Sabina pracuje w Wyższej Szkole Nauk Społ. w Warszawie na stanowisku st. asystenta, (24) Paweł Wohl, syn Andrzeja – kierownika Zakładu Socjologii Społecznej Akademii Wychowania Fizycznego w Warszawie i współpracownik redakcji tygodnika „Polityka", matka chłopca Apolonia pracuje w Zakładzie Historii Partii KC PZPR, (25) Elżbieta Hubner, c. Józefa kierownika działu w redakcji „Ekspressu Wieczornego", matka – Wanda pracuje w Polskim Radio jako starszy inspektor programu dla zagranicy, czł. PZPR, (26) Paula Zachczyńska, c. Henryka pracownika Przedsiębiorstwa Projektowania i Dostaw Inwestycyjnych – kierownika działu tłumaczeń, matka Jadwiga, b. czł. KPP obecnie nie pracuje, (27) Włodzimierz Rabinowicz, s. Isera pracownika Instytutu Badań Jądrowych – kierownik referatu zabezpieczenia obiektów IBJ, czł. PZPR, matka Eugenia prac. Spółdzielni Pracy „Odrodzenia"

st. ref. kadrowy, (28) Eleonora Ickowicz, c. Aleksandra, st. inspektor Najwyższej Izby Kontroli, (29) Perla Kacma, c. Abrama w 1952 r. pracownik Zjednoczenia Budownictwa Miejskiego nr 5. W 1950 r. pracował w KW PZPR, (30) Małgorzata Taub – ojciec nie żyje, matka – Zofia nauczycielka, (31) Marek Orleański s. Mieczysława pracownik wydawnictwa „Książka i Wiedza" – kier. redakcji Zeszytów Teoretyczno-Politycznych. W 1915 r. [błąd bezpieki, powinno być: w 1955 r. – aut.] wykładowca szkoły partyjnej przy KC PZPR, (32) Józef Blass, s. Bronisława – ekonomista, dyr. generalny w Min. Finansów, (33) Helena Brus, c. Włodzimierza – ekonomista z-ca przew. Rady Ekonomicznej przy Radzie Ministrów, (34) Włodzimierz Kofman, s. Józefa – z-ca przewodniczącego Komitetu Prac i Płac, członek CRZZ, (35) Krzysztof Przenicki, s. Maksymiliana – dyr. dep. w Komitecie Budownictwa Urbanistyki i Architektury. Wniosek: Posiadane informacje wskazują, że dotychczasowa działalność dyskusyjnego Klubu «Poszukiwaczy Sprzeczności» wywiera nieodpowiedni wpływ na młodzież. Uważamy, że należałoby zamienić opiekunów Klubu i zagwarantować odpowiednią polityczną opiekę i kierownictwo".

[7] J. Wiszniewicz, Życie przecięte. Opowieści pokolenia Marca, Warszawa 2008, s. 315.

[8] Ibidem. Ryszard Perl był bratem Feliksa Perla (1871–1930), wybitnego działacza socjalistycznego i niepodległościowego, syna powstańca styczniowego. Ryszard Perl przed wojną używał nazwiska Perl-Lityński. Jan Lityński pozostał przy drugim członie.

[9] A. Michnik, W poszukiwaniu utraconego sensu, Warszawa 2007 (fragment opublikowany w „Gazecie Wyborczej", 19 października 2007).

[10] PiS jak KPP, wywiad Piotra Najsztuba z Adamem Michnikiem, „Wprost" 2010, nr 43.

[11] J. Kaczyński w Radiu Maryja, 15 marca 2006.

[12] E. Milewicz, „Gazeta Wyborcza", 16 marca 2006, s. 2.

[13] Depesza PAP, 23 listopada 2009.

[14] K. Szwagrzyk, „Czułem zadowolenie, wydając wyroki na wrogów..." (Stefan Michnik, 1999), „Nasz Dziennik", 6–7 marca 2010.

[15] Wojna pokoleń przy użyciu «cyngli», wywiad Cezarego Michalskiego z Michałem Cichym, „Dziennik", 20 lutego 2009.

[16] Biznesowa nestorka Wanda Rapaczynski wraca na ratunek «Gazety Wyborczej» i Agory, Natemat.pl, lipiec 2013, http://natemat.pl/66461,biznesowa-nestorka-wanda-rapaczynski--wraca-na-ratunek-gazety-wyborczej-i-agory

[17] Pismo zastępcy red. naczelnego „KiW" T. Kaczmarka do Biura Paszportów i Dowodów Osobistych MSW z dnia 7.11.1968 r., IPN BU 1268/30004.

[18] IPN BU 1268/30004.

[19] T. Torańska, Jesteśmy. Rozstania '68, Warszawa 2008, s. 270–271.

[20] Ibidem, s. 263–275.

[21] IPN BU 1268/30002.

[22] Ibidem.

[23] Wywiad Zagraniczny Wszechrosyjskiej Komisji Nadzwyczajnej do Walki z Kontrrewolucją i Sabotażem (ros. Innostrannyj Otdieł Wsierossijskoj czriezwyczajnoj komissij po

bor'bie s kontrriewolucyjej i sabotażom – INO WCzKa) utworzono w 1920 r. W 1922 r. INO przeszedł do GPU NKWD, czyli do Głównego Zarządu Politycznego Ludowego Komisariatu Spraw Wewnętrznych, a w 1923 r. do OGPU (Zjednoczonego Głównego Zarządu Politycznego). W 1934 r. OGPU włączono do NKWD. Po kolejnych zmianach wywiad zagraniczny włączono w 1952 r. do Ministerstwa Bezpieczeństwa Państwa – MGB. Od 1954 r. działał jako I Zarząd Główny KGB.

[24] S. Cenckiewicz, *Śladami bezpieki i partii*, Łomianki 2009, s. 3–50.

[25] D. Kania, *Komorowski myje okna Bikont*, „Gazeta Polska", 11 maja 2011, nr 43.

[26] Z. A. Kruczkowski – notka dot. zmarłego, „Więź" 2006, nr 10, s. 146.

[27] M. Łukasiewicz, *Weryfikacja. Z notatnika stanu wojennego 1981–1982*, Warszawa 1994, s. 77.

[28] *Polacy w wojnie hiszpańskiej 1936–1939*, M. Bron (red.), Wydawnictwo MON, Warszawa 1963, s. 36.

[29] Raport komisji Mazura, http://pl.wikisource.org/wiki/Raport_komisji_Mazura (dostęp: 7 lipca 2013).

[30] Pełna nazwa: *Raport o działaniach żołnierzy i pracowników WSI oraz wojskowych jednostek organizacyjnych realizujących zadania w zakresie wywiadu i kontrwywiadu wojskowego przed wejściem w życie ustawy z dnia 9 lipca 2003 r. o Wojskowych Służbach Informacyjnych w zakresie określonym w art. 67. ust. 1 pkt 1–10 ustawy z dnia 9 czerwca 2006 r. „Przepisy wprowadzające ustawę o Służbie Kontrwywiadu Wojskowego oraz Służbie Wywiadu Wojskowego oraz ustawę o służbie funkcjonariuszy Służby Kontrwywiadu Wojskowego oraz Służby Wywiadu Wojskowego" oraz o innych działaniach wykraczających poza sprawy obronności państwa i bezpieczeństwa Sił Zbrojnych Rzeczypospolitej Polskiej*, dalej jako: Raport z weryfikacji WSI, s. 75, http://www.raport-wsi.info/TVP.html (dostęp: 30 września 2013).

[31] Teczka personalna TW dot. Ernesta Skalskiego, AIPN 00191/119.

[32] Ibidem. Raport z przeprowadzonej rozmowy operacyjnej, 29.09.1970.

[33] Biuletyn Informacji Publicznej IPN: Jerzy Skalski, AIPN Kr 0194/4592.

[34] Teczka personalna TW dot. Ernesta Skalskiego, AIPN 00191/119.

[35] E. Skalski, *Wielki kompromis*, „Gazeta Wyborcza", 31 lipca 1989, s. 3–4.

[36] Promocja książki Andrzeja Friszke pt. *Anatomia Buntu* (Wydawnictwo „Znak", Kraków 2010) w siedzibie „Gazety Wyborczej" 15 marca 2010 r.

[37] AIPN BU 02041/19, t. 2, s. 1–10.

[38] L. Maleszka, *Historia nie lubi kompromisów*, „Gazeta Wyborcza", 11 września 1995.

[39] D. Kania, *Prawda absolutna według „Wyborczej"*, „Gazeta Polska", 11 marca 2009.

[40] *Teraz widzę, że trzeba się było bać*, z Jerzym Urbanem rozmawia Maciej Stasiński, „Gazeta Wyborcza", 6 stycznia 2009.

[41] IPN BU00191/403.

[42] M. Stasiński, *Agenta MEGA tarapaty z SB*, „Gazeta Wyborcza", 12 marca 2009, s. 17. Pod artykułem zamieszczono: Informację o sprawie Macieja Stasińskiego – Zofia Romaszewska, Warszawa, 18 stycznia 2006; Oświadczenie Jana Olszewskiego, 10 marca 2009.

⁴³ *Wieczorkiewicz: Mimo wszystko Stalin nas szanował*, z prof. Pawłem Wieczorkiewiczem rozmawia Robert Mazurek, „Dziennik", 11 sierpnia 2007.

⁴⁴ D. Kania, *Ludzie „Gazety"*, „Gazeta Polska Codziennie", 18 października 2011, nr 14.

⁴⁵ Piotr Pacewicz – wiceszef „GW", redaktorzy Anna Bikont i Dawid Warszawski.

⁴⁶ Rafał Zakrzewski – kierownik działu krajowego, później szef działu opinii „GW", Agnieszka Kublik – dziennikarka i publicystka „GW".

⁴⁷ „Gazeta Wyborcza", 26 lutego 2011.

⁴⁸ „Prokuratura o nagraniu z Okęcia: Film bez dowodów kłótni Błasik–Protasiuk", TVP Info, 15 marca 2011, http://tvp.info/informacje/polska/film-bez-dowodow-klotni-blasik-protasiuk/4148869

⁴⁹ Cyt. za: P. Bączek, *Adaś „Guru" Michnik*, „Gazeta Polska", 16 listopada 1995.

⁵⁰ W latach 80. Gadomski był współtwórcą antykomunistycznego miesięcznika „Niepodległość". Po upadku PRL związał się z KLD, z ramienia którego został posłem w 1991 r., a po rozwiązaniu Sejmu w 1993 r. podjął pracę w „Gazecie Wyborczej" na propozycję Ernesta Skalskiego (wg akt SB zarejestr. jako TW „Alski", „Ren").

⁵¹ Biuletyn Informacji Publicznej: Stefan Staszewski, AAN CK/VII-1427.

⁵² Zob. W. Kuczyński, *Zwierzenia zausznika*, Warszawa 1992.

⁵³ *Mieszkania z dużą ulgą dla kolegów*, „Dziennik", 10 sierpnia 2006.

⁵⁴ W. Kuczyński, *Ruch groźnej nadziei*, „Gazeta Wyborcza", 14 kwietnia 2011.

Rozdział 2

NADZORCA SPOŁECZEŃSTWA

„Michnik jest manipulatorem.
To jest człowiek złej woli, kłamca.
Oszust intelektualny"[1]

Zbigniew Herbert

Paryż, 13 kwietnia 1992 roku. Do francuskiej telewizji w ramach niezwykle popularnego cyklu „La Marche du siècle" zostali zaproszeni: komunistyczny generał, twórca stanu wojennego w Polsce Wojciech Jaruzelski i opozycjonista, szef zyskującej na popularności „Gazety Wyborczej" Adam Michnik. Jaruzelski ma promować swoją książkę – wspomnienia pt. „Les chaînes et le refuge" (Kajdany i schronienie), w której znalazła się także rozmowa z Adamem Michnikiem.

W studiu kłębi się tłum reporterów – po raz pierwszy mogą zobaczyć z bliska obok siebie Michnika i Jaruzelskiego. „Panie generale, proszę się odwrócić, proszę do nas!" – mówi jeden z fotoreporterów, na co natychmiast reaguje Adam Michnik:

„Odpieprz się może, co? Odpieprz się od generała teraz!"[2]

Mijają lata.

W lutym 2001 roku duet Agnieszka Kublik–Monika Olejnik w słynnym wywiadzie z Adamem Michnikiem i gen. Czesławem Kiszczakiem pytają redaktora naczelnego „Gazety Wyborczej":

– Czy gen. Kiszczak jest dla pana człowiekiem honoru?

Michnik odpowiada: – Tak. Jest człowiekiem honoru. Gen. Kiszczak dotrzymał wszystkich zobowiązań, jakie podjął przy Okrągłym Stole. To były najważniejsze dni w jego życiu. Szef bezpieki negocjował ze swoimi więźniami. Przyjął zobowiązania i dotrzymał słowa aż do bólu. Po 1989 nigdy nie zawiódł zaufania.
– Gen. Jaruzelski też? – pada następne pytanie.
– Też – odpowiada Michnik[3].

Adam Michnik od zawsze chciał odgrywać główną rolę w życiu publicznym. Widać to zarówno w zachowanych w IPN dokumentach bezpieki, jak i w linii politycznej przyjętej przez „Gazetę Wyborczą", której szefuje wiele lat nieprzerwanie, od momentu jej powstania.

Gdy patrzymy na historię powstania „Gazety Wyborczej", nie dziwią związki Michnika z ludźmi władzy, zakulisowe rozmowy, zaciekłe zwalczanie opozycji – i to nie tylko w III RP. Warto przypomnieć, że miało to miejsce już w PRL. W październiku 1981 roku inspektor W. Kaszkur z SB zanotował:

Michnik w rozmowie przeprowadzonej w dniu 12 X br. z Konradem Bielińskim, Grażyną i Grzegorzem Labudą wystąpił z propozycją zrobienia filmu, który będzie odbiciem życia A. Macierewicza. Figurant podjął się napisania szkiców scenariusza do filmu w formie listu i razem z Kuroniem rozpracują go na sceny do filmu. Zdaniem figuranta w tym «trzeba Macierewicza ugotować». [...] Natomiast E. Smolar zasygnalizował odczuwalną niechęć osób związanych z emigracją na Zachodzie do osoby A. Michnika, którego do tej pory nie mogli atakować, ponieważ należał on do KOR-u. Według Smolara, bohaterem narodowym na emigracji może zostać Antoni Macierewicz[4].

Zatrzymajmy się na moment w tym miejscu i przyjrzyjmy się jednemu z padających tu nazwisk. Wymieniony w meldunku inspektora Kaszkura Eugeniusz Smolar jest bratem Aleksandra Smolara. Obaj dziennikarze to synowie przedwojennego komunisty Hersza (Grzegorza) Smolara i komunistycznej historyk Walentyny Najdus. Grzegorz

Smolar (1905–1993) po wkroczeniu Armii Czerwonej w 1920 roku został członkiem Komitetu Rewolucyjnego w Zambrowie, następnie związał się z KPP. Partia przerzuciła go do Kijowa, gdzie uczyniono go sekretarzem Wydziału Ekonomicznego Gubernialnego Komitetu Komunistycznego Związku Młodzieży, a także sekretarzem gazety „Młodzież Robotnicza". Studiował na uczelni partyjnej w Moskwie, kształcącej działaczy komunistycznych. W 1925 roku został przyjęty do Wszechzwiązkowej Partii Komunistycznej (bolszewików), a następnie przeniesiono go do Charkowa (gdzie pracował jako redaktor „Młodej Gwardii") i w końcu do Moskwy. W 1926 roku został wybrany na członka Centralnego Żydowskiego Biura Komitetu Centralnego Komsomołu. Przerzucony do Wilna objął stanowisko sekretarza komunistycznej młodzieżówki, a później Komunistycznej Partii Zachodniej Białorusi. Po aresztowaniu przez władze polskie, został skazany i odbył trzyletni wyrok więzienia. Później był kierownikiem krajowej redakcji wydawnictw KC KPZB, a także publikował teksty w języku jidysz. W 1936 roku ponownie został aresztowany i skazany na 6 lat więzienia, z którego uwolnił go wybuch II wojny światowej i wkroczenie Armii Czerwonej. Został wówczas redaktorem dziennika „Białystokier Sztern" – żydowskiego organu Komitetu Obwodowego WKP(b). Gdy w czerwcu 1941 wojska III Rzeszy zaatakowały Związek Sowiecki, trafił do getta. Po ucieczce został komisarzem politycznym sowieckich oddziałów partyzanckich działających w tym rejonie. W 1946 roku jako repatriant powrócił do Polski i rozpoczął pracę w Centralnym Komitecie Żydów Polskich jako kierownik Wydziału Kultury i Propagandy oraz członek jego Prezydium. W latach 1949–1950 pełnił funkcję przewodniczącego CKŻP jako następca Adolfa Bermana, który wyjechał do Izraela. Do 1968 roku kierował „Fołks Sztyme" – organem prasowym PZPR w języku jidysz. Stanowisko to utracił w 1968 roku w wyniku wydarzeń marcowych. Wtedy też został usunięty z partii. W 1970 roku wyjechał przez Paryż do Izraela.

Walentyna Najdus, matka Eugeniusza i Aleksandra Smolarów, po wojnie została docentem w Instytucie Nauk Społecznych przy

KC PZPR. Od 1925 roku działała w Międzynarodowej Organizacji Pomocy Rewolucjonistom, będącej przybudówką nielegalnej partii komunistycznej. W 1929 roku została przyjęta do Komunistycznego Związku Młodzieży Zachodniej Białorusi w Białymstoku. Po raz pierwszy została aresztowana za działalność niezgodną z polskim prawem już w wieku 19 lat. W okresie 1931–1936 odsiadywała karę 4 lat i 7 miesięcy więzienia. Zwolniona została w styczniu 1936 roku z tytułu amnestii. Przyjęto ją wówczas formalnie do Komunistycznej Partii Polski, albowiem nieformalnie nastąpiło to podczas odbywania wyroku w 1933 roku. Krótki okres wolności był też aktywnym czasem jej działalności: była członkiem Komitetu Miejskiego KPP i kierownikiem nielegalnej szkoły aktywu partyjnego. W listopadzie 1936 roku powróciła do więzienia z wyrokiem dwunastu lat. W komunie więziennej pełniła funkcję „sekretarza agitpropu". W związku z działalnością na rzecz ruchu komunistycznego nie ukończyła studiów historycznych na Uniwersytecie Warszawskim – została relegowana z tej uczelni w 1931 roku. We wrześniu 1939 roku uciekła do Białegostoku pod okupację sowiecką, gdzie została redaktorem sowieckiej gadzinówki „Wyzwolony Białystok" i przyjęto ją do Wszechzwiązkowej Partii Komunistycznej (bolszewików). W późniejszym okresie wykładała historię w Orenburgu i Mińsku. Po powrocie do Polski wstąpiła do Polskiej Partii Robotniczej. Została wykładowcą Szkoły Partyjnej przy KC PZPR, gdzie kierowała katedrą. Po utworzeniu Instytutu Nauk Społecznych przy KC PZPR została tam docentem. W 1958 roku przeszła do Instytutu Historii Polskiej Akademii Nauk, gdzie w roku 1964 otrzymała tytuł naukowy profesora.

Eugeniusz Smolar miał własną „tajną historię". 20 września 1989 roku por. Ilecki z Departamentu I wnioskował o zniszczenie materiałów kontaktu operacyjnego „Korzec" (nr sprawy 13475). Wniosek zatwierdził płk Bronisław Zych, zastępca dyrektora Departamentu I ds. dywersji ideologicznej (1 III 1982–31 VII 1990). Decyzję wykonano w lutym 1990 roku[5].

Postanowienie o zniszczeniu akt kontaktu operacyjnego „Korzec"
(IPN BU 01746/4, k. 325)

Eugeniusz Smolar za udział w wydarzeniach marcowych został aresztowany. Po wyjeździe z Polski w roku 1970, studiował w Szwecji, a następnie przeniósł się do Londynu, gdzie pracował w polskiej sekcji BBC (1975–1997), osiągając w 1988 roku stanowisko jej dyrektora. Na emigracji wydawał razem z bratem kwartalnik polityczny „Aneks", który miał być przeciwwagą dla „Kultury" Jerzego Giedroycia. „Aneks" był pismem emigracji pomarcowej.

Jacek Kuroń promuje płk. Lesiaka

Pułkownik Służby Bezpieczeństwa Jan Lesiak, uczestniczący w latach 80. w Sprawie Operacyjnego Rozpracowania „Wir"[6], w której głównym figurantem był Adam Michnik, w 1989 roku zamknął jego sprawę i przekazał dokumenty do archiwum Ministerstwa Spraw Wewnętrznych. W tym czasie Michnik był już redaktorem naczelnym „Gazety Wyborczej" i posłem OKP na Sejm kontraktowy. Ze znalezionych do tej pory dokumentów wynika, że z 20 października 1989 roku pochodzą dwa dokumenty podpisane przez ówczesnego ppłk. Lesiaka, zastępcę naczelnika Wydziału II Departamentu III MSW[7].

Jan Lesiak – już jako funkcjonariusz Urzędu Ochrony Państwa – był szefem zespołu, który w latach 1992–1995 prowadził inwigilację prawicy. Pracował wtedy w kontrwywiadzie UOP, kierowanym wówczas przez Konstantego Miodowicza, zmarłego w sierpniu 2013 roku posła Platformy Obywatelskiej,

Rekomendując (z powodzeniem) swoją przydatność do pracy w UOP, Lesiak pisał, że rozpracowywaniem opozycji zajmował się od momentu powstania w 1977 roku w SB wydziału specjalizującego się w tych działaniach. Wyjaśniał, co robił w Departamencie III bezpieki. „Brałem również udział w tzw. działaniach procesowych realizowanych przez Biuro Śledcze MSW tj. przeszukiwaniach, zatrzymaniach i rozmowach ostrzegawczych"[8]. Chociaż w 1987 roku został zastępcą naczelnika, nadal zajmował się środowiskiem KSS KOR, a ponadto Ruchem „Wolność i Pokój".

Sprawę tzw. szafy Lesiaka, w której przechowywane były opracowane przez jego zespół dokumenty dotyczące nielegalnej inwigilacji partii politycznych, w 1997 roku ujawnił Zbigniew Siemiątkowski, minister-koordynator służb specjalnych w rządzie Włodzimierza Cimoszewicza. Sprawa trafiła do prokuratury, jednak w 1999 roku, za kadencji Hanny Suchockiej na stanowisku ministra sprawiedliwości, sprawę umorzono. Śledczy uznali wówczas, że inwigilacja była błędem, a nie przestępstwem. W 2005 roku po objęciu rządów przez braci Kaczyńskich wrócono do sprawy. Prokuratura postawiła Lesiakowi zarzuty, a 20 września 2006 roku rozpoczął się jego proces. Lesiak został oskarżony o przekroczenie w latach 1991–1997 uprawnień, m.in. przez stosowanie technik operacyjnych i źródeł osobowych wobec legalnie działających partii politycznych. W pierwszej instancji Sąd Okręgowy w Warszawie umorzył postępowanie ze względu na przedawnienie karalności czynu. Uznał zarazem, że Lesiak złamał prawo, przekraczając swoje uprawnienia, dezintegrując legalnie działające partie polityczne. Jednocześnie oczyścił go z zarzutu o udział w wypadkach losowych liderów partii politycznych (m.in. spowodowanie wypadków samochodowych i włamań do mieszkań). Podając ustne motywy takiego rozstrzygnięcia, wskazał, że czyny zarzucane Lesiakowi przedawnione były już w momencie stawiania zarzutów w 2001 roku, za czasów urzędowania Lecha Kaczyńskiego jako ministra sprawiedliwości. Lesiak podejrzewany jest także o sfałszowanie w latach 90. teczki prezesa PiS Jarosława Kaczyńskiego.

Kariera Jana Lesiaka, który nie przeszedł weryfikacji ze względu na działania wobec opozycji, była możliwa w UOP... dzięki liderowi opozycji. Za byłym esbekiem u ówczesnego szefa MSW, Krzysztofa Kozłowskiego, wstawił się mianowicie Jacek Kuroń, którego Lesiak rozpracowywał w latach 80.[9], w ramach Sprawy Operacyjnego Rozpracowania „Watra".

O ile informacja na temat Jacka Kuronia i Jana Lesiaka jest powszechnie znana, o tyle mało kto wie, że Lesiak jako funkcjonariusz Służby Bezpieczeństwa zajmował się także Adamem Michnikiem, co wynika z dokumentów znajdujących się w IPN.

Lesiak inwigiluje Michnika

W notatce urzędowej z 11 stycznia 1984 roku podpisanej przez majora Jana Lesiaka, inspektora Ministerstwa Spraw Wewnętrznych, czytamy:

Służba Bezpieczeństwa MSW uzyskała informację, z których wynika, iż w numerze 73 z dnia 5 stycznia 1984 r. nielegalnego pisma pt. «Solidarność – Tygodnik Mazowsze», opublikowany został tekst pt. «Panie Generale, niech Pan się zastanowi nad sobą. List Adama Michnika do generała Kiszczaka», sygnowany przez A. Michnika[10].

We wniosku o zakończenie sprawy czytamy:

Figurant zaniechał prowadzenia działalności opozycyjnej. Dnia 4 czerwca 1989 roku został wybrany posłem na Sejm PRL w okręgu wyborczym w Bytomiu. Jest redaktorem naczelnym «Gazety Wyborczej». Biorąc powyższe pod uwagę podjęto decyzję zakończenia dalszego prowadzenia sprawy. Materiały operacyjne zebrane w sprawie złożyć w archiwum Biura «C» MSW celem przechowywania wg kategorii. Materiałów nie wypożyczać bez zgody Dyrektora Departamentu MSW przez okres 20 lat[11].

Nazwisko Lesiaka figuruje też na meldunku końcowym zamykającym sprawę Adama Michnika.

Bez udziału służb specjalnych [PRL – *aut.*] porozumienie z opozycją w 1989 roku nie byłoby możliwe[12]

– stwierdził gen. Czesław Kiszczak w sądzie w trakcie procesu autorów stanu wojennego. Po raz pierwszy więc Kiszczak powiedział publicznie to, co znacznie wcześniej, już od lat mówili „prawicowi ekstremiści" i „oszołomy". Ostatni peerelowski szef Ministerstwa Spraw Wewnętrznych faktycznie potwierdził porozumienie służb specjalnych PRL i tzw. opozycji demokratycznej. W kontekście tej wypowiedzi na uwagę zasługuje meldunek funkcjonariusza SB z 6 marca 1989 roku dotyczący spotkania działaczy „Solidarności" z Adamem Michnikiem i Zbigniewem Bujakiem w kościele przy ul. Deotymy w Warszawie.

A. Michnik odpowiadając na pytania z sali, konsekwentnie optował za modelem osiągnięcia consensusu we wszelkich możliwych kwestiach. [...] Kilkakrotnie podkreślił konieczność rezygnacji z tzw. rozliczenia stanu wojennego, aby nie psuć atmosfery i nie dawać do ręki konserwie partyjnej broni. Stwierdził, że ponieważ 1/3 aktywu partyjnego zaakceptowała uchwały X Plenum KC, naszym obowiązkiem jest popierać tę mniejszość, unikając wszelkich starć mogących być argumentem dla betonu. [...] Kilkakrotnie wyśmiewał podburzające enuncjacje KPN, krytycznie ocenił też radykalizm NZS [Niezależnego Zrzeszenia Studentów – *aut.*]. [...] A. Michnik starał się przekonać zebranych, że celem numer jeden jest uratowanie Polski, warto więc wszystkie budzące się emocje i nieproduktywne spory odłożyć na później. [...] W ostrych słowach ocenił też tzw. grupę roboczą Gwiazdy

– czytamy w tajnej notatce SB przekazanej generałowi Wojciechowi Jaruzelskiemu[13].

Kilka dni później, 11 marca, Michnik odbył trzy i pół godzinną rozmowę z Jerzym Urbanem, o której ten w poufnym liście zameldował Jaruzelskiemu. Według Urbana, Michnik zgodził się, iż „atak na nomenklaturę jest atakiem na środowisko organizatorów produkcji" i powiedział, „że przekaże ze swoim poparciem szefom opozycji sugestię, żeby sprawy gospodarcze były, do pewnego stopnia, strefą wspólnie chronioną"[14]. Okoliczności napisania tajnego listu przez Urbana wskazują, że nie mógł on oszukiwać Jaruzelskiego, ponieważ informacje były elementem ustalania taktyki strony rządowej, a sam autor mógł obawiać się, że Jaruzelski może zweryfikować jego informacje przy pomocy środków operacyjnych.

Wkrótce można było przeczytać na łamach „Gazety Wyborczej" uzasadnienie dla uwłaszczenia nomenklatury, potocznie utożsamiane z rozkradaniem majątku narodowego przez komunistów.

> Nie rozpaczam z powodu zaniżonych wycen majątku przechodzącego w ręce spółek nomenklaturowych. [...] Że będzie to forma kredytowania? Będzie. Potraktujmy to jako odprawę dla nomenklatury, która nie społeczeństwu służyła, nie zasłużyła się, ale tracąc przywileje, zaszczyty, dochody, czuje się wywłaszczana z dorobku dwóch pokoleń. Opowiadam się za odczepnym[15].

Dodajmy, iż Jerzy Szperkowicz – autor tak ubolewający nad wywłaszczaniem komunistów z własności, był najpierw korespondentem „Życia Warszawy" (1956–1968), a później RSW „Prasa" (1969–1974) w Moskwie. Ciekawe, czy to właśnie tam dowiedział się o „dorobku dwóch pokoleń" komunistów?

Po studiach i podjęciu w 1956 roku pracy w „Życiu Warszawy" Jerzy Szperkowicz poznał tam Hannę Krall i zawarł z nią związek małżeński. W 1966 roku został wysłany przez redakcję jako korespondent do Moskwy. 12 maja 1966 roku, na trzy dni przed wyjazdem, spotkał się z nim por. Ireneusz Sikora z Wydziału VII Departamentu II, a więc jednostki zajmującej się w ramach kontrwywiadu kontrolą obywateli polskich wyjeżdżających z kraju. Sikora realizował zlecenie szefa Grupy „Wisła" w Moskwie. Celem rozmowy było „nawiązanie współpracy i przekazanie na kontakt Grupie «Wisła»" – pisał Sikora do naczelnika Wydziału II płk. Zygmunta Polaka[16].

W swoim raporcie z rozmowy werbunkowej z 14 maja por. Sikora przekazywał, iż Szperkowicz uważa to [tj. udzielanie informacji – *aut.*] nawet za swój obywatelski obowiązek. Powiedział nawet, że gdybyśmy do niego nie dotarli, o przypadkach godzących w interes Polski lub Gospodarzy [tj. ZSRS – *aut.*] starałby się zasygnalizować drogą służbową lub przez naszą ambasadę.

Szperkowicz następnie zobowiązał się, że „będzie nam udzielał informacji o cudzoziemcach z krajów kapitalistycznych, z którymi spotkania jego będą wynikały z pracy dziennikarskiej"[17]. Dziennikarz podkreślił jednak, że nie chce podejmować się jakichś specjalnych zadań i odmówił nawiązania kontaktu w Moskwie na hasło. Dlatego MSW musiało wysłać por. Sikorę w delegację do stolicy ZSRS. Szperkowicza zarejestrowano jako kontakt poufny „JS", ale jego ankieta personalna z 1985 roku ma kategorię TW „J.S."[18].
12 października por. Sikora raportował:

Od 4.10 – 7.10 br. przebywałem w Moskwie w celu przekazania k.p. «JS» na kontakt Grupie «Wisła». Powyższe polecenie wykonałem. «JS», który podtrzymał chęć współpracy z naszą Służbą, został przejęty przez w/wym. grupę[19].

Na miejscu jednak nie wszystko poszło po myśli SB, gdyż Szperkowicz nie utrzymywał szerokich kontaktów towarzyskich. We wniosku o zaniechanie współpracy z 6 lutego 1971 roku por. Sikora pisał, że Szperkowicz „izolował się w środowisku polskim i nie nawiązał kontaktów z osobami z krajów kapitalistycznych"[20].

Warszawa, dnia 24 09.1966r.

ŚCIŚLE TAJNE
Egz.Nr. .7.

DYREKTOR DEPARTAMENTU II MSW

PŁK DYPL. N. K R U P S K I

R A P O R T
=====================

W dniu 12.V.1966 roku na prośbę towarzyszy z grupy "Wisła" pozyskany został przez por. Ireneusza Sikorę of.operac.Wydz.VII Dep.II MSW, redaktor *Jerzy Szperkowicz* *Życia Warszawy* który został stałym korespondentem w Moskwie.

Dla przekazania wymienionego na kontakt grupie "Wisła" proponuje się wydelegowanie do Z.S.R.R. na okres czterech dni por. Ireneusza Sikorę s. Franciszka.

NACZELNIK WYDZIAŁU VII DEP.II MSW

/PŁK Z. P O L A K/

[odręczna adnotacja]

Wyk. w 2 egz.
Egz.Nr.1 - adresat
Egz.Nr.2 - a/a
druk.KŻ/nr.masz.X401

24. IX 66.

Raport płk. Polaka, naczelnika Wydziału VII Departamentu II
z 24 września 1966 roku (IPN BU 002082/183)

Mikrofilm nr ☐☐☐☐☐☐☐☐☐☐☐

Identyfikator PESEL ☐☐☐☐☐☐☐☐☐

IPN BU 002086/423

ANKIETA PERSONALNA

1. SZPERKOWICZ
   nazwisko

2. JERZY
   imię

3. ALBIN
   imię ojca

4. WERONIKA
   imię matki

5. TRĘBACZ
   nazwisko rodowe matki

6. 22 08 34
   data urodzenia

7. WILNO
   miejsce urodzenia

8. tajny współpracownik
   zabarwienie sprawy

9. „J.S."
   pseudonim – kryptonim

10. wyższe
    wykształcenie

11. dziennikarz
    zawód

12. angielski
    znajomość języków obcych

10642/-
nr archiwalny

podpis pracownika

03 09 75

Ankieta personalna – Szperkowicz Jerzy (IPN BU 002086/423)

Troskę o ciężki los komunistycznej nomenklatury, którą Michnik obiecał Urbanowi, szef „Wyborczej" propagował także na Bałkanach. W czerwcu 1989 roku w Belgradzie tłumaczył Serbom:

> Jeśli ludzie nomenklatury wejdą do spółek akcyjnych, jeśli staną się jednymi z właścicieli, wówczas będą zainteresowani, by tych akcyjnych stowarzyszeń bronić, a system akcyjny niszczy porządek stalinowski[21].

Dlatego konsekwentnie Michnik wypowiadał się przeciwko uchwaleniu ustawy w sprawie przejęcia na rzecz Skarbu Państwa majątku byłej PZPR. 28 kwietnia 1990 roku w Sejmie porównywał posłów popierających ustawę do komunistycznych prokuratorów: „w niektórych wystąpieniach, niestety także moich kolegów posłów z OKP, z przerażeniem usłyszałem ten ton, który słyszałem w prokuratorskich przemówieniach wtedy, kiedy sam siedziałem na ławie oskarżonych". Michnik chciał więc zaoszczędzić PZPR swego męczeńskiego losu. „W niektórych głosach, o czym mówię z bólem – kontynuował Michnik – usłyszałem coś, co bym nazwał antykomunizmem jaskiniowym"[22].

Termin „stalinowski" nieprzypadkowo zastąpił przymiotnik „komunistyczny". We wspomnianej rozmowie z Urbanem Michnik obiecał w zamian za legalizację drugoobiegowej „Krytyki" i wyjęcie jej spod cenzury „pisać nie komunizm, a stalinizm"[23].

Z dokumentów Służby Bezpieczeństwa wynika, że w okresie „Solidarności" Michnik – m.in. w rozmowach z Andrzejem Gwiazdą – krytykował swoich późniejszych faworytów, jak np. Jacka Kuronia i Tadeusza Mazowieckiego. I chociaż ponad 90 proc. archiwów Służby Bezpieczeństwa zostało zniszczonych w czasie, gdy premierem był Tadeusz Mazowiecki, to jednak nie udało się wszystkiego unicestwić. Według na przykład dokumentów sporządzonych przez oficerów SB Adam Michnik miał mieć niezwykle krytyczne zdanie o Tadeuszu Mazowieckim (począwszy od 1980 roku, gdy Michnik dowiedział się, że Mazowiecki chce się dogadać z Macierewiczem). Widać to także w zapisanej przez SB rozmowie z Andrzejem Gwiazdą, podczas której Michnik stwierdził:

> Ty musisz mieć swoją komisję ekspertów, a nie Geremka i Mazowieckiego, tu nie możecie się cofać, Chrzanowskiego za blisko nie dopuszczaj do siebie, bo to jest zagorzały katolik, uważajcie, by nie wrobili was w chrześcijańskie związki zawodowe, bo wtedy będzie klops[24].

Michnik nie oszczędzał też Lecha Wałęsy. W rozmowie ze znajomym (w dokumentach SB jest podane nazwisko – *aut.*) wyrażał się lekceważąco o przywódcy „Solidarności", twierdząc, że

> niedługo się skończy, że uderzyła mu woda sodowa do głowy, że wreszcie uwierzył w to, że jest mężem opatrznościowym. Wałęsa nie potrafił – zdaniem figuranta – w porę wycofać się i pozostać symbolem tego, co się stało[25].

W rozmowie z innym znajomym Michnik mówił o Wałęsie: „on jest głupi jak but z lewej nogi [...] wspaniały ludowy demagog z bożej łaski"[26].

W dokumentach IPN znajdują się cytowane przez funkcjonariuszy SB opinie Adama Michnika, według których miał on mieć bardzo krytyczną ocenę działań m.in. Tadeusza Mazowieckiego jako kandydata na premiera. Najprawdopodobniej właśnie obawa przed publicznym ujawnieniem kompromitujących treści sprawiła, że pełnomocnik Michnika Piotr Rogowski 14 września 2005 roku na łamach „Gazety Wyborczej" opublikował następujące oświadczenie:

> Do Adama Michnika dotarły informacje wskazujące na to, że niektórzy pracownicy IPN lub inne osoby, które zapoznały się z materiałami z podsłuchu czy weszły w ich posiadanie, zamierzają wykorzystać je w swoich publikacjach lub publicznych wypowiedziach.

Z upoważnienia Adama Michnika oświadczam, że nie wyraża on zgody na upublicznienie materiałów z podsłuchów zainstalowanych w jego mieszkaniu.

Przypominam, że materiały te zgromadzone zostały przez organa bezpieki bez wiedzy i zgody mojego mocodawcy, z wykorzystaniem niegodziwych i nieprawych metod oraz z rażącym pogwałceniem jego praw.

Ewentualne upublicznienie materiałów z podsłuchów rozumiane będzie jako kontynuowanie niegodziwych i bezprawnych działań bezpieki wobec Adama Michnika.

Oświadczam, że w świetle dostępnych nam opinii i analiz prawnych upublicznienie materiałów z podsłuchów bezpieki będzie przestępstwem z kodeksu karnego. Doprowadzi także do naruszenia dóbr osobistych Adama Michnika, m.in. takich jak prawo do prywatności, nietykalności mieszkania czy tajemnicy korespondencji.

Dlatego w imieniu Adama Michnika oświadczam, że gdyby do tego doszło, podejmiemy kroki prawne na drodze karnej lub cywilnej przeciw sprawcom tego czynu (osobom lub podmiotom). Mój mocodawca traktuje to jako ostateczność, jednak jest na to zdecydowany dla obrony swoich dóbr osobistych i w proteście przeciw formułowaniu ocen lub opinii o wydarzeniach z tamtych lat na podstawie materiałów, także na jego temat, niegodziwie i bezprawnie gromadzonych przez bezpiekę.

Michnik w Moskwie

Badacze z Instytutu Pamięci Narodowej odnaleźli pochodzące z 1989 roku szyfrogramy tzw. Grupy Operacyjnej „Wisła". Była to kilkuosobowa placówka peerelowskiej bezpieki działająca w Moskwie. Z opisanych w szyfrogramach zdarzeń wynika, że Rosjanie już wiosną 1988 roku byli skłonni rozpocząć wstępny dialog z opozycją. Osobą, która podejmowała liczne kontakty z Moskwą, był Adam Michnik. Ujawnił to Antoni Dudek w Biuletynie IPN[27], gdzie przytoczył m.in.

depesze wysyłane przez ambasadę PRL w Moskwie do centrali Ministerstwa Spraw Zagranicznych w Warszawie.

Tu też może tkwić początkowa niechęć Kiszczaka do dopuszczenia Michnika do rozmów Okrągłego Stołu. Jak bowiem oceniał Urban w poufnym liście do Jaruzelskiego:

Moja konkluzja: Michnik w opozycji występuje jako promotor ich stosunków z ZSRR. Pęd do ich nawiązania i umocnienia jest zrozumiały, ale bardzo niebezpieczny. Wymaga bardzo starannego dawkowania[28].

Ambasada żywo interesowała się na przykład wizytą, jaką w lipcu 1989 roku Adam Michnik złożył w Moskwie na parę dni przed wyborem prezydenta PRL przez Senat i Sejm kontraktowy. Jedynym kandydatem na ten urząd był Jaruzelski.

14 lipca 1989 roku z ambasady wysłano depeszę na temat spotkania Michnika z przedstawicielami „Moskowskich Nowosti".

Na pytanie, kto jest osobą odpowiedzialną na stanowisko prezydenta, Michnik odpowiedział, że taką jest komunista Jaruzelski

– czytamy w depeszy. I dalej:

Michnik stwierdził, że Polska powinna pozostać w Układzie Warszawskim. Jest przeciwny tezie Busha [George'a, prezydenta USA – *aut*.], że ZSRR powinien wyprowadzić wojska z Polski, gdyż nastąpiłaby zachwiana równowaga sił w Europie.

„Najistotniejsze dokumenty dotyczące tej wizyty zniknęły z archiwów Ministerstwa Spraw Zagranicznych – powiedział w wywiadzie dla „Rzeczpospolitej" Antoni Dudek, historyk, doradca prezesa IPN. – Brakuje m.in. trzech kartek z szyfrogramami z ambasady PRL, w których relacjonowano wizytę. Zostały po prostu wyrwane i ślad po nich zaginął"[29].

Pierwszy „salon" Michnika

W latach 60. Adam Michnik stał się współtwórcą „salonu politycznego", o którym zeznał w procesie „komandosów" przesłuchiwany jako świadek Andrzej Mencwel.

W „salonie" (taką nazwę dla spotkań miał wymyślić Michnik) spotykali się ludzie, którzy określali siebie jako intelektualną lewicę lub jako socjalistycznych demokratów. Ci, którzy nie zgadzali się z taką linią ideologiczną, narażali się na bojkot.

Warto przypomnieć te wydarzenia sprzed lat, ponieważ nic się nie zmieniło zarówno w postawie redaktora naczelnego „Gazety Wyborczej", jak i otaczającego go „salonu". Widać to szczególnie w antylustracyjnej histerii, którą reprezentuje „GW", a jej przyczyn należy szukać w aktach IPN, w których służby specjalne PRL udokumentowały działalność opozycyjną Adama Michnika, jego poglądy, wypowiedzi oraz działania mające zapewnić mu dominację w środowisku opozycjonistów.

Wszystko, co piszą inni na temat współpracowników służb specjalnych PRL, jest – według „Gazety Wyborczej" – złe, niedopuszczalne, oparte na sfałszowanych materiałach SB. Ci zaś, którzy byli wcześniej atakowani lub ośmieszani przez „GW", w momencie ujawnienia przez inne media faktu współpracy ze służbami specjalnymi PRL są natychmiast przez tę gazetę otaczani „opieką".

Klasycznym przykładem jest Lech Wałęsa, z którego „Wyborcza" kpiła w latach 90. i o którym w czasach PRL lekceważąco wyrażał się Adam Michnik, czego dowodzą dokumenty znajdujące się w IPN. Według akt IPN Michnik chciał, by ukazał się artykuł Ewy Milewicz przedstawiający Wałęsę w niekorzystnym świetle, na co nie zgadzał się Jacek Kuroń[30].

Michnik nie krył swojego krytycznego stosunku do Wałęsy – w rozmowie z Andrzejem Gwiazdą stwierdził, że po każdej wypowiedzi Wałęsy „otwiera mu się scyzoryk"[31].

Gdy jednak ukazała się wydana przez IPN książka Sławomira Cenckiewicza i Piotra Gontarczyka „SB a Lech Wałęsa. Przyczynek do biografii" o współpracy Wałęsy z SB na początku lat 70., „Wyborcza" przypuściła frontalny atak zarówno na autorów książki, jak i władze Instytutu Pamięci Narodowej.

Okrągłe negocjacje z SB

Dwadzieścia pięć lat temu rządząca PZPR wraz ze służbami specjalnymi PRL rozpoczęła konstruowanie „okrągłego stołu". Do rozmów wybrała tych, którzy dawali gwarancję powodzenia całej operacji. Kilka lat temu „Gazeta Polska" dotarła do niepublikowanych dokumentów, z których wynika, że rozmowy z opozycjonistami SB prowadziła już od lat 70. – między innymi z Adamem Michnikiem. Jak wynika z dokumentów, okrągłostołowe przedsięwzięcie nie miało zatem charakteru tak pionierskiego, jak mogłoby się wydawać. Stojący na czele MSW generał Czesław Kiszczak doskonale się orientował, kto jest skłonny do rozmów.

Sprawa jest bardzo istotna. O nieformalnych kontaktach niektórych opozycjonistów wspominał Jan Lityński w „Tygodniku Mazowsze"[32], mówiąc wprost o rozmowach prowadzonych „pod szyldem" przesłuchań z szefem MSW gen. Kiszczakiem i podległymi mu funkcjonariuszami jako o „negocjacjach politycznych".

> Moja wypowiedź w «Tygodniku Mazowsze» była czysto ironiczna, przesłuchania nazwałem rozmowami. To później zostało zinterpretowane jako stan faktyczny

– mówił „Gazecie Polskiej" Jan Lityński[33].

Jednak w tym samym czasie rozwijał się „dialog" Jacka Kuronia z dwoma oficerami SB szczebla centralnego (MSW) – płk. Wacławem Królem i mjr. Janem Lesiakiem. Wówczas to, jak czytamy w jednym z dokumentów SB z 1985 roku: „Kuroń zgodził się na ewentualne dalsze rozmowy, jeżeli będą takie potrzeby, jednak zgłosi się tylko na wezwanie pisemne". Miał on wprost zaoferować władzy „możliwość nieoficjalnego przeprowadzenia rozmów z określoną grupą osób"[34]. Tego typu rozmowy Kuroń prowadził z MSW aż do 1989 roku. Według notatek SB – nie miał on złudzeń, że „rozmowy przy okrągłym stole będą w pewnym sensie dogadywaniem się elit".

> Po obu bowiem stronach istnieją siły antyreformatorskie przeciwne jakiemukolwiek porozumieniu – J. Kuroń przypuszcza, że w obozie opozycji poza porozumieniem pozostaną radykałowie i niepodległościowcy

– czytamy w notatkach SB z lutego 1989 roku[35].

Interwencja Kiszczaka

W archiwach IPN zachowało się pismo ministra spraw wewnętrznych Czesława Kiszczaka z 20 kwietnia 1987 roku w sprawie Jana Lityńskiego, skierowane do zastępcy prokuratora generalnego PRL – naczelnego prokuratora wojskowego.

> [...] Wnoszę o spowodowanie wystąpienia z wnioskiem do Sądu Najwyższego o umorzenie prowadzonego przez Biuro Śledcze MSW pod nadzorem Naczelnej Prokuratury Wojskowej śledztwa przeciwko Janowi Lityńskiemu.
>
> W/w jest podejrzany o to, że w okresie od września 1977 roku do sierpnia 1982 roku w Warszawie i innych miastach w Polsce mając na celu obalenie przemocą ustroju PRL podjął w ramach tzw. Komitetu Samoobrony Społecznej – KOR – w porozumieniu z J. Kuroniem, J. J. Lipskim, A. Michnikiem i innymi osobami czynności przygotowawcze zmierzające do urzeczywistnienia tego celu. W dniu 16.06.1983 r. śledztwo w tej sprawie zostało zawieszone [Jan Lityński nie wrócił z przepustki do więzienia i był poszukiwany listem gończym – *aut.*].

J. Lityński posiada aktualnie pozytywną opinię w miejscu zamieszkania. Podkreślić należy, iż przestrzega on także obowiązującego porządku prawnego. [...] Biorąc powyższe pod uwagę, jak również uwzględniając postępującą normalizację życia społeczno-politycznego w kraju wnioskuje jak na wstępie [...]

– napisał gen. broni Czesław Kiszczak[36].

Po interwencji Kiszczaka sprawa nabrała błyskawicznego tempa – już 27 kwietnia 1987 roku Naczelna Prokuratura Wojskowa skierowała wniosek o umorzenie sprawy Lityńskiego i tak się też stało.

Już wtedy trwały rozmowy opozycjonistów z funkcjonariuszami SB i przedstawicielami MSW, które ostatecznie doprowadziły do Okrągłego Stołu.

Jan Lityński w rozmowie z „Gazetą Polską", która opisała tę historię, nie krył zaskoczenia, gdy dowiedział się, że to gen. Kiszczak interweniował w jego sprawie.

Pierwsze słyszę. Najprawdopodobniej miało to związek z amnestią z 1986 r., na mocy której procesy moich kolegów z KOR zostały umorzone. Ponieważ wtedy się ukrywałem, amnestia mnie nie objęła i dopiero później sprawa przeciwko mnie została umorzona

– stwierdził Jan Lityński[37].

Przypominam sobie, że interweniowałem o wypuszczenie go z więzienia na prośbę jego matki

– mówił z kolei Kiszczak „Gazecie Polskiej"[38].

Rozmowy z SB

Jak wynika z dokumentów znajdujących się w zasobach Instytutu Pamięci Narodowej, pierwsze rozmowy Służby Bezpieczeństwa z opozycjonistami w latach 70. były prowadzone m.in. w ramach sprawy operacyjnego rozpoznania „Gniazdo"[39], realizowanej w latach 1972-1976.

Teresa Bogucka – pisarka, dziennikarka i publicystka „Gazety Wyborczej", opozycjonistka inwigilowana przez służby specjalne PRL m.in. w ramach „Gniazda" – opisała działania SB w 2006 roku w artykułach „Gniazdo – nędza SB" oraz „W trujących oparach teczek"[40]. Obydwie publikacje mają wydźwięk antylustracyjny, a ich lektura zniechęcać miała do sięgnięcia do archiwów służb specjalnych PRL.

> Bogatszym źródłem byli tajni współpracownicy. W momencie otwarcia sprawy na dziesięciu figurantów, czyli inwigilowanych, przypadało 12 TW. Ale tylko teoretycznie. Ledwie paru udało się SB doprowadzić w pobliże śledzonych osób, przy czym Adam Michnik, o którego głównie chodziło, był dla nich w zasadzie niedostępny[41].

Bogucka nie wspomniała natomiast o bardzo istotnej rozmowie, która – jak wynika z dokumentów – odbyła się 21 czerwca 1974 roku w barku Rozdroże pomiędzy Adamem Michnikiem, figurantem „Gniazda", a funkcjonariuszami SB.

> [...] Notatka wiernie odtwarza przebieg rozmowy. A. Michnik jest człowiekiem o dużej inteligencji, lubi, gdy akcentuje się jego pozycję zarówno w środowisku «komandosów», jak i wśród inteligencji warszawskiej w «konserwatywnych poglądach» [tak w oryginale – aut.] (wg jego stwierdzeń). Jest w dość trudnej sytuacji materialnej i widzi potrzebę stabilizacji.
>
> Wydaje się, że trzeba w celu podtrzymania kontaktu pójść na pewne ustępstwo i dać mu zezwolenie na wyjazd do NRD. Do dnia 15.7.74 będzie przebywał w Warszawie i w tym okresie chętnie spotka się na dalsze rozmowy

– napisał 21 czerwca 1974 roku funkcjonariusz Służby Bezpieczeństwa[42].

Rozmowy w barku

Z dokumentów wynika, że w spotkaniu z Adamem Michnikiem, oprócz sporządzającego notatkę funkcjonariusza – inspektora Wydziału II ppor. Mariana Kulety, brał udział ppłk Andrzej Maj, naczelnik Wydziału III SB. Rozmowa zaczęła się od złożenia gratulacji Adamowi Michnikowi z okazji ukończenia studiów na Uniwersytecie Poznańskim.

> [...] A. Michnik był bardzo zadowolony z naszych gratulacji i wyraził swoje uznanie pod adresem SB za nieprzeszkadzanie w kontynuowaniu i ukończeniu studiów [...]

– czytamy w notatce.

Przyszły naczelny „Gazety Wyborczej" sytuację w kraju określił jako „dopust boży", ale – jak zauważył funkcjonariusz SB – po wydarzeniach w Czechosłowacji w sierpniu 1968 roku nie prowadzi on żadnej działalności konspiracyjnej.

> [...] Wniosek ten nie jest wynikiem braku u niego aktywności czy oznaką zniechęcenia, co niektórzy w Polsce i z zagranicy jemu zarzucają, lecz konsekwencją realnego osądu obecnej sytuacji politycznej. Dlatego też nadmienił, że gdyby wiedział o powstaniu nielegalnej organizacji zamierzającej, jak określił, wysadzić Muzeum Lenina w Warszawie lub pomnik w Poroninie, sam zameldowałby o tym władzom bezpieczeństwa. Ponoć takiego samego zdania ma być również Jacek Kuroń. Następnie nadmienił, że on rozumie sens istnienia naszego resortu i wykonywanie przez niego określonych zadań. Taki resort musi istnieć w każdym państwie niezależnie od ustroju, ale nigdy nie pogodzi się z wykonywaniem funkcji „konfidenta" i takich ludzi zdecydowanie ocenia negatywnie [...]

– napisał esbek. Z notatki jednoznacznie wynika, że Adam Michnik zdecydowanie odrzucił propozycję przyjęcia jakiejkolwiek pomocy materialnej od SB.

[...] A. Michnik był zaskoczony formą prowadzenia przez nas z nim rozmowy. Dziwił się, że nic od niego nie chcemy zaznaczając, abyśmy się nie łudzili, że uda się nam namówić jego do współpracy. Określił to jako przyjęcie przez nas nowej formy i taktyki działania. Zdecydowanie odrzucił propozycje przyjęcia jakiejkolwiek pomocy materialnej od nas zasłaniając się urażaniem jego godności i ambicji. Absolutnie nie mógł zrozumieć chęci bezinteresownego inwestowania w jego osobę

– zanotował ppor. Kuleta.

Według funkcjonariusza SB Adam Michnik zgodził się na kolejne spotkania i rozmowy.

Gotów jest i zgadza się na kontynuowanie z nami dalszych rozmów, jednakże najchętniej chciałby, aby były one prowadzone w Komendzie Stołecznej MO i był zawiadamiany o nich oficjalnym wezwaniem. Nie zamierza robić z tego tajemnicy, ponieważ nie ma nic do ukrywania, natomiast z pewnych spraw wg własnego uznania nie będzie się zwierzał i nie będzie nas informował [...]

– czytamy w notatce SB.

Funkcjonariusze bezpieki byli zadowoleni ze spotkania z opozycjonistą, co znalazło odzwierciedlenie w raporcie.

[...] Biorąc pod uwagę całokształt przeprowadzonej rozmowy należy ocenić ją pozytywnie. Aby móc liczyć perspektywicznie na korzyści operacyjne należałoby:
1/. zezwolić A. Michnikowi na wyjazd do NRD
2/. za wszelką cenę kontynuować z nim dalsze rozmowy

– zakończył służbowe pismo do przełożonych ppor. Kuleta.

Ostatecznie Adamowi Michnikowi wydano paszport i udało mu się na zaproszenie Jeana-Paula Sartre'a wyjechać – przez NRD – do Paryża[43]. Przedstawicielem francuskiego „salonu" kierowała w działaniu bezwzględna fascynacja komunizmem, najpierw stalinowskim, później chińskim.

Różnica między francuskimi «Salonami» epoki Oświecenia i XX wieku była pod tym względem taka, że elita francuskich intelektualistów minionego stulecia jeździła do Rosji na różne stalinowskie Kongresy, Zjazdy Młodzieży czy Mityngi Pokoju i widziała całą sowiecką potworność. Wszelako między pismami jednych i drugich różnicy nie ma żadnej! J. P. Sartre, kiedy wrócił z Sowietów (1954) i chwalił ten system, usłyszał od dziennikarza, że «coś tu chyba nie tak», bo przecież Rosjanom nie wolno nawet wyjeżdżać za granicę z ich kraju-łagru. Skwitował to (zupełnie serio) twierdzeniem, że Rosjanie nie jeżdżą za granicę tylko dlatego, iż nie chcą, gdyż uważają swój kraj za najpiękniejszy, więc wolą siedzieć w domu![44].

Wbrew niektórym opiniom Adam Michnik nie brał udziału w zakładaniu Komitetu Obrony Robotników. Organizatorem KOR, stworzonym w celu pomocy robotnikom represjonowanym w czerwcu 1976 roku, był Antoni Macierewicz wraz z grupą osób wywodzących się z harcerskiej grupy „Czarna Jedynka". Wśród nich znaleźli się: Piotr Naimski, Dariusz Kupiecki, Wojciech Fałkowski czy Wojciech Onyszkiewicz. Później dołączyli do KOR także Henryk Wujec, Mirosław Chojecki i Zbigniew Romaszewski. Formalne powołanie KOR nastąpiło we wrześniu 1976 roku. Gdy KOR działało już w najlepsze, w kwietniu 1977 roku do tego grona dołączył lider „komandosów" Adam Michnik[45].

Katyń – przeszłość zapomnieć

Adam Michnik i jego środowisko od lat mieli swoiste, wybiórcze podejście do historii. Mówi o tym w rozmowie z Anną Zechenter znany krakowski opozycjonista, w czasach PRL-u pomysłodawca i założyciel podziemnego Instytutu Katyńskiego Adam Macedoński.

[...] poszedłem chyba najpierw do Michnika, ale właśnie byli u niego Włosi [lata 1979/1980 – aut.]. Zrozumiałem, bo znam trochę włoski, że są to komuniści albo anarchiści. Michnik nie miał dla mnie czasu; oznajmił mi, że KOR [tj. odłam KOR-u reprezentowany przez Michnika, Kuronia i Lityńskiego – *aut.*] Katyniem nie będzie się zajmować, bo Katyń to przeszłość, a KOR zajmuje się tylko przyszłością. Przypomniałem mu: «Ale piszecie o marcu 1968». «A to co innego» – powiedział i na tym rozmowa się zakończyła. Poszedłem od niego do Lityńskiego, powtórzyłem, że chcę drukować materiały katyńskie, a Lityński, że to zły pomysł, że ujawnienie zbrodni katyńskiej i upublicznienie tego powiększy przepaść między Polakami a Rosjanami. Powiedziałem mu, jeżeli dobrze pamiętam, że ujawnienie prawdy o holokauście nie zaszkodziło stosunkom Niemców z Żydami. Zaczęliśmy się kłócić z którymś z KOR-owców.

Innym razem – opowiada Macedoński –

trafiłem na imieniny Seweryna Blumsztajna. Było gorąco, wszyscy pili, jedli kanapki. Byłem trochę całą sytuacją zdezorientowany, bo oni wszyscy byli zawiani. Powiedziałem Jackowi Kuroniowi, by przekazał «Wolnej Europie», że wyszedł «Biuletyn Katyński». Kuroń bełkotał tak, jakby mnie nie słyszał. Sewek Blumsztajn był najbardziej trzeźwy. Chcieli częstować mnie wódką, ale ja nie lubię wódki, więc wyszedłem. Nie byłem pewien, czy dadzą znać do «Wolnej Europy»[46].

W „Wolnej Europie" nie ukazała się jednak informacja na temat „Biuletynu Katyńskiego". Wyemitowano jedynie apel wzywający do bojkotu letnich igrzysk olimpijskich w Moskwie, domagając się „ujawnienia przez rząd Związku Radzieckiego sprawców i okoliczności zbrodni katyńskiej oraz wskazania wszystkich mogił pomordowanych w ZSRR obywateli polskich", wystosowany 13 lutego 1980 roku przez Komitet Porozumienia na rzecz Samostanowienia Narodu Polskiego (Marian Piłka, Edward Staniewski, Wojciech Ziembiński)[47].

„Gazeta"

W lutym 1989 roku Krzysztof Majchrowski[48], dyrektor Departamentu III MSW (kierował on w ramach Służby Bezpieczeństwa walką z opozycją), napisał ściśle tajną notatkę do Wojciecha Jaruzelskiego na temat Okrągłego Stołu. Według Majchrowskiego, głównymi architektami polityki podczas obrad są Bronisław Geremek i Adam Michnik[49].

Dwa miesiące później, w kwietniu 1989 roku, zapadła decyzja o wydaniu gazety przed wyborami do Sejmu. Dziennik miał się nazywać „Gazeta Codzienna", ale ostatecznie przyjął tytuł „Gazeta Wyborcza". Lech Wałęsa na redaktora naczelnego wyznaczył Michnika.

W maju 1989 roku na mocy okrągłostołowych porozumień „Gazeta" dostaje niskooprocentowane, potężne kredyty i przydział papieru. Francuski lewicowy dziennik „Libération" przedrukowuje cały numer „GW" z 10 maja, przeznaczając dla „Gazety" część dochodu ze sprzedaży tego dnia (200 tys. nakładu, cena ok. 3 franki francuskie).

Pierwsze numery „Gazety" wzbudzają ogromną radość. Mimo wciąż panującej cenzury jest ona symbolem wolności, głosem solidarnościowej opozycji. Młodzi ludzie za darmo zajmują się jej kolportażem, przekonani, że jest to jedyny dziennik niezwiązany ze znienawidzonym systemem. Szybko okazuje się, że to przekonanie jest zwykłą ułudą, a gazeta pozostała jego częścią.

„Chorzy z nienawiści" – to jedno z ulubionych określeń publicystów „GW" w stosunku do przeciwników politycznych. Diametralnie przeciwny stosunek miał redaktor naczelny do ludzi, którzy byli strażnikami zniewolenia Polaków. 27 kwietnia 1990 roku na posiedzeniu Sejmu poseł Michnik bronił przywilejów emerytalnych bezpieczniaków, ubolewając nad ich ciężkim losem w wypadku, gdyby doszło do zrównania ich praw emerytalnych z naszymi i głosował przeciwko ustawie[50].

13 grudnia 1991 roku na łamach „GW" Michnik pisał wprost:

Zwracam się do Posłów, by uznając w imię prawdy stan wojenny za nielegalny, uchwalili ustawę abolicyjną dla jego architektów, którzy byli zarazem architektami Okrągłego Stołu.

Dziesięć lat później Michnik nazwie Kiszczaka i Jaruzelskiego „ludźmi honoru".

Z okazji 10. rocznicy wprowadzenia stanu wojennego Michnik bierze udział w wielogodzinnej audycji w Polskim Radiu razem z Jerzym Urbanem, w czasie której broni Urbana przed zarzutami. Program TV „Reflex" Jacka Kurskiego i Piotra Semki pokazał, jak dzień wcześniej Michnik wsiadał do samochodu razem z Moniką Olejnik[51] i właśnie z Urbanem. Mieli jechać na imieniny Aleksandra Kwaśniewskiego (według dokumentów SB był on zarejestrowany jako TW „Alek").

W 1992 roku, po wprowadzeniu uchwały lustracyjnej, „GW" zamieszcza na okładce wiersz Wisławy Szymborskiej „Nienawiść", a lustrację nazywa „aferą teczkową". Wykonujący uchwałę Antoni Macierewicz, minister spraw wewnętrznych w rządzie Jana Olszewskiego, zostaje okrzyknięty przez środowisko Michnika „człowiekiem chorym z nienawiści". Michnik, który w okresie od 12 kwietnia do 27 czerwca 1990 roku jako jeden z nielicznych miał dostęp do archiwów bezpieki i mógł przejrzeć teczki czołowych opozycjonistów, zdecydowanie opowiada się przeciwko lustracji.

Przypomnijmy, że na wniosek ówczesnego ministra edukacji prof. Henryka Samsonowicza premier Mazowiecki wyraził zgodę na powołanie komisji, która dowiedziałaby się, co jest w archiwach bezpieki, a minister spraw wewnętrznych Krzysztof Kozłowski zezwolił na wpuszczenie jej do archiwów[52]. Widocznie Michnik się dowiedział.

W roku 1999 – podczas przygotowywania materiałów archiwalnych – w teczce dotyczącej Michnika (SOR „Wir") stwierdzono brak kart 62–75 i 233[53].

Notatka służbowa IPN z 26 kwietnia 1999 roku dotycząca zaginionych kart
z materiałów archiwalnych nr 55532/II/1 (IPN BU 0248/1341 t. 1)

Po obaleniu rządu Olszewskiego Michnik pisze w „GW", że
państwo było w niebezpieczeństwie i dobrze, że prezydent zadziałał
szybko[54]. Lustracja zostaje pogrzebana aż na sześć lat – do ustano-
wienia urzędu Rzecznika Interesu Publicznego i mianowania na tę
funkcję sędziego Bogusława Nizieńskiego.

Wojciech Kwiatek, krytyk literacki, cytuje odpowiedź Piotra Skó-
rzyńskiego na pytanie, dlaczego w pozostałych demoludach lustracja
była możliwa, a w Polsce nie: „Bo oni nie mieli swojego Adama Michnika"[55].

Przez całe lata szefowania „Gazecie" Adam Michnik był blisko
władzy związanej z postkomunistami. Tak było w czasie, gdy sam
był posłem, tak było za rządów, które tworzyła Unia Wolności, SLD,
a teraz PO. Kontakty z SLD zakończyły się aferą Rywina – potężnym

skandalem ujawniającym patologiczny system władzy. Po tym wydarzeniu „GW" straciła pozycję monopolisty, tym bardziej że na rynku pojawiły się nowe gazety. Głośnym echem odbił się też przywołany już wcześniej wywiad z Michałem Cichym, byłym dziennikarzem „GW", który w 2009 roku ukazał się w „Dzienniku"[56]. Czołowych dziennikarzy „Gazety" Cichy nazywał „cynglami", nie oszczędził też swoich szefów. Powiedział, że Michnik stworzył wokół siebie „środowisko wiernych i wpatrzonych w niego wyznawców".

Praw Adama Michnika, „Gazety" i Agory – koncernu, który wydaje „GW" – broni radca prawny Piotr Rogowski, były sędzia orzekający w warszawskim sądzie. W pierwszej połowie lat 90., po przejściu Rogowskiego do Agory, do sądów zaczęły płynąć kolejne pozwy koncernu. Jedną z pierwszych takich spraw było pozwanie w 1994 roku przez Agorę wydawcy łódzkiego „Głosu Porannego" za sugestię, iż krytyczny artykuł o Nicoli Grauso autorstwa Anny Bikont i Pawła Kocięby-Żabskiego miał związek z faktem, że o koncesję na ogólnopolską telewizję prywatną starają się osoby powiązane z „Gazetą Wyborczą" oraz że należące do Grauso „Życie Warszawy" jest konkurencją (ostatecznie koncesję uzyskał Zygmunt Solorz). Od tego momentu Michnik zwalcza przeciwników, masowo pozywając ich lub strasząc pozwami. Jak wynika z „Raportu o zagrożeniu wolności słowa w Polsce w latach 2010–2011" Stowarzyszenia Polska Jest Najważniejsza, w ciągu jednego roku do sądów wpłynęło w sumie ponad 20 pozwów Agory, redaktorów „GW" lub Adama Michnika[57].

Ostatnim pozwem, który wystosował „obrońca wolności" i bywalec procesów o naruszenie swoich dóbr osobistych, było pismo skierowane w sierpniu 2012 roku do Rafała Ziemkiewicza. Tym razem Michnik stwierdził, że jego dobra osobiste naruszyło stwierdzenie, iż terroryzuje on swoich krytyków pozwami sądowymi – i dlatego wystosował pozew sądowy...

Przypomina się tutaj rozmowa z Michnikiem, którą przytoczył Krzysztof Leski:

Nagle trochę się ożywił i zwrócił się do mnie niemal ciepło, po ojcowsku: – *K-k-krzysiu, jeśli ty-ty-ty chcesz tu robić wo-wolną gazetę, to-to-to-to po moim trupie.* Nie groził mi, nie był agresywny ani złośliwy, ani też fałszywie zatroskany. Po prostu mnie informował o sytuacji. Uświadomił mi, że nie jestem gotów, by w walce o wolność słowa w «Wyborczej» posunąć się do morderstwa[58].

A kto się upierał, ten nie miał prawa istnieć. Piotr Skórzyński wspominał, że odchodząc już w 1989 roku z „Wyborczej" usłyszał od Michnika:

Ty Skórzyński nie istniejesz, i nigdy nie zaistniejesz[59].

Atmosferę i stosunki panujące w „GW" dobrze oddaje krążąca po Warszawie anegdota:

Kierownictwo „Gazety" zwróciło się do renomowanej zachodniej kancelarii prawnej o przeprowadzenie audytu firmy. Przesłała odpowiednie dokumenty, w tym całą historię „GW". Odpowiedź kancelarii była krótka: Przepraszamy, ale sekt nie obsługujemy.

PRZYPISY

[1] A. Lenkiewicz, *Polacy na przełomie XX i XXI wieku*, t. 8, Wrocław 2009, s. 45.
[2] Film na You Tube: General Michnik [slowbear.blox.pl], http://www.youtube.com/watch?v=AWrk80LRONE
[3] *Pożegnanie z bronią (cz. 2)*, z gen. Czesławem Kiszczakiem i Adamem Michnikiem rozmawiają Agnieszka Kublik i Monika Olejnik, „Gazeta Wyborcza", 4 lutego 2001.
[4] Sprawa Operacyjnego Rozpracowania „WIR", sygn. IPN BU 0248/134.
[5] Postanowienie o zniszczeniu akt sprawy archiwalnej Departamentu I, IPN BU 01746/4, k. 325.
[6] Sprawa Operacyjnego Rozpracowania „WIR", sygn. IPN BU 0248/134.
[7] Ibidem.
[8] G. Indulski, J. Jakimczyk, *Operacja inwigilacja*, „Wprost" 2005, nr 48.
[9] Akta sprawy karnej, w której płk Lesiak był oskarżony o inwigilację prawicy. Akta SO w Warszawie, sygn. XXXVIII k 142/06, załącznik nr 2 do pisma 0281/09.

[10] Sprawa Operacyjnego Rozpracowania „WIR", sygn. IPN BU 0248/134.

[11] Ibidem.

[12] *Kiszczak: Pozbawiacie chleba stojących nad grobem*, Interia.pl, 7 maja 2009, http://fakty. interia.pl/raport-stan-wojenny/general-jaruzelski/news-kiszczak-pozbawiacie-chleba--stojacych-nad-grobem,nId,859349 (dostęp: 10 listopada 2013).

[13] SOR „Watra", sygn. IPN BU 0204/1417.

[14] *Rozmowa z A. Michnikiem. POUFNE Tow. gen. W. JARUZELSKI. Warszawa 13.03.1989 r.*, w: J. Urban, *Jajakobyły. Spowiedź życia Jerzego Urbana*, rozmawiali P. Ćwikliński i P. Gadzinowski, Warszawa 1992, *Aneks*.

[15] J. Szperkowicz, *Uwłaszczać i nie żałować*, „Gazeta Wyborcza", 25 września 1989.

[16] Szperkowicz Jerzy ps. „JS", IPN BU 002082/183; Ankieta personalna z 3 kwietnia 1985 TW „J.S.", IPN BU 002086/423.

[17] Raport z 14 maja 1966, IPN BU 002082/183.

[18] Ankieta personalna z 3 kwietnia 1985 TW „J.S.", IPN BU 002086/423.

[19] Meldunek z 12 października 1966, IPN BU 002082/183.

[20] Wniosek o zaniechanie współpracy z 6 lutego 1972, IPN BU 002082/183.

[21] *Polaci su głasali za nadu*, „NIN", 25 czerwca 1989.

[22] Stenogram przemówienia wygłoszonego na 28 posiedzeniu Sejmu z dnia 28 kwietnia 1990 roku w sprawie projektu ustawy w sprawie przejęcia na rzecz Skarbu Państwa majątku byłej PZPR, 28 kwietnia 1990, kol. 395–398.

[23] *Rozmowa z A. Michnikiem. POUFNE Tow. gen. W. JARUZELSKI. Warszawa 13.03.1989 r.*

[24] Sprawa Operacyjnego Rozpracowania „WIR", sygn. IPN BU 0248/134.

[25] Ibidem.

[26] Ibidem.

[27] A. Dudek, *Rok 1989 w moskiewskich szyfrogramach*, „Biuletyn Instytutu Pamięci Narodowej" 2004, nr 4, s. 68–74.

[28] *Rozmowa z A. Michnikiem. POUFNE Tow. gen. W. JARUZELSKI. Warszawa 13.03.1989 r.*

[29] *Stan wojenny bis był niemożliwy*, wywiad Jarosława Stróżyka z Antonim Dudkiem, „Rzeczpospolita", 27 maja 2009.

[30] Sprawa Operacyjnego Rozpracowania „WIR", sygn. IPN BU 0248/134.

[31] Ibidem.

[32] J. Lityński, *W nowym układzie politycznym*, „Tygodnik Mazowsze", 24 września 1986, nr 181, s. 1–2.

[33] D. Kania, *Okrągłe negocjacje z SB*, „Gazeta Polska", 7 stycznia 2009.

[34] H. Głębocki, „*...Nieoficjalny sondaż na temat ewentualnych negocjacji...*". *Jacka Kuronia rozmowy z SB w latach 1985–1989*, „Arcana" 2006, nr 70 (4)–71 (5), s. 165–180.

[35] Załącznik do informacji dziennej z dnia 2 lutego 1989 r., H. Głębocki, op. cit., s. 216.

[36] D. Kania, op. cit.

[37] Ibidem.

38 Ibidem.

39 SOR „Gniazdo", sygn. IPN BU 01322/638.

40 T. Bogucka, *Gniazdo – nędza SB*, „Gazeta Wyborcza", 15 kwietnia 2006; eadem, *W trujących oparach teczek*, „Gazeta Wyborcza", 2 września 2006.

41 T. Bogucka, *Gniazdo – nędza SB*.

42 D. Kania, op. cit.

43 Ibidem.

44 Cyt. za: W. Łysiak, *Rzeczpospolita kłamców. Salon*, Warszawa 2004, s. 48.

45 G. Waligóra, *Komitet Obrony Robotników*, „Biuletyn Instytutu Pamięci Narodowej" 2011, nr 4, s. 40–42.

46 *„Zapamiętane". Z Adamem Macedońskim rozmawia Anna Zechenter*, Wydawnictwo IPN, Stowarzyszenie SZS 1980, Kraków 2011, s. 103–105.

47 http://www.encyklopedia-solidarnosci.pl/wiki/index.php?title=D01170_Upami%C4%99tnianie_Katynia

48 Gen. Krzysztof Majchrowski (1929–2000), w MBP od 12 grudnia 1952 r., zastępca naczelnika Wydziału IV Departamentu III MSW, zastępca gen. Henryka Dankowskiego, szefa Służby Bezpieczeństwa MSW (1985–1986), dyrektor III Departamentu (1.01.1987–28.11.1989), dyrektor Departamentu Ochrony Konstytucyjnego Porządku Państwa MSW (28.11.1989–3.04.1990).

49 A. Dudek, *Reglamentowana rewolucja. Rozkład dyktatury komunistycznej w Polsce 1988––1990*, Kraków 2004, s. 249. Więcej na ten temat: Rozpoczęcie obrad Okrągłego Stołu, http://ipn.gov.pl/kalendarium-historyczne/okragly-stol

50 Stenogram z 28 posiedzenia Sejmu z dnia 27 kwietniu 1990 r. Dyskusja nad projektami ustaw o zmianie ustaw: o zaopatrzeniu emerytalnym, o zaopatrzeniu emerytalnym pracowników i ich rodzin oraz projektem uchwały, kol. 266–267.

51 Ojciec dziennikarki, Tadeusz Olejnik, był w czasach PRL pułkownikiem MSW. Pracował dla resortu od 1955 r. Początkowo zatrudniony był w Wydziale „A". Od 1970 do 1986 r. służył w Batalionie Specjalnym KSMO (później SUSW) na stanowisku zastępcy dowódcy tej jednostki. Awansował do Biura „B" MSW, zajmującego się obserwacją. Od 1958 r. należał do PZPR. W trakcie pracy w MSW Olejnik zgłaszał przełożonym plany wyjazdowe jego córki za granicę. Nie stawiano jej przeszkód, tak że w latach 80. wyjeżdżała m.in. do Nepalu, Wielkiej Brytanii czy Finlandii. Tadeusz Olejnik odszedł ze służby w roku 1988, AIPN BU 0242/669.

52 W skład komisji, oprócz Michnika, weszli: Bogdan Kroll, dyrektor Archiwum Akt Nowych, historycy Jerzy Holzer i Andrzej Ajnenkiel – W. Knap, *Krótka pamięć historyków*, „Dziennik Polski", 7 lutego 2005. Jerzy Holzer przyznał się do współpracy z I Departamentem (wywiad cywilny) SB w 1965 r. W dokumentach SB figuruje jako KO „Jam".

53 Notatka służbowa z 26 kwietnia 1999 r., IPN BU 0248/134.1, k. 182.

54 A. Michnik, *Wszystko było jak czarny sen*, „Gazeta Wyborcza", 6 czerwca 1992, nr 133, s. 24.

55 Rekontra, *Oni wygrają... Pan Cogito gasi światło*, salon24.pl, 20 czerwca 2008, http://rekon-
    tra.salon24.pl/24463,oni-wygraja-pan-cogito-gasi-swiatlo (dostęp: 20 września 2013).
56 *Wojna pokoleń przy użyciu «cyngli»*, wywiad Cezarego Michalskiego z Michałem Cichym,
    „Dziennik", 20 lutego 2009. Zob. też rozdz. 1, s. 27.
57 Przez Michnika bądź spółkę Agora, a w jednym wypadku przez redaktorów GW
    (nr 12 w poniższym zestawieniu) pozwani zostali m.in.: (1) senator PO Jarosław
    Gowin, za to, że w wywiadzie dla „Dziennika" stwierdził: „Pamiętam, jak wiele lat
    temu za poparcie idei lustracji zostałem przez Michnika nazwany faszystą" (rosz-
    czenie: przeprosiny i 50 tys. zł na cel społeczny); (2) Robert Krasowski, redaktor
    naczelny „Dziennika", za to, że w artykule *O rycerzach lustracyjnej wojny*, opubliko-
    wanym w „Dzienniku", padło stwierdzenie: „Michnik poświęcił jedną trzecią życia
    na obronę byłych ubeków, wikłając się w wojnę, w której z roku na rok tylko tracił"
    (roszczenie: przeprosiny i 10 tys. zł na cel społeczny); (3) prof. Andrzej Nowak,
    red. naczelny „Arcanów", za stwierdzenie w wywiadzie prasowym: „Z mojej per-
    spektywy pominięta została w pańskiej diagnozie bardzo ważna część rzeczywi-
    stości: niezwykle silna presja mediów, które – na czele z Michnikową «Wyborczą»
    – wmawiały innym mediom i polskiej szkole (a za ich pośrednictwem setkom tysięcy
    młodych wkraczających w życie Polaków), że polskość to nie jest ofiara, tylko
    oprawca, polskość to jest coś, czego trzeba się wstydzić i od czego trzeba się odciąć"
    (wezwanie przedsądowe; roszczenie: przeprosiny w wezwaniu przedsądowym); (4)
    Jerzy Targalski, Tomasz Sakiewicz – p.o. redaktora naczelnego „Gazety Polskiej",
    oraz wydawca tego czasopisma – Zarząd Niezależnego Wydawnictwa Polskiego Sp.
    z o.o., za to, że w artykule *Gry i zabawy Ubekistanu* opublikowanym w „Gazecie
    Polskiej" J. Targalski pod pseudonimem dziennikarskim Józef Darski stwierdził:
    „Oczywiście można powiedzieć, że redaktor Michnik w niespodziewanym napadzie
    uczciwości postanowił zlikwidować w Polsce korupcję, którą poprzednio uspra-
    wiedliwiał jeśli korzystali na niej komuniści" (roszczenie: przeprosiny w „Gazecie
    Polskiej" i wpłata 30 tys. zł cel społeczny); (5) dziennikarz Rafał A. Ziemkiewicz,
    za napisanie w artykule w dzienniku „Życie" z 14 listopada 2001, iż „Michnik
    wmawiał nam uparcie – gdy leżało to w interesie jego formacji – że nic w tym
    złego, jeśli były konfident SB jest ministrem, dyplomatą i posłem"; (6) Rafał A.
    Ziemkiewicz za tekst *Nie nadążam*, opublikowany w „Newsweeku" z 18 września
    2005, w którym napisał, że „Adam Michnik robił wszystko, abyśmy nawet nie
    poznali nazwisk komunistycznych zbrodniarzy" (roszczenie: przeprosiny oraz 50
    tys. zł na cel społeczny); (7) profesor UMK Andrzej Zybertowicz, za słowa z tek-
    stu opublikowanego w „Rzeczpospolitej": „Adam Michnik wielokrotnie powtarzał:
    ja tyle lat siedziałem w więzieniu, to teraz mam rację" (roszczenie: przeprosiny
    na łamach „Rzeczpospolitej" oraz wpłata 15 tys. zł na cel społeczny w pozwie);
    (8) Andrzej Zybertowicz – doradca Prezydenta RP, za wypowiedź dla „Rzeczpo-
    spolitej": „Swoją drogą to ciekawe, kto mnie dotychczas pozwał do sądu: dwóch

agentów i jeden ich zaciekły obrońca" (roszczenie: przeprosiny na łamach „Rzecz-pospolitej" oraz wpłata 20 tys. zł na cel społeczny); (9) Jarosław Kaczyński, Prezes Rady Ministrów, za słowa: „Państwo chyba nie czytają «Gazety Wyborczej». To, co się tam wyprawia, to «Trybuna Ludu» z 1953 roku. Atak na nas przekracza wszelką miarę. Barańskiego [Marek Barański, dziennikarz TVP w PRL, później w «Nie» i «Trybunie» – aut.] potrafią zostawić w tyle. Agora nie może nie mieć związków z oligarchią, jeżeli jest wydawnictwem na dużą skalę, a w Polsce gospodarka w nie-małej części jest w rękach postkomunistycznych oligarchów. I w związku z tym zamówienia na ogłoszenia, reklamy, promocje są w ich rękach" (roszczenie: prze-prosiny i wpłata 50 tys. zł na cel społeczny); (10) Teresa Kuczyńska, Jerzy Kło-siński – redaktor naczelny „Tygodnika Solidarność", oraz jego wydawca – spółka TYSOL. Teresa Kuczyńska w sierpniu 2005 roku w tekście *To była nagonka* opubliko-wanym w „Tygodniku Solidarność" napisała, że „«GW» woła o inwigilację ugrupo-wań prawicowych, o delegalizację ich partii" (w orzeczeniu sąd nakazał pozwanym umieszczenie w „Tygodniku Solidarność" przeprosin oraz wpłatę 20 tys. zł zadość-uczynienia na cel społeczny); (11) Antoni Macierewicz, poseł na Sejm, członek komisji śledczej. Według „Gazety Wyborczej": „Macierewicz na konferencji pra-sowej cytował fragmenty pisma Czyżewskiego: «W procesie budowy i finansowa-nia nowej siedziby Agory były zaangażowane firmy należące do grupy J. Kułakow-skiego i A. Grochulskiego zarejestrowane w Wiedniu. (...) Przez jedną z tych spółek formalnie budowlanych (jej nazwa brzmiała Wera GmbH) przepłynęły znaczne pieniądze na rzecz Agory. Zasłoną do tej operacji był proces uczestniczenia tej spółki w budowie siedziby imperium pana Michnika». A od siebie Macierewicz dodał: «To jest przez świadka pokazane jako mechanizm związków korupcyjno--mafijnych»". Andrzej Grochulski kierował kilka lat temu szczecińską spółką BGM Petrotrade Poland, której wspólnikom prokuratura zarzuca pranie brudnych pienię-dzy i oszustwa podatkowe na 280 mln zł. Inni posłowie z komisji opowieści Czy-żewskiego o powiązaniach mafii paliwowej z prokuratorami, służbami specjalnymi i mediami traktowali wstrzemięźliwie. Macierewicz ocenił, że „zeznania Czyżew-skiego uzyskały zasadnicze potwierdzenie w innych źródłach dowodowych" (rosz-czenie: przeprosiny oraz 50 tys. zł na cel społeczny); (12) Jarosław Marek Rymkie-wicz, profesor nauk filologicznych. W komentarzu dla „Gazety Polskiej" w artykule *Pamięć i Krzyż* z 11 sierpnia 2010 roku miał powiedzieć o redaktorach „Gazety Wyborczej": „rodzice czy dziadkowie wielu z nich byli członkami tej organizacji, która była skażona duchem «luksemburgizmu», a więc ufundowana na nienawiści do Polski i Polaków. Tych redaktorów wychowano tak, że muszą żyć w nienawiści do polskiego krzyża. Uważam, że ludzie ci są godni współczucia – polscy katolicy powinni się za nich modlić", nazwał ich: „duchowymi spadkobiercami Komuni-stycznej Partii Polski", zauważył też, że „Polacy, stając przy nim [krzyżu przed Pałacem Prezydenckim – aut.], mówią, że chcą pozostać Polakami. To właśnie budzi teraz taką wściekłość, taki gniew, taką nienawiść – na przykład w redaktorach «Gazety Wyborczej», którzy pragną, żeby Polacy wreszcie przestali być Polakami". Za: *Aneks do Raportu o zagrożeniach wolności słowa w Polsce w latach 2010–2011*, http:// wpolityce.pl/wydarzenia/16049-wykaz-pozwow-adama-michnika-i-spolki-agora- -sa-wytaczanych-o-ochrone-dobr-osobistych-aneks-do-raportu-spjn

[58] K. Leski, *Z Michnikiem spacer po ogródku*, salon24.pl, 28 lutego 2007, http://krzysztofle-ski.salon24.pl/851,z-michnikiem-spacer-po-ogrodku (dostęp: 13 września 2013).

[59] J. Waliszewska, *Post Scriptum* do: P. Skórzyński, *Wojna światów. Intelektualna historia zimnej wojny*, Warszawa 2011, s. 409.

Rozdział 3

MARSZ INTELEKTUALISTÓW KU III RP

„Bój o pryncypia – mój chleb powszedni,
Bez wahań zmienię pióro na pałkę!"

Jacek Kaczmarski,
„Marsz intelektualistów"

Październik 2010. W warszawskiej galerii Zachęta kapituła nagrody im. Andrzeja Woyciechowskiego, założyciela Radia Zet, ogłasza nominacje do Nagrody Specjalnej „Dziennikarza 20–lecia". Na sali są tłumy. Honorowe miejsca zajęli prezydent Bronisław Komorowski, były prezydent Aleksander Kwaśniewski, ówczesny marszałek Sejmu Grzegorz Schetyna oraz ministrowie: kultury Bogdan Zdrojewski i nauki Barbara Kudrycka. Po ogłoszeniu kandydatów zostaje wyczytane nazwisko laureata, który oprócz tytułu otrzymuje 100 tys. zł. Zwycięzcą jest redaktor naczelny tygodnika „Polityka" – Jerzy Baczyński, który w materiałach IPN figuruje jako kontakt operacyjny komunistycznej bezpieki o pseudonimie „Bogusław". Ta informacja zostaje jednak przemilczana w relacjach z uroczystości – podają ją jedynie konserwatywne media.

Przyznanie Nagrody Specjalnej „Dziennikarza 20–lecia" Jerzemu Baczyńskiemu stało się symbolem szczególnego rodzaju dziennikarstwa. Odbierając statuetkę, laureat podkreślił, że nagrodzono nią też cały zespół „Polityki". Jerzy Baczyński tym stwierdzeniem trafił w samo sedno, o czym można się przekonać czytając historię tego pisma.

„Proletaryusze wszystkich krajów łączcie się" – to hasło, pod którym Sekretariat KC PZPR powołał do życia pismo „Polityka". Ten slogan towarzyszył tygodnikowi do czasu rozwiązania partii komunistycznej 20 stycznia 1990 roku. Po transformacji ustrojowej pismo szybko zaangażowało się w walkę z rozliczeniem PRL, szczególnie z dekomunizacją i lustracją. To nie przypadek, zważywszy że – jak wynika z archiwalnych dokumentów komunistycznej bezpieki – w porównaniu do innych tytułów prasowych liczba zarejestrowanych tajnych współpracowników komunistycznych specsłużb jest w tym tygodniku wyjątkowo duża. Według znajdujących się w IPN materiałów wielu donoszących wzajemnie na siebie redaktorów po upadku dawnego ustroju stanęło w zgodnym szeregu, by prowadzić walkę przede wszystkim z lustracją i rozliczeniem PRL. Mimo upływu lat redaktorzy pisma chcą być wciąż „bandą Rakowskiego" (tak o zespole tygodnika „Polityka" mówiono w kuluarach PZPR). Gdy przeszłość pisma jest niewygodna, przekonują, że pracowali od zawsze w redakcji politycznie niezależnej. Innym razem twierdzą, że dbają o zachowanie ciągłości pisma.

Od czasu upadku komunizmu, gdy skojarzenia z dawnym ustrojem stały się niewygodne, redakcja tygodnika usiłuje przekonywać, że udało jej się przejść przez PRL zachowując swoją niezależność od najwyższych czynników politycznych. Wbija się do głów czytelnikom, że pismo nie chodziło na pasku reżimowej władzy. Tyle, że ta niezależność to przewrotna interpretacja faktu, iż „Polityka" była pismem, któremu Politbiuro nadało specjalne prawa i któremu wolno było więcej niż innym wydawnictwom prasowym.

„Polityka" wyznaczała granice tego, co można powiedzieć, by nie narazić się władzy w sposób zasadniczy. Wyznaczała te granice, ale zarazem ich nie przekraczała. Przez dziesiątki lat służyła władzy jako kuźnia poglądów skrojonych nie na miarę szarego robotnika, ale komunistycznego inteligenta. Patrząc wstecz, widać, że było to pismo o ambicjach wykreowania przedstawiciela tworzonej elity wyjętego z nizin awansem społecznym. Reprezentowało w efekcie jeden z prądów ówczesnej władzy. Postawa ta nie ma nic wspólnego z niezależnością natrętnie wmawianą nam przez wieloletnich redaktorów pisma. Przez wszystkie lata III RP redakcja tylko potwierdzała, że tak właśnie było i tak pozostało. W dwudziestoleciu Trzeciej RP swoje sympatie lokowała po tej stronie sceny politycznej, która gwarantowała utrzymanie wpływów siłom politycznym z czasów PRL.

„Trudne" początki „Polityki"

W pierwszych dniach 1957 roku decyzją Sekretariatu KC PZPR zostało powołane do życia nowe wydawnictwo prasowe – „Polityka"[1]. W notatce skierowanej w 1957 roku do KC PZPR napisanej po wydaniu próbnego numeru szefowie pisma powątpiewali w możliwość dalszego publikowania tygodnika ze względu na dziennikarzy wytypowanych do pracy w tygodniku. Zdaniem kierownictwa, ludzie ci nie rozumieli ideologicznych potrzeb w polskiej sytuacji[2].

W piśmie do KC komunistyczni redaktorzy konkludowali: „Potrzebna jest tu pomoc partii". Ta prośba została wysłuchana – w redakcji zaroiło się od członków KC i władz najwyższych[3].

Do stworzenia tygodnika oddelegowano Stefana Żółkiewskiego[4], komunistę, który przed laty zakładał marksistowską „Kuźnicę". Żółkiewski twierdził, iż inicjatywa powstania pisma wyszła od literata Jerzego Putramenta[5], który nosił się z ideą obrony Października przed „wściekłymi"[6]. Celem obu stron, toczących walki frakcyjne, było skuteczne i trwałe funkcjonowanie komunizmu w Polsce.

Pierwszy numer „Polityki" trafił do druku już cztery miesiące po wydarzeniach październikowych. Było to po VIII Plenum i objęciu funkcji I sekretarza przez Władysława Gomułkę.

Kadra pisma została starannie dobrana wśród starszej generacji komunistycznych działaczy, takich jak była pracownica NKWD i członek WKP(b) Romana Granas, naczelny marksista kraju – Adam Schaff[7], i weteran polskiej i niemieckiej kompartii Leonard Berkowicz[8], który na krótko został zastępcą Żółkiewskiego. Byli też młodsi aktywiści sprawdzeni już pod względem lojalności partyjnej, tacy jak pracownik Wydziału Propagandy – Mieczysław F. Rakowski[9] czy późniejszy kierownik Wydziału Propagandy KC – Andrzej Werblan[10]. Wśród bardziej znanych – także później – postaci, na pierwszym etapie tygodnik współtworzyli krytyk filmowy Zygmunt Kałużyński (według dokumentów znajdujących się w IPN zarejestrowany jako kontakt poufny „Literat"), prozaik Kazimierz Koźniewski[11] (według dokumentów IPN był on zarejestrowany jako TW „33") czy Michał Radgowski[12]. W grupie współpracowników znaleźli się również ekonomista Oskar Lange[13] (agent NKWD „Friend"[14]), dramaturg Leon Kruczkowski i poeta Władysław Broniewski.

Romana Granas (która do KZMP wstąpiła już w 14. roku życia) i Andrzej Werblan należeli do najbardziej aktywnych w początkowym okresie funkcjonowania redakcji. Jak wspominał Radgowski, przeniesienie Romany Granas do pracy w PIW-ie wywołało w latach 1960–1961 kryzys w redakcji – była tak znaczącym filarem pisma[15].

> Romanę Granas zaliczano do tzw. puławskiego skrzydła partii, do działaczy odgrywających poważną rolę w partii w latach 1948–1956, a więc w czasie gdy Gomułka był banitą. Granasowa była członkiem KC, dyrektorką Szkoły Partyjnej (1950–1957). Z tytułu swej pracy związana była z Romanem Zambrowskim[16], w stosunkach koleżeńskich pozostawała z «krajanem» z Łodzi – redaktorem naczelnym «Trybuny Ludu» Leonem Kasmanem[17].

Zygmunt Kałużyński pracował w „Polityce" od 1957 roku do czasu swej emerytury w 1993 roku i dalej współpracował z tygodnikiem aż do śmierci w 2004 roku. Na dziennikarską drogę wstąpił w roku 1944 w piśmie „Wieś" i tygodniku „Odrodzenie". „Za sanacji czułem się bezwiednym pionkiem, za okupacji czułem się jak przestępca, za Stalina jak zwycięzca" – cytuje Kałużyńskiego Filip Gańczak[18].

W 1947 roku Kałużyński udał się na stypendium do Francji. Pracował tam wówczas przy Radzie Narodowej Polaków we Francji.

Jego żoną była znana poetka Julia Hartwig – wówczas attaché kulturalny ambasady. Po powrocie w 1952 roku trafił do „Nowej Kultury" – w tym samym czasie co Krzysztof Teodor Toeplitz.

„Nowa Kultura" powstała z połączenia „Odrodzenia" i „Kuźnicy", a jej głównym zadaniem było propagowanie realizmu socjalistycznego. Była też oficjalnym organem ZLP.

Po raz drugi Kałużyński wszedł w związek małżeński z lewicową amerykańską aktorką Eleonorą Griswold. I to małżeństwo się rozpadło, a Griswold została później żoną reżysera Aleksandra Forda.

W 1956 roku Kałużyński na łamach „Nowej Kultury" opublikował obszerny dwuodcinkowy esej poświęcony wydanym na Zachodzie książkom, takim jak „Ciemność w południe" Arthura Koestlera, „Rok 1984" George'a Orwella czy „Zniewolony umysł" Czesława Miłosza, które zaatakował. Krytyce systemu sowieckiego zarzucił, że jest „zahipnotyzowana rozprawą ze stalinizmem myślą burżuazyjną" i – jak podkreślał – „nieprzygotowaną do dyskusji z komunizmem". Dzieło Orwella to – według Kałużyńskiego – satyra na instytucje, jednak już kompletnie oderwana od ideologii, obraz „tyranii, gdzie rządzi nikt". Kałużyński postawił też Orwellowi zarzut, że nie udowodnił, iż potworna przyszłość, jaką ten rysuje w „Roku 1984", wyrasta właśnie z komunizmu jako idei społecznej, a nie stanowi tylko mechanizmu zbiurokratyzowanych urzędów[19].

24 lutego 1954 roku Leopold Tyrmand zanotował rozmowę z Kałużyńskim:

> Ja się sprzedaję za pieniądze – obruszył się Kałużyński z godnością – a nie za miejsce stojące w komunistycznym Panteonie. Niech pan mnie nie miesza z arywistami, ja uprawiam najstarszą profesję. Oni wrzeszczą, wywijają czerwonymi płachtami i maczugami deklaracji w druku. Ja się uśmiecham i inkasuję[20].

Kałużyński sam określał siebie jako człowieka epoki komunizmu, pozostającego nim nawet po upadku tego systemu. Na swoim benefisie odczytał napisany przez siebie życiorys mający być żartobliwą wersją skróconej autobiografii. Tłumaczył, że udało mu się przetrwać nieprzychylność wielu ludzi filmu, którzy uważali go za szkodnika, dzięki temu, że trafił do „Polityki". W życiorysie określił się jako „starzec z minionej epoki"[21].

Wyjątkowe emocje wzbudziły też felietony Kałużyńskiego na łamach odwieszonej w 1982 roku „Polityki", w których bezpardonowo atakował kino polskie, akcję bojkotu, a także opozycję solidarnościową. W obradach Okrągłego Stołu Kałużyński reprezentował stronę rządową w podzespole do spraw środków masowego przekazu.

W III RP Kałużyński stał się rozpoznawalny dzięki cyklowi telewizyjnemu „Perły z lamusa" emitowanemu w latach 1990–2000, w którym wraz z Tomaszem Raczkiem recenzował najbardziej znane dzieła kinematografii. Dał się poznać jako ekscentryk, który doprowadzał do ekscesów, nierzadko na antenie telewizyjnej.

Pierwsze odnotowane w aktach zetknięcie się Kałużyńskiego z bezpieką miało miejsce w sierpniu 1953 roku, gdy „czuł się jak zwycięzca". Wówczas kontaktował się z Departamentem V społeczno-politycznym MBP i przyjaźnił się z jego szefową – „krwawą" Julią „Luną" Brystiger[22].

W 1961 roku kpt. Władysław Prekurat i późniejszy teść dziennikarki „Trójki" Beaty Michniewicz kpt. Romuald Michniewicz z Wydziału VIII Departamentu II, czyli kontrwywiadu, udali się na rozmowę do domu Kałużyńskiego. Esbecy wypytywali o kontakty kolegów i znajomych Kałużyńskiego z obcymi ambasadami, ponieważ Wydział VIII zajmował się inwigilacją ambasad i osób utrzymujących kontakty z ich pracownikami. Kałużyński chętnie udzielał informacji i wskazał m.in. Leopolda Tyrmanda jako posiadającego kontakty z dyplomatami USA[23]. Wtedy też nastąpiło formalne pozyskanie krytyka, który został zarejestrowany jako kontakt poufny o ps. „Literat"[24]. Jego doniesienia znajdują się m.in. w sprawach operacyjnego rozpracowania najpopularniejszej wówczas aktorki Elżbiety Czyżewskiej i reżysera Aleksandra Forda[25]. Oboje zostali później zmuszeni do emigracji i osiedlili się w Stanach Zjednoczonych, odpowiednio w 1968 i 1973 roku.

Współpraca z „Literatem" w sposób systematyczny trwała do roku 1970. Jednakże w 1987 roku Departament II ponownie nawiązuje współpracę z Kałużyńskim. I tym razem zostaje on zarejestrowany jako tajny współpracownik. Spotyka się z nim Zbigniew Powojewski z Wydziału I, który zajmuje się działalnością kontrwywiadowczą przeciw USA. Po trzech spotkaniach kontakt jednak ustaje, gdy Kałużyński zostaje pobity przez nieznanych sprawców. Ostatecznie TW zostaje wyeliminowany z siatki w październiku 1988 roku[26].

Kazimierz Koźniewski pracował w „Polityce" 48 lat, od 1957 roku aż do śmierci. Według akt IPN współpracował również z tajnymi służbami przez cały okres komunistycznej Polski. Najpierw była to współpraca z Departamentem III MBP, a później z MSW. Używał pseudonimu „33", część dokumentów sygnując też jako „Harcmistrz". Zachowało się pięć grubych teczek pracy agenta[27]. Do IPN nie trafiła jednak teczka personalna współpracownika „33". Nie ma więc zobowiązania do współpracy ani pokwitowań pieniędzy odbieranych od funkcjonariuszy bezpieki. Według materiałów IPN Koźniewski uważany był za jedno z najcenniejszych źródeł informacyjnych służb specjalnych w środowisku literatów. „33" był agentem manewrowym i ofensywnym, nie przypisanym do jednego środowiska. Używano go równolegle do rozpracowywania środowisk literatów, byłych członków Szarych Szeregów, ale również dziennikarzy czy ludzi Kościoła katolickiego. Przez lata zmieniano kategorię współpracy – był na przemian tajnym współpracownikiem, kontaktem operacyjnym, kontaktem poufnym czy konsultantem SB.

Po śmierci Koźniewskiego Daniel Passent (według akt SB zarejestrowany jako KO „Daniel", TW „John") napisał, że w jego myśleniu o państwie „nie było miejsca na opozycję", bo „wszelka działalność opozycyjna była antypaństwowa", o czym przypomnieli historycy Sławomir Cenckiewicz i Piotr Gontarczyk[28].

W latach 60. do pisma skierowano Marię Rutkiewicz, ówczesną żonę Artura Starewicza[29], najbliższego współpracownika Władysława Gomułki. Rutkiewicz była przedwojenną komunistką wysłaną z Moskwy w tzw. pierwszej grupie inicjatywnej PPR. 28 grudnia 1941 roku razem z Pawłem Finderem, Marcelim Nowotką, Bolesławem Mołojcem i dwójką innych zrzucono ją na spadochronie pod Warszawą. Rutkiewicz pełniła funkcję radiotelegrafistki. 5 stycznia 1942 roku grupa ta utworzyła PPR.

Redakcja „Polityki" od początku mieściła się w pomieszczeniach na XI piętrze Pałacu Kultury i Nauki. Do dyspozycji miała też dwa auta (wśród nich sowiecki czarny zim – wówczas limuzynę komunistycznych kacyków). Gdy w późniejszym czasie pismo przenosiło się na Aleje Jerozolimskie 37, jej szef Rakowski otrzymał tak duży gabinet, iż mogło w nim tańczyć swobodnie 50 par – pisał Radgowski[30].

Od momentu ukazania się tygodnik zapracował na złą sławę i nawet na tle innych pism wydawanych w PRL uchodził za „organ zamordystyczny". Uważano go za coś w stylu „Anty-Po prostu". „Sugerowano, że «Polityka» cieszy się immunitetem krytyki, że cenzura rozpięła nad nią parasol nietykalności [...]"[31]. Jeszcze przed ukazaniem się pierwszego numeru tygodnik stał się przedmiotem kpin. Mawiano, że „jego redakcja mieści się w Moskwie". Mówiono też, że to „nowa armatka wodna władzy"[32].

Jak pisał o „Polityce" korespondent francuski polskiego pochodzenia K. S. Karol w książce „Visa pour la Pologne":

Tygodnik kierowany przez Stefana Żółkiewskiego, wspierany znakomicie przez dwóch młodych komunistów Radgowskiego i Rakowskiego, potrafił uplasować się wewnątrz doświadczenia gomułkowskiego i zastosować pewien typ języka, który zapewnił mu posłuch wszystkich członków partii[33].

Bez wątpienia bardziej jeszcze znaczącą dla pisma była postać Mieczysława Rakowskiego. „Prawdopodobnie «Polityka» nie stałaby się nigdy firmą o tak szerokim wpływie i zasięgu, i tak istotnym instrumentem władzy partii, gdyby nie Rakowski" – pisał pochwalnie w 1981 roku Radgowski. W 1957 roku Rakowski był znany jedynie w wyższych kręgach aparatu partyjnego, w KC, gdzie pracował w Wydziale Prasy i Propagandy od roku 1949 z przerwą na studia.

Stworzony przez Chabera

Mieczysław F. Rakowski, który przez 24 lata szefował „Polityce", także w stanie wojennym, symbolizował swym życiorysem postać modelową awansu społecznego w Polsce Ludowej. Wywodził się z rodziny chłopskiej. Przeszedł przez paramilitarną Powszechną Organizację „Służba Polsce", która za pośrednictwem ZWM podporządkowana była PPR. Był jednocześnie oficerem politycznym i korespondentem gazet. W 1952 roku wstąpił do Instytutu Kształcenia Kadr Naukowych przy KC na wydział historii. Działał w komitecie uczelnianym partii, gdzie osiągnął funkcję I sekretarza.

Wtedy Rakowski, jak to ujął opisujący historię tygodnika Michał Radgowski:

> ociera się o wszystkie znakomitości polityczne owych czasów – Jakuba Bermana[34], Edwarda Ochaba[35], Romana Zambrowskiego. W instytucie kształcą się przyszłe tuzy aparatu komunistycznego – Andrzej Werblan i dobry dziesiątek ministrów i sekretarzy wojewódzkich[36].

Gdyby nie Ferdynand Chaber, ojciec Heleny Łuczywo, Rakowski nie zostałby redaktorem naczelnym „Polityki". „Kiedy po ukończeniu szkoły dziennikarskiej Chaber spowodował, że przyjęto mnie do Wydziału Prasy i Wydawnictw KC, był kierownikiem działu [Stefan – *aut.*] Staszewski"[37]. Przed i po tym wydarzeniu kontakty Rakowskiego z Chaberem są częste.

We wrześniu 1959 roku Rakowski pisze: „W stałych kontaktach z Biurem Prasy KC najczęściej mam do czynienia z Ferdynandem

Chaberem. Już przeszło dziesięć lat siedzi w aparacie KC, zawsze jako zastępca kierownika wydziału". Rakowski chwali tego przedwojennego komunistę, który przecież odsiadywał kilka lat w sanacyjnym więzieniu[38]. Innym razem pisał o Chaberze, że to człowiek uczynny, ale nie mający własnego zdania:

> Aparat wytrzebił z niego wszelkie ślady samodzielności. Każdy zwrot gotów jest natychmiast tłumaczyć, na wszystko znajduje wyjaśnienie. Poza jego plecami mówimy o nim kutas-entuzjasta[39].

Jednocześnie Rakowski zapewniał o swoim szczególnym stosunku do Chabera. Pierwszy raz zetknął się z nim w roku 1949, gdy skierowano go na półroczny kurs w Szkole Dziennikarskiej utworzonej przez KC PZPR po zjednoczeniu PPR i PPS. Kierownictwo partyjne chciało kadry dziennikarskiej wiernej i jednolitej. Wśród wykładowców był właśnie „towarzysz Chaber". Rakowski został przez niego zauważony.

Po ukończeniu szkoły, której dyrektorem był Wiktor Borowski[40], ojciec późniejszego polityka SLD i SDPL Marka Borowskiego, Rakowski zastanawiał się, co z sobą zrobić.

„I właśnie wtedy Chaber, który uważał mnie za pilnego ucznia, zaproponował mi pracę w Wydziale Prasy i Wydawnictw KC, na co natychmiast się zgodziłem". Rakowski nie potrafi przecenić tego faktu:

> Już wkrótce uświadomiłem sobie, że Chaber odegrał decydującą rolę w wytyczeniu mojej drogi życiowej, o czym być może do dziś nie wie. Był to już przecież okres rozwijającego się w całej swej krasie stalinizmu[41].

Chaber, jak stwierdził Rakowski, obdarzał go niewątpliwym zainteresowaniem i chyba również sympatią.

To, jak wychowanek Chabera radził sobie w praktyce, obrazuje sytuacja, do której doszło w roku 1961, gdy Rakowski udał się do Moskwy na XXII Zjazd KPZR. Pisał relację z wystąpienia Aleksandra Szelepina,

szefa KGB (1958–1961). Wyjaśniał później z dezynwolturą, że je prze-
oczył, więc w relacji przesłanej do Polski spisał żywcem cytat o wrogach,
którzy z całych sił starają się przeszkodzić budowie komunizmu:

> Jednakże są oni bezsilni, bowiem nie można powstrzymać zwycię-
> skiego marszu komunizmu na naszej planecie, tak jak nie można
> zatrzymać biegu czasu, czy też przesłonić ręką Słońca.

KGB-ista poświęcił swoje przemówienie krytyce grupy Moło-
towa – wówczas w trakcie rozgrywek komunistów sowieckich uzna-
wanej za antypartyjną[42].

Rakowski w czasach szefowania „Polityce" stworzył zespół her-
metyczny i tak „jednolity jak tylko się dało"[43]. W środowisku dziennikarskim miało to odbiór negatywny, a zespół redakcyjny nazywano
„bandą Rakowskiego"[44]. Pisze o tym w swojej książce o „Polityce"
Wiesław Władyka, który dodaje dalej, że dziennikarze pracę w piśmie
traktowali jako nobilitację i powód do dumy.

Opisując dzieje pisma Władyka potwierdza, chcąc nie chcąc,
czym tygodnik zasłużył sobie na złą renomę:

> Redagowanie gazety między innymi polegało na nieustannym krąże-
> niu naczelnego [tj. Rakowskiego – *aut.*] na dworze władzy, co zresztą
> nie tylko dawało redakcji bezcenną wiedzę o tym, «o co chodzi», ale
> też dawało szansę na wymknięcie się z wielu zagrożeń[45].

Owo „krążenie na dworze władzy" weszło w krew co niektórym
dziennikarzom „Polityki". Po roku 1990 nie był niczym szczególnym widok wychodzącej z gabinetów władzy Janiny Paradowskiej,
czołowej dziennikarki tygodnika. Można było ją spotkać, jak opusz-
cza pokój np. marszałka Sejmu Józefa Oleksego (wywiadowca AWO
[Agenturalny Wywiad Operacyjny] o ps. „Piotr"[46]).

Mieczysław Rakowski w 2005 roku został członkiem komitetu
wyborczego Włodzimierza Cimoszewicza (według akt SB zarejestrowanego jako KO „Carex"[47]) w wyborach prezydenckich.

Zlikwidować „Po prostu"

Jednym z celów powołania „Polityki" było przeciwstawienie jej partyjnym liberałom skupionym w redakcji młodzieżowego tygodnika „Po prostu", który odegrał czołową rolę w czasie Października '56, ale w 1957 roku Gomułka już czasopisma nie potrzebował. „Polityka" miała dostarczyć ideologicznego uzasadnienia dla decyzji o likwidacji „Po prostu", wykazując, że artykuły w nim zamieszczane są niezgodne z linią partii.

W swoich tekstach redaktorzy „Polityki" nazywali szyderczo publicystów „Po prostu" „kapłanami Października" czy „apostołami Wielkiej Odnowy".

Redakcja „Polityki" niedwuznacznie wzywała do ostatecznej rozprawy ze „szkodliwą" działalnością pisma młodzieżowego. Publicysta Stanisław Lidkiewicz, w kontekście sporu dwóch pism, poddał w wątpliwość, czy w popaździernikowej Polsce jest rzeczywiście miejsce na obie wyrażane w pismach przeciwstawne postawy[48].

> «Po Prostu» nie chciało jakby respektować zasad logiki procesu historycznego, nie rozumiano, że po przesileniu musi nastąpić normalizacja, że trzeba się albo podporządkować, albo zejść z areny

– pisał po latach Wiesław Władyka[49].

Adam Schaff, uderzając w „Po prostu", rozpisywał się o tym, co miała zyskać partia po odwrocie od „dogmatyzmu i sekciarstwa ideologicznego". A jednocześnie nawoływał do bezwzględnej rozprawy z odmieńcami partyjnymi:

> Nie wątpię, że będą tendencje rewizjonistyczne. Walka w partii z likwidatorstwem ideologicznym musi być przeprowadzona w partii niezależnie od tego, jakie mogą tu grozić błędy i wypaczenia. «Kto wołkow boitsa, tomu w lies nie chodit». W las wejść należy, ale jednocześnie nie wolno zapominać, że po lesie chadzają wilki. Jeśli uzbroiliśmy się w kij przeciw rewizjonistom, to nie wolno zapominać

i o kłonicy (przynajmniej!) przeciw wszelkiego typu dogmatykom i sekciarzom[50].

Redaktor naczelny Żółkiewski zapowiedział walkę z „dogmatyzmem, rewizjonizmem, konserwatyzmem w partii i z likwidatorstwem w stosunku do partii"[51].

W odpowiedzi Ryszard Turski zarzucił „Polityce" kaznodziejską publicystykę, którą cechuje „maniera żywiołowego idealizmu", podejście emocjonalne przy bardzo skromnej wiedzy o kraju. W reakcji na to Rakowski i Radgowski pisali w artykule „Fałszywy kierunek natarcia":

> Uważamy, że pełne i szczere zaangażowanie się po stronie programu politycznego kierownictwa partii jest najwyraźniejszym działaniem komunistów polskich na rzecz odnowy. [...] Przeciwstawialiśmy się pewnym tendencjom «Po prostu» polegającym na potępieniu w czambuł pracowników aparatu [...], przedstawianiu ich jako nieudolnych aparatczyków. [...] Partia z całym zespołem wad i słabości jest decydującą siłą społeczną, jeśli cieszy się poparciem mas[52].

W efekcie tej nagonki, w której swoją szychtę odrobiła „Polityka", rozwiązano redakcję pisma „Po prostu".

Gdy KC PZPR zadecydowało o zawieszeniu „Po prostu", które było w rzeczywistości jego likwidacją, „Polityka" – jak powszechnie sądzono – „wykonała zlecenie partyjne" – co przyznał po latach Wiesław Władyka[53].

Po rozwiązaniu pisma doszło do demonstracji studentów, brutalnie spacyfikowanych przez milicję. W triumfującej redakcji „Polityki" Radgowski pisał, że MO „interweniuje, gdy męty z peryferii gościnnie przewracają kioski w śródmieściu". Z łamów „Polityki" Andrzej Werblan ostrzegał, że Październik stanie się „odskocznią do następnego, już niesocjalistycznego etapu". Decyzję o zamknięciu „Po prostu" redaktorzy „Polityki" przyjęli z wyraźną aprobatą, a dziennikarzy rozwiązanego pisma nadal jeszcze atakowali, przypisując im totalną negację rzeczywistości.

Teraz już, nie obawiając się krytyki partyjnych liberałów, „Polityka" mogła gościć na swych łamach ludzi dawnego MBP.

W setnym, a więc jubileuszowym numerze „Polityki" ze stycznia 1959 roku, zamieszczono rozmowy z komunistycznymi osobistościami, w tym generałem Leszkiem Krzemieniem[54], który uchodził za dyżurnego dogmatyka. Mówił on o pracy koniecznej dla przeciwstawienia się „zbankrutowanym koncepcjom rewizjonistycznym", by nie dopuścić, aby „elementy rewizjonistyczne wycofały się do oficyn ideologicznych"[55].

Łamy „Polityki" były gościnne dla byłego płkownika UB, później ekonomisty Wiktora Herera – tego, który w 1948 roku nakazał aresztowanie bohatera Szarych Szeregów i AK Jana Rodowicza „Anody", zamordowanego podczas brutalnego śledztwa w siedzibie MBP przy ul. Koszykowej w 1949 roku. Ów stalinowski ekonomista klarował jasne perspektywy komunistycznych przekształceń gospodarczych. Pisał on m.in.:

> W ZSRR tzw. «stalinowskie pięciolatki» przekształciły poazjatycki, bardzo zacofany kraj, w światową potęgę przemysłową ustępującą jedynie USA, i to nie we wszystkich dziedzinach. [...] Jeśli w minionym okresie ekonomiści marksistowscy polscy i radzieccy przedstawiali system jako idealny instrument działania, który co najwyżej nie zawsze był właściwie wykorzystywany przez słabych, często obciążonych jeszcze mentalnością kapitalistyczną wykonawców – to obecnie stalinowski model gospodarczy przedstawiany jest przez naszych publicystów jako system całkowicie zbankrutowany, jako model, który w swej realizacji przyniósł naszemu krajowi same straty[56].

Oceny modelu gospodarczego minionego okresu były – zdaniem autora – pozbawione subiektywizmu, dlatego przedstawił on ocenę szeroką, z której miało wynikać powiązanie wprowadzanych zmian ze wzrostem stopy życiowej.

Przed Palikotem

„Polityka" może pochwalić się tym, że jako jedna z pierwszych w trudzie wykuwała argumentację do powracającej po upadku komuny walki z Kościołem. Przykładem tej pracy pisma niech będzie tekst publicystki Pelagii Lewińskiej wydrukowany w 1957 roku pod znamiennym tytułem: „Pomówmy po partyjnemu o nauczaniu religii w szkołach"[57]. Publicystka „Polityki" krytykowała w nim zarządzenie o wprowadzeniu religii do szkół:

> Przedmiot formalnie nadobowiązkowy został faktycznie włączony w system życia szkoły. Nastąpiła dezorientacja i obezwładnienie poważnej części nauczycielstwa, w tym również partyjnego, zaś dla środowisk sfanatyzowanych wprowadzenie religii stało się sygnałem do nagonki, często wręcz do napastowania wielu nauczycieli.

Przy okazji Lewińska domagała się pociągnięcia do odpowiedzialności „organizatorów tych hec". Takich słów nie powstydziłby się Janusz Palikot czy też inni politycy Platformy Obywatelskiej i Sojuszu Lewicy Demokratycznej.

> Stojąc na stanowisku prawdziwej wolności sumienia i równości wszystkich obywateli wobec państwa nie można nie obstawać za pełną świeckością szkoły i nie widzieć tego zadania jako bliższej czy dalszej perspektywy, do której wcześniej czy później przekona się większość narodu. W żadnym razie nie można przyjąć rozumowania pozorujących na cynizm młodzieńców, czy też – służących im jako wzór – wylenialych ideologicznie prawdziwych cyników, którzy głoszą, że partia nie mogąc zwiększyć szybko ilości chleba dla ludzi, zwiększa ich prawo do ubiegania się o królestwo niebieskie. Taka interpretacja wlewa w serca prawdziwie ideowej części kadr partyjnych rozgoryczenie, szerzy indyferentyzm ideologiczny, zniechęca do odważnej postawy w walce o naukowo materialistyczne myślenie.

Jeśli wymienilibyśmy określenie „marksiści" na „ludzie tolerancyjni", uzyskujemy doskonale znaną retorykę dnia dzisiejszego, wypowiedzianą wówczas w „Polityce":

> Marksiści jak i poważna część postępowych ludzi wierzących, widzą, że nauczenie religii w szkole nie sprzyja umocnieniu wpływu wychowawczego szkoły, nie przyczynia się do wychowania w tolerancji. [...] Zjawisko zwierzęcego nacjonalizmu zaprawionego fanatyzmem religijnym, który dziś rozpalono w naszym narodzie, z całą ostrością wystąpiło na terenie szkoły. Do wszystkich wychowawców wołają na alarm te symptomy zatrucia moralnego. Wołają o podjęcie zdecydowanego, przemyślanego działania. Nie ma co mówić o wychowaniu socjalistycznym, nie ma co mówić o wychowaniu patriotycznym, kiedy się wstydliwie obchodzi sprawę średniowiecznych przesądów, kiedy się nie uderza we wszelki przejaw pogardy człowieka za jego pochodzenie rasowe, lub za to, że wychowano go w innych obyczajach i wierzeniach

– pisała Lewińska.

W obronie linii partii

Do roku 1960 do zespołu „Polityki" wytypowani zostali także – Jerzy Urban[58], Andrzej Krzysztof Wróblewski (według dokumentów SB zarejestrowany jako KO), Daniel Passent (według dokumentów SB zarejestrowany jako KO „Daniel", TW „John", „Dan"), Zygmunt Szeliga (według dokumentów SB zarejestrowany jako KO „Aligator"), Dariusz Fikus, Tadeusz Drewnowski i Marian Turski. Przewinęli się przez tygodnik m.in. Ryszard Kapuściński (według dokumentów SB zarejestrowany jako KO „Poeta", „Vera Cruz"), publikujący tu pierwsze reportaże, i Józef Śmietański, który w 1968 wyjechał do Izraela, gdzie zmarł w 1997 roku.

Radgowski tak pisze o obsadzaniu etatów w piśmie:

> Powiedzmy sobie szczerze, że ów trzon, także ludzie spoza kolegium, bardzo niechętnie odnosili się do idei powierzania kluczowych

stanowisk outsiderom, co zjednywało u niechętnych pismu opinię grupy hermetycznie zamkniętej. Ilekroć rodziły się takie propozycje, podnosiła się fala oporu, niechęci [...] Przypuszczam iż znaczną rolę odgrywała obawa, że ludzie z zewnątrz nie dostosują się do stylu dziennikarstwa reprezentowanego przez «Politykę», że ów styl zmącą; dalej, że mogą to być także konie trojańskie, z których wyłonią się osobnicy z zamiarem rozsadzenia pewnej ideowej i koleżeńskiej wspólnoty pisma[59].

Dlatego szukano wśród dusz pokrewnych – jak Urban czy Bijak, których zespół szybko przyswajał.

Radgowski opisał, jak w 1961 roku sekretarz Gomułki wręczył jemu i Rakowskiemu zaproszenie na spotkanie w KC z I sekretarzem. Ten, mając na czerwono pozakreślane wycinki z „Polityki", podczas spotkania wyrażał swoje opinie na temat tekstów. Rozliczał redakcję. Na koniec życzył sukcesów i spokojnej pracy.

Nic dziwnego, że wśród Polaków „klimat niechęci i bojkotu wobec «Polityki» rozwiał się" – o czym pisał Radgowski.

Andrzej Krzysztof Wróblewski przyszedł do „Polityki" w roku 1957. Po latach, gdy zmienił się system i Wróblewski był teraz redaktorem naczelnym „Gazety Bankowej", nadal służył władzy pomocą w swoich tekstach.

Od roku 1995 Wróblewski kierował redakcją „Nowej Europy", a gdy ta zbankrutowała, w 1996 roku powrócił do „Polityki". Zmarł w roku 2012.

Andrzej Krzysztof Wróblewski pełnił w redakcji „Polityki" m.in. funkcję szefa działu. SB kontrolowała go w związku z kontaktami, jakie miał z obywatelami państw zachodnich. Dotarła też do informacji, że Wróblewski od roku 1965 był informatorem pozostającym na stałym kontakcie czechosłowackich służb konsularnych. Jako zaufany informator dwóch pracowników ambasady przekazywał im poufne i tajne informacje. Przykładowo 20 sierpnia 1968 roku przekazał osobom kontaktowym informację o przygotowaniach do wkroczenia do CSRS wojsk Układu Warszawskiego. Uprzedzenie o inwazji sowieckiej na reformistyczną Czechosłowację należy akurat pochwalić. Wiadomość natychmiast przesłano do Pragi z adnotacją: „Pilna! Błyskawiczna!". SB te kontakty opisywała jako działalność na szkodę PRL i CSRS. Bezpieka weszła też w posiadanie jego pamiętników z lat 1956–1963 i korespondencji. Dysponowała również dokumentami takiej współpracy od władz Czechosłowacji[60]. Kilkanaście lat później, już w okresie „pieriestrojki", SB zdecydowała się jednak skorzystać z wiedzy i rozległych kontaktów Wróblewskiego.

Według znajdujących się w IPN dokumentów Andrzej Krzysztof Wróblewski został zarejestrowany w maju 1989 roku, a więc na miesiąc przed wyborami kontraktowymi, jako kontakt operacyjny. Nie znamy jego pseudonimu. Nie pobrano zobowiązania z uwagi na wysoką pozycję kandydata. Podczas rozmowy werbunkowej w kawiarni Rozdroże KO „przekazał informacje dotyczące przekształceń ustrojowych i gospodarczych" – napisano w kwestionariuszu źródła[61]. Na tym niestety urywa się ślad owych kontaktów.

We wcześniejszych latach Wróblewski był aktywnym członkiem ZMS. W redakcji „Sztandaru Młodych" był „bardzo popierany" przez redaktora naczelnego Mariana Turskiego, jednak został z niej usunięty, gdy inspirował do protestu z powodu wstrzymania druku jednego z numerów pisma.

Wróblewski opisywał w prowadzonych przez siebie pamiętnikach spotkania masońskie, w których uczestniczył w 1956 roku. Brali w nich udział: historyk UW prof. Kipa, dr Krygier z Państwowego Instytutu Matematycznego, poseł Lewin Karczewski, niejaki Frankowski, „Galar" (Andrzej Garlicki) i ojciec Andrzeja Krzysztofa – Andrzej Wróblewski. Wymienieni zbierali się co niedziela w kawiarni Europa. Toczono rozmowy przede wszystkim o polityce.

O Andrzeju Krzysztofie Wróblewskim pisał Radgowski, że był wyczulony na „kwestie ideologii, wartości wyższych i moralności". „Wymyślony przezeń w 1968 r. projekt dyskusji: «Witaminy socjalizmu» dotyczył właśnie wyższości zasad" – pisał Radgowski[62].

W dyskusji zorganizowanej przez redakcję uczestniczył także Zygmunt Bauman[63].

W październiku 1957 roku Wróblewski zapisał w pamiętniku, że wpadły mu w ręce nielegalne artykuły. „Pierwsze dwa, to skonfiskowane artykuły z prowokacyjnego poronionego «Po prostu»: Stefana Kurowskiego «Apatia» i Pawła Jasienicy «Cena spokoju»". Oceniał je surowo w swoich notatkach – „pierwszy z nich absurdalny, drugi tylko niesłuszny"[64].

Esbecja podkreślała, iż ojciec Wróblewskiego, Andrzej Feigin, zmienił nazwisko na Wróblewski[65]. Andrzej Feigin w latach 30. pracował w redakcji Polskiego Radia w Wilnie, gdzie miał felietony literackie. Został stamtąd usunięty z powodu podejrzeń o współpracę z komunistami, ponieważ utrzymywał wówczas kontakty ze środowiskiem komunizującej młodzieży, m.in. Putramentem, Jędrychowskim, Dembińskim (patrz rozdz. 1). W październiku 1939 roku wstąpił do konspiracyjnej Organizacji Socjalistycznej „Wolność", która podporządkowała się SZP/ZWZ. W 1940 roku Andrzej Wróblewski z kilkoma liderami organizacji przedostał się do Warszawy i wszedł do Komitetu Głównego. Ostatecznie „Wolność" połączyła się z PPS-WRN. Po wojnie Wróblewski został sekretarzem redakcji tygodnika „Robotnik" – organu PPS. Po wchłonięciu PPS przez PPR pracował w „Trybunie Wolności" – tygodniku PZPR. W październiku 1949 roku został usunięty z partii komunistycznej za zatajenie w aktach partyjnych przynależności do PPS-WRN, ale po październiku decyzję tę uchylono i w 1957 roku przywrócono mu członkostwo.

Według dokumentu SB z 1979 roku, w 1948 roku „Wróblewski zostaje zwerbowany do współpracy przez Wydział I Departamentu V byłego MSW i otrzymał ps. «Maks»". Miał za zadanie rozpracowywać działaczy PPS-WRN i prawicy PPS[66].

Departamentem V społeczno-politycznym MBP kierowała Julia Brystiger. Wydział I pilnował czystości ideologicznej partii i infiltrował jej przybudówki i organizacje zależne, w tym PPS (sekcja II).

Później Wróblewski był redaktorem w miesięczniku „Teatr", a jego żona Wanda dyrektorem Teatru Ziemi Mazowieckiej. Wnuk Andrzeja Wróblewskiego i syn Andrzeja Krzysztofa Wróblewskiego – Tomasz Wróblewski[67] w roku 2011 został redaktorem naczelnym „Rzeczpospolitej", a po rozbiciu redakcji przez nowego właściciela Grzegorza Hajdarowicza – publicystą tygodnika „Do Rzeczy". Na początku stanu wojennego po zaangażowaniu się młodego Wróblewskiego w działalność podziemną rodzice wysłali go do USA.

Cenny nabytek

Do grupy najdłużej pracujących w „Polityce" dziennikarzy można zaliczyć Daniela Passenta. Do „Polityki" ściągnęła go wspomniana już Romana Granas[68]. Passent to jeden z filarów „Polityki" zarejestrowanych przez SB, publicysta od 54 już lat związany z tygodnikiem, którego często przedstawia się jako wzór dziennikarstwa i nagradza za całokształt dokonań bądź „ostre pióro". Passent był ambasadorem RP w Chile (1996–2001), gdy szefami MSZ byli kolejno Bronisław Geremek, Władysław Bartoszewski i Włodzimierz Cimoszewicz.

„Passent pochodzi z rodziny komunistycznej. Ojciec, wujek i inna rodzina należeli do KPP" – pisał por. kontrwywiadu SB P. Adach[69]. Najbliższa rodzina Daniela Passenta (ur. 1938) została zamordowana w czasie wojny – on sam ocalał ukrywany przez polską rodzinę. Po wojnie wzięli go na wychowanie wujostwo Jakub i Anna Prawinowie. Jakub Prawin, przedwojenny komunista, w 1939 roku uciekł do Lwowa, gdzie wstąpił do WKP(b). Po wybuchu wojny niemiecko-sowieckiej zgłosił się do Armii Czerwonej. Walczył w bitwie pod Stalingradem, za co został odznaczony i mianowany do stopnia majora. W 1943 roku Sowieci przenieśli go do 1. Dywizji Piechoty im. Tadeusza Kościuszki. Służył w niej jako politruk współpracujący z NKWD w kwatermistrzostwie, w wydziale oświatowym 1. Dywizji, następnie był zastępcą dowódcy 1. Dywizji ds. polityczno-wychowawczych[70]. Po wojnie Jakub Prawin został pierwszym wojewodą olsztyńskim, a później szefem misji wojskowej w Berlinie (1945–1950). Po powrocie do kraju został wiceprezesem NBP. Utonął w 1957 roku w Wiśle.

Daniel Passent według dokumentów komunistycznej bezpieki został zarejestrowany jako agent służb PRL działający jako KO „Daniel" i TW „John". Fakty te ujawnił program „Misja specjalna"[71]. Służby specjalne PRL planowały uzyskiwanie za jego pośrednictwem informacji o cudzoziemcach, jednak w toku współpracy dostarczać miał on także informacje o charakterze politycznym, dotyczące nie tylko cudzoziemców, ale też Polaków. Za tę współpracę był wynagradzany[72].

Z archiwów SB wynika, że bezpieka pozyskała dziennikarza do współpracy w 1961 roku – dokumenty wskazują, że najpierw zarejestrowano go jako informatora wywiadu a później kontrwywiadu. Passent, absolwent studiów w Leningradzie, został pozyskany przez SB na zasadzie dobrowolności. Z dokumentów IPN wynika, że dostarczał służbom specjalnym PRL informacji o cudzoziemcach i przyjął pieniądze na cele operacyjne.

Przekazywał on informacje m.in. o poglądach amerykańskich dyplomatów. W 1964 roku Passenta – zarejestrowanego jako „Daniel", przekwalifikowano z kontaktu operacyjnego na tajnego współpracownika o ps. „John". „Johna" wyrejestrowano z sieci kontrwywiadu w 1970 roku.

Passent jako nieprzejednany przeciwnik lustracji po ujawnieniu faktu jego rejestracji wystąpił o autolustrację. Sądy lustracyjne dwóch instancji odmówiły mu, argumentując, że nie pełnił on funkcji publicznej w rozumieniu obowiązującej ustawy lustracyjnej.

Nie dziwi więc, że na pytanie redaktora Jana Wróbla o to, czy zabetonować IPN na 50 lat, Passent odpowiada, że po jakimś czasie, gdy zasoby będą dostępne, można by „rzeczywiście zamrozić teczki, by utrudnić proceder Dorocie Kani i innym, którzy, gdy tylko pojawi się na scenie przeciwnik, biegną szukać na niego teczki w IPN"[73].

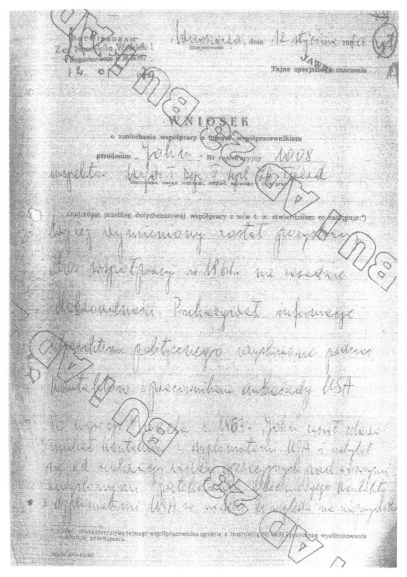

Wniosek o zaniechanie współpracy z TW „John" (AIPN BU 2082/151)

Daniel Passent nie tylko zaprzecza temu, że był tajnym współpracownikiem. Przeczy również, by kiedykolwiek „kadził komunie"[74]. Wobec tego można by sądzić, że nie znają go nawet jego bliscy przyjaciele. Na pytanie, kim jest publicysta „Polityki", kierowane do jego wieloletniego przyjaciela Jerzego Urbana, ten odpowiada krótko – komuchem[75]. Takie sformułowania na temat Passenta pokazują, z jaką łatwością dziennikarz ów uniezależnia się od faktów. Czuje się bezkarny za tarczą nagród czy laurek słownych, którymi obsypywany jest przez kolegów z zaprzyjaźnionych redakcji. „Od czasów Antoniego Słonimskiego tak dobrze jak Daniel Passent pisał tylko Jerzy Urban" – mówił w 2010 roku dziennikarz Tomasz Lis podczas promocji książki Passenta „Pod napięciem".

Bezpieka postanowiła też przez pewien czas kontrolować Passenta i prowadziła kwestionariusz ewidencyjny „Dan". Powodem były informacje, iż przed Marcem '68 brał on udział w spotkaniach w mieszkaniu literata Jerzego Andrzejewskiego, w których uczestniczyli również „komandosi". Sprawdzano także jego znajomości wśród obcokrajowców. W 1976 roku zakończono prowadzenie tej sprawy nie stwierdzając żadnego zagrożenia w działalności redaktora, a końcowa ocena brzmiała jak laurka. „Publicystyka zgodna jest z ogólnymi założeniami naszej polityki, nie stwierdzono również zapisów cenzorskich" – napisano w wyjaśnieniu złożenia sprawy do archiwum Biura „C" MSW. Wskazano także na „pełne zaufanie i poparcie, jakie mu udziela tow. M. Rakowski – red. naczelny, czł[onek – *aut.*] KC PZPR"[76].

Z akt SB dotyczących Passenta wyłania się obraz relacji tygodnika z peerelowską władzą. Jak w 1974 roku relacjonowało tajne źródło SB o ps. „Hanka", szef pisma Mieczysław Rakowski

[ostatnio – *aut.*] wezwał zespół i powiedział, że tow. Gierek w osobistej rozmowie poprosił go, aby w najbliższym czasie mniej krytykować, a bardziej podkreślać osiągnięcia ekipy rządzącej w ostatnich trzech latach[77].

Passent stwierdził w związku z tym, że „w okresie przedzjazdowym nie będzie publikował kontrowersyjnych tekstów". Z informacji, jakie uzyskała SB, a także

> na podstawie ingerencji GUKPPiW [Główny Urząd Kontroli Prasy, Publikacji i Widowisk – *aut.*] oraz publikowanych w ostatnich miesiącach tekstów widać wyraźnie, że taką samą taktykę przyjęli i inni publicyści «Polityki» jak A. Paszyński, J. Urban, A. K. Wróblewski, J. Kleer[78].

GUKPPiW zakwestionował w tym czasie fragment dygresji Putramenta, sformułowanej w kontekście polemiki z Urbanem:

> Wystarczy patrzeć jak się zachowują uszy «Polityki». [...] Zamiast podskakiwać, kręcić ogonkiem, stuliła uszy[79].

Gdy pismo z całym zaangażowaniem w 1982 roku popierało władze za wprowadzenie stanu wojennego[80], Passent okazał się jednym z gorliwszych pochlebców. O ocenie dziennikarskiej działalności Passenta w latach PRL niech świadczy choćby fakt ukazania odbioru „Polityki" przez ludzi spoza kręgu aparatu władzy przedstawiony przez Jacka Kaczmarskiego w piosence „Marsz intelektualistów" napisanej w marcu 1982 roku.

> Utwór dedykowany wszystkim tym, którzy swoją postawą przyczynili się do umacniania reżimu komunistycznego w Polsce, ze szczególnym uwzględnieniem Daniela Passenta, Jerzego Urbana i Mieczysława F. Rakowskiego

– poprzedzał tymi słowy wykonanie utworu autor.

> Ja wiem, ja także z wami marzyłem
> Dałem się ponieść mglistym mirażom
> Lecz tylko siłą zwalczymy siłę
> I zadepczemy groby, gdy każą!

Niech nikt mi kartą praw nie wywija,
Gdy chcę mam prawo piętnować Żyda!

W aktach SB dotyczących Passenta znajduje się opis jego rozmowy z Zygmuntem Szeligą, wicenaczelnym „Polityki" – według dokumentów SB zarejestrowanym jako KO „Aligator". Szeliga opracował broszurkę dotyczącą „problemów syjonistycznych dla Komitetu Warszawskiego PZPR". Bazowała ona na materiałach KC PZPR[81].

Podczas rozmowy z oficerem bezpieki przeprowadzonej w marcu 1968 roku Passent przekonywał, że Rakowski to osoba zaufana Artura Starewicza, a więc bliskiego współpracownika Gomułki, i nie ukrywa on, że dopracował się pozycji zastępcy członka KC dzięki sprytowi i umiejętności prowadzenia rozgrywek[82].

Sam Passent cieszył się uznaniem prominentów prasy reżimowej. Leon Kasman, naczelny „Trybuny Ludu", „lubił Passenta dawać jako wzorowego dziennikarza, którego powinni naśladować inni"[83]. Jerzy Urban i Andrzej Berkowicz[84] mówili o wpływach, jakie posiada dziennikarz. Twierdzili, że Passent jest wysoko umocowany w MSZ. Podkreślano też, iż Passent jest w rodzinie Romana Zambrowskiego przez ówczesną żonę – córkę siostry Zambrowskiego[85].

W rzeczywistości Passent był przyjacielem szkolnym Stefana Zambrowskiego, syna Romana. Pierwszą żoną Passenta była Jadwiga Lutowicz, córka przyrodniego brata żony Romana Zambrowskiego.

Dzisiaj powtarzana tak chętnie przez redaktorów „Polityki" opinia o rzekomej niezależności ich pisma od władz PRL była przedstawiona w innym świetle w 1973 roku przez samego Daniela Passenta. Podczas spotkania z młodzieżą akademicką i czytelnikami miesięcznika „Odra" we Wrocławiu redaktor „Polityki" opowiadał jako doświadczony sekretarz tej redakcji o jej pracy. Mówił, iż dziennikarze „Polityki" raczej nie piszą „do szuflady". Ich teksty są najczęściej drukowane, chyba że napisane są w złym stylu.

Reprezentują oni pewne środowisko, działają z wytycznych kierownictwa Partii i Rządu [...][86].

Passent został wysłany przez MSZ do Wietnamu. Początkowo negatywnie opiniowany, jego wyjazd został jednak przeforsowany po interwencji wiceministra MSW Franciszka Szlachcica. Podczas pobytu w Wietnamie udzielał polskiej bezpiece informacji politycznych – jak brzmiała notatka z 1970 roku. Odnotowano też pokwitowanie odebrane od Passenta przez oficera prowadzącego[87].

Historyk i Podróżnik

Ścisłe związki „Polityki" z władzą trwają od momentu jej powstania. Filarem redakcji już na samym początku stał się Marian Turski[88]. Z ruchem komunistycznym związał się w wieku 16 lat, gdy w roku 1942 znalazł się w łódzkim getcie. Działał wówczas w Lewicy Związkowej. Po wojnie działał w młodzieżówce PPR i studiował prawo oraz historię na Uniwersytecie Wrocławskim, a następnie zdobywał pierwsze ideologiczne szlify w Wyższej Szkole Partyjnej wspólnie ze swoim dobrym znajomym Edwardem Gierkiem. Pracował w Wydziale Prasy Polskiej Zjednoczonej Partii Robotniczej, a jako dziennikarz pierwsze kroki stawiał we wrocławskiej „Gazecie Robotniczej". Od 1955 roku pracował w „Sztandarze Młodych". Zaangażowany socjalista, po Październiku znalazł się po stronie młodych „rewizjonistów". Odszedł z „SM" jako p.o. redaktora naczelnego. W „Polityce" kieruje działem historycznym od roku 1958. Jego 50-letni dorobek w tygodniku podsumowano w 2008 roku hucznie obchodzonym jubileuszem.

„Nikt z naszego Zespołu nie wyobraża sobie ani nie zna «Polityki», w której nie było Mariana" – napisano po uroczystości. Redakcja wychwalała prowadzenie przez pół wieku działu historycznego tygodnika i właściwy dobór historyków współpracujących z pismem[89].

Tymczasem o jawnym zakłamywaniu historii pisał z rozbrajającą szczerością Radgowski:

> Co się tyczy działu historycznego prowadzonego przez Mariana Tur-skiego, to zajmował się on raczej wydobywaniem nurtu lewicowego zgodnie z ogólnym założeniem kierownictwa. Publikowano w nim rewelacyjne nieraz dokumenty odnoszące się do PPR i powstania wła-dzy ludowej; problematyka AK pojawiała się z rzadka i na drugim planie[90].

To właśnie w „Polityce" pierwsze reportaże publikował Ryszard Kapuściński (1932–2007). W 1956 roku, po ukończeniu historii na Uniwersytecie Warszawskim, podjął pracę w „Sztandarze Mło-dych", skąd go usunięto za poparcie udzielone tygodnikowi „Po pro-stu". Wtedy Kapuściński zrozumiał „mądrość etapu" i podjął pracę w mającej zniszczyć „Po prostu" „Polityce". Następnie przez wiele lat związany był z Polską Agencją Prasową.

Przez lata kreowano obraz Kapuścińskiego jedynie jako mistrza reportażu literackiego i najwybitniejszego pisarza wśród reporterów. Mit ten prysł wraz z publikacją biografii „Kapuściński non-fiction". Jak pisał Artur Domosławski, w swojej pracy reporterskiej Kapuściń-ski posługiwał się często konfabulacją. Było tak w przypadku niektó-rych jego reportaży z wyjazdów do Afryki.

Domosławski zebrał z różnych miejsc świata relacje osób i fakty, które wskazują, iż Kapuściński nawet w swoich najbardziej znanych książkach, takich jak „Cesarz" czy „Heban", konfabulował i zmyślał. Przedstawiana przez niego rzeczywistość nie miała wiele wspólnego z realiami.

Ten przerażający obraz potwierdza kolega redakcyjny Kapu-ścińskiego z „Polityki" – Wojciech Giełżyński (według akt SB zare-jestrowany jako TW „Stefański"). Najwięcej „poprawek" rzeczywi-stości Giełżyński odnalazł w angolskiej opowieści – „Jeszcze dzień życia".

Mówi, że rozmawiał o nich z Kapuścińskim, a ten zazwyczaj milcząco potwierdzał, raz czy dwa zaprotestował, na koniec dodał: – Jeszcze paru nie odkryłeś[91].

Przeciwko rzetelności Kapuścińskiego występują na całym świecie znawcy opisywanych regionów Etiopii, Iranu i innych miejsc globu. Znamienna jest wypowiedź Polki, która od dziesiątek lat mieszka w Etiopii, gdzie powstawał „Cesarz". Domosławski zapytał ją, co jest nieprawdziwego w książce Kapuścińskiego.

Co jest nieprawdziwe? Niech pan spyta, co tam jest prawdą, łatwiej będzie powiedzieć. To są bajki, bajdurzenie

– odparła[92].

Innym zarzutem do reportażysty jest jego zaangażowanie po jednej z opisywanych stron, posuwające się do ingerencji w opisywaną rzeczywistość.

Reporter zaangażowany za jakiego się uważał, staje po jednej ze stron konfliktu, angażuje się czasem do tego stopnia, że razem z bohaterami swojego reportażu strzela do ich (wspólnego?) wroga nie dlatego, że chce przeżyć. Nie przede wszystkim dlatego[93].

Redakcyjna koleżanka pisarza i reportera Hanna Krall tak wspomina go w książce Domoslawskiego:

Kiedy wracał z kolejnych reporterskich wypraw, nigdy nie wiedziałam, z kim rozmawiam. Z boliwijskim partyzantem? Z etiopskim rewolucjonistą? Szyickim fundamentalistą?[94]

W 1948 roku, gdy w lasach walczyli jeszcze Żołnierze Wyklęci, 16-letni wówczas Kapuściński zapisał się do Towarzystwa Przyjaźni Polsko-Radzieckiej, a na studiach do PZPR. Legitymację złożył dopiero w stanie wojennym.

Od 1962 roku Kapuścińskim interesowali się oficerowie Departamentu I, a konkretnie Wydziału IV, który zajmował się wywiadem skierowanym przeciwko Ameryce Łacińskiej, USA i Wielkiej Brytanii. W tym czasie reportażysta podjął pracę w Polskiej Agencji Prasowej, więc chciano wykorzystać jego możliwości swobodnego poruszania się jako korespondenta.

24 marca 1965 roku kapitan Z. Sobczyński, starszy oficer operacyjny zespołu I Wydziału IV Departamentu I MSW, spotkał się z Kapuścińskim. W konsekwencji 9 kwietnia reportażysta podpisał się pod opracowanymi dla niego zadaniami i ustalonym hasłem kontaktowym w związku ze swoim wyjazdem do Afryki Zachodniej.

Jak wynika z teczki pracy, w latach 1965–1972 Kapuściński był zarejestrowany przez Wydział III – Ochronę kontrwywiadowczą Departamentu I jako kontakt operacyjny działający pod pseudonimami „Poeta" i „Vera Cruz" (nr rej. 6433, nr arch. 11630/I)[95]. „Vera Cruz" charakteryzował dla SB sylwetki zagranicznych dziennikarzy. Wskazywał ich słabości. Miał też za zadanie analizowanie sytuacji politycznej w krajach, do których się udawał. W szczególności miał zbierać informacje o Ameryce Łacińskiej.

W 1969 roku kontaktujący się z nim oficer bezpieki przekazuje Kapuścińskiemu zadanie tropienia działalności FBI i CIA. Dziennikarz ma też „rozpracowywać osoby jak i miejsca wrogiej działalności przeciwko PRL przez obce wywiady, a przede wszystkim przez wywiady USA, Izraela i NRF". Vera Cruz realizując zadania przekazane przez wywiad SB dostaje pieniądze tytułem poniesionych wydatków.

Kapuściński zidentyfikował dla SB Centrum Badań nad Rozwojem przy Uniwersytecie Centralnym w Caracas jako ośrodek analityczny CIA. Pracował w Kolumbii, Peru, Wenezueli i Meksyku.

Nie wierzę w bezstronne dziennikarstwo – tak tłumaczył Ryszard Kapuściński swoje zaangażowanie w ruchy komunistyczne i siły je popierające w różnych miejscach świata, do których wiodły go zawodowe ścieżki.

Mimo że 6 czerwca 1972 roku materiały Kapuścińskiego złożono w Biurze „C", czyli archiwum, odnajdujemy informacje przekazywane SB przez Kapuścińskiego w latach 70. W 1975 roku Kapuściński wyjechał do Angoli, gdzie popierał komunistyczną partyzantkę i kubańskich interwentów. W 1977 roku płk Komorowski z Wydziału IV przekazał do Wydziału VI Departamentu I informacje uzyskane od Kapuścińskiego o Angielce Alice Berni, która miała przyjechać do Polski:

> Alice B. przebywała w Angoli (w okresie wojny narodowo-wyzwoleńczej). Jak twierdziła, zaproszona przez Paulo Jourge, ministra spraw zagranicznych Angoli. Zaproszenie rzekomo uzyskała w czasie jego wizyty w Rzymie. Przebywając w Angoli, związana była z grupą Nito Alvesa[96], dowódcy I regionu MPLA[97], który reprezentował kierunek prochiński – antykubański. A. B. twierdziła, że do Angoli skierowała ją Włoska Partia Komunistyczna. Zdaniem R. K. jest ona agentką służb specjalnych, grającą rolę ultralewacką. A. B. twierdziła, że zadaniem jej w Angoli jest udzielenie pomocy Nito Alvesowi w opracowaniu programu politycznego. Przez cały okres pobytu w Angoli utrzymywała ścisły kontakt z konsulem włoskim. W kontaktach z Europejczykami, a głównie z państw socjalistycznych, była bardzo ostrożna i powściągliwa. Charakteryzując jej osobowość R. K. stwierdził, że reprezentuje ona typ człowieka narzucającego się, gadatliwego, ekspansywnego, hałaśliwego, pozbawionego skrupułów, mało odpowiedzialnego. Jest brzydka, w Angoli utrzymywała kontakty seksualne z Murzynami[98].

Kapuściński przebywał w Afryce w Angoli i Mozambiku, gdzie działała komunistyczna partyzantka korzystająca z sowieckiego i kubańskiego wsparcia.

Inne ślady prowadzą do kontaktów Kapuścińskiego z Departamentem II, czyli kontrwywiadem, i Departamentem III, zajmującym się walką z opozycją. SB oceniało, że Kapuściński „w czasie współpracy wykazywał dużo chęci"[99]…

Jak powiedział Ernest Skalski (w aktach SB zarejestrowany jako TW „Alski"[100]) o kontaktach reportażysty z komunistyczną bezpieką: „bez współpracy nie byłoby Ryszarda Kapuścińskiego"[101].

„Miglanc" też w „Polityce"

Wśród „wolnych strzelców", którzy przychodzili na zebrania redakcji, byli Andrzej Szczypiorski[102] (TW „Miglanc", TW „Mirek") i Stefan Bratkowski. Stałym gościem był też Wojciech Giełżyński.

Andrzej Szczypiorski (1928–2000) pracował wpierw w „Polityce" przez dekadę, w latach 1965–1975, następnie z nią współpracował. Był synem Adama (1895–1979), działacza PPS, piłsudczyka i członka-założyciela KOR. Po roku 1989 Andrzej Szczypiorski często wyrażał opinie aprobowane przez środowisko „Gazety Wyborczej". Szczypiorski, podobnie jak Adam Michnik, wygrał wybory w roku 1989, tyle że do Senatu (Michnik został wówczas posłem), był również politykiem Unii Demokratycznej. Dla wielu czytelników „GW" szokujące okazało się ujawnienie dokumentów służb specjalnych PRL na temat Szczypiorskiego. Według tych dokumentów już w 1954 roku miał on zacząć wykonywać zadania dla Departamentu I MBP[103].

Na polecenie bezpieki TW „Miglanc" namawiał swego ojca do powrotu do kraju, najpierw listownie, później spotkał się z nim wysłany w tym celu za granicę. Na początku 1955 roku Andrzej Szczypiorski proponował ppłk. Leonowi Winiawskiemu, że na spotkaniu z rodzicami w Wiedniu przekona matkę i wykorzysta jej wpływ na ojca, by sprowadzić go do komunistycznej Polski. 17 września 1955 roku na żądanie bezpieki Andrzej Szczypiorski przeprowadził w Londynie decydującą rozmowę z ojcem i sprowadził rodziców do PRL. Obiecał też ojcu załatwienie pracy, mieszkania i godne warunki życia. W IPN zachowało się dziewięć raportów „Miglanca" z rozmów z ojcem.

Zapewne w nagrodę wyjechał na placówkę do Danii. Zachowało się jego zobowiązanie i zadania, które podpisał własnoręcznie nazwiskiem i pseudonimem. Został jednak stamtąd szybko wycofany za przekręty finansowe.

W 1983 roku Andrzej Szczypiorski dwukrotnie potwierdził wolę dalszej współpracy z SB. Następnie był zadaniowany przez

Departament I. Nigdy też nie znaleziono dokumentów o zaprzestaniu współpracy i przekazaniu jego teczki do Biura „C", czyli archiwum.

Tradycja zobowiązuje. W tajemnicy przed „Mirkiem" SB zwerbowała jego syna Adama, który został zarejestrowany jako TW „Gaweł". Donosił na swego ojca, jak poprzednio ten na Adama seniora, i inkasował za to sowite wynagrodzenie. Szczególnie wygórowanej zapłaty zażądał za umożliwienie założenia podsłuchu w mieszkaniu ojca. Dzięki pomocy syna, pod nieobecność Andrzeja Szczypiorskiego, SB dokonywała rewizji, sfotografowała notatki pisarza i założyła PP (podsłuch pokojowy).

TW „Gaweł" pisał później w raporcie, że ojciec go podejrzewa i grozi, iż załatwi sprawę z Kiszczakiem – że „oni cię w końcu z tej SB wyrzucą". Dokumenty te pochodzą z przełomu 1986 i 1987 roku.

Trzej bracia i dwie siostry Adama Szczypiorskiego seniora pracowały na wyższych stanowiskach w MBP. Bratowa Szczypiorskiego, członek KZMP, była w 1942 roku łączniczką i sekretarką Pawła Findera i Marcelego Nowotki. Po wojnie także poszła do resortu, ale nie do UB tylko do MO[104].

Andrzej Szczypiorski krytykował Kościół jako „źródło Holocaustu", piętnował „ciemnogród" i wychwalał płk. Clausa von Stauffenberga, nie dziwi więc, że otrzymał wiele nagród niemieckich, w tym federalny Krzyż Zasługi (1995).

Cechy charakterystyczne społeczeństwa polskiego to: alkoholizm, nieuczciwość, brak tolerancji względem inaczej myślących, nieposzanowanie pracy, zarówno cudzej jak i własnej. Wypadałoby zapytać, czy takiemu społeczeństwu przysługuje miano chrześcijańskiego

– przekonywał Niemców Szczypiorski[105].

Szybko stał się „instytucją życia publicznego" w Niemczech, oczywiście nie bez pomocy. Jego pozycję w środowiskach zachodnioniemieckich intelektualistów kreował Marceli Reich-Ranicki[106], znany tłumacz i krytyk literacki, a w rzeczywistości w okresie stalinizmu kapitan wywiadu UB.

To wszystko sprawia, że Andrzej Szczypiorski został uznany za najwyższy autorytet moralny III RP. Rodzina modelowa.

Gierkowszczyzna

Dziennikarze „Polityki" od zawsze są z siebie dumni i nic nie mają sobie do zarzucenia, może prócz drobiazgów, które przytrafiłyby się każdemu na ich miejscu.

Wypowiadając się o zespole z lat 1971–1975, zachwycającym się Edwardem Gierkiem i jego świtą, Radgowski pisze: „gdy chodzi o poziom dziennikarstwa w tym okresie, nie daje powodów do wstydu"[107]. „Cenna była praca Wojciecha Giełżyńskiego" (według akt SB zarejestrowany jako TW „Stefański") czy nowego nabytku Adama Krzemińskiego, nazwanego przez Radgowskiego nie wiedzieć czemu „kontestatorem". Na kontestowanie władzy w każdym razie w przypadku działalności redakcyjnej Krzemińskiego przykładów szukać próżno.

Adam Krzemiński (ur. 1945) rozpoczął pracę w „Polityce" w 1973 roku po przejściu z tygodnika „Forum", w którym znalazł się po ukończeniu studiów w Lipsku w 1967 roku. W „Polityce" pełnił m.in. funkcję zastępcy kierownika działu kulturalno-historycznego. Jego matka Anna Krzemińska pracowała, podobnie jak matka innego redaktora tygodnika Jacka Mojkowskiego i siostra Piotra Pytlakowskiego – Krystyna Pytlakowska, w piśmie „Zwierciadło". Brat – Stanisław Krzemiński – zatrudniony był w Polskim Radiu. Adam Krzemiński był w latach 70. kandydatem na TW przygotowywanym do informowania m.in. na temat dziennikarzy z krajów kapitalistycznych oraz polskich, którzy mogą działać przeciwko peerelowskiej władzy. Według prowadzącego sprawę por. Kudybińskiego z Departamentu III MSW, Krzemiński w kontaktach wykazywał się zrozumieniem do stawianych mu pytań, odpowiadał ze swobodą, bez skrępowania[108]. Krzemiński, który spotykał się z esbekiem, podpisał na jednym ze spotkań zobowiązanie do „zachowania w tajemnicy kontaktu i treści prowadzonych rozmów ze Służbą Bezpieczeństwa"[109]. Współpraca jednak nie doszła do skutku, ponieważ SB uzyskała zaraz po tym informację, że Krzemiński powiedział o spotkaniach z funkcjonariuszem rodzinie oraz redaktorowi naczelnemu „Polityki". W tej sytuacji SB zrezygnowała z kontynuowania sprawy.

W tym czasie Daniel Passent (według akt SB zarejestrowany m.in. jako TW „John") narzekał na brak dopływu nowej kadry do „Polityki". „Boją się do nas iść" – mówił[110]. W drugiej połowie lat 70. pismo rzeczywiście odczuwa, że jest atakowane. Najbardziej bolesne stają się zarzuty ze strony Komitetu Obrony Robotników z racji powiązań towarzyskich redaktorów tygodnika ze środowiskiem działaczy opozycji.

Radgowski podkreśla, że środowisko „Polityki" – także jej trzon – stanowiły osoby, które „podobnie myślą i reagują na rzeczywistość". Stałymi współpracownikami „Polityki", do których Radgowski bezpośrednio odnosił swoje słowa, byli: Magdalena Bajer, Wojciech Giełżyński, Wiesława Grochola, Marta Fik, Wanda Falkowska.

„Większość kolegów nie znalazła w zespole uniwersalnego autorytetu, człowieka-wzoru do naśladowania, czy choćby osoby, na którą «warto się orientować»". Za typową można uznać wypowiedź Magdaleny Bajer: „Wielu kolegów jest dla mnie wzorem w sprawach warsztatowych, mniej w kwestiach moralnych"[111]. Wspomniał to bez cienia refleksji Radgowski.

Radgowski pisze o „Polityce", że jest czytana przez milion inteligentów. „Skupiła wokół siebie wyjątkowo jednolitą pod względem poglądów społecznych zbiorowość"[112] – pisał we wstępie nakreślonym w grudniu 1980. Czytelnicy pisma mają jednolity zestaw poglądów, trzymających się kurczowo linii partii.

W 1977 roku – na 20-lecie istnienia pisma – peerelowska władza wyraziście akcentowała swoje uznanie dla zespołu Rakowskiego.

Huczne obchody uświetnił całonocny bal połączony z występami artystycznymi. Wybito pamiątkowy medal „za wierne pożycie". Z okazji jubileuszu odznaczenia państwowe członkom redakcji wręczał sekretarz KC PZPR ds. ideologii Jerzy Łukaszewicz. Hannę Krall przykładowo udekorował Srebrnym Krzyżem Zasługi.

KC wyraziło pochlebną ocenę, którą przekazało na spotkaniu dziennikarzom. Odczytał ją uroczyście kierujący wówczas Wydziałem Prasy, Radia i Telewizji KC PZPR Kazimierz Rokoszewski: „Polityka ukształtowała się jako pismo śmiałe, na granicy niezależności. Była gazetą ze specjalnymi prawami i przywilejami"[113]. Najkrócej mówiąc kształtowała poglądy, z którymi utożsamiać się mieli inteligenci współtworzący i popierający ówczesny ustrój komunistyczny. Zadanie, które scedowała jej władza, redakcja usiłowała po roku 1989 przedstawiać jako niezależność od komunistycznego reżimu.

Nieprzypadkowo więc Zygmunt Szeliga (według akt SB zarejestrowany jako KO „Aligator") usiłował karmić czytelników nachalnym optymizmem, traktując ich niczym gęsi na tucz. W czasach gdy sklepy świeciły pustkami, wszystko trzeba było załatwiać spod lady, a podstawowe towary były reglamentowane, Szeliga opiewał sukcesy „socjalistycznej ojczyzny". Wychwalał, że w PRL udało się zbudować Turoszów, Płock, Elanę, kopalnie ROW, celulozę w Ostrołęce[114].

Donos wzajemny

Dziennikarze „Polityki" denuncjowali się nawzajem przed bezpieką w czasach PRL, ale nie przeszkadza im to stać obok siebie w antylustracyjnym froncie. Za aktami IPN można przytaczać przykłady, jak „John" donosił na „Literata", „Bast" na „Bogusława", a figurant sprawy „Miko" miał kopać dołki pod innym redaktorem „Polityki" Jackiem Maziarskim.

SB odnotowała, że we wrześniu 1981 roku Michał, syn generała Wacława Komara[115], zaangażował się w przygotowanie tekstu w formie dossier na temat Jacka Maziarskiego, celem przedstawienia go zarządowi Regionu Mazowsze „Solidarności". Tekst miał rysować w niekorzystnym świetle dziennikarza i storpedować jego kandydaturę na stanowisko redaktora naczelnego pisma Regionu. Sugerował on, że Maziarski to „powiązany z KC" „antyliberał" i człowiek dwulicowy, który „potrafi zdradzić wszystko i wszystkich". Jak wynika z archiwów, Michał Komar ten plan uzgadniał z Adamem Michnikiem[116].

Z kolei informator SB o ps. „Kawa", pod którym zarejestrowano współpracującego z „Polityką" Wiesława Górnickiego, przekazał tajnym służbom PRL, że redaktor „Polityki" Marian Podkowiński wysyłany przez redakcję do Bonn ma tak naprawdę zamiar wyjechać na dwa tygodnie do Izraela[117]. Wyjazd ma być sfinansowany przez rząd państwa na Bliskim Wschodzie. „Kawa" mówił o nieznanym celu wyjazdu Podkowińskiego. Co prawda odbywał się wówczas w Izraelu głośny proces zbrodniarza hitlerowskiego Adolfa Eichmanna, lecz redaktora „Polityki" nie było na liście akredytacyjnej, która była już zamknięta. „Kawa" donosił o spotkaniach dziennikarza „Polityki" z attaché Izraela – Avidarem.

Na Podkowińskiego donosił także tajny współpracownik „Daniel"[118]. TW informował bezpiekę, kto z Polaków jadał obiady, które organizowali pracownicy ambasady USA. Podał, że byli to prof. Kołakowski, redaktorzy Fikus i Radgowski z „Polityki" oraz Rogowski z „Przekroju". „Daniel" przekazywał też, o czym przy tej okazji mówiono[119]. Z kolei w sierpniu 1969 roku informował on SB, że na obiad z attaché ambasady USA Harperem zaproszony został redaktor Marian Podkowiński. Co ciekawe, Podkowiński był przyjacielem jeszcze z dawnych lat wujostwa Passenta, u którego się wychowywał – Anny i Jakuba Prawinów. Passent do „Polityki" dostać się miał właśnie za protekcją Gottesmana i Podkowińskiego[120]. Podkowiński miał otaczać młodego Passenta „czułą opieką" zawodową, gdy ten stawiał pierwsze kroki w redakcji[121].

„Daniel" jako publicysta „Polityki" informował SB również o koledze redakcyjnym Zygmuncie Kałużyńskim – jak wynika z dokumentów IPN (z kolei sam Kałużyński, będący, podobnie jak Passent, członkiem kolegium „Polityki", według dokumentów znajdujących się w IPN – o czym już pisaliśmy – był zarejestrowany jako kontakt poufny „Literat").

> Wiedzę o Kałużyńskim bezpieka czerpie także z innych źródeł. KO «Daniel» informuje, że 19 września 1961 roku widział Kałużyńskiego na przyjęciu u dyplomaty Franka Jonesa. Z dokumentów IPN wynika, że «Daniel» to dziennikarz «Polityki» Daniel Passent. [...] «Daniel» charakteryzował Kałużyńskiego jako szeroko cenionego krytyka filmowego bardzo przyjemnego w bezpośrednim obcowaniu, lecz w pewnym sensie dziwaka. Dziwactwo jego wyraża się w tym, że zimą chodzi w samym garniturze a latem często spotkać go można w butach bez skarpet. [...] Z dokumentów IPN wynika, że «Daniel» opisał przyjęcie u Jonesa i poruszaną podczas rozmowy tematykę dotyczącą USA i Związku Radzieckiego[122].

Z kolei dane dotyczące redaktora Jacka Kalabińskiego przedstawił SB kontakt operacyjny „Aligator". Pod tym pseudonimem zarejestrowany był Zygmunt Szeliga – wicenaczelny „Polityki" w latach 80.[123] Uważano go za jeden z filarów tygodnika. Pracę zawodową zaczął w „Sztandarze Młodych". W 1978 roku znalazł się w zainteresowaniu bezpieki ze względu na kontaktowanie się z nim pracowników ambasady USA. Informował też bezpiekę o sytuacji w redakcjach, w których pracował.

W 1978 roku Szeliga pod wzmiankowanym pseudonimem został zarejestrowany przez SB jako kontakt operacyjny. Był na kontakcie bezpieki aż do chwili swej śmierci w listopadzie 1989 roku. Za sporządzanie opracowań w latach 80. otrzymywał wypłaty. Oficer prowadzący sprezentował mu też w zamian za dostarczane informacje butelkę alkoholu[124].

W 1978 roku „Aligator" wracał z USA, gdzie przebywał na zaproszenie Departamentu Stanu. Wyjechał tam za zgodą KC PZPR i redakcji „Polityki". Oficer prowadzący pisał, iż KO ma informacje, które uzyskał od pracowników amerykańskiego Biura Wywiadu i Badań. Zdobył też z myślą o SB książkę zawierającą wykazy pracowników zatrudnionych w Departamencie Stanu i Departamencie Obrony USA. W późniejszym czasie kontakt operacyjny „Aligator" został przerejestrowany na konsultanta.

W 1984 roku „Aligator" sporządził dla SB informację o rzekomym sukcesie referendum zorganizowanego wówczas przez komunistyczne władze. Uznał, że „masowy udział społeczeństwa w głosowaniu" to „dramatyczna porażka" opozycji i „ośrodków propagandy zachodniej". Pisał, że „incydenty" w Nowej Hucie kompromitują podziemie.

„Aligator" relacjonował nastawienie dziennikarzy „Polityki" do wizyty papieża Jana Pawła II w 1983 roku. Mówił o okazywaniu zdystansowania tygodnika do pielgrzymki. Nie opublikowano w bieżącym wówczas numerze żadnego komentarza na ten temat. Wizytę uznano w „Polityce" jako sukces gen. Jaruzelskiego.

ZOMO, dobre ZOMO

Po śmierci w 1984 roku genseka, a wcześniej szefa KGB, Jurija Andropowa, w „Polityce" opublikowano panegiryk na cześć „nieodżałowanego" polityka z kraju, który ciemiężył Polskę[125]. „Polityka" wychwalała Andropowa za to, że za życia mówił „językiem twardym i zdecydowanym, bez zbędnej retoryki". Uznawał fakty a nie słowa. Swoje koncepcje wobec imperialistów z Zachodu przedstawiał jasno – bez niedomówień i nie pozostawiające złudzeń.

Nakreślono sylwetkę człowieka niezłomnego, nieustającego w dążeniu do odprężenia w wyścigu zbrojeń. „Polityka" nie ukrywała, że niekorzystna sytuacja dla idei światowego rozbrojenia, mimo trudów zmarłego przywódcy, to efekt przeszkód, jakie stawiali mu imperialiści z Zachodu.

Znamienne było wydrukowanie artykułu Barbary Pietkiewicz pt. „Koszary, służba, dom"[126], z autoryzacją gen. Czesława Kiszczaka i funkcjonariuszy MSW. Spowodował on, według informacji agenta „33", znaczną różnicę zdań w redakcji. Artykuł, który opisywał oddziały Zmotoryzowanych Odwodów Milicji Obywatelskiej, miał dla tej formacji wydźwięk pozytywny. Pietkiewicz podkreślała służebną rolę funkcjonariuszy ZOMO jako stojących na straży porządku publicznego, a do tego pomagających w pracach na roli w PGR-ach, zbierających pieniądze dla dzieci z domów dziecka itd. Jest tam także mowa – w pozytywnym tonie – o „zabezpieczaniu" przez ZOMO-wców „imprez religijnych", a także miejsc niepokojów społecznych, takich jak parafia św. Stanisława Kostki w Warszawie, gdzie posługiwał ks. Jerzy Popiełuszko.

Jak wynika z informacji agenta „33", redaktorzy pisma zajęli dwa przeciwne stanowiska. Andrzej Garlicki, Adam Krzemiński, Michał Jaranowski, Zbysław Rykowski, Agata Bleja i Marian Turski uważali, że artykuł nie powinien się w ogóle ukazać, jako że wzbudza reakcję odrzucenia u czytelników. Inne stanowisko zajęli Stanisław Podemski, Kazimierz Koźniewski, Daniel Passent, czy Dobrochna Kędzierska. Najostrzej za pożytecznością artykułu argumentował Podemski[127].

Był on dziennikarzem, który przez trzy dekady współtworzył tygodnik. W swojej karierze Podemski (1929–2011) pracował także w redakcji „Kuriera Polskiego", organu Stronnictwa Demokratycznego. W PRL był członkiem Zjednoczonego Stronnictwa Ludowego ściśle współdziałającego z PZPR. W latach 1956–1960 pracował w ministerstwie zdrowia jako starszy radca prawny. Wcześniej udzielał się w ośrodku społeczno-prawnym Komitetu Centralnego Związku Młodzieży Socjalistycznej.

Paryskie stypendium „Bogusława"

Ze znajdujących się w Instytucie Pamięci Narodowej dokumentów wynika, że Jerzy Baczyński – wieloletni redaktor naczelny „Polityki" – 31 lipca 1981 roku, przed wyjazdem na stypendium do Francji, został zarejestrowany przez służby specjalne PRL jako kontakt operacyjny o pseudonimie „Bogusław". Artykuł na ten temat pt. „Podwójne życie «Bogusława»" ukazał się w styczniu 2008 roku w tygodniku „Wprost", ale po zmianie właścicielskiej tygodnika usunięto go ze strony internetowej „Wprost" i aktualnie jest niedostępny na jego stronie.

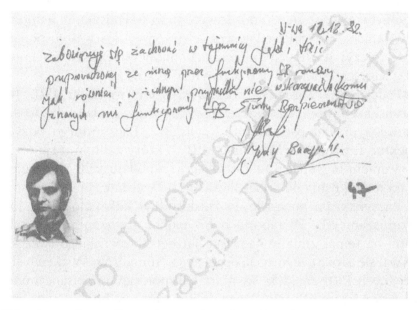

Zobowiązanie Jerzego Baczyńskiego z 12 grudnia 1982 roku (IPN BU 01593/689)

Baczyński urodził się w Sokołowsku, ale już w dzieciństwie przeprowadził się na Mazowsze. W wieku szkolnym mieszkał w Otwocku. Jest absolwentem Instytutu Nauk Politycznych Uniwersytetu Warszawskiego (1972). W 1975 roku został stypendystą dziennikarstwa w Indiana University School of Journalism w USA. W latach 1973–1981 pracował w „Życiu Warszawy", najpierw jako dziennikarz działu ekonomicznego, a w roku 1980 został zastępcą kierownika „Życia i Nowoczesności", dodatku do tej gazety. Po wprowadzeniu stanu wojennego, gdy przebywał we Francji jako stypendysta Journalistes en Europe i Fondation de France, zwolniono go z pracy. Działał w paryskim komitecie koordynacyjnym „Solidarności".

Po powrocie do kraju w 1983 roku wkrótce został dziennikarzem „Polityki", początkowo jako redaktor działu publicystyki gospodarczej. W 1990 roku objął stanowisko zastępcy redaktora naczelnego i wiceprezesa wydawnictwa. Cztery lata później został redaktorem naczelnym i prezesem Spółdzielni Pracy „Polityka". Jednocześnie w latach 90. współredagował telewizyjne „Listy o gospodarce" i uczestniczył w innych programach publicystycznych na antenie TVP („Gorąca Linia", „Tylko w Jedynce" i „Coś za coś").

Podczas spotkania z funkcjonariuszem wywiadu PRL Jerzy Baczyński podpisał oświadczenie, w którym podano hasło kontaktowe, i przyjął pseudonim „Bogusław". Baczyńskiego pozyskał inspektor T. Szopski z Wydziału VIII[128], który zajmował się rozpracowywaniem organizacji finansowych i gospodarczych. Wskazuje to, na jaki rodzaj usług od „Bogusława" liczył wywiad.

Baczyński po powrocie do Polski odbył kilka spotkań z funkcjonariuszami SB. W raportach SB można zapoznać się ze szczegółami na temat zmiany nazwiska Jerzego Baczyńskiego (wcześniej nazywał się Sroka), jego życia osobistego i romansów. W aktach służb specjalnych PRL znajdują się m.in. własnoręcznie napisane i podpisane przez Jerzego Baczyńskiego dokumenty, a jednym z najważniejszych jest oświadczenie dotyczące zachowania w tajemnicy faktu, że w „Życiu Warszawy" pracuje funkcjonariusz służb specjalnych PRL:

Oświadczam, iż zostałem poinformowany i zdaję sobie sprawę z tego, że fakt zatrudnienia znanego mi oficera wywiadu PRL w red. «Życia Warszawy» stanowi tajemnicę państwową specjalnego znaczenia. Dlatego ten fakt zamierzam zachować w tajemnicy. W przypadku ujawnienia przeze mnie posiadanej informacji – dotyczącej osoby oficera wywiadu PRL – zdaję sobie sprawę, iż będę pociągnięty do odpowiedzialności, zgodnie z obowiązującym w Polsce prawem. Jerzy Baczyński[129].

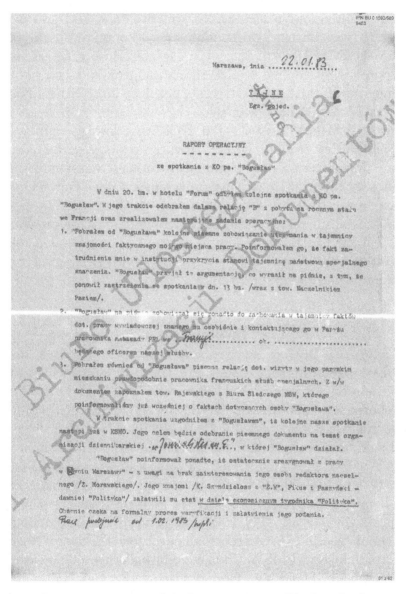

Raport operacyjny por. Szopskiego z rozmowy z KO „Bogusław"
z 31 stycznia 1983 roku (IPN BU 01593/689)

SB zainteresowała się Baczyńskim w latach 70., gdy używał jeszcze nazwiska Sroka. Do wspomnianego kontaktu doszło jednak dopiero latem 1981 roku. Baczyński oświadczył wówczas, że wyraża chęć pomocy SB, ale nie zgodził się na podpisywanie jakichkolwiek dokumentów. Deklaracja wystarczała bezpiece do rejestracji Baczyńskiego jako kontaktu operacyjnego.

Jerzy Baczyński od początku życia zawodowego zajmował się sprawami gospodarczymi, co nie dziwi, zważywszy na fakt, że jego ojciec – Tadeusz Sroka – był ekonomistą. Sroka senior był także działaczem partyjnym i zasłużonym żołnierzem w walce o Polskę Ludową. Ze znajdujących się w IPN dokumentów wynika, że za swoją działalność został on wielokrotnie odznaczony, m.in. Krzyżem Walecznych. Z wojska został zwolniony w randze kapitana w 1951 roku ze względu na trwałe inwalidztwo, którego nabawił się walcząc z przeciwnikami władzy ludowej[130].

Uwłaszczeni

Jan Bijak przeprowadził zespół przez transformację i zapewnił mu samodzielność finansową. W 1990 roku „Polityka" wydzieliła się z Robotniczej Spółdzielni Wydawniczej „Prasa-Książka-Ruch" i utworzyła własną Spółdzielnię Pracy „Polityka".

Bijak, aktywny działacz PZPR, związał się z pismem w roku 1969. W latach 1970–1982 pełnił funkcję zastępcy redaktora naczelnego. W latach 1990–1992 był, obok m.in. Donalda Tuska, członkiem komisji likwidacyjnej RSW „Prasa-Książka-Ruch".

Jak wynika z akt IPN, kontakt operacyjny z Janem Bijakiem nawiązał na początku lipca 1957 roku porucznik T. Ordon z Wydziału VII Departamentu II MSW. Chodziło o inwigilację osób przyjeżdżających z zagranicy i Polaków wyjeżdżających na Zachód a także do Krajów Demokracji Ludowej, gdyż zadanie to leżało w gestii Wydziału VII kontrwywiadu. Jak zapisał por. Ordon w notatce służbowej z 4 lipca,

Bijak odniósł się „bardzo pozytywnie do jego propozycji", by we Francji, gdzie się udawał służbowo, zbierać informacje dla kontrwywiadu. Dotyczyły one zainteresowania „elementów emigracyjnych i innych osobników z terenu Francji poszczególnymi uczestnikami delegacji" oraz prób ucieczki, czyli pozostania we Francji. Bijak, który wówczas był redaktorem „Nowej Wsi", do Francji wyjeżdżał na obóz ZSP. SB zarejestrowało go jako kontakt służbowy o numerze 22/742/57[131].

Gdy w 1969 roku Bijak przeszedł do „Polityki", w rozmowach z esbekami prowadzącymi jego sprawę informował o nastrojach i poglądach kolegów z redakcji, o kontaktach zagranicznych Mieczysława Rakowskiego, czy o tym, jak zachowywali się wyjeżdżający po Marcu 1968 roku z Polski obywatele narodowości żydowskiej[132]. Majorowi Stanisławowi Kabacińskiemu z kontrwywiadu Bijak opowiadał o odchyleniach politycznych Ireny Rybczyńskiej, czy przedłużaniu pobytów zagranicznych przez Irenę Waniewicz i Ryszarda Krona[133].

Później Bijakiem zainteresował się Departament III MSW, który inwigilował opozycję. W roku 1974 Bijak został przerejestrowany jako kontakt służbowy do Wydziału IV Departamentu III, a dwa lata później nastąpiła rezygnacja z dalszego prowadzenia jego teczki. Wydział IV zajmował się kontrolą m.in. instytucji kulturalnych, szkolnictwa, uczelni wyższych, Instytutu Badań Literackich, szkolnictwa artystycznego i związków twórczych.

W rok po wydarzeniach marcowych doniesienie agenta o ps. „J" zawiera informację o tym, że Bijak, wicenaczelny pisma „Nowa Wieś", przechodzi na sekretarza tygodnika „Polityka" w miejsce Daniela Passenta. Jego przyjęcie tam było inicjatywą naczelnego – Mieczysława F. Rakowskiego. Bijak miał wystąpić z taką propozycją w rozmowie z Rakowskim wcześniej, po zajęciu stanowiska szefa „Nowej Wsi" przez Jana Sochę.

W doniesieniu napisano, iż Rakowski kierował się w swojej decyzji tym, że Bijak miał pewne poparcie w Biurze Prasy KC PZPR. Zapewniał mu je tam Bronisław Gołębiowski.

Należy dodać, że Bijak w okresie wydarzeń marcowych zajmował stanowisko prawidłowe i nawet wyostrzył swój stosunek [do] redaktora Nowej Wsi, byłego szefa tej gazety – Ireny Rybczyńskiej-Holland[134], która na zebraniu POP [Podstawowej Organizacji Partyjnej – red.] oskarżyła partię o antysemityzm

– podawało źródło „J"[135].

Najdłużej sprawującym funkcję prezesa Spółdzielni Pracy „Polityka", czyli wydawcy pisma, był Jerzy Baczyński, od 1994 roku redaktor naczelny tytułu. Na funkcji prezesa-wydawcy Baczyński zmienił Jana Bijaka. 31 grudnia 2012 roku spółdzielnia przekształciła się w spółkę komandytowo-akcyjną „Polityka" Sp. z o. o. W jej zarządzie, obok Baczyńskiego, zasiedli: Jacek Mojkowski, Jacek Poprzeczko, Joanna Solska-Czerska i Wiesław Władyka.

Pierwszy z wymienionego grona, wieloletni dziennikarz „Polityki" Jacek Mojkowski, na stanowisko wiceprezesa Spółdzielni Pracy „Polityka" trafił w 1999 roku. W 2001 roku został także redaktorem naczelnym tygodnika „Forum". Jacek jest synem dziennikarzy Stanisława i Krystyny Mojkowskich, bratem Małgorzaty Mojkowskiej, sędzi wydającej głośne wyroki między innymi w sprawach lustracyjnych (np. Zyty Gilowskiej).

Stanisław Mojkowski mianowany został w 1966 roku redaktorem naczelnym „Trybuny Ludu". Pozostał nim w czasie Marca '68 i antysemickiej nagonki w prasie. Od roku 1972, aż do śmierci w 1978, pełnił funkcję prezesa RSW „Prasa". Jego żona Krystyna Mojkowska po Marcu '68 została zastępcą redaktora naczelnego „Przyjaciółki", a później tygodnika „Zwierciadło".

Jacek Mojkowski od początku szkoły średniej działał w ZMS i przyjmował równolegle różne funkcje w zarządzie klasowym i szkolnym ZMS. Wyjeżdżał też na obozy pionierskie zagranicznych organizacji komunistycznych. W roku 1971, jako licealista, wyjechał do Francji na zaproszenie francuskiej redakcji komunistycznego pisma „L'Humanité". Pismo z braterskimi pozdrowieniami komunistów osobiście wystosował do ojca Mojkowskiego, redaktora naczelnego

„Trybuny Ludu", sam sekretarz KC Komunistycznej Partii Francji i dyrektor „L'Humanité" Georges Marchais. Jacek Mojkowski uczestniczył także w obozie młodzieżowym w ZSRS na zaproszenie bratniej redakcji sowieckiej „Prawdy"[136].

Małgorzata Mojkowska, sędzia znana z procesów lustracyjnych Andrzeja Przewoźnika, Zyty Gilowskiej i Ferdynanda Rymarza, za młodu również korzystała ze znajomości posiadanych przez rodziców. W 1971 roku, jako studentka IV roku prawa, wyjechała do Austrii na zaproszenie znajomej – pracownika Ambasady PRL Haliny Jabłońskiej, kierownika Polskiego Ośrodka Kultury. Po studiach Mojkowska przeszła do pracy w Sądzie Rejonowym m. st. Warszawy, a później do Sądu Wojewódzkiego. Była działaczką młodzieżowych organizacji komunistycznych, w tym ZMS.

To Stanisław Mojkowski, jako prezes RSW „Prasa-Książka-Ruch", kierował do KC PZPR z prośbą o zaopiniowanie wnioski personalne dotyczące zmian w szefostwie pism i wydawnictw.

Jednym z członków zarządu spółki wydającej „Politykę" był do niedawna Jacek Poprzeczko. W czasach PRL pracował m.in. w „Życiu Warszawy". Udzielał się w ZMP i ZSP. Już w liceum zajął się działalnością w organizacji komunistycznej, pełnił funkcję przewodniczącego koła ZMS. Jak wynika z akt zachowanych w IPN, był on zarejestrowany przez SB jako kontakt służbowy[137]. Służba Bezpieczeństwa starała się uzyskiwać za jego pośrednictwem informacje na temat korespondentów i dziennikarzy zagranicznych. Werbowany, zgodził się na rozmowy i udzielanie informacji, ale zastrzegł, żeby nie zlecano mu zadań.

> Wydaje się, że PJ dostał dobry instruktarz od swojego ojca

– zapisano w notatce SB[138].

Ojciec Jacka Poprzeczko – Dobrosław, również dziennikarz prasy komunistycznej, został uhonorowany przez Bolesława Bieruta w 1948 roku Srebrnym Krzyżem Zasługi. Dobrosław Poprzeczko był w latach 70. korespondentem Agencji Robotniczej w Moskwie.

Na spotkaniu z esbekiem przed wyjazdem na staż do Paryża „PJ okazał się wdzięcznym rozmówcą, chętnie i dość wyczerpująco wyjaśniał interesujące nas sprawy" – napisano w notatce SB. Dodano, że nie tylko udzielał interesujących SB informacji, ale sam „pytał jak ma w konkretnej sytuacji się zachować". Po rozmowie esbek napisał, że „PJ" stoi na progu kariery dziennikarskiej. W uwadze zaś, jaką dopisał przełożony oficera prowadzącego, kapitan kontrwywiadu MSW A. Rąbalski, pada stwierdzenie, że przy pochwałach należy pamiętać o przeszłości Poprzeczki z 1968 roku. Rąbalski odnosił się do tego, iż podczas wydarzeń marcowych Poprzeczkę zatrzymano podczas rozrzucania ulotek o planowanym na UW wiecu protestacyjnym. W śledztwie, które wszczęto, okazało się, że Poprzeczko miał kontakty z Adamem Michnikiem, Sewerynem Blumsztajnem i Henrykiem Szlajferem. I mimo że śledztwo zostało ostatecznie umorzone, to jednak Poprzeczkę relegowano z uczelni. Po latach wyjazd do Francji w niejawnej roli współpracownika miał być dla niego testem lojalności[139].

Po powrocie z Francji „PJ" dostarczył bezpiece relację pisemną dotyczącą pobytu za granicą. „PJ" zrelacjonował spotkania, które odbył z dziennikarzami zagranicznymi[140].

W toku prowadzonej sprawy okazało się, że kontakt bezpieki nie ma dużych możliwości, by zbierać interesujące ją informacje. Ponadto nie był już wówczas „zbyt chętny" do współpracy. Sprawę zakończono przewidując ewentualne dalsze wykorzystanie źródła w kwestiach ogólnych, bez pogłębiania współpracy.

Gdy w styczniu 2000 roku trzydziestu dziennikarzy – wśród nich m.in. Krzysztof Czabański, Stanisław Michalkiewicz, Agnieszka Romaszewska i Piotr Semka – zaapelowało do Sejmu o objęcie lustracją dziennikarzy, zarówno mediów publicznych jak i niepublicznych, Poprzeczko kategorycznie się temu sprzeciwił:

> Jestem krytycznie ustosunkowany do wszystkich pomysłów lustracyjnych, zatem równie sceptycznie jestem nastawiony do wszelkich pomysłów ich rozszerzania[141].

Poprzeczko swego czasu dawał wyraz, jak znaczącym faktem w jego karierze było pojawienie się w redakcji „Polityki", wśród „ludzi zaangażowanych w swą pracę, przejętych swą społeczną rolą, znakomitych fachowców w zawodzie dziennikarskim"[142].

W zarządzie spółki „Polityka" od lat zasiada Joanna Solska. Pełni funkcję wiceprezesa zarządu. Specjalizuje się w tematyce gospodarczej. Przed laty w piśmie SZSP – „Sztandar Młodych" była osobą niezwykle prominentną. Nie tylko szefowała działowi ekonomicznemu, ale była też i członkiem egzekutywy POP PZPR. Wcześniej udzielała się w ZSMP. W 1988 roku wciąż pozostawała bardzo aktywnym członkiem partii. Władze komunistyczne hojnie nagradzały zaangażowanie dziennikarki odznaczeniami. Zasługi dla ruchu komunistycznego doceniono na przykład w 1978 roku odznaką za zasługi dla warszawskiej ZSMP. Jej mąż Janusz Żwan, także członek PZPR, był redaktorem „Sztandaru Młodych". Udzielał się też w „Trybunie Ludu".

SB załatwi mieszkanie

Od lat znaczącym dziennikarzem „Polityki" jest Marek Ostrowski. Do marca 2012 roku pełnił w redakcji funkcję kierownika działu zagranicznego[143]. Według akt komunistycznej bezpieki Marek Ostrowski w PRL był zarejestrowany jako tajny współpracownik Departamentu II, czyli kontrwywiadu. W 1976 roku podczas werbunku pisemnie zobowiązał się do współpracy i obrał ps. „Janusz"[144]. Dostarczał informacji o pracownikach ambasad USA, Wielkiej Brytanii i Holandii. Podczas werbunku „stwierdził, iż rozumie potrzebę udzielania nam pomocy i nie widzi w tym względzie przeszkód" – pisał esbek. Zresztą, jak przyznał oficer prowadzący, zadania operacyjne kandydat na TW realizował już przed zwerbowaniem. Był dla SB cennym kontaktem także ze względu na grę kombinacyjną, jaką bezpieka prowadziła z jego ówczesną żoną Jolantą Ostrowską, według akt IPN zarejestrowaną jako TW „Ewa"[145]. Dodatkowo kontakt SB opisywał po powrocie z kilkumiesięcznego pobytu w ZSRS, jak to „Kraj Rad" zrobił na nim oszałamiająco pozytywne wrażenie. Na jednym ze spotkań z oficerem prowadzącym prosił, by SB załatwiło mu mieszkanie. W 1975 roku TW „Janusz" odbył kurs szkoleniowy wydziałów Kadr i Propagandy KC PZPR. W maju 1977 roku relacjonował oficerowi prowadzącemu – por. Januszowi Gierakowi z Wydziału IV kontrwywiadu PRL, co na temat pogrzebu Stanisława Pyjasa podają zagraniczne agencje. Informowały one – według tej relacji – że na głowie denata znaleziono ślady od uderzeń zadanych tępym narzędziem. TW jako pracownik PAP przekazał esbekowi, że pracownicy agencji obawiają się głośnych wypowiedzi na temat sprawy Pyjasa, „ponieważ liczą się z ewentualnymi przykrymi następstwami dla siebie".

Gdy w 1979 roku „Janusz" wyjeżdżał na placówkę PAP do Paryża, przekazano go na dalszy kontakt Departamentowi I, czyli wywiadowi, i jego rezydentowi o ps. „Eugeniusz". Wówczas zmieniono mu kategorię z TW na kontakt operacyjny o ps. „Bast"[146].

W charakterystyce agenta sporządzonej dla paryskiego rezydenta wywiadu podkreślone zostało, że „Bast" to dziennikarz pochodzenia żydowskiego, którego zatrzymała MO w czasie marcowych zajść w 1968 roku.

Kontakt operacyjny przekazywał rezydentowi, z którym spotkał się w tzw. kabinie ciszy, informacje o prawicowych dziennikarzach z zagranicy. Na spotkaniu z esbekiem w 1979 roku „Bast" opowiadał o zmianach na stanowiskach polskich korespondentów. Mówił o małych szansach dziennikarza Rayzachera[147] na placówkę w Brukseli, z powodu poważnych zastrzeżeń, jakie miały do niego władze PRL.

> Jego brat wyjechał za granicę i odmówił powrotu a żona jest związana z środowiskiem dysydenckim. Dodatkowo oboje są pochodzenia żydowskiego

– informował „Bast"[148].

W kwietniu 1980 roku przekazywał informacje o sytuacji we Francji przygotowującej się na wizytę papieża Polaka. Opisywał sytuację w tamtejszym Kościele z bardzo silnym podziałem na progresistów i integrystów.

W 1980 roku (w dniu odsłonięcia Pomnika Poległych Stoczniowców w Gdańsku) „Bast" relacjonował obchody tego wydarzenia w Paryżu. KO poinformował SB, że pod paryskim pomnikiem Adama Mickiewicza zgromadziła się 300-osobowa grupa Polaków i Francuzów.

W październiku 1981 roku „Bast" relacjonując poglądy dziennikarzy francuskich stwierdził, że dla nich Wałęsa jest jedyną osobą w „Solidarności" mogącą pogodzić interesy rządu i związku. Mowa była o polityce „nie drażnienia nikogo". „Bast" zobowiązał się do uczestnictwa w spotkaniach delegacji „Solidarności" z Lechem Wałęsą w Paryżu. Zapewnił, że nawiąże stały kontakt z jego doradcą Bronisławem Geremkiem.

Kontakt SB dostawał gotówkę w zamian za koszty poniesione przy realizacji zadań. Zapowiedział swojemu oficerowi prowadzącemu, że chce zorganizować spotkanie dla dziennikarzy Stowarzyszenia Prasy Zagranicznej. Prosił oficera prowadzącego o pomoc w zakupie większej ilości alkoholu w sklepiku ambasady. Esbek zorganizował mu alkohol, ale zaznaczył, że spotkanie ma być efektywne dla wywiadu. „Bast" pokwitował rachunek na zakupione trunki.

Kontakt operacyjny SB sporządził też w 1982 roku dla rezydenta notatkę na temat organizacji żydowskich i ich roli w życiu politycznym Francji. „Bast" wymieniał w niej jako ważną organizację masońską B'nai B'rith. Opracował też listę około 30 wpływowych Żydów w najwyższych władzach Francji – od administracji centralnej, ministerstw, po instytucje finansowe i media.

Po kontakcie w Paryżu z tłumaczem Michałem Lisowskim „Bast" opisał esbekowi, że ten zerwał kontakt z ambasadą PRL po 13 grudnia 1981 roku.

O tym, jak „Bast" i inni korespondenci stanowili element propagandy, przekonuje pismo do dyrektora jednego z departamentów

MSZ z marca 1985 roku. Autorem pisma był ambasador w Paryżu Janusz Stefanowicz. Wskazywał on na to, że wysłannicy polskich massmediów w niewystarczającym stopniu realizują zlecone im zadania w kwestii oceny „francuskiej propagandy antypolskiej". Stefanowicz dodał, że jest tak już od wielu lat. Domagał się rozwiązania problemu mało aktywnych korespondentów, którzy stanowią przecież „ważne ogniwo pracy ambasady podporządkowane jej politycznie"[149].

„Bast" opisywał rezydentowi SB – w związku z wizytą papieża Jana Pawła II we Francji – relacje między tamtejszym Kościołem a Rzymem[150]. Pisał też o niechęci, która jego zdaniem występowała w stosunku do polskiego papieża w środowiskach intelektualistów francuskich. Przekazał również informacje na temat spotkania Jana Pawła II z Polonią. Oprócz tego „Bast" zreferował esbekowi swoje rozmowy z ks. Pionierem, sekretarzem Polskiej Misji Katolickiej we Francji.

„Bast" kilkukrotnie potwierdzał swą gotowość do współpracy. Domagał się od SB zadań długofalowych. Informował esbeka, że wiceprzewodniczącym organizacji „Solidarité avec la Presse Polonaise" został Jerzy Baczyński, prawa ręka Stefana Bratkowskiego (szefa Ostrowskiego w „Polityce"). „Bast" wskazał esbekowi osobę, która o Baczyńskim wiedziała wiele – stażystę PAP Romana Strzemieckiego, który studiował z Baczyńskim. „Bast" denuncjował, że Strzemiecki spotykał się już kilkukrotnie w Paryżu z Baczyńskim na nocnych pogawędkach. Esbek poprosił „Basta" o zebranie kolejnych informacji o Baczyńskim, na co KO przystał.

„Bast" zwrócił również uwagę esbecji na Zbigniewa Falęckiego, redaktora PAP, który miał przyjechać w niedługim czasie do Paryża w ramach stażu. „Warto się nim pilnie zainteresować" – pisał esbek po informacjach „Basta". Dodał, że Falęcki był „przez pewien czas wykorzystywany przez «wojskowych»"[151].

O rozluźnieniu współpracy z „Bastem" wspomina raport z grudnia 1985 roku. KO obawiał się o swoją karierę dziennikarską, gdyby jego doniesienia do SB dostały się w niepowołane ręce. Na rozluźnienie współpracy wpłynęło też niezarejestrowanie we Francji kupionego przez niego samochodu i brak dokumentów wozu. Bezpieka uznała, iż KO stworzył w ten sposób obcym służbom okazję do kontaktów i wystawił się na dekonspirację. Z uwagi na to ryzyko i zmniejszoną aktywność „Basta" w 1986 roku, po 10 latach owocnej współpracy, zrezygnowano z prowadzenia go jako źródła SB.

Zapytaliśmy Ostrowskiego o zarejestrowanie go przez SB.

> Bardzo możliwe. Wszyscy korespondenci byli traktowani jako bardzo zaufane osoby

– powiedział nam Ostrowski. Mówił, że ambasady żądały od korespondentów pisania tekstów na konkretne tematy.

W rozmowie z nami Ostrowski odniósł się też do swoich donosów na Baczyńskiego.

> To raczej radosna twórczość służb. Bo w ogóle nie miałem kontaktu z Jurkiem we Francji

– mówił. Zaprzeczył, by zobowiązywał się przed SB do informowania o Baczyńskim.

Na pytanie o przyjmowanie od SB pieniędzy odparł:

> Z całą pewnością od rezydenta wywiadu nie przyjmowałem pieniędzy. Dostawałem gotówkę z PAP w ramach wykonywania zadań służbowych.

Zapytaliśmy, czy „Polityka" jest właściwym miejscem na walkę z lustracją, skoro duża część jej redaktorów ma zarzut o współpracę z tajnymi służbami PRL.

Ostrowski nie zamierza dochodzić, co zawierają akta IPN na jego temat:

> Jestem w tym wieku, że niewiele mnie to już obchodzi. Ale w sumieniu czuję, że jestem osobą, która na nikogo żadnego donosu nie złożyła.

Gdyby ktoś tak napisał, byłaby to bardziej próba zaszkodzenia mnie i mojej redakcji niż uczciwa ocena postępowania

– przestrzegł.

PAP była natkana agenturą. Dowiedziałem się, że kierownik mojego działu zagranicznego PAP był zamieszany w aferę Żelazo. Mieszanie mnie do tego uważam za nieuczciwe

– dodał Ostrowski[152].

„Senator"

Niezwykle ostro na ujawnianie informacji o współpracy z SB reagował Krzysztof Teodor Toeplitz, który z „Polityką" współpracował od roku 1983. Jak ujawnili autorzy „Misji specjalnej" w TVP[153], znany felietonista został zarejestrowany w latach 70. jako tajny współpracownik Departamentu II o pseudonimie „Senator"[154]. Toeplitz miał zostać zwerbowany, gdy milicja zatrzymała go za jazdę pod wpływem alkoholu. Publicysta pytany przez dziennikarzy zaprzeczał faktowi współpracy, twierdził, że nawet jej mu nie proponowano.

Po programie „Misja specjalna" napisał, iż nie ma zamiaru zajmować się „szambem" rozlanym przez dziennikarzy TVP. Dodał, że nie chce skarżyć autorów programu do sądu, bo ma pogardę do ujawniania informacji o związkach ze służbami specjalnymi PRL.

Nie mam zamiaru sądzić się z gówniarzami [...] nie będę udowadniał, że nie byłem wielbłądem[155].

W obradach Okrągłego Stołu Toeplitz wziął udział po stronie rządowej w podzespole do spraw środków masowego przekazu.

27 maja 1989 roku Toeplitz zaproponował w „Polityce", by uchwalić ustawy o zakazie zmian nazewnictwa ulic i placów oraz sprzeciwił się żądaniu zburzenia pomnika Feliksa Dzierżyńskiego w Warszawie, twierdząc, że świadectwa historii należy zachować.

Jednym z największych wrogów Toeplitza była lustracja. Po obaleniu rządu Jana Olszewskiego oskarżył go o rozlanie „całej beczki obrzydlistwa". Uważał za oburzające, iż sprawdzano kandydatów na ministrów w ekipie Hanny Suchockiej[156]. Dodajmy, że całkowicie nieskutecznie czy raczej à rébours Toeplitz sugerował, iż agenci byłej policji są fachowcami, podczas gdy ludzie uczciwi dyletantami.

Gdy do władzy doszło SLD, Toeplitz został wynagrodzony i w latach 1994–1998 wydawał „Wiadomości Kulturalne", gdzie tropił „antysemitów", „lustratorów" i „zbrodniczy patriotyzm". Po wycofaniu dotacji przez rząd AWS pismo upadło.

Rozczarowany, że SB zapomniało

Jedną z najbardziej znanych postaci świata dziennikarskiego w PRL był Wojciech Giełżyński[157], do Sierpnia 1980 roku również autor tygodnika „Polityka". Według materiałów SB został on zarejestrowany jako tajny współpracownik używający pseudonimów „Jerzy Stefański" i „Stefański" (nr rej. 2854, nr arch. 13434/I). Werbunku dokonał 10 sierpnia 1957 roku Zdzisław Paczyński, zastępca szefa Wydziału VII Departamentu II MSW, w związku z wyjazdem Giełżyńskiego w grupie dziennikarzy na VI Festiwal Młodzieży do Moskwy. W ramach kontrwywiadu Wydział VII zajmował się bowiem nadzorem nad obywatelami polskimi udającymi się na Zachód oraz do państw socjalistycznych w celach służbowych i turystycznych. „Stefański" miał więc szpiegować kolegów jadących do Moskwy. Publicysta był wówczas redaktorem w piśmie „Dookoła Świata". Takie właśnie „zadanie kontrwywiadowcze" dotyczące polskich pracowników redakcji otrzymał. Pierwsze spotkania w nowym charakterze „Stefański" odbywał w stolicy ZSRS z tamtejszym rezydentem.

Po powrocie do kraju Giełżyński wyraził chęć podtrzymania współpracy. SB odnotowała, że „Stefański" był wielokrotnie wynagradzany. W zachowanej w postaci mikrofilmu teczce pracy możemy znaleźć osiem odręcznych pokwitowań odbioru pieniędzy podpisywanych pseudonimem „Jerzy Stefański".

Później Giełżyński miał składać raporty ze swoich licznych wyjazdów zagranicznych.

We wniosku z 24 listopada 1964 roku oficer prowadzący „Stefańskiego" sugeruje przełożonym, by nie kontynuować dłużej sprawy. Agent ożenił się, zerwał kontakty towarzyskie i ma ograniczony dostęp do osób interesujących SB.

W reakcji na informacje o związkach z SB publicysta stwierdził, że w latach PRL był szantażowany przez bezpiekę i zgodził się na pisanie sprawozdań politycznych z zagranicznych wyjazdów, ale współpracę zakończył po 7 latach, w 1964 roku.

Tymczasem w charakterystyce źródła sporządzonej przez SB w grudniu 1962 roku czytamy: „W udzielaniu informacji o interesujących nas osobach nie ma zastrzeżeń ani skrupułów". W toku współpracy sprawdził się jako zdyscyplinowany kontakt. „[...] Szereg przekazanych przez niego informacji miało znaczną wartość kontrwywiadowczą i polityczną" – oceniała SB[158].

13 marca 1968 roku, gdy mjr Stanisław Kabaciński z Wydziału IV Departamentu III nawiązał ponowny kontakt z publicystą, wyraził on zdziwienie, że poprzednio zaprzestano z nim spotkań, choć nie usłyszał zarzutów niestosownego zachowania się w roli współpracownika bezpieki. Tym razem zarejestrowano go jako kontakt poufny (KP) III Departamentu. Z okresu wydarzeń marcowych (marzec–czerwiec) zachowało się kilka notatek ze spotkań z Giełżyńskim. Na spotkaniach w kawiarniach KP opowiadał esbekowi o nastrojach w swojej redakcji „Dookoła Świata". Sam pozytywnie nastawiony do zmian w kraju, informował, że w redakcji Henryk Frydlender[159] i Andrzej Berkowicz są ich przeciwnikami. Frydlendera przedstawił jako najbardziej podatnego na wpływy syjonistyczne członka redakcji. Stwierdził wręcz, że prezentował on postawę agresywną[160].

Warszawa dnia 1.XII. 1962 r.

Tajne specjalnego znaczenia

Egz.Nr. 1...

Charakterystyka

dot. tw.ps. " Stefański "

Tw. ps. "Stefański" został pozyskany do współpracy
dnia 10.VIII. 1957 r. przez Departament II MSW na podstawie do=
browolności. Celem jego werbunku było rozpracowanie cudzoziemców z państw kapitalistycznych głównie dziennikarzy i dyplomatów zachodnich.

"Stefański" jest inteligentnym, sprytnym, zdolnym
człowiekiem. Posiada duże obycie towarzyskie. Prowadzi dość
niespokojny tryb życia. Dużo pije i pali. Często zmienia towarzystwo kobiet. Robi wrażenie nie w pełni oddanego naszej
sprawie człowiek nie można mieć do niego większych zastrzeżeń politycznych.

Współpracę z nami traktuje jako obowiązek obywatelski. Przydzielone zadania wykonuje chętnie lecz bez większego
poświęcenia i zaangażowania osobistego - robi to "po drodze" swoich
obowiązków służbowych lub życia towarzyskiego.
W udzielaniu informacji o interesujących nas osobach nie ma
zastrzeżeń ani skrupułów. Był wielokrotnie wynagradzany.

W toku współpracy jest zdyscyplinowany, punktualny
i obowiązkowy. Szereg przekazanych przez niego informacji
miało znaczną wartość kontrwywiadowczą i polityczną.

W razie potrzeby nawiązania z nim łączności należy
powołać się na rekomendację " pana Jerzego Zielińskiego".

Wykonano 2 egz.   Kier.Sekcji IV Wydz.VII Dep.II

Charakterystyka TW „Stefańskiego" z 1 grudnia 1962 roku (AIPN 001043/1096)

Nazwisko Giełżyńskiego widnieje również w wykazie tajnych współpracowników – dziennikarzy zatrudnionych w poszczególnych redakcjach wyeliminowanych z siatki w latach 1945–1980. Wykaz ten sporządzono po powstaniu „Solidarności", 30 października 1980 roku[161].

Od pierwszego numeru autor „Gazety Wyborczej" Wojciech Giełżyński należał do grona jej publicystów.

Z MO do Izraela

Redakcja „Polityki" przyciąga do siebie również byłych funkcjonariuszy Milicji Obywatelskiej. Kimś takim jest Roman Frister – w III RP korespondent tygodnika w Tel Awiwie. Frister pracował najpierw w MO, dopiero później zajął się dziennikarstwem. W 1957 roku wyemigrował z rodziną do Izraela. Był korespondentem polskich pism – m.in. tygodnika „Od Nowa".

Fristera zarejestrował w 1973 roku wywiad PRL[162]. Sprawę dotyczącą źródła informacji przekazano do archiwum bezpieki w 1990 roku. Służba Bezpieczeństwa wykorzystywała go jako agenta działającego na terenie Izraela. Dziennikarza zarejestrowano pod pseudonimem „Raf". Od 1959 roku do agresji izraelskiej na Bliskim Wschodzie utrzymywali z nim kontakty oficjalno-towarzyskie oficerowie peerelowskiej rezydentury w Tel Awiwie – „Cyprian" (T. Lipowski) i „Tom" (T. Laskus). W tym okresie „Raf" przekazał wiele informacji o wartości operacyjnej dotyczących na przykład inwigilacji polskich placówek przez izraelskie służby specjalne jak i informacji o sytuacji w izraelskim MSZ i partii Mapam[163]. Rezydentura oceniała go jako osobę zaufaną. Fristera zakwalifikowano jako kontakt informacyjny (KI). W zamian za dostarczane informacje „Raf" otrzymywał nagrody pieniężne. Współpracę zawieszono w połowie 1967 roku. Kontakt z KI reaktywowano w 1978 roku w czasie przyjazdu „Rafa" do Polski na obchody rocznicy powstania

ΘPIS WSTĘPNY AKT
PODLEGAJĄCYCH MIKROFILMOWANIU   2

KARTA KIESZENIOWA NR /JACKET/	1-1174	SMW-XI/2230/73 NR REJESTRACYJNY

KRYPTONIM SPRAWY   SMW

FRISTER ROMAN

NAZWISKO I IMIĘ GŁÓWNEGO FIGURANTA

SMW	JZRAEL
RODZAJ /KATEGORIA SPRAWY/	TEREN /KRAJ/

ROK ZAŁOŻENIA SPRAWY	1973	Wydz. XI Dep. I JEDNOSTKA ZAKŁADAJĄCA
ROK ZDANIA SPRAWY DO ARCHIWUM	1990	Wydz. IX Dep. I JEDNOSTKA ZDAJĄCA

▆▆▆▆ DATA FILMOWANIA	FUJI RODZAJ FILMU

Opis akt podlegających mikrofilmowaniu, Frister Roman (IPN BU 01911/24)

w Getcie Warszawskim. KI otrzymał pseudonim „Tezis". Ustalono z nim też warunki współpracy i elementy łączności. W późniejszych kontaktach z wywiadem PRL „Tezis" przekazywał informacje o sytuacji politycznej w Izraelu. Jako ceniony tam dziennikarz często wyjeżdżał z oficjalnymi delegacjami rządowymi. W okresie późniejszym wywiad nie miał możliwości wykorzystywania „Tezisa" i w 1983 roku materiały dotyczące jego współpracy złożono w archiwum Departamentu I MSW.

Dumni ze służby

Niewygodne dla „Polityki" rozliczenie z przeszłością jest kwitowane szyderstwem. Jak pisał Wiesław Władyka:

> Nie zawiedli także koledzy dziennikarze, zwłaszcza ci z obozu IV RP na to pytanie mają gotową odpowiedź, ba, więcej – właściwie uważają, że tego pytania w ogóle nie powinno się zadawać. Bo «Polityka» nie powinna była powstać, potem istnieć, a już na pewno powinna była zginąć w 1989 r. A jeśli dzisiaj jest i dobrze daje sobie radę, nadal ma najwięcej nabywców spośród wszystkich tygodników opinii, to jest to jakaś niesprawiedliwość losu, bez mała dowód na działanie szarej sieci, która niecnie oplotła Trzecią RP.
>
> [...]
>
> A jednak nowa «Polityka» nadal jest «Polityką» nie tylko dlatego, że na jej korytarzach i na łamach można spotkać tych samych autorów, którzy są tu obecni od kilku dziesiątków lat. Przede wszystkim dlatego, że nie zmieniła swojego sposobu myślenia – choć treść tego myślenia jak najbardziej – że dobiera sobie ludzi do pracy wedle niezmiennych reguł, że ma swój styl jazdy i swoje ulubione figury[164].

Przekazanie władzy w „Polityce" Janowi Bijakowi przez odchodzącego do władz politycznych kraju Mieczysława Rakowskiego obecny redaktor naczelny Jerzy Baczyński komplementował po latach. Zdjąć to miało z pisma, w jego mniemaniu, „ciężar politycznej misji" i pozwolić stać się „tylko gazetą"[165].

Także w roku 1989, w czasie transformacji ustrojowej, pismo nie zamierzało zmieniać zasadniczo frontu. Przyznaje to Jerzy Baczyński:

> postanowiliśmy, że w «Polityce» [...] nie dokonamy żadnego spektakularnego zwrotu, jakie dokonywały się w całej polskiej prasie, tzn. ani nie będziemy wyrzucać kolegów, którzy zbyt silnie kojarzą się z PRL-em, nie będzie zmiany naczelnego, nie będziemy przyjmowali nowych ludzi z innej opcji, czy ze środowisk opozycyjnych, nie będziemy radykalnie zmieniali samej formuły pisma [...][166].

Redaktorzy „Polityki" posługują się wciąż mitami na temat swojego pisma, mówiąc o jego niezależności od władzy i inteligenckim charakterze. Przekonują jednocześnie, że kontynuują pracę redakcji „z szacunkiem wobec wspaniałej przeszłości «Polityki»"[167]. Redaktor Jan Bijak, który przez wiele lat szefował pismu, przyznał, że samo było ono częścią ówczesnej władzy[168]. Przy okazji Bijak zaprezentował charakterystyczny sposób rozliczenia pisma z własną przeszłością. Stwierdził, że w marszu przy partii błądziło ono, popełniało z nią grzechy, których wyliczać jednak nie trzeba. Powód? „Wierni czytelnicy je znają, a młodszych nie trzeba deprawować"[169].

O tym, że „Polityka" nie tyle była blisko władzy, co stała się jej uczestnikiem, świadczą nominacje jej redaktorów na najwyższe funkcje w rządzie. To w końcu stąd Mieczysław Rakowski poszedł na stanowisko wicepremiera w gabinecie Jaruzelskiego, a Jerzy Urban i Zbysław Rykowski pełnili funkcję rzeczników prasowych Rady Ministrów.

Rykowski zastąpił w kwietniu 1989 roku Jerzego Urbana w rządzie Mieczysława Rakowskiego. Miał pełnić także funkcję rzecznika w niedoszłym rządzie Czesława Kiszczaka. W czasach PRL Rykowski tworzył w „Polityce" duet autorski z Wiesławem Władyką. W III RP Władyka stworzył w „Polityce" tandem z Mariuszem Janickim.

Podobnie było i dekadę później, już po tzw. transformacji. Prezydent Aleksander Kwaśniewski w 1997 roku, na 40-lecie tygodnika, udekorował orderami znaczną grupę pracowników redakcji. Dla wieloletniego naczelnego, byłego premiera a zarazem I sekretarza KC, Mieczysława F. Rakowskiego przypadł Krzyż Wielki Orderu Odrodzenia Polski. Krzyże Komandorskie z Gwiazdą otrzymali wówczas: następca Rakowskiego Jan Bijak, szef działu historycznego Marian Turski, krytyk filmowy Zygmunt Kałużyński. Tego dnia prezydent odznaczył też siedmiu innych dziennikarzy pisma[170].

„Mamy silne poczucie ciągłości" – mówił w 1997 roku podczas obchodów jubileuszu redaktor naczelny „Polityki" Jerzy Baczyński. Feta odbyła się w obecności zaproszonych gości Michaiła i Raisy Gorbaczow oraz czołowych polityków SLD z Aleksandrem Kwaśniewskim (według akt SB zarejestrowany jako TW „Alek"), Włodzimierzem Cimoszewiczem (według akt SB zarejestrowany jako KO „Carex") i Markiem Belką (według akt SB zarejestrowany jako KO „Belch", „Nawal"[171]) na czele.

Hucznie obchodzono też jubileusz 50-lecia „Polityki" w 2007 roku. Na balu z tej okazji nie mógł pojawić się były prezydent Lech Wałęsa (w aktach SB zarejestrowany jako TW „Bolek"). Przekazał za to list do uczestników jubileuszowej zabawy. „Drodzy polityczni, droga elito – pisał prezydent. – Jestem z Wami duchem [...] Pozdrawiam łże-elity III RP. Trzymajmy się" – kończył Wałęsa[172].

Podobnie jak przez poprzednie dziesięciolecia, ludzie pisma nadal są angażowani przez rządzących. W ten sposób Edwin Bendyk – dziennikarz i publicysta „Polityki", został w 2011 roku doradcą Jana Dworaka, szefa Krajowej Rady Radiofonii i Telewizji[173].

We wrześniu 2004 roku inny dziennikarz związany z „Polityką" – Aleksander Chećko – został rzecznikiem MSZ w rządzie SLD Marka Belki. Już wcześniej doradzał Włodzimierzowi Cimoszewiczowi, ministrowi spraw zagranicznych. Przedtem pracował dla „Polityki", był także redaktorem naczelnym tygodnika „Prawo i Życie" i „Życia Warszawy". Pełnił też funkcję dyrektora I Programu Polskiego Radia. Oprócz tego ma za sobą pracę w TVP. Za rządów PO Chećko wrócił do MSZ Radosława Sikorskiego, gdzie jest dyrektorem Centrum Operacyjnego zajmującego się sytuacjami kryzysowymi.

Oprócz roli publicysty Haćko pełnił też funkcje w PZPR, a wcześniej w SZSP. W 1984 roku, jako redaktor kierownictwa „Życia Warszawy", relacjonował proces toruński w sprawie morderstwa ks. Jerzego Popiełuszki. Jego żona Iwona Chećko była peerelowskim wiceprokuratorem zatrudnionym najpierw w Prokuraturze Rejonowej dla dzielnicy Warszawa Śródmieście, a później w Prokuraturze Apelacyjnej w Warszawie. Dziennikarz korzystał ze znajomości z dyplomatami PRL zatrudnionymi w Moskwie. W 1984 roku wyjeżdżał do Genowefy Sobczyk, znajomej attaché ambasady PRL w stolicy ZSRS. Ojciec redaktora, Włodzimierz Chećko, był redaktorem naczelnym pisma „Gromada-Rolnik Polski". Wcześniej pracował w innym znanym tytule – „Chłopska Droga". Matka, Zofia Chećko, pracowała w podlegającej Radiokomitetowi dyrekcji Programów Oświatowo-Wychowawczych.

Beniaminek

Do „Polityki" trafił również Michał Komar, syn generała Wacława Komara, jednego z czołowych namiestników sowieckich instalujących system komunistyczny w Polsce. Michał Komar mówił o ojcu, że to „wielki patriota Polski i socjalizmu", który został przez aparat władzy brutalnie odsunięty i skończył życie w zapomnieniu[174].

Tak jak Mieczysław Rakowski wyprowadził sztandar PZPR, tak syn Wacława – Michał Komar – „zwinął" „Sztandar Młodych". Pismo młodych komunistów, które przejął we władanie, przestało ukazywać się w lipcu 1997 roku. Komar stał się w ten sposób grabarzem tytułu istniejącego od 1950 roku.

«Sztandar» miał swoje piękne chwile w czasach «odwilży» w Październiku '56, w Sierpniu '80, choć nie należy zapominać także i o chwilach złych. W 1995 zespół przystąpił do gruntownej przebudowy gazety postrzeganej przez znaczną część opinii jako twierdza «obrońców dawnego reżimu» (by nie wspomnieć komentarzy bardziej dosadnych)

– pisał Komar[175].

Ponad trzydzieści lat przed zamknięciem kart historii pisma Michał Komar został figurantem sprawy, założonej przez Departament III MSW w związku z wydarzeniami Marca '68[176]. Służba Bezpieczeństwa odnotowała, iż Komar w okresie poprzedzającym protesty w kraju kontaktował się z przygotowującą je grupą osób działającą na Uniwersytecie Warszawskim[177]. Komar był też współorganizatorem wiecu, do którego doszło na SGPiS (Szkoła Główna Planowania i Statystyki – obecnie Szkoła Główna Handlowa w Warszawie) w czasie wydarzeń marcowych. Uczestniczył w redagowaniu rezolucji do naczelnych władz PRL, w której apelowano o usunięcie Mieczysława Moczara ze stanowiska ministra spraw wewnętrznych i wyjaśnienia przyczyn represji ze strony MO, która pacyfikowała protesty. W grupie protestujących na SGPiS byli przede wszystkim synowie wpływowych postaci PRL; oprócz syna generała Wacława Komara był w niej także syn prominentnego dziennikarza „Polityki" Wiktora Borowskiego – Marek[178], czy Stefan Bekier, syn byłego radcy ambasadora PRL w Meksyku i dąbrowszczaka Aleksandra Bekiera[179]. Tę grupę zasilał też Henryk Daszkiewicz, którego ojciec był dyrektorem departamentu w Komisji Pracy i Płac.

Po wydarzeniach marcowych Stefan Bekier wyemigrował do Francji, gdzie został działaczem trockistowskim. Henryk Daszkiewicz[180] wyemigrował do Kanady, skąd powrócił w 1990 roku i redagował „Ex Libris", dodatek literacki do „Życia Warszawy". Komara relegowano z uczelni, ale prawa studenckie przywrócono mu w następnym roku i w krótkim czasie uzyskał dyplom magistra.

SB odnotowała, iż w wiecu uczestniczył syn generała brygady Wacława Komara. Tenże w lutym, czyli na kilka dni przed wiecem na SGPiS, przestał pełnić funkcję dyrektora generalnego w MSW. Zapisano, że syn generała występował w roli rzekomego obrońcy interesów studentów. Michał Komar był w tym czasie aktywnym działaczem uczelnianego, a wcześniej szkolnego Związku Młodzieży Socjalistycznej. Pełnił też funkcję członka zarządu ośrodka dyskusyjnego ZMS na SGPiS[181].

Dobre koneksje Komara pozwalały mu znaleźć zajęcie mimo relegowania z uczelni. SB uzyskało w marcu 1968 roku informację, iż Komar trafił do pracy w redakcji „Dookoła Świata" z listem polecającym od redaktora Wojciecha Giełżyńskiego[182] (wg akt SB zarejestrowanego jako TW „Stefański").

W swoich aktach Służba Bezpieczeństwa odnotowała, że w toku prowadzonego rozpracowania figuranta stwierdzono jego „dość ścisły" kontakt[183] z Wiesławem Górnickim (twardogłowym propagandystą PRL, później zausznikiem gen. Wojciecha Jaruzelskiego). W tej sytuacji zaplanowano rozmowę z Komarem celem uczynienia go źródłem informującym o Górnickim, co pozwalałoby na kontrolę prominenta władz. Kwestionariusz ewidencyjny SB dotyczący Komara zamknięto w 1972 roku.

Już po wprowadzeniu stanu wojennego Służba Bezpieczeństwa ponownie zaczęła kontrolować poczynania Michała Komara. Najpierw jednak, 13 grudnia 1981 roku, internowano go w ramach akcji „Jodła". Po pięciu dniach został zwolniony za sprawą interwencji w gabinecie Ministra Spraw Wewnętrznych. Decyzji o uwolnieniu Komara nie zmieniła negatywna opinia wydana przez kontrwywiad na temat wypuszczania aresztanta na wolność. SB zaczęła wówczas prowadzić sprawę dotyczącą Komara o krypt. „Mucha", mającą sprawdzić doniesienia o jego kontaktach z działaczami KSS KOR i KPN. SB interesowała też znajomość figuranta z Marcinem Królem z wydawnictwa „Res Publica". Sprawę zakończono, gdy tylko upewniono się, że kontrolowany zaniechał działalności, o którą go podejrzewano. Przed złożeniem sprawy do archiwum stwierdzono, że w latach 1982–1984 nie angażował się on w działalność „antysocjalistyczną".

We wspomnieniach Komar pisał o swoim dziadku Dawidzie Kossoju. Za sprawą wysokiej funkcji generała Wacława Komara jego ojciec pracował po wojnie jako windziarz warszawskiego hotelu, przez który przewijali się najwyżsi oficjele generalicji sowieckiej przebywający akurat w Polsce[184]. Michał Komar przywoływał obrazy z dzieciństwa, które utkwiły mu w pamięci. Spędzał dnie asystując swojemu dziadkowi w pracy. Jeździł z nim windą przyglądając się orderom i dystynkcjom sowieckich generałów i admirałów. Komar pochwalił się, jakie wrażenie zrobił na nim widziany tam pewnego razu gen. Aleksiej Mariesjew. Był to pilot – bohater, o którym napisał powieść Borys Polewoj[185].

Piewca Jaruzelskiego i Tuska

Jednym z najbardziej rozpoznawalnych dziennikarzy „Polityki" jest Jacek Żakowski. Jako początkujący dziennikarz w październiku 1981 roku chwalił przemówienie premiera Wojciecha Jaruzelskiego[186]. Zgadzał się z generałem co do „narodowego pojednania i spokoju społecznego" w kontekście strajków „Solidarności". Później Żakowski był członkiem redakcji „Gazety Wyborczej", aż wreszcie trafił do „Polityki".

Jacek Żakowski w obronie gen. Wojciecha Jaruzelskiego „zlustrował" na antenie TVP 1 historyków negatywnie wypowiadających się o Jaruzelskim w filmie Grzegorza Brauna i Roberta Kaczmarka pt. „Towarzysz generał".

Słynna była jego batalia przeciwko Bronisławowi Wildsteinowi, który, chcąc przyspieszyć lustrację, w 2005 roku ujawnił zbiór katalogowy IPN. Po artykule w „Gazecie Wyborczej" ze stycznia 2005 roku, zatytułowanym „Ubecka lista krąży po Polsce", Żakowski udał się do prof. Jadwigi Staniszkis twierdząc, że jej nazwisko jest na liście tajnych współpracowników. Profesor była gościem programu Żakowskiego w TVP „Summa zdarzeń", w którym autor pytał ją m.in.: „Nie donosiła pani? Na pewno?".

Tymczasem tzw. lista Wildsteina była zbiorem katalogowym IPN, w którym figurowały zarówno osoby będące tajnymi współpracownikami, kandydatami na TW, jak i rozpracowywane przez SB[187], o czym już Żakowski nie powiedział.

Pierwsze dokumenty służb specjalnych PRL dotyczące Jacka Żakowskiego (poza dokumentami paszportowymi) pochodzą z archiwów Wojskowej Służby Wewnętrznej. W IPN znajduje się teczka Ministerstwa Obrony Narodowej – Wojskowej Służby Wewnętrznej oddziału WSW Modlin dotycząca materiałów podchorążego „Ż." – Żakowskiego Jacka. Arkusz kwalifikacyjny do szkoły Oficerów Rezerwy został sporządzony 12 lutego 1980 roku. Podpułkownik Władysław Majdak z Zarządu Wojskowego WSW Warszawskiego Okręgu Wojskowego pozytywnie zatwierdził w nim skierowanie do Szkoły Oficerów Rezerwy Jacka Żakowskiego, wówczas studenta nauk politycznych i dziennikarstwa. Służbę w SOR Żakowski odbył w 1982 roku.

Zanim przyszły publicysta „Polityki" został powołany do wojska, zdążył zwiedzić kawałek świata. Był m.in. w ZSRS, Algierii, Iraku (informacja o jego pobycie w tym kraju została opisana w tajnej notatce do szefa Wydziału V Zarządu WSW), Anglii, Holandii, Kanadzie. Akta paszportowe Jacka Żakowskiego są imponujące – rzadko można trafić na podróżnika tej klasy. W 1983 roku Żakowski, ubiegając się o kolejny paszport, otrzymał decyzję odmowną. Paszport jednak otrzymał rok później i ponownie zaczął wyjeżdżać.

W 1985 roku Żakowski udał się do Rzymu na sympozjum o Kościele we Włoszech – potwierdzenie wyjazdu z ramienia Sekretariatu Episkopatu Polski wystawił bp Jerzy Dąbrowski. Rok później był w Anglii, następnie w USA i Kanadzie.

W Instytucie Pamięci Narodowej znajdują się akta Jacka Żakowskiego – teczka personalna (pseudonim „Żak"), dokumenty paszportowe oraz wspomniane archiwalia WSW[188].

W dokumentach Służby Bezpieczeństwa przyszły publicysta „Polityki" został zarejestrowany przez Departament III MSW pod dwoma numerami – 28 grudnia 1983 roku pod numerem 39 596 i 15 stycznia 1986 roku pod numerem 94 977.

Teczka żołnierza WSW Jacka Żakowskiego

W związku z zapisem z 1983 roku przez Wydział III (wydawnictwa i redakcje prasowe) Departamentu III MSW w IPN zachowała się niekompletna teczka personalna – brak jest informacji o zakończeniu sprawy i skierowaniu jej do archiwum, natomiast odnośnie do drugiej rejestracji zachował się jedynie numer – brakuje pozostałych dokumentów.

Wniosek o opracowanie Jacka Żakowskiego jako kandydata na tajnego współpracownika sporządził 27 stycznia 1983 roku ppor. K. Honkisz – inspektor prowadzący sprawę w Departamencie III MSW[189].

„Z uzyskanych informacji operacyjnych wynika, że utrzymuje kontakty z osobami czynnie zaangażowanymi w podziemną działalność, a zwłaszcza odpowiedzialnymi za redagowanie i drukowanie nielegalnych pism sygnowanych przez «S»" – pisał ppor. K. Honkisz. Jako sposób opracowania wskazał m.in. zebranie opinii w miejscu pracy i zamieszkania oraz zastosowanie środków techniki operacyjnej. Z notatki służbowej sporządzonej 20 grudnia 1983 roku wynika, że Jacek Żakowski miał uczestniczyć w redagowaniu nielegalnego pisma „Kos"[190].

Celem pozyskania Żakowskiego do współpracy miał być dopływ informacji ze środowisk związanych z działalnością „Solidarności" Regionu Mazowsze i dotarcie do osób aktywnie działających w nielegalnych strukturach „S". Według SB Jacek Żakowski jako sekretarz prasowy Regionu Mazowsze miał naturalne możliwości docierania do działaczy „S". Motywem pozyskania miała być współodpowiedzialność obywatelska.

Kolejny dokument SB dotyczący Jacka Żakowskiego pochodzi z kwietnia 1988 roku. Wcześniej, bo w 1986 roku, Żakowski został zarejestrowany przez MSW pod numerem 94 977 przez Wydział II (środowiska m.in. nielegalnych wydawnictw i ROPCiO) Departamentu III MSW. Czego dotyczyła rejestracja – nie wiadomo, ponieważ do tej pory w IPN nie odnalazły się żadne dokumenty dotyczące tej sprawy.

Karierę dziennikarską Jacek Żakowski rozpoczął w liceum jako współpracownik „Świata Młodych". Już wtedy wiedział, co zamierza robić w przyszłości. Pisał o tym w kwietniu 1975 roku w ankiecie, gdy ubiegał się o paszport.

> Wyjazd do Algierii wiążę z moimi planami życiowymi. Mam zamiar studiować socjologię i podjąć pracę dziennikarza. Szczególnie interesują mnie problemy socjologiczne występujące w krajach wstępujących dopiero na drogę nowoczesnego rozwoju. Moje spostrzeżenia poczynione podczas tej wyprawy mam publikować na łamach Harcerskiej Gazety «Świat Młodych», z którą współpracę podjąłem w połowie bieżącego roku

– czytamy w kwestionariuszu paszportowym[191].

Trzy lata później, w 1978 roku, jako student dziennikarstwa i nauk politycznych Jacek Żakowski – ubiegając się o wyjazd do Holandii – pisał:

> Wyjazd ten traktuję jako praktykę zawodową, gdyż będąc studentem Wydz. Dziennikarstwa i NP mam zamiar specjalizować się w problematyce społecznej współczesnego kapitalizmu. Mój pobyt w krajach Benelux, a w szczególności w Holandii, ma na celu zebranie materiałów do pracy magisterskiej i do zamówionych przez tygodnik «Razem» reportaży społeczno-politycznych, stąd plan tak długiego pobytu.[192].

W tygodniku „Na przełaj" we wrześniu 1980 roku, a więc po wydarzeniach sierpniowych, w artykule „Przebudzenie"[193] z cyklu poświęconego pracom Sejmu Jacek Żakowski opisywał, jak kilkudziesięcioosobowa kolejka tłoczy się przed kioskiem, złakniona informacji o decyzjach podjętych przez KC PZPR. Poprzedniego dnia podano lakoniczny komunikat o zmianach personalnych w partii.

Dziennikarz relacjonował też trwającą w Sejmie rzetelną dyskusję poświęconą kryzysowi zaufania społeczeństwa do gremiów rządzących. I to nie one – jak stwierdzał Żakowski – odpowiadały za ów stan, lecz środki masowego przekazu, które nie dawały posłom i narodowi pełnego obrazu aktualnego stanu państwa.

> Posłowie nie owijali niczego w bawełnę. [...] Padały słowa gorzkie i twarde. Wiele z nich obciążało nas – dziennikarzy – znaczną częścią odpowiedzialności za to, co się stało, za dramatyczny kryzys zaufania w stosunkach społeczeństwo-władza i za systematyczne obniżanie autorytetu Sejmu.

Tymczasem – jak przekonywał autor – w PRL to właśnie izba niższa może stać się gwarantem i strażnikiem demokracji. W tym czasie w Sejmie panowała jednomyślność PZPR, SD i ZSL.

Sejm – w mniemaniu autora tekstu – jest instytucją predestynowaną do roli mediatora między władzą i społeczeństwem, do „przywrócenia jedności narodu i skupienia go wokół konstytucyjnego ideału socjalistycznej Polski". Żakowski stwierdził, iż nikt nie może utrzymywać, że protest robotniczy, który wstrząsnął krajem, był skierowany przeciwko ustrojowi. Skierowany był przeciwko wypaczeniom. Pisał, że „klasa robotnicza jest i pozostanie przewodnią siłą narodu".

W artykule „Cisza przed...", opublikowanym po trzech miesiącach od apelu Jaruzelskiego o 90 dni spokoju, Żakowski pisał, że sytuacja wydaje się normalizować, i mimo że strona rządowa miała przestrzegać rozejmu, „Solidarność" po 25 dniach ogłosiła gotowość strajkową w Łodzi. Publicysta dodał, że w momencie przerwania przez „Solidarność" okresu spokoju Sejm pracował nad poważnymi ustawami o samorządzie wiejskim i o Państwowej Inspekcji Pracy.

W kraju panowała dramatyczna sytuacja socjalna, podstawowe produkty żywnościowe były reglamentowane. Tymczasem autor kończył swój artykuł zdaniem: „Kryzys żywnościowy trwa, ale płyną już statki z nowozelandzkim masłem"[194].

W artykule „Obok kolejki" z 1981 roku Żakowski z satysfakcją pisał o przyjęciu przez Sejm nowej ustawy o cenzurze. „Nareszcie po rocznych debatach mamy więc ustawę, która umożliwia funkcjonowanie demokratycznego systemu obiegu idei i informacji". Chwalił ją za precyzję sformułowań, która nie pozostawia trudności w interpretacji przepisów[195].

W artykule „Którędy?" pisał:

> Muszę przyznać, że jestem w stanie zrozumieć pobudki, jakimi mógł kierować się premier stojący na czele gabinetu nazwanego «rządem ocalenia narodowego». Rozumiem i podzielam troskę o stan państwa. [...] Niepokoją mnie strajki. Niepokój jest tym większy, że wynika nie tylko z troski o straty gospodarcze.

Autor uznał, że stoi za tym niepokojem także brak porozumienia. Nie ma spraw nie do załatwienia, wszystko jest tylko kwestią dogadania się. Żakowski zaznaczał, iż podobnie jak premier Jaruzelski uważa, że jeśli mur nieufności między władzą a społeczeństwem zostanie zburzony, otworzy to drogę do „narodowego pojednania i spokoju społecznego". Wspomniał o roli cierpliwości w osiąganiu porozumienia narodowego. „Wiem, że niełatwo jest o tę cierpliwość, gdy dźwiga się ciężar odpowiedzialności za losy narodu". Wyjaśnił także, dlaczego nie udało się osiągnąć porozumienia – bo wobec gabinetu Jaruzelskiego urzędującego od lutego 1981 roku założono nierealne oczekiwania.

Żakowski podkreślił, że rozumie, iż premier Jaruzelski „mógł nie docenić wagi, jaką społeczeństwo przywiązuje do świeżo uzyskanych swobód". Niepokoiło go co innego – że w porę nie zwrócili na to uwagi parlamentarzyści.

W kontekście debaty sejmowej nad zakazem organizowania strajków zadeklarował wiarę w potrzebę moratorium na strajki. Sądził jedynie, że procedowanie nad tym powinno uwzględnić głos związkowców[196].

Żakowski po upadku Unii Wolności stał się zwolennikiem SLD, a gdy nastąpił zmierzch tej partii jako gwaranta III RP, wszystkie swe nadzieje obrócił ku PO. W jego oczach w 2007 roku zbawcą III RP został Donald Tusk.

W czasie kampanii wyborczej 2007 roku Żakowski rzucił hasło: „Tusku musisz!", które „Polityka" umieściła na okładce numeru z 13 października.

I tak mu już zostało.

Po wyborach na przewodniczącego Platformy w sierpniu 2013 roku Żakowski wyrażał się o Jarosławie Gowinie:

> Wydaje mi się, że jest to nieprzeciętnie ambitny i bardzo słabo wykształcony, słabo przygotowany intelektualnie polityk, który ma groźny zapał reformatorski. Ten zapał jest jednak pozbawiony głębszych analiz i wynika z bardzo zideologizowanego myślenia. Szczególnie dobrze było to widać przy deregulacji zawodów. Ogólnie oceniam Gowina bardzo nisko. Wydaje mi się, że jest to jeszcze gorszy chwast polityczny niż Jan Rokita czy Zyta Gilowska, którzy symbolizują najgorszy okres Platformy[197].

Jak ocenił prof. Andrzej Nowak:

> w metaforze chwastu jest odpowiednik tej dokładnie kategorii odczłowieczania przeciwnika politycznego, jakiej przykłady dała propaganda dr. Josepha Goebbelsa, a wcześniej Włodzimierza Iljicza Lenina. Redukowanie człowieka do pozycji chwastu, z którym pewnie najlepiej poradzić sobie za pomocą pestycydu [...] To przygnębiający przypadek spełniający kryteria najgorszej nazistowskiej, a nie nawet faszystowskiej, propagandy[198].

Na straży właścicieli III RP

Janina Paradowska pracuje w „Polityce" od 1991 roku. Ostentacyjnie prezentuje swoje poglądy nie przejmując się takimi „błahostkami", jak kanony bezstronności dziennikarskiej.

Gdy przeprowadzała wywiad z premierem Leszkiem Millerem we wrześniu 2002 roku, już po ujawnieniu afery Rywina, zapytała go o kwestie związane z tą sprawą, a później usunęła tę część wywiadu przed publikacją. Jak zeznała przed komisją śledczą w sprawie afery Rywina, zrobiła to na interwencję redaktora naczelnego „Gazety Wyborczej" Adama Michnika.

W lutym 2011 roku przez media przeszła informacja, że zdymisjonowany z funkcji ministra i skompromitowany aferą hazardową Mirosław Drzewiecki ma wrócić do politycznego obiegu. Publicystka odnosiła się w swoim programie telewizyjnym do wypowiadanej krytyki zapowiedzi, iż Drzewiecki ma startować w nadchodzących wyborach parlamentarnych z list PO.

> To ściganie Drzewieckiego mnie zdumiewa. Uważam że ma prawo startować, jeśli Platforma go wystawi. Nie byłoby żadną sensacją, gdyby startował z pierwszego miejsca na liście

– mówiła Paradowska[199]. Sekundowała jej w programie inna dziennikarka „Polityki" – Joanna Solska. Obie komentatorki w programie płynnie przeszły do krytyki szefa CBA Mariusza Kamińskiego. Paradowska narzekała na, jej zdaniem, zbyt słabą krytykę szefa Biura w mediach.

> Czy to, że facet testuje przywództwo premiera, czyli chce obalić rząd, to jest mniejsza sprawa niż potencjalna sprawa korupcyjna? Ja takiego myślenia nie rozumiem!

– irytowała się. Sugerowała, że Mariusz Kamiński jest zagrożeniem dla demokracji, bo chce obalić rząd, zniszczyć przeciwnika politycznego. „Moim zdaniem to wszystko z agentem «Tomkiem» na czele jest tak niepoważne, że machnęłabym na to ręką" – mówiła Paradowska. „Agent «Tomek» nie walczył z korupcją, tylko ją tworzył" – dodawała Solska. Wypowiedzi obu publicystek „Polityki" dokładały się do medialnej śpiewki o rzekomych nadużyciach CBA i jej funkcjonariuszy. Wątpliwe, czy po wygranych procesach sądowych[200] przez Mariusza Kamińskiego i jego funkcjonariuszy równie ochoczo wypowiadałyby podobne tezy.

Janina Paradowska – będąca twarzą „Polityki" – jest nagradzana i chwalona w zamkniętym kręgu salonu, obdarowywana za swą publicystykę najróżniejszymi wyróżnieniami, takimi jak Złota Akredytacja do Sejmu, tytuł dziennikarza roku w 2002 roku, czy przydzielenie drugiego miejsca w rankingu najbardziej wpływowych kobiet.

Z zachowanych w Instytucie Pamięci Narodowej akt Janiny Paradowskiej wynika, że w PRL dziennikarka bez problemu wyjeżdżała za granicę, była doceniana przez władze (w 1977 roku otrzymała Srebrny Krzyż Zasługi, zbierała też liczne pochwały).

W latach 70. Paradowska była szefową Podstawowej Organizacji Partyjnej w „Kurierze Polskim"[201], organie Stronnictwa Demokratycznego. Do „Kuriera" przyszła w 1967 roku i tylko na krótko przeniosła się do „Przyjaciółki", by uzyskać mieszkanie w Warszawie.

W 1982 roku, po wprowadzeniu stanu wojennego, Paradowska oddała legitymację partyjną PZPR[202].

W ramach rozpoczętej akcji weryfikacyjnej dziennikarzy zakwalifikowano do zwolnienia w redakcji «Kuriera Polskiego» żonę «Weterana» J. Paradowską, aktywistkę biura redakcyjnego NSZZ «Solidarność». Red. Paradowską należy scharakteryzować zdecydowanie negatywnie – jest to kobieta b. wścibska, intrygantka, nie lubiana w redakcji, jednoznacznie opowiadającą się za «odnową» w duchu proponowanym przez «Solidarność». W organizacji tej nie prowadziła jednak działalności ściśle politycznej koncentrując swoją uwagę głównie na sprawach bytowych. Mając to na uwadze – związać «Weterana» z naszą Służbą, uzgodniłem z tow. A. Iwaniukiem (Wydz. V Dep. III) – członkiem Komisji Weryfikacyjnej w «Kurierze», by w miarę możliwości optować za pozostawieniem Paradowskiej w redakcji

– napisał 20 stycznia 1982 roku funkcjonariusz SB W. Witek[203]. Wydział V Departamentu III zajmował się ochroną operacyjną organizacji społeczno-politycznych, czyli w tym wypadku Stronnictwa Demokratycznego.

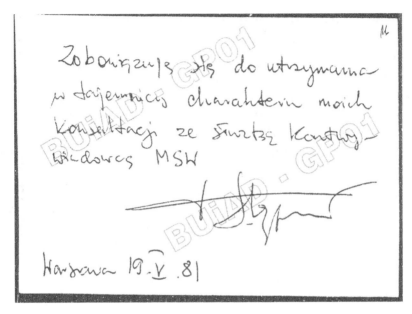

Zobowiązanie Tadeusza Stępnia z 19 maja 1981 roku (IPN BU 001198/7227)

Według akt zachowanych w IPN tajny współpracownik Służby Bezpieczeństwa o ps. „Weteran" to pierwszy mąż Janiny Paradowskiej Tadeusz Stępień, dziennikarz „Kuriera Polskiego", zarejestrowany właśnie w Wydziale V Departamentu III[204].

Z kolei 31 stycznia 1983 roku Inspektor Wydziału V Departamentu III kpt. Z. Lisiecki w notatce służbowej raportował:

Z dyskusji na temat żony «Weterana» [chodzi o Janinę Paradowską – *aut.*] wywnioskowałem, że jego zdaniem rozmowy prowadzone z nią przez SB po wprowadzeniu stanu wojennego były w tamtej sytuacji konieczne, że działaliśmy w ramach naszej kompetencji. Przekonany jest, że w wyniku tych rozmów podczas weryfikacji dziennikarzy «Kuriera Polskiego» dzięki postawie pracownika SB wchodzącego w skład komisji jego żona nie została usunięta z pracy. Ze względu na to, iż żona «Weterana» zna mnie pod prawdziwym nazwiskiem ustaliłem, że będę występował jako Zbigniew Sielicki.[205]

/\

Mikrofilm nr

Identyfikator ·ESEL

J A T A J N E
SPEC. ZNACZ/

ANKIETA PERSONALNA

1. STĘPIEŃ
nazwisko

2. TADEUSZ- MICHAŁ
imię

3. JAN
imię ojca

4. FELICJA
imię matki

5. PAPROCKA
nazwisko rodowe matki

6. 03. 07. 31r.
data urodzenia

7. WARSZAWA
miejsce urodzenia

8. TAJNY WSPÓŁPRACOWNIK
zabarwienie sprawy

9. „WETERAN"
pseudonim — kryptonim

10. wyższe
wykształcenie

11. Dziennikarz
zawód

12. Niemiecki
znajomość języków obcych

17561/I
nr archiwalny

podpis pracownika
13. 02. 84r.

Ankieta personalna Tadeusza Stępnia TW „Weteran" (IPN BU 001198/7227)

Takie było tło powrotu Paradowskiej do „Kuriera", o czym sama mówi: „A mnie w końcu po dwóch i pół miesiącach Fajęcki powiedział: «SB panią odwiesiła»"[206]. Jan Fajęcki był dyrektorem Wydawnictwa Epoka, które publikowało „Kurier Polski". Późniejszy naczelny „Rzeczpospolitej" Maciej Łukasiewicz (1941–2005) w książce „Weryfikacja" w nocie z 1 lutego 1982 roku opisuje to wydarzenie podobnie:

> Zdaniem Janki podjęta już decyzja o «odblokowaniu» jej pracy w «Kurierze» przyszła z zewnątrz, z SB [...] Ma tydzień czasu na odpowiedź. Janka już teraz na serio rozważa możliwość powrotu do «Kuriera». Dla mnie jest to mimo wszystko raczej zaskoczeniem: myślę, że jej wizyta u mnie miała charakter sondażowy: jaka będzie moja reakcja na jej sugestię pozytywnej decyzji[207].

Dodajmy, że „Weteran" zajmował się w „Kurierze" sprawami wojska i w relacji Łukasiewicza występuje jako człowiek, który „[...] ma rozległe kontakty z wojskiem i MSW [...]"[208].

I Paradowska powróciła, a Łukasiewicz podjął pracę w „Poradniku sprzedawcy żywności", a potem założył podziemne Wydawnictwo „MOST".

„Konstruktywny program intelektualny"

W latach 80. Janina Paradowska zajmowała się także środowiskiem intelektualistów.

W marcu 1985 roku w wywiadzie z prof. Marianem Stępniem z Uniwersytetu Jagiellońskiego rozmawiała m.in. o „usuwaniu kolejnych barier w dialogu władzy ze środowiskiem intelektualnym i tworzenie konstruktywnego programu działania w tej mierze". Profesor Stępień stwierdził, że „rząd zrobił bardzo wiele, aby uwiarygodnić się przed społeczeństwem".

Czyli Pana zdaniem, teraz przyszedł czas, aby intelektualiści uwiary-
godnili się przed rządem? Zbliża się plenum KC PZPR poświęcone
inteligencji. Czego Pan po nim oczekuje, jakie wiąże z nim nadzieje?

– pytała Paradowska.
Rok później zajęła się przyszłością polskich uczelni – w artykule
„Jaka szkoła wyższa w roku 2000?" pisała, że rok 1986 jest niezwykle ważny, gdyż ma przynieść odpowiedzi, jaki model szkoły wyższej
będzie obowiązywał w Polsce wkraczającej w nowy wiek.
„Do udzielenia takiej odpowiedzi zobowiązały resort, X Zjazd
i XXIV Plenum KC PZPR" – podkreślała Paradowska.

W Ministerstwie Nauki i Szkolnictwa Wyższego usłyszałam, że obecnie wszystko w rękach uczonych. Od aktywności intelektualnej pracowników naukowych uczelni zależeć będzie materiał wyjściowy do
dalszych prac. Jest to szansa, której zmarnować nie można[209].

Skok w politykę

Po 1989 roku Janina Paradowska zajęła się polityką. Sukcesywnie
też poszerzała swoje zainteresowania – oprócz polityki zajmowała się
również służbami. W 1997 roku (1 IX) ówczesny komendant główny
policji generał Marek Papała powołał na dwa lata 16-osobową Radę
Konsultacyjną. W jej skład weszli: Janina Paradowska, Jan Widacki,
Janusz Daszczyński, ksiądz biskup Marian Duś, profesorowie Lech
Falandysz, Marian Filar, Zbigniew Hołda, Brunon Hołyst, Andrzej
Rzepliński, Andrzej Wiśniewski, Józef Wójcikiewicz, Lena Kolarska-Bobińska, Krzysztof Michalski, Stanisław Podemski, Andrzej
Różycki i Robert Smoleń.
Powołanie Rady miało na celu – jak napisano w oficjalnym
dokumencie – „intelektualne wsparcie policji" i wspomaganie jej
kierownictwa m.in. „w podejmowaniu strategicznych decyzji i roz-
strzygnięć".

Zaproszenie do Rady Janiny Paradowskiej łączono z faktem, że w tym czasie była żoną Jerzego Zimowskiego, wiceministra spraw wewnętrznych w latach 1990–1996 (z przerwą, gdy ministrem spraw wewnętrznych był Antoni Macierewicz). Do połowy lat 70. Zimowski był kolejno aplikantem sądowym, prawnikiem w Komendzie Dzielnicowej MO w Szczecinie, podprokuratorem, szefem wydziału śledczego Prokuratury Powiatowej w Szczecinie, w lipcu 1971 roku zostając wiceszefem tej prokuratury. Pełnił również funkcję II sekretarza POP PZPR, kierownika szkolenia partyjnego i był delegatem Wojewódzkiej Konferencji Partyjnej. Jego przełożeni wskazywali na „duże zaangażowanie w pracy społeczno-politycznej". Jerzy Zimowski z PZPR odszedł po roku 1980 – wówczas zaangażował się w doradztwo prawne „Solidarności". W stanie wojennym został internowany i wyrzucony z pracy. Po roku 1989 Zimowski został politykiem Unii Demokratycznej, a następnie Unii Wolności. Zmarł w niewyjaśnionych okolicznościach 15 sierpnia 2007 roku w Odessie, podczas kąpieli w Morzu Czarnym.

Janina Paradowska była i jest zaciętą przeciwniczką lustracji. Od pierwszych prób lustracyjnych coś zatruwa spokój redaktor „Polityki". Pisała o „zadziwiającej zaciekłości w ściganiu" przez lustratorów swoich ofiar[210]. Uznała, że w procesie oczyszczania państwa z pozostałości komunistycznych osiągnięto stan paranoi. Alarmowała, że lustracja sięga szczytów podniecenia a w związku z tym dochodzić ma do bezkarnego łamania prawa[211] – a to dlatego, że orlenowska komisja śledcza postanowiła złożyć do prokuratury zawiadomienie o możliwości popełnienia przestępstwa przez premiera Marka Belkę. Stanął on pod zarzutem kłamstwa lustracyjnego. Dla redaktor nie miało to nic więcej na celu jak wywołanie „politycznej awantury".

> Niepokoi także sposób przeprowadzania lustracji. Coraz głośniej mówi się o tym, że proces lustracji jest politycznie sterowany, a do rzecznika interesu publicznego trafiają wyłącznie materiały dotyczące opozycji i Unii Wolności

– biadoliła Paradowska[212].

Totalne potępienie lustracji, fascynacja funkcjonariuszami służb specjalnych PRL i wstręt do prawicy – tak najkrócej można scharakteryzować ostatnie lata twórczości Janiny Paradowskiej. Zalety byłych funkcjonariuszy Służby Bezpieczeństwa przytaczała w artykule „Asy i lisy wywiadu":

Agent Kremla, esbek, sprzedawczyk – tak pisano i mówiono o Henryku Jasiku, gdy został pierwszym szefem nowego wywiadu III RP. Potem, po udanej akcji wywiezienia amerykańskich agentów z Iraku, pisano już nieco łagodniej: wielki talent, ale z nieprawą, bo peerelowską przeszłością. Cieszono się, że minister Antoni Macierewicz wreszcie oczyścił wywiad z osoby z takim życiorysem. Tymczasem to właśnie przeszłość Jasika zdecydowała o tym, że Krzysztof Kozłowski uczynił go szefem wywiadu. [...] Do dziś prawie kultową postacią w tym środowisku jest Aleksander Makowski, uchodzący za superasa wywiadu, imponujący innym oficerom swoim wykształceniem, perfekcyjną znajomością kilku języków i wysokim statusem materialnym. Makowskiego ścięła weryfikacyjna gilotyna, bowiem kierował wydziałem XI wywiadu, który zajmował się pracą w środowiskach opozycyjnych, śledził paryską «Kulturę», RWE i inne ośrodki (szefowie takich politycznych wydziałów zwalniani byli niejako z klucza, podobnie jak oficerowie kształceni w moskiewskich uczelniach). Siemiątkowski nie ukrywa, że reformę służb specjalnych, którą przeprowadzał likwidując UOP w 2002 r., konsultował także z Makowskim, którego uważa za wybitnego specjalistę. [...] O Zacharskim, absolwencie Wydziału Prawa UW, który nigdy nie przeszedł szkoły wywiadu, mówiono jako o prawdziwej perle. Powołanie go na szefa wywiadu, czego inicjatorem był ówczesny szef MSW Andrzej Milczanowski, miało na celu zdynamizowanie pracy tej służby i odbiurokratyzowanie coraz bardziej skostniałych struktur. [...] Najdłużej kierował wywiadem Bogdan Libera, który nastał po Zacharskim. [...] Siemiątkowski pracę Libery oceniał wysoko, podobnie zresztą jak prezydent Aleksander Kwaśniewski[213].

Na początku marca 2010 roku Paradowska pisała:

Jeżeli dwóch kandydatów do urzędu prezydenta mówi prawie to samo, że ta operacja to hańba (Komorowski), a jej autorzy powinni stanąć przez Trybunałem Stanu (Szmajdziński), to sprawa jest poważna i nie można udawać, że jej nie ma, czekając, kto jeszcze jakieś haki na kogoś kolekcjonuje i w którym momencie nimi zagra. WSI zostały zlikwidowane na polityczne zamówienie i bez sensu[214].

Pod rękę z „Nie"

Nie sposób wyznaczyć linię graniczną między „Nie" Urbana a „Polityką" ze względu na bliskość mentalną redaktorów obu zespołów.

Publicyści „Polityki" korzystają również z łamów Jerzego Urbana. Na swoim koncie publikacje w „Nie" ma choćby felietonista „Polityki" – Ludwik Stomma[215]. Z wykształcenia etnograf, syn znanego działacza katolickiego Stanisława Stommy (1908–2005), który przez dziesięciolecia związany był z „Tygodnikiem Powszechnym". W swojej publicystyce Ludwik Stomma prezentuje pochwałę dla obecnej Rosji. W felietonie poświęconym tragedii Czeczenii przedstawiał ją tak, by zbagatelizować rosyjskie ludobójstwo. Podkreślał, że przecież Rosjanie w Czeczenii załatwiają swoje sprawy wewnątrz swoich własnych granic[216].

Były rysownik pisma „Polityki" Marek Raczkowski to dobry znajomy Urbana. Bywał u niego w domu, wypili razem wiele wódki. Raczkowski pływał w basenie w domu Urbana, następnego dnia chodził w szlafroku pani domu[217]. Rysownik „Polityki" zyskał złą sławę wtykając polską flagę w psie ekskrementy.

Kolejnym znanym dziennikarzem związanym z „Polityką" i „Nie" był Wiesław Górnicki. Wiele czasu poświęcał działalności politycznej. Brał udział w wielu historycznych wydarzeniach jako naoczny świadek. Warto chociażby wspomnieć o tym, że pełnił funkcję korespondenta wojennego na Bliskim Wschodzie i w Indonezji. Współpracował z licznymi czasopismami, był pracownikiem Polskiej Agencji Prasowej a od października 1981 roku działał także w administracji państwowej. Uznawano go za jednego z głównych propagandzistów ówczesnej władzy rządowej, pisał m.in. przemówienia generałowi Wojciechowi Jaruzelskiemu. W latach 90. Górnicki był na emeryturze, tymczasowo współpracował z pismami „Dziś" Rakowskiego oraz z „Nie". Otrzymał wiele nagród i wyróżnień.

Gdy wydawało się już, że na rynku polskiej prasy nikt nie posunie się do większej obsceniczności i brutalizacji niż tygodnik „Nie" Jerzego Urbana, okazało się, że to tylko naiwna wiara. Doszło do tego za sprawą Małgorzaty Daniszewskiej, trzeciej partnerki życiowej Urbana i wydawcy „Złego", pisma epatującego zbrodnią, śmiercią i przemocą.

„Polityka", przy całym zadęciu towarzyszącemu kreowaniu się na pismo inteligenta, wzięła w obronę „Złego"[218]. Gdy Ruch odmówił jego dystrybucji, „Polityka" skrytykowała kolportera. Pismo Daniszewskiej zostało wprawdzie nazwane „kontrowersyjnym", a przecież jako takie „miałoby prawo ukazywać się bez szkodliwości społecznej".

„Polityka" przypomniała, że Ruch już odmówił kolportowania pisma „NIE dla dzieci" Urbana.

Decyzję Ruchu powszechnie odczytuje się jako próbę zniszczenia «Złego» drogą o wiele prostszą, bo administracyjną. Jeśli to prawda, powstaje pytanie, czy kierownictwo państwowej firmy dominującej na rynku kolportażu prasy ma do tego prawo?

– pisał tygodnik.

Tekst podpierał się wypowiedzią prof. UJ Ewy Nowińskiej, która twierdziła, że decyzja Ruchu jest „prawnie podejrzana". Powoływał się na przepisy prawa twierdząc, że bez ich złamania nie da się ograniczać wolności pisma do treści publikacji. Padła przestroga, iż Ruch powinien traktować wszystkich wydawców na równych prawach.

W tekście oddano też głos samej Daniszewskiej, która odtrąbiła, iż odmowa Ruchu to nagonka polityczna na Urbana, którego ścigający „nie potrafią dopaść w inny sposób".

Z „Nie" Urbana, obok Wiesława Górnickiego, współpracował też publicysta „Polityki" Ryszard Marek Groński. Obaj dopuszczali się szkalowania Żołnierzy Wyklętych, wykorzystując do tego celu brukowy, szydzący z wszelkich świętości tygodnik Urbana. Swoje paszkwile na temat bohaterów podziemia antykomunistycznego drukowali również w „piśmie dla inteligentów".

Dla Górnickiego NSZ były formacją, której „karty chwały składają się głównie z dobijania ocalałych Żydów, mordowania chłopów i nauczycieli, wieszania milicjantów"[219]. Górnicki grzmiał w ten sposób z łamów „Polityki" nie w czasach PRL, a w 1991 roku. Rok później w tym samym tygodniku temat Żołnierzy Wyklętych podjął satyryk i dziennikarz Ryszard Marek Groński. „Stosowali oni kryterium rasistowskie: zabijali nie dlatego, że w ich ręce wpadli przedstawiciele nowej władzy. Zabijali wyłącznie za pochodzenie" – pisał[220].

Polityczne criminal tango

Specjalizujący się w opisywaniu mafijnych związków i kryminalnych historii Piotr Pytlakowski, zanim został dziennikarzem, pracował jako sanitariusz na oddziale neurologicznym Centralnego Szpitala Klinicznego MSW. Było to w czasach „głębokiego" PRL-u, gdzie obowiązkową służbę wojskową można było zamienić na służbę w MSW. Zwykle były to oddziały ZOMO – wybrańcy dostawali lepsze miejsca jak np. oddziały szpitalne resortowych lecznic.

Piotr Pytlakowski pierwsze kroki w dziennikarstwie stawiał w 1985 roku. Zadebiutował jako reportażysta w „Nowej Wsi", kolorowym piśmie dla rolników. W styczniu 1985 roku był w obsłudze prasowej procesu esbeków: Grzegorza Piotrowskiego, Leszka Pękali, Waldemara Chmielewskiego – zabójców księdza Jerzego Popiełuszki[221]. Nazwisko Piotra Pytlakowskiego znalazło się na liście dodatkowych kart wstępu wydanych przez prezesa Sądu Wojewódzkiego w Toruniu. W obsłudze prasowej procesu była również jego siostra, Krystyna Pytlakowska, dziennikarka „Panoramy"[222].

Proces porywaczy ks. Jerzego toczył się pod ścisłą kontrolą gen. Kiszczaka i w aranżacji Służby Bezpieczeństwa. Nie było na nim osób bez akceptacji SB. Co ciekawe, kamerzystą na procesie był późniejszy – znany ze Smoleńska – operator, montażysta TVP Sławomir Wiśniewski.

W latach 90. Pytlakowski trafił do „Życia", gdzie był szefem działu reportażu. Po publikacji w 1997 roku artykułu Jacka Łęskiego i Rafała Kasprówa „Wakacje z agentem", opisującego kontakty Aleksandra Kwaśniewskiego z rosyjskim szpiegiem Władimirem Ałganowem, Pytlakowski odszedł do „Polityki".

Jeszcze przed emisją w czerwcu 2001 roku słynnego propagandowego filmu „Dramat w trzech aktach", który wymierzony był w braci Kaczyńskich i środowisko PC – trzon PiS, Pytlakowski napisał artykuł w „Polityce" pt. „Pośrednik". Ukazał się on w kwietniu 2001 roku, a pojawiły się w nim te same informacje, co w „Dramacie w trzech aktach": o aferze FOZZ, Januszu Heathcliffie Pineiro, byłych funkcjonariuszach WSI i o Porozumieniu Centrum. Pod tekstem jako współpracownik podpisany był Witold Krasucki – TVP (współautor „Dramatu w trzech aktach").

Pytlakowski, wspólnie z Sylwestrem Latkowskim, był współautorem filmu o Barbarze Blidzie. Teza filmu jest jednoznaczna: śmierć posłanki SLD nie była samobójstwem, a film uderzał w PiS i Jarosława Kaczyńskiego. Wbrew ustaleniom prokuratury, wbrew temu, co wyłania się z obrad sejmowej komisji śledczej ds. zbadania okoliczności śmierci Barbary Blidy, autorzy filmu lansują tezę, że Barbara Blida nie zabiła się sama. Chodziło o wydarzenia z 25 kwietnia 2007 roku, gdy premierem był Jarosław Kaczyński, ministrem sprawiedliwości Zbigniew Ziobro, a szefem ABW Bogdan Święczkowski. Do domu Barbary Blidy weszli funkcjonariusze ABW. Była posłanka SLD miała już status podejrzanej, ponieważ wcześniej prokurator, prowadzący śledztwo ws. mafii węglowej, wydał postanowienie o postawieniu jej zarzutów dotyczących m.in. pośrednictwa w łapówkowym procederze. Po wejściu funkcjonariuszy ABW Blida popełniła samobójstwo

– zastrzeliła się w łazience. Jej śmierć stała się jednym z filarów teorii o nielegalnych naciskach wywieranych przez polityków Prawa i Sprawiedliwości na organa ścigania. Była także i jest wykorzystywana propagandowo, aby stwarzać atmosferę terroru i zaszczucia niewinnych ludzi, jaka miała panować w Polsce pod rządami braci Kaczyńskich.

W podobnym duchu został nakręcony obraz Latkowskiego i Pytlakowskiego pt. „Wszystkie ręce umyte. Sprawa Barbary Blidy". Premiera filmu odbyła się 24 listopada 2010 roku, tuż po wyborach samorządowych, a promocja filmu przypadła na okres kampanii wyborczej.

Ojciec Piotra, Jerzy Pytlakowski, był dziennikarzem i literatem, a w latach 50. redaktorem wydawnictwa prasy wojskowej MON[223]. Mieszkał w Warszawie w domu przy ul. Królewskiej 2, który należał do tego ministerstwa i gdzie mieli mieszkania służbowe jego pracownicy. W roku 1951 szef Oddziału Personalnego Głównego Zarządu Informacji MON informował naczelnika Departamentu I MBP, że Jerzy Pytlakowski wykonywał prace zlecone „Wydawnictwu Pracy Wojskowej MON, zaś żona wspomnianego jest obecnie pracownicą tamtejszej instytucji"[224].

W 1951 roku Ministerstwo Bezpieczeństwa Publicznego prowadziło operację „Kwartet" dotyczącą rzekomej współpracy w czasie II wojny światowej żołnierzy AK z Gestapo. Jednym z figurantów operacji był Jerzy Pytlakowski. W dokumentach MBP zapisano: „notowany przez Wydz. I Dep. II MBP – ps. «Kamel»"[225]. Nie wiadomo, jak zakończyła się operacja komunistycznej bezpieki o kryptonimie „Kwartet", ponieważ całości akt sprawy nie odnaleziono.

Obsesja lustracji pogłębia się

Lustracja i dekomunizacja to problemy, w które zaangażowany jest niemal cały zespół redakcji „Polityki". Nie spodobała się jej próba przyspieszenia lustracji, jaką było opublikowanie listy nazwisk z archiwów IPN przez dziennikarza „Rzeczpospolitej" Bronisława Wildsteina. „IPN musi się przeciwstawić harcownikom" – pouczał Baczyński[226]. Opublikowanie listy „tylko powiększa lustracyjny zamęt" – pisał. Dochodzi do „moralnego absurdu", gdyż każdy w tym wykazie jest rzekomo winien i nie winien jednocześnie.

Piotr Pytlakowski, pierwsze pióro śledcze „Polityki", pisał wspólnie z Ewą Winnicką, że „Polska popadła w histerię lustracyjną" i „już tylko byli esbecy zachowują spokój"[227]. Inny z napisanych wówczas przez niego tekstów straszył potworami, które wychylają się z otwieranych esbeckich teczek. W Krakowie struchlała inteligencja, w Lublinie – kler, bo po kraju grasują „samozwańczy śledczy szukający agentów"[228]. Adam Szostkiewicz w „Polityce" lał krokodyle łzy, że zbliża się pielgrzymka Jana Pawła II do Polski, a w jej tle w kraju trwa „dzika" lustracja[229]. Z kolei dla Stanisława Podemskiego jasne było, iż ustawa lustracyjna była „pułapką" i „bombą z opóźnionym zapłonem"[230]. Autor tekstu przerażał mnogością ofiar umorzonych procesów lustracyjnych, które pozostaną na zawsze przedmiotem obmów, plotek, spekulacji. Chcąc wykazać, jak niedoskonała jest lustracja w Polsce, pisał, że dostarcza dowodów na to, jak luki skorodowanego prawa wypełniane są samowolą władzy albo anarchią zbiorowości.

W Polsce lustracja jest tylko „ideologiczną protezą", występującą w zastępstwie niedokonanej dekomunizacji.

> Proces lustracji nie będzie sprawiedliwy, ani nie oczyści atmosfery życia publicznego. Będą wielcy agenci, którzy owej sprawiedliwości ujdą, będą i mali, którzy wpadną w sieci

– pisała Janina Paradowska[231].

W 2000 roku emocjonalną krytykę przelewał na karty pisma Wiesław Władyka. Nie zostawiał suchej nitki na lustracji Lecha Wałęsy. Według niego politycy obozu AWS nie słuchali „próśb, błagań i ostrzeżeń, przed fatalnymi prawno-politycznymi oraz etycznymi skutkami". Funkcjonowanie „nieszczęsnej" ustawy lustracyjnej

„przeforsowanej przez obóz władzy faktycznie służy interesom pretendenta rządzącej Solidarności". Służby specjalne podporządkowane politykom AWS „dają wiele dowodów swojej stronniczości i dyspozycyjności, czego boleśnie doświadcza również urzędujący prezydent Aleksander Kwaśniewski" – pisał Władyka[232].

Gdy w 2000 roku zapadły wyroki Sądu Lustracyjnego w sprawach „Alka" i „Bolka", Jerzy Baczyński (w aktach SB zarejestrowany jako KO „Bogusław") pohukiwał, że w jego tygodniku ostrzegano, iż skoro nie udało się przeprowadzić dekomunizacji na początku lat 90., to „dzisiejsza lustracja na oświadczenia jest nie tylko historycznym zawracaniem głowy, ale i moralnym szalbierstwem"[233].

Po wyrokach Sądu Lustracyjnego w sprawie Józefa Oleksego (agent AWO o ps. „Piotr") i Włodzimierza Cimoszewicza (w aktach SB zarejestrowany jako KO „Carex"), w 2000 roku Baczyński wbijał do głów czytelników, że taka jest natura procesu ujawniania agentów służb PRL w kraju, że „każde orzeczenie sądu pogłębia moralny i polityczny zamęt wokół lustracji"[234]. Dla Baczyńskiego „dobry wynik" kandydującego na prezydenta Andrzeja Olechowskiego (KO „Must"[235]) to dowód na to, że przyznanie się do współpracy z bezpieką nie dyskredytuje polityka. Redaktor „Polityki" nazwał rozliczanie zaszłości z PRL „prostackim". Oświadczenie lustracyjne powoduje wyławianie „dość przypadkowych ofiar". Rozprawa z przeszłością staje się „chaotycznym porachunkiem z ludzkimi sumieniami".

W tym wykrzywionym świecie dawni bohaterowie okazują się zdrajcami. Według IPN świat dzieli się na pokrzywdzonych i tych pozostałych. Machina lustracji działa okrutnie. „Zlustrowani nie mają szans obrony", „historię Solidarności napiszą w końcu ubecy" – pisał Pytlakowski[236].

Z akt IPN wyziera – zdaniem tego autora – przerażający świat, w którym wszystko jest możliwe. „Nawet to, że ofiara zmienia się w donosiciela. W ten sposób powstaje nowa, dziwna wersja historii konspiracji czasów PRL"[237].

Z kolei Jacek Żakowski straszył, iż kraj jest w przededniu lustracyjnego tsunami – zgodnie z jego przewidywaniami Polskę zalać ma fala nazwisk tajnych współpracowników służb PRL. „Będą wśród nich nasi znajomi i krewni, mistrzowie i przyjaciele". Każdy, co dwunasty Polak, zostanie ujawniony jako TW. „Czeka nas więc prawdziwa defilada w różnym stopniu połamanych dostojnych szkieletów" – przerażał. Żakowskiemu „jeżył się włos na głowie", bo „czeka nas ból i fala rozczarowań"[238].

Sławomir Mizerski podgrzewał jeszcze nastrój medialnej histerii twierdząc, iż lista Wildsteina wywołała medialną bijatykę[239]. Szybko odpalono słowną amunicję, starając się za wszelką cenę znokautować przeciwnika.

„Szczególnie antypatyczna w postępowaniu Wildsteina jest pasja siania zamętu"; „Lustracja w jego wydaniu jest dzika, nieopanowana"; „To co robi, to po prostu zdziczałe działania" – sklejał epitety autor.

Podejmujący z upodobaniem temat lustracji Krzysztof Burnetko szydził w 2006 roku, iż dotychczasowa wyłaniała za mało agentów SB jak na potrzeby polityczne rządu PiS, dlatego nowa ustawa ma ujawniać „wszystko, co jest w magazynach IPN". Nie tylko tajnych współpracowników, ale wszelkie „osobowe źródła informacji". Zasugerował, iż o tym, kto stawał się OŹI (osobowym źródłem informacji), decydowali jedynie esbecy. Straszył, że wybuchnie bomba lustracyjna. Publikowanie listy kontaktów SB miało się odbywać etapami, co w retoryce wojennej Burnetki oznacza „wybuchy kolejnych ładunków", które wstrząsną krajem[240].

Burnetko nazywał lustrację „coraz bardziej śmierdzącym jajem". Pouczał, że prezydent ma prawo odesłać kontrowersyjną ustawę do Trybunału Konstytucyjnego, zanim ją podpisze. Ten sposób pozbywania się trudnych z politycznego punktu widzenia pomysłów legislacyjnych stosował z powodzeniem jego poprzednik[241].

Z kolei po ujawnieniu akt IPN dotyczących biznesmena Leszka Czarneckiego (według akt SB zarejestrowanego jako TW „Ernest"[242] i KO „Ternes"[243]), twórcy Getin Banku, Joanna Solska pisała, że lustracja się sprywatyzowała[244]. Sugerowała, że materiały wyciekające rzekomo z IPN są wykorzystywane do zatapiania konkurencji. Solska stwierdziła, że akcje spółek Czarneckiego tylko na chwilę miały gorszy kurs giełdowy. Zaczęły odzyskiwać wartość po konferencji prasowej biznesmena, na której jego koledzy mieli potwierdzić, że jest przyzwoitym człowiekiem.

Obrzydzanie lustracji odbywa się w piśmie wielotorowo. O tym, jak jest paskudna na Węgrzech, informował Tadeusz Olszański.

Pisząc o liberale węgierskim – ówczesnym premierze Péterze Medgyessym (porucznik kontrwywiadu, agent D 209), ubolewał, że ten musiał się tłumaczyć, co robił jako pracownik komunistycznych tajnych służb. W kontekście m.in. lustracji Olszański pisał o „bezpardonowej grze" opozycyjnego Fideszu, z powodu której spokój na Węgrzech nie zagości.

Fidesz dopuścił się, zdaniem Olszańskiego, sięgnięcia w 2002 roku po przegranych wyborach po bombę lustracyjną ujawniającą przeszłość premiera. „Zawiłości lustracji niejednokrotnie służyły różnego rodzaju szantażom" – kwitował Olszański[245].

Chęć oczyszczenia węgierskiej sceny politycznej z prominentów komunizmu nazywał niebywale bezwzględną i dramatyczną walką polityków. Wszystko to za sprawą partii Fidesz Viktora Orbána.

Wbrew „zaciekłym atakom i lustracyjnej nagonce w ostatnich tygodniach wzrosło poparcie dla liberalno-socjalistycznego rządu" – przekonywał Olszański. W artykule nie brak określeń militarystycznych – „wojna lustracyjna", czy emocjonalnych – „lustracyjna histeria"[246].

Tadeusz Olszański (ur. 1929) jest wieloletnim dziennikarzem „Polityki". Zajmuje się głównie tematyką Węgier i sportu. Od 1948 roku do końca istnienia ZMP działał w tej organizacji. Pełnił tam funkcję lektora Zarządu Głównego. W 1952 roku zaczął pracować w powstającym wydawnictwie „Iskry". Miał tam stanowisko kierownika wydziału propagandy. Od 1968 roku działał w PZPR. Pracując w „Dookoła Świata" był grupowym partyjnym. W latach 60. kierował działem sportowym w redakcji „Sztandaru Młodych", w której

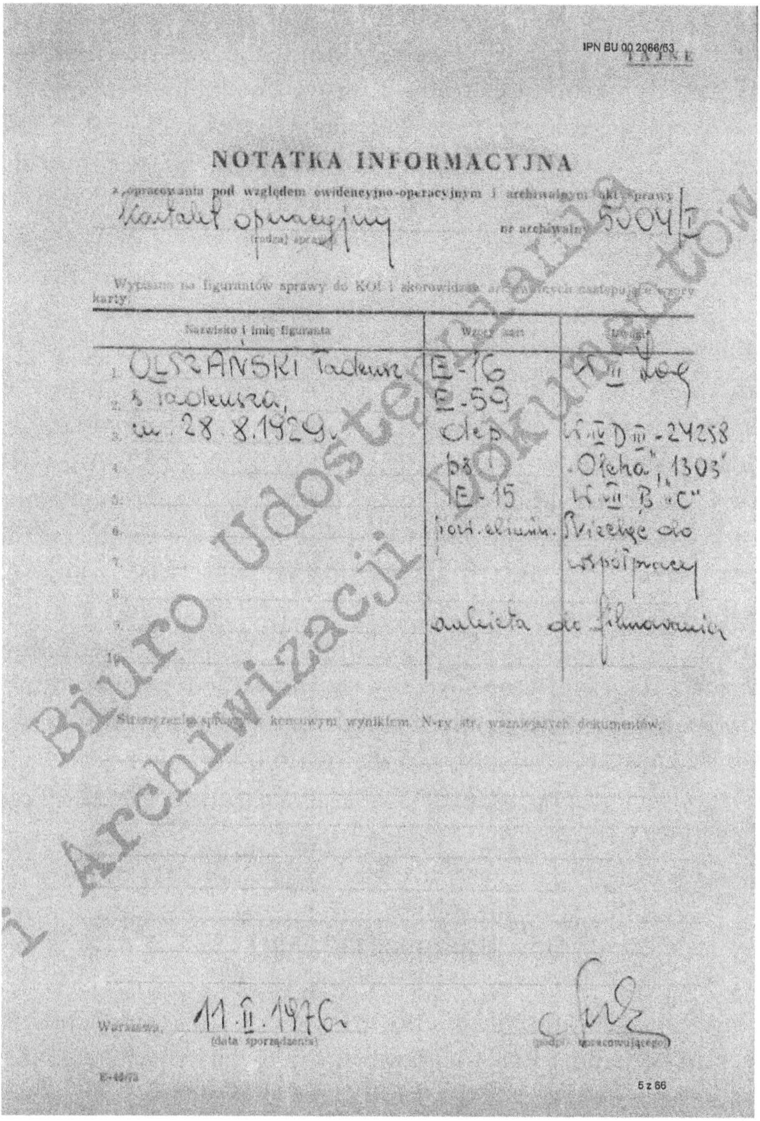

IPN BU 002086/53

TAJNE

NOTATKA INFORMACYJNA

z opracowania pod względem ewidencyjno-operacyjnym i archiwalnym akt sprawy

Kontakt operacyjny (rodzaj sprawy) nr archiwalny 5004/I

Wypisano na figurantów sprawy do KOI i skorowidzów archiwalnych następujące wzory karty:

Nazwisko i imię figuranta	Wzory kart	Uwagi
1. OLSZAŃSKI Tadeusz	E-16	K III Dep
2. s. Tadeusza,	E-59	
3. ur. 28.8.1929.	Dep	K IV D III - 24258
4.	ps.	„Olcha", „1303"
5.	E-15	K VII B „C"
6.	pozyt. eliminacja	Skreślony do
7.		współpracy
8.		
9.		oddelegowany do filmowania
10.		

Stwierdzenia sprawy i końcowym wynikiem. N-ry str. ważniejszych dokumentów:

Warszawa, 11.II.1976. (data sporządzenia) (podpis opracowującego)

E-44/73 5 z 66

Notatka informacyjna KO „Olcha" (IPN BU 002086/53)

był członkiem egzekutywy POP. Pracował też w Telewizji Polskiej. Wielokrotnie relacjonował igrzyska olimpijskie. W latach 1986–1990 był również dyrektorem Ośrodka Kultury Polskiej w Budapeszcie.

Jak wynika z akt IPN[247], Tadeusz Olszański został zarejestrowany przez SB w 1961 roku, przed zimowymi Igrzyskami Olimpijskimi w Innsbrucku, jako kontakt operacyjny „Olcha". Spotkania z nim nie przynosiły jednak rezultatów, jakich spodziewał się po nich Departament I, czyli wywiad. Uznano, że okazuje niechęć do kontaktów i wyeliminowano go z sieci źródeł informacji.

„Olcha" był ponownie wykorzystywany przez SB od 5 grudnia 1981 roku. Wówczas kontakt operacyjny utrzymywał z nim Wydział X Departamentu I MSW, który zajmował się przenikaniem do zachodnich służb i do obozów dla uchodźców w RFN i Austrii.

W 1986 roku MSZ wnioskował do MSW o zaopiniowanie kandydatury Olszańskiego na stanowisko I sekretarza w Ambasadzie PRL w Budapeszcie. Żadnych przeciwwskazań nie stwierdzono. Zaznaczono jednak w odpowiedzi, iż syn kandydata Michał Olszański był aresztowany w 1982 roku przez Prokuraturę Wojsk Lotniczych. Miało to związek z toczącym się wówczas postępowaniem przygotowawczym prokuratury w sprawie działacza podziemia z Wielkopolski – Janusza Pałubickiego. Olszański był podejrzany o kontakty z podziemiem i kolportaż nielegalnej literatury. Michał Olszański został zwolniony na mocy amnestii.

Samowybielanie

Jerzy Baczyński stwierdził, że choć to tygodnik „Wprost" „obrzuca go poubeckim łajnem", to z jego redaktorem naczelnym Markiem Królem nie zamieniłby się na życiorysy. Opis akt IPN na swój temat nazywa „ubecką robótką", a jednocześnie wskazuje, że naczelny „Wprost" był tajnym współpracownikiem o ps. „Adam"[248]. Baczyński wyrzuca mu, iż nie oddał on legitymacji partyjnej „jak wielu porządnych ludzi".

Naczelny „Polityki" przy pomocy historyka Andrzeja Friszke stara się przy tym usunąć w cień fakty wynikające z akt SB, które nie świadczą o nim dobrze[249].

Z drugiej strony zaś, zarządzaną przez niego „Politykę" stworzyli ludzie pokroju Daniela Passenta, który w stanie wojennym pisał komplementujące władzę felietony, wychwalające wprowadzenie stanu wojennego.

Bardzo znamienna jest opisana przez Passenta sytuacja w redakcji po opublikowaniu tzw. listy Wildsteina, na której znalazł się Passent i wielu innych dziennikarzy „Polityki". Podczas zebrania redaktorów głos zabrał Jerzy Baczyński. Redaktor naczelny oznajmił, że nikomu nie odmawia zaufania. Co innego, jeśli z teczek zaczną wypływać nazwiska pracowników redakcji jako autorów konkretnych donosów na osoby pokrzywdzone.

Gdy po kilku dniach ukazał się we „Wprost" tekst opisujący na podstawie akt IPN współpracę Andrzeja Garlickiego, „Baczyński również zachował się fair" – pisał Passent. Dał „Galarowi" (tak nazywany był przez znajomych Garlicki – *aut.*) możliwość odpowiedzi na łamach pisma. „Zapewne byłoby przyjemniej, gdyby ktoś inny wziął go w obronę" – pisał Passent. Argumentował, że to tym ważniejsze, iż Garlicki ma jubileusz pracy akademickiej[250].

Garlicki (w aktach SB zarejestrowany jako TW „Pedagog") opublikował w „Polityce" list z wyjaśnieniami skierowany do Jerzego Baczyńskiego[251] (w aktach SB zarejestrowanego jako KO „Bogusław").

Autor przyznał w nim, że w 1953 roku podpisał zobowiązanie dobrowolnej współpracy z organami bezpieczeństwa. Napisał, że był wówczas przekonanym stalinistą i propozycję pomocy w demaskowaniu wrogów klasowych przyjął bez żadnych oporów. Zastrzegł, że okazał się marnym agentem, a do tego ktoś doniósł bezpiece, jakoby przechwalał się, że „z pistoletem w ręku gania reakcyjne bandy". W końcu bezpieka zrezygnowała z jego agenturalnej pomocy. Garlicki w swojej ekspiacji dodał, że przez następne 50 lat nie uczynił nic, czego powinien się wstydzić.

Andrzej Garlicki (1935–2013) został zarejestrowany w 1953 roku przez UB jako TW o ps. „Pedagog", gdy był jeszcze studentem Wyższej Szkoły Pedagogicznej w Warszawie. Według dokumentów, „Pedagog" chciał donosić na studentów, którzy mieli antykomunistyczne poglądy i „burżuazyjne odchylenia". Donoszący do UB „Pedagog" czuł się zagrożony i dla dodania sobie pewności chciał uzyskać od bezpieki broń. Wówczas współpraca skończyła się po dwóch latach (1953–1955). UB dysponowała jednak donosami, z których wynikało, że Garlicki przechwala się, jakoby był oficerem bezpieki. „Pedagog" miał kolejny etap współpracy z tajnymi służbami PRL w latach 1964–1965. Potem jeszcze raz wznawiano z nim kontakt w latach 70. „Pedagog" napisał własnoręcznie zobowiązanie do współpracy[252].

Daniel Passent pisał w retoryce wojennej: „Wojna na teczki staje się coraz bardziej krwawa". Pod jego bliskiego przyjaciela „Galara" tygodnik „Wprost" „podłożył bombę"[253]. Fakt, że sam był zarejestrowany jako współpracownik SB, nie przeszkadzał Passentowi torpedować ujawniania akt IPN. Przyrównywał lustratorów do inkwizycji, hunwejbinów rewolucji kulturalnej w Chinach czy fanatyków, którzy wyrządzają wiele zła dokonując samosądu[254].

Znamienna była również reakcja redaktorów „Polityki" na informacje, iż jej autor Krzysztof Mroziewicz, szef działu zagranicznego a także dyplomata, współpracował ze służbami specjalnymi.

W 2006 roku „Nasz Dziennik" ujawnił informacje o współpracy Krzysztofa Mroziewicza z wywiadem wojskowym PRL, a następnie – od 1992 roku – z Wojskowymi Służbami Informacyjnymi. Warunkiem pracy operacyjnej miała być pomoc w karierze dziennikarskiej i wyjazdach na placówki zagraniczne[255]. Według Raportu z weryfikacji WSI Mroziewicz został zwerbowany jako tajny współpracownik „Sengi" jeszcze w 1983 roku, gdy był korespondentem PAP w Indiach. Współpracę kontynuował co najmniej do roku 1992, a jego ostatnim oficerem prowadzącym był płk Mirosław Kosierkiewicz (1988–1991)[256].

Mroziewicz lubił wyjazdy zagraniczne. Gdy był zastępcą redaktora naczelnego „ITD", w 1978 roku ZSP skierowało go na stypendium do Panamy, gdzie pisał doktorat na temat głębi myśli Che Guevary.

Gdy ujawniono, że Mroziewicz był agentem o ps. „Sengi", „Polityka" zareagowała oświadczeniem, iż nieznane są redakcji głosy, by Mroziewicz komuś szkodził. Nic, zdaniem szefów tygodnika, nie świadczyło przeciw jego niezależności. Przeciwnie, stwierdzono, że Mroziewicz jest cenionym autorem. On sam oświadczył, iż w czasie wskazanym jako okres współpracy z tajnymi służbami był korespondentem wojennym, a nie agentem.

TVP po tychże informacjach na temat Mroziewicza zapowiedziała, że nie będzie on zapraszany m.in. do programu „7 Dni Świat" jako komentator polityczny. Tymczasem współautor programu Andrzej Turski (według dokumentów IPN zarejestrowany jako kontakt operacyjny SB) oświadczył, iż nie widzi powodu, by nie miał zapraszać Mroziewicza do programu.

PRZYPISY

[1] W. Władyka, *„Polityka" i jej ludzie*, Warszawa 2007, s. 9.
[2] Ibidem, s.10.
[3] Ibidem, s.11.
[4] Stefan Żółkiewski (1911–1971): współtwórca PPR, dawny szef wojującego, marksistowskiego pisma „Kuźnica" (1945–1948), wchodził w skład władz PZPR, sekretarz naukowy PAN (1953–1955), minister szkolnictwa wyższego (1956–1959). Po wydarzeniach marcowych usunięty z KC. Był redaktorem naczelnym „Polityki" w latach 1957–1958.
[5] Jerzy Putrament (1910–1986): „pisarz-komisarz", jak określił go Marian Hemar. Zaczął od działalności w Młodzieży Wszechpolskiej na Uniwersytecie Wileńskim, ale w latach 30. przystał do komunistów, pozostając jednak antysemitą. W 1939 roku we Lwowie został zwerbowany przez NKWD, po wybuchu wojny niemiecko-sowieckiej wyjechał do Moskwy. Należał do założycieli Związku Patriotów Polskich. Do Polski powrócił wraz z Kościuszkowcami. Po wojnie był ambasadorem Polski komunistycznej w Paryżu (1947–1950). W czasach stalinowskich miał ogromne wpływy wśród literatów nie tylko jako sekretarz generalny Zarządu Głównego ZLP (1950–1953), ale także jako

tajny współpracownik UBP. Putrament był później wiceprezesem ZLP (1955–1956, 1959–1980) i członkiem KC PZPR (1964–1981).
6 M. Radgowski, „Polityka" i jej czasy. Kronika lat 1957–1980, Warszawa 1981, s. 8.
7 Adam Schaff (1913–2006) wstąpił do KPP (1932), później do PPR (1945). Mieszkał we Lwowie, skąd w 1941 r. uciekł do Moskwy, gdzie kierował redakcją polską Radia Moskwa (1944–1946) i ukończył studia filozoficzne (w 1945 obronił doktorat i uzyskał habilitację). Po powrocie do Polski (1948) kształcił kadry partyjne, m.in. jako dyrektor Instytutu Nauk Społecznych przy KC PZPR (1954–1957), a następnie Wyższej Szkoły Nauk Społecznych przy KC PZPR (do 1968). Po okresie stalinizm związał się z Puławianami, a jego prace (zwł. Marksizm a jednostka ludzka) stały się podstawą ruchu reformistycznego, choć sam Schaff pozostał wierny linii partii. Popierał Klub Poszukiwaczy Sprzeczności Adama Michnika. W czasie nagonki antysemickiej – jak opisuje – odwiedził go pewien wojskowy z Moskwy i przekazał, że może czuć się bezpiecznie. Schaff został przewodniczącym Rady Dyrektorów Europejskiego Centrum Badań Porównawczych UNESCO w Wiedniu (1969–1989) i wykładał na tamtejszym Uniwersytecie. W stanie wojennym chciał zgłosić kandydaturę gen. Jaruzelskiego do Pokojowej Nagrody Nobla. Współpracował też z komunistycznym wywiadem przeciw USA.
8 Leonard Berkowicz (1912–1989): po wojnie znany jako Borkowicz, do KZMZU przy KPZU wstąpił, gdy miał 15 lat (1927). Należał też do KPD (1929–1931). Za działalność komunistyczną skazany na 5 lat (1933), następnie trafił na rok do Berezy. W 1940 r. został powołany do Armii Czerwonej, skąd przeniesiono go do dywizji Kościuszkowskiej. W 1944 r. z ramienia PKWN organizował administrację komunistyczną na Białostocczyźnie. Następnie z-ca komendanta głównego MO, pełnomocnik rządu na Pomorze Zachodnie (1945–1949) i ambasador w Czechosłowacji (1949–1950). Usunięty po oskarżeniach wysuniętych przez MBP przeciwko żonie Halinie Buchowieckiej. Rozwiódł się z żoną, która z młodszym synem wyjechała później do Kanady (1956) i złożył Bierutowi samokrytykę: „Ja chcę być komunistą i poprzez wszystkie winy i błędy do tego przez całe życie dążyłem". Gdy zaczęła się odwilż, został mianowany wiceprezesem Centralnego Urzędu Kinematografii (1955–1958), związał się z Puławianami, zadecydował o skierowaniu do produkcji scenariusza filmu Ósmy dzień tygodnia w reż. Forda, uznanego później za antypaństwowy, czy Kanału Wajdy. W latach 1958–1968 był kierownikiem redakcji historycznej wydawnictwa „Książka i Wiedza". W okresie antysemickich czystek wysłany na emeryturę. Później opracowywał materiały historyczne w Zakładzie Historii Partii przy KC PZPR. Popełnił samobójstwo, gdy kończył się znany mu komunizm.
9 Mieczysław Franciszek Rakowski (1926–2008): polityk komunistyczny, premier PRL (1988–1989), ostatni I sekretarz KC PZPR (1989–1990). Od roku 1957 Rakowski był pracownikiem politycznym KC PZPR w Warszawie (z przerwami na naukę). Od roku 1958 związany z „Polityką" jako redaktor naczelny tego pisma. Działał

w Stowarzyszeniu Dziennikarzy Polskich (od 1951), będąc m.in. prezesem Zarządu Głównego (1958–1961). Od 1982 r. był członkiem Stowarzyszenia Dziennikarzy PRL.

[10] Andrzej Werblan (ur. 1924): działacz ruchu komunistycznego, sekretarz KC PZPR (1974–1980), sprawował funkcję wicemarszałka Sejmu, członek Biura Politycznego (1980, 1981). Przez wiele lat we władzach PRL.

[11] Kazimierz Koźniewski (1919–2005): z wykształcenia polonista, jeden z założycieli PLAN-u (1939–1940), następnie w Wojsku Polskim we Francji (1941). Powrócił do kraju i pracował w Departamencie Informacji delegatury (1943–1945). Po wojnie pracował w „Przekroju", a od 1957 r. do śmierci w „Polityce".

[12] Michał Radgowski (1929–2013): dziennikarz, publicysta związany z „Polityką" w latach 1957–1981.

[13] Oskar Lange (1904–1965): zajmował się teorią statystyki na Uniwersytecie Jagiellońskim (1926–1937), członek PPS (1927), przebywał na stypendium w USA, potem tam wykładał (1934–1935 i 1936–1945). Następnie był ambasadorem komunistycznej Polski w USA (1945–1947), pośredniczył między Stalinem a Mikołajczykiem (1944), należał do władz PPS (1945–1948). Później był rektorem SGPiS (1952–1955), pracownikiem PAN (1952–1963). Znany jest jego referat pt. *Ostatni wkład Józefa Stalina do ekonomii politycznej* wygłoszony po śmierci „Słoneczka ludzkości".

[14] Oskar Lange został na przełomie 1941 i 1942 r. zwerbowany do współpracy z wywiadem sowieckim przez Bolesława Geberta (ps. „Bill"), agenta INO (Wydział Zagraniczny OGPU), ojca Konstantego Geberta – „Dawida Warszawskiego". Bolesław Gebert (1895–1986) był jednym z założycieli KP USA (1919), popierał agresję sowiecką na Polskę (1920) i Pakt Ribbentrop-Mołotow (1939). Zagrożony aresztowaniem powrócił do Polski (1947), następnie był redaktorem naczelnym „Głosu Pracy" (1950–1960) i ambasadorem PRL w Turcji (1960–1967).

[15] M. Radgowski, op. cit., s. 131.

[16] Roman Zambrowski (1909–1977): przedwojenny komunista pochodzenia żydowskiego, w KPP od 1928 r., członek KC KZMP [Komunistycznego Związku Młodzieży Polskiej – red.] (1930–1938). W czasie wojny przebywał w Sowietach, walczył w dywizji Kościuszkowskiej, został szefem Zarządu Polityczno-Wychowawczego 1. Armii WP (1944), członkiem Politbiura (1944–1948) i Sekretariatu (1945–1948) KC PPR. Następnie członek Politbiura PZPR (1948–1963) i Sekretariatu (1948–1954, 1956–1963). Zambrowski należał do Puławian, w czasie kampanii antysemickiej został wykluczony z partii (1968), ale już wcześniej Gomułka usunął go na boczny tor mianując wiceprezesem NIK (1963–1968). Synem Romana jest Antoni Zambrowski, opozycjonista i dziennikarz „Gazety Polskiej".

[17] M. Radgowski, op. cit., s. 55.

[18] F. Gańczak, *Filmowcy w matni bezpieki*, Warszawa 2011, s. 94.

[19] K. Koźniewski, *Historia co tydzień. Szkice o tygodnikach społeczno-kulturalnych 1950–1990*, Warszawa 1999, s. 50–51.

[20] L. Tyrmand, *Dziennik 1954*, Warszawa 2011, s. 187.

[21] Benefis Zygmunta Kałużyńskiego, TVP Polonia 2004, http://beatzone.cz/component/video/EETAEmOVc-I (dostęp: 27 sierpnia 2013).

[22] Doniesienie z 17 lutego 1961 TW „Marka" [Władysław Grzędzielewski – *dop. aut.*], za: F. Gańczak, op. cit., s. 95.

[23] F. Gańczak, op. cit., s. 100.

[24] AIPN 002086/1346/CD.

[25] F. Gańczak, op. cit., s. 90–108.

[26] Ibidem, s. 108.

[27] Kazimierz Koźniewski; AIPN 002082/387.

[28] S. Cenckiewicz, P. Gontarczyk, *Agent „33" stopnia. O współpracy Kazimierza Koźniewskiego z bezpieką*, w: S. Cenckiewicz, *Śladami bezpieki i partii*, Warszawa 2009, s. 201.

[29] Artur Starewicz (ur. 1917): członek KZMP (od 1935), WKP(b) (od 1939), sekretarz KW PPR w Krakowie (1945). Kierownik Wydziału Propagandy i Agitacji KC PZPR (1948–1954), następnie Biura Prasy (1956–1963), sekretarz KC PZPR, ambasador PRL w Wlk. Brytanii (1971–1978).

[30] M. Radgowski, op. cit., s. 86.

[31] Ibidem, s. 18.

[32] W. Władyka, op. cit., s. 11.

[33] K. S. Karol [Kewres Karol], *Visa pour la Pologne*, Paris 1958, za: M. Radgowski, op. cit., s. 35–36.

[34] Jakub Berman (1901–1984): komunista pochodzenia żydowskiego, w ZMK (później KZMP) od 1924 r., w KPP od 1928. We wrześniu 1939 uciekł do Sowietów, gdzie szkolił przyszłych działaczy PPR. Współorganizował PKWN, członek Politbiura PPR (1944–1948) i PZPR (do maja 1956). Berman jako członek Komisji Politbiura ds. Bezpieczeństwa Publicznego nadzorował aparat represji i był współodpowiedzialny za mordowanie opozycjonistów oraz żołnierzy podziemia antyniemieckiego i antykomunistycznego, przygotowywał procesy publiczne i kierował aparatem terroru. Wraz z Bierutem i Hilarym Mincem (gospodarka) rządził Polską w okresie stalinowskim, choć oficjalnie był tylko członkiem (1952–1954) i wiceprezesem (1954–1956) Rady Ministrów. W maju 1957 r. w związku z odwilżą został usunięty z partii. Jego córka Lucyna była żoną Feliksa Tycha, partyjnego historyka ruchu robotniczego, a następnie dyrektora Żydowskiego Instytutu Historycznego (1995–2006).

[35] Edward Ochab (1906–1989): pochodził z galicyjskiej rodziny chłopskiej. Do KPP wstąpił w 1929 r., za działalność skazany dwukrotnie na więzienie (1933, 1938). W 1939 r. uciekł na Wschód, a po wybuchu wojny niemiecko-sowieckiej wstąpił do Armii Czerwonej, z której później skierowany został do Kościuszkowców, gdzie był oficerem politycznym i współpracownikiem NKWD. Płk Ochab został z-cą dowódcy ds. polityczno-wychowawczych 1. Armii WP, członkiem PKWN i KC PPR, a po wojnie I sekretarzem PPR na Śląsku (1946–1948). Ochab poparł Bieruta przeciwko Gomułce

i został sekretarzem PPR (1948), następnie PZPR (1950–1952, 1954–1955), następnie członkiem Politbiura (1954–1956). W okresie odwilży został po śmierci Bieruta wybrany I sekretarzem PZPR (marzec–październik 1956) i przekazał władzę Gomułce. Zepchnięty na boczny tor, najpierw jako minister rolnictwa (1957–1959), później wiceprzewodniczący i przewodniczący Rady Państwa (1961–1968), ustąpił ze stanowiska w czasie kampanii antysemickiej (jego żoną była Rachela Silbiger). Córka Ochaba Anna wyszła za mąż za Longina Pastusiaka, działacza SLD i marszałka Sejmu (2001–2005).

[36] M. Radgowski, op. cit., s. 40.

[37] M. F. Rakowski, *Dzienniki polityczne 1958–1962*, t. 1, Warszawa 1998, s. 137. Stefan Staszewski (1906–1989): ur. jako Gustaw Szusterman, wstąpił do KZMP (1921). Uciekł do Sowietów (1926–1929), gdzie razem z Bierutem studiował w Szkole Leninowskiej. Następnie działał w KPP m.in. w Łodzi i ponownie uciekł do Sowietów (1934), gdzie natrafił na czas czystki i został skazany na łagier na Kołymie (1938–1945). Po powrocie do Polski został szefem propagandy w KW PPR w Katowicach, a potem redaktorem naczelnym „Trybuny Ludu". Do stycznia 1954 r. był kierownikiem Wydziału Prasy PPR i PZPR, następnie skierowano go „na odcinek rolnictwa". W okresie odwilży był sekretarzem KW w Warszawie (1955–1957) i pozwolił na rozpowszechnienie kopii referatu Chruszczowa na XX Zjazd KPZS. Po konflikcie z Gomułką został prezesem PAP (luty 1957–1958), następnie redaktorem PWN, a w czasie kampanii antysemickiej wykluczono go z partii. Na koniec poparł KOR.

[38] Ibidem, s. 137–138.

[39] Ibidem, s. 137.

[40] Wiktor Borowski (1905–1976): ur. jako Aron Berman, syn Eliasza. Nie należy go mylić z Jakubem Bermanem synem Isera oraz jego braćmi Adolfem (1906–1978) i Mieczysławem (1903–1975), grafikiem. Adolf Berman posługiwał się pseudonimem „Borowski" w czasie okupacji, gdy działał w konspiracji, był lewicowym syjonistą i sekretarzem Żegoty – organizacji pomagającej Żydom przy Delegaturze Rządu RP na Kraj (1942–1945), po wojnie był przewodniczącym Centralnego Komitetu Żydów Polskich (1945–1949), następnie wyjechał do Izraela (1950), gdzie był działaczem partii komunistycznej i posłem do Knesetu. Po roku jego żona Barbara Temkin wróciła z synem Emanuelem (ur. 1946) do Polski. Wiktor Borowski, członek KZMP (1922) i KPP (1926), m.in. sekretarz okręgu KPP Górnego Śląska, dwukrotnie aresztowany, skazany na 6 lat (1930), w 1932 uciekł do Sowietów, ale po roku został przerzucony do Polski i kierował KPP w Okręgu Radomskim. Skazany na 8 lat (1934) wyszedł z więzienia we wrześniu 1939 r. i przedostał się do Sowietów, następnie został oficerem politycznym w 1. Armii WP (1944); redaktor naczelny „Życia Warszawy" (1944–1951), następnie do roku 1967 z-ca redaktora naczelnego „Trybuny Ludu" Leona Kasmana.

[41] M. F. Rakowski, *Dzienniki polityczne*, t. 1, s.137.

[42] Ibidem, notatka z 16.10.1961, s. 319–320.

[43] W. Władyka, op. cit., s. 15.

[44] Ibidem.

[45] Ibidem, s. 18.

[46] Józef Oleksy (ur. 1946): ukończył SGPiS, na ostatnim roku – w maju 1969 r. – został zwerbowany przez płk. Zbigniewa Żółtanieckiego jako wywiadowca o ps. „Piotr" do Agenturalnego Wywiadu Operacyjnego II Zarządu Sztabu Generalnego LWP (1969–1978), I sekretarz KW w Białej Podlaskiej (1987–1989), minister ds. współpracy ze związkami zawodowymi w rządzie Rakowskiego, przewodniczący SdRP (1996–1997), marszałek Sejmu (1993–1995, 2004–2005), premier (1995–1997), szef MSWiA w rządzie Leszka Millera (2004).

[47] Biuletyn Informacji Publicznej IPN, http://katalog.bip.ipn.gov.pl/showDetails.do?lastName=Cimoszewicz&idx=&katalogId=0&subpageKatalogId=3&pageNo=1&osobaId=6664& (dostęp: 22 października 2013).

[48] S. Lidkiewicz, *Kto-kogo*, „Polityka" 1957, nr 25.

[49] W. Władyka, op. cit., s.10.

[50] A. Schaff, *Na boku stać nie możemy*, „Polityka" 1957, nr 18.

[51] S. Żółkiewski w „Polityce" 1957, nr 14.

[52] M. F. Rakowski, M. Radgowski, *Fałszywy kierunek natarcia*, „Polityka" 1957, nr 23.

[53] W. Władyka, op. cit., s. 13.

[54] Leszek Krzemień (1905–1997): ur. jako Maks Wolf. Przedwojenny komunista, Kościuszkowiec, z-ca szefa Głównego Zarządu Politycznego LWP (1950–1954), pełnomocnik rządu ds. pobytu wojsk sowieckich (1957–1968), w wyniku czystek antysemickich przeniesiony do rezerwy, działacz ZBOWiD-u.

[55] Cyt. za: M. Radgowski, op. cit., s. 49.

[56] W. Herer, *Model socjalizmu i stopa życiowa*, „Polityka" 1957, nr 9.

[57] P. Lewińska w „Polityce" 1957, nr 9.

[58] Jerzy Urban w 1957 r. spotkał w „Polityce" swą pierwszą żonę Wiesławę Grocholę. Ich córka Magdalena wyszła za Adama Grzesiaka, razem z Mirosławem Chojeckim założyciela Niezależnej Oficyny Wydawniczej „NOWa".

[59] M. Radgowski, op. cit., s. 89–90.

[60] Notatka SB z marca 1970, AIPN BU 002394/174.

[61] Notatka dot. Andrzeja Krzysztofa Wróblewskiego, IPN BU 02394/174, s. 35.

[62] M. Radgowski, op. cit., s. 99–100.

[63] Zygmunt Bauman (ur. 1925): we wrześniu 1939 r. uciekł do Sowietów, gdzie wstąpił do Komsomołu i służył w milicji w Moskwie, następnie służył jako oficer polityczny w 1. Armii WP (od 1944). Podpisał zobowiązanie do współpracy jako agent-informator Informacji Wojskowej o pseudonimie „Semjon" (1945), wstąpił do PPR (1946), od czerwca 1945 r. służył w Korpusie Bezpieczeństwa Wewnętrznego utworzonym na wzór sowieckich wojsk NKWD. W KBW Bauman był m.in. z-cą dowódcy ds. polityczno-wychowawczych 5. Batalionu Ochrony w Bydgoszczy i Szefem Oddziału I i II

w Zarządzie Polityczno-Wychowawczym w Warszawie. 1 maja 1952 r. Zygmunt Bauman został awansowany na stopień majora KBW oraz szefa Oddziału II Zarządu Politycznego KBW. „Jako szef Wydziału Polityczno-Wychowawczego [...] bierze udział w walce z bandami. Przez 20 dni dowodził grupą, która wyróżniła się schwytaniem wielkiej ilości bandytów. Odznaczony Krzyżem Walecznych" – czytamy we wniosku o awans. W czerwcu 1953 r. mjr Bauman został zwolniony z KBW po wizycie jego ojca-syjonisty w ambasadzie Izraela. W 1954 r. mjr Bauman zajął się stalinizowaniem nauk społecznych na UW. W praktyce rządził katedrą filozofii UW, wykładał marksizm, jednocześnie ukończył filozofię (1954). Usunięty z UW w 1968 r. wyjechał do Izraela (1969–1971), gdzie wykładał na Uniwersytecie w Tel Awiwie, a następnie do Leeds w Anglii, gdzie kierował na tamtejszym uniwersytecie katedrą socjologii (do 1990). Obecnie major mieszka w Leeds i związany jest z córką Bolesława Bieruta prof. Aleksandrą Jasińską-Kanią. W 1967 r. był promotorem jej pracy doktorskiej *Karol Marks a problemy alienacji we współczesnej socjologii amerykańskiej*, zob. P. Gontarczyk, *Towarzysz Semjon. Nieznany życiorys Zygmunta Baumana*, „Biuletyn Instytutu Pamięci Narodowej" 2006, nr 6 (65), dok. 2; P. Lisiewicz, M. Marosz, *Jak waleczny major Bauman bandytów tropił*, „Gazeta Polska", 3 lipca 2013, nr 27; Biuletyn Informacji Publicznej IPN, katalog funkcjonariuszy aparatu bezpieczeństwa, http://katalog.bip.ipn.gov.pl/showDetails.do?idx=&katalogId=0&subpageKatalogId=2&pageNo=1&osobaId=31731& (dostęp: 17 sierpnia 2013).

[64] Działalność dziennikarska A. K. Wróblewskiego, notatka z jego dziennika z dnia 28.10.1957 r.; Akta dotyczące Andrzeja Krzysztofa Wróblewskiego, AIPN 002394/174.

[65] Andrzej Leopold Feigin, s. Anatola i Barbary z d. Fedorowicz ur. 1906 r. w Wilnie, Notatka Służbowa z 31.03.1979, IPN BU 002394/174. Nie należy mylić Andrzeja Feigina ze zbrodniarzem stalinowskim Anatolem Fejginem ur. w 1909 roku w Warszawie, synem Mojżesza i Marii z d. Kacenelebogen.

[66] Notatka służbowa 31.03.1979, IPN BU 002394/174.

[67] Tomasz Wróblewski (ur. 1959): dziennikarz i publicysta, redaktor naczelny tygodnika „Newsweek Polska" (2001–2004, 2005–2006), magazynu „Profit", „Dziennika Gazety Prawnej" (2010–2011). W latach 1986–1990 był także korespondentem Radia Wolna Europa z Waszyngtonu, później RMF FM oraz dzienników „Życie Warszawy" i „Życie". Jest też wykładowcą Collegium Civitas.

[68] Notatka służbowa z 14.06.1966, http://lustracja.net/index.php/tajni-wspolpracownicy/71-daniel-passent (dostęp: 17 sierpnia 2013).

[69] Raport z rozmowy por. SB P. Adacha z Danielem Passentem, 2.01.1961, AIPN BU 2082/151.

[70] Jakub Prawin, IPN BU 00244/64.

[71] „Misja specjalna", TVP, 12 października 2007, autor: Dorota Kania.

[72] IPN BU 002082/151; IPN BU 002086/385; IPN BU 01434/364.

[73] D. Passent, *Dzieła rozebrane*, Warszawa 2013, s. 244.

[74] Kuba Wojewódzki, Talk show, gościem programu Daniel Passent, 19 lutego 2006.

[75] Stwierdzenie to wypowiedział Jerzy Urban obecny na spotkaniu promocyjnym książki Daniela Passenta *Pod napięciem* prowadzonym przez redaktora Tomasza Lisa w styczniu 2010 r.; profil tygodnika „Polityka" w serwisie Facebook: https://www.facebook.com/video/video.php?v=275773717354, dostęp 24-10-2013 r.

[76] AIPN BU 2082/151.

[77] Notatka informacyjna, październik 1974, AIPN BU 2082/151.

[78] Notatka operacyjna, maj 1975, AIPN BU 2082/151.

[79] Ibidem.

[80] *45 lat «Polityki»*, „Gazeta Wyborcza", luty 2002, nr 50.

[81] Notatka SB, marzec 1968, AIPN BU 2082/151.

[82] Ibidem.

[83] Informacja od źródła SB o ps. „Maria" na temat Daniela Passenta, kwiecień 1968, AIPN BU 2082/151.

[84] Andrzej Berkowicz, syn Oskara Berkowicza, sekretarza Komitetu Okręgowego KPZU we Lwowie oraz kierownika Centralnego Wydziału Wojskowego KPZU (od 1930), pracował w „Nowej Wsi", „Po Prostu" i na koniec w „Dookoła Świata". Po marcu 1968 roku wyjechał z PRL. Oskar Berkowicz był tak zaciętym komunistą, że w 1932 r. wyjechał do Moskwy, gdzie pracował w Międzynarodowej Organizacji Pomocy Rewolucjonistom. W 1935 r. został aresztowany i zesłany do łagru (kopalnia złota) na Kołymie. Do Polski wrócił w roku 1956 i zaraz wstąpił do PZPR. Zmarł po 8 miesiącach.

[85] Informacja od źródła SB o ps. „Maria" na temat Daniela Passenta, 30.04.1968, AIPN 2082/151.

[86] Meldunek ze spotkania Passenta z młodzieżą akademicką i czytelnikami miesięcznika „Odra" we Wrocławiu, marzec 1973, AIPN 2082/151.

[87] Notatka Departamentu III SB z sierpnia 1970, AIPN 2082/151.

[88] Marian Turski, ur. w Druskiennikach w 1926 r. jako Mosze Turbowicz, w 1944 r. został wywieziony z getta łódzkiego do Oświęcimia, w 1945 r. przeżył marsz śmierci z Auschwitz do Buchenwaldu. Turski jest członkiem Zarządu Głównego Stowarzyszenia Żydów Kombatantów i Poszkodowanych w II Wojnie Światowej oraz przewodniczącym Stowarzyszenia Żydowski Instytut Historyczny.

[89] Do i od redakcji, *Senior Redaktor*, „Polityka" 2008, nr 1, s. 91.

[90] M. Radgowski, op. cit., s. 100.

[91] A. Domosławski, *Kapuściński non fiction*, Warszawa 2010, s. 433.

[92] Ibidem, s. 417.

[93] Ibidem, s. 294.

[94] Ibidem, s. 295.

[95] IPN BU 001043/2355/D; I. Ryciak, *Kontakt 11630/I*, „Newsweek" 2007, nr 21, s. 30–32.

[96] Alves Nito był przedstawicielem ortodoksyjnego skrzydła komunistów, w 1977 r. dokonał nieudanej próby zamachu stanu i został zabity wraz ze swymi zwolennikami.

[97] Movimento Popular de Libertação de Angola (Ludowy Ruch Wyzwolenia Angoli) był komunistyczną partyzantką wspomaganą przez Kubańczyków, która walczyła najpierw przeciwko Portugalczykom, a następnie w wojnie domowej przeciwko organizacji UNITA Jonasa Savimbiego.

[98] Archiwa IPN, teczka kontaktu SB o nr 11630, IPN BU 001043/2355/D.

[99] AIPN, MSW, 00170/581.

[100] IPN BU 00191/119.

[101] *Teczka pisarza*, z Ernestem Skalskim rozmawiają Aleksander Kaczorowski i Wojciech Maziarski, „Newsweek Polska", 21 maja 2007; Wp.pl, 21 maja 2007, http://wiadomosci.wp.pl/kat,1342,title,Bez-wspolpracy-nie-byloby-Ryszarda-Kapuscinskiego,wid,8870681,wiadomosc.html

[102] Andrzej Szczypiorski (1924–2000) wziął udział w Powstaniu Warszawskim jako żołnierz komunistycznej Armii Ludowej. Po powrocie z obozu w Sachsenhausen pracował w „Życiu Warszawy" (1948–1951), kierował rozgłośnią Polskiego Radia w Katowicach (1950–1955), był kierownikiem literackim Teatru im. Wyspiańskiego w Katowicach, następnie został wysłany przez wywiad na radcę ambasady PRL do Danii (1956–1958). Po powrocie pracował w Polskim Radiu w Warszawie (1958–1964), współpracował z KOR. Internowany w stanie wojennym, po 1989 r. zasiadał w Senacie (1989–1990) oraz we władzach ROAD i Unii Demokratycznej. Jego książki były popularne w latach 70. i 80.

[103] http://www.asme.pl/118582659161511.shtml

[104] M. Grocki, *Konfidenci są wśród nas…*, Warszawa 1993, s. 50–51 *(„Mirek" i „Gaweł" w jednym stali domku, czyli agentura kontroluje agenturę)*; K. Tarka, *Tajemnica Szczypiorskiego. Teczki*, „Newsweek Polska" 2006, nr 19; T. M. Płużański, *Agenci w lesie i w domu*, ASME. pl, 30 lipca 2007, http://www.asme.pl/118582659161511.shtml (dostęp: 25 sierpnia 2013); A. Kruczek, *Donosiciel, agent wpływu, autorytet. Rozmowa z Grzegorzem Braunem, reżyserem filmu «Errata do biografii – Andrzej Szczypiorski»*, „Nasz Dziennik", 17 lutego 2007.

[105] „Christ in der Gegenwart", za: W. Łysiak, *Rzeczpospolita kłamców. Salon*, Warszawa 2004, s. 313; cytaty.eu, http://cytaty.eu/cytat/cechy.html (dostęp: 25 sierpnia 2013).

[106] Marceli Reich-Ranicki (1920–2013): jako obywatel polski pochodzenia żydowskiego został wydalony z Niemiec (1938), gdzie należał do KPD, był tłumaczem w warszawskim Judenracie (1940–1943), po ucieczce z żoną Teofilą ukrywał się na Pradze u p. Gawinów. Po wojnie Marceli Reich został współpracownikiem Resortu Bezpieczeństwa Publicznego (24.10.1944), pracował najpierw w Zarządzie Polityczno-Wychowawczym LWP, potem jako cenzor w Lublinie, a następnie kierował grupą operacyjną UB w Katowicach (1945). W kwietniu 1946 r. przeszedł do wywiadu (Wydziału 2. samodzielnego MBP) i następnie pracował w Polskiej Misji Wojskowej w Berlinie (1948–1949). Doszedł do stopnia kapitana UB. W 1949 r. gen. Wacław Komar, szef

wywiadu, wysłał go do Anglii, gdzie oficjalnie był konsulem, a faktycznie rezydentem wywiadu o ps. „Albin". Był oficerem prowadzącym Ryszarda Reiffa ps. „Bliźni" (P. Gontarczyk, *Reich-Ranicki i fałszywy życiorys*, „Życie Warszawy", 13 października 2006). Odwołany do Polski i usunięty z PZPR za wydanie wizy szwagrowi Gerhardowi Boehme usuniętemu z KPD pod zarzutem trockizmu (1950). W Polsce pracował w wydawnictwie MON, a następnie w Polskim Radiu. Emigrował na stałe do RFN w 1958 r.

[107] M. Radgowski, op. cit., s. 191.

[108] Notatka operacyjna z rozmowy SB z Krzemińskim, maj 1975, IPN BU 001043/1551.

[109] Zobowiązanie, 19.05.1975, IPN BU 001043/1551.

[110] Doniesienie źródła SB o ps. „Piotr", marzec 1972, AIPN BU 2082/151.

[111] M. Radgowski, op. cit., s. 232.

[112] Ibidem, s. 6.

[113] Ibidem, s. 223.

[114] Ibidem, s. 119.

[115] Gen. Wacław Komar (właśc. Mendel Kossoj, ur. 4.05.1909 w Warszawie, zm. 26.01.1972 w Warszawie), ps. „Kucyk", „Morski", „Herbut", „Nestor", „Cygan". Wstąpił do KZMP w 1927 r. i zaraz został wysłany do Moskwy, gdzie był szkolony na kursach dywersyjnych OGPU/NKWD (1927–1933), następnie skierowano go „na robotę wojskową" do Niemiec i Polski. Walczył w Brygadach Międzynarodowych w Hiszpanii (1936–1939), najpierw w polskim batalionie im Jarosława Dąbrowskiego, a później dowodził 1921 Brygadą. Szef wywiadu wojskowego WP (od 1945), następnie Departamentu VII MBP, w ramach którego połączono Oddział II Sztabu Generalnego i Wydział II Samodzielny MBP (17.07.1947–5.06.1950). Odwołany i aresztowany w ramach czystek tzw. Hiszpanów był przetrzymywany w więzieniu i torturowany (1952–1954). Dowódca Wojsk Wewnętrznych i KBW (1957–1959), Dyrektor generalny w MSW (1960–1968). W 1968 r. Komar został zwolniony z MSW na fali walk partyjnych frakcji moczarowców (d. Natolińczyków) i Puławian. Generał Komar jako kilkunastoletni chłopak brał udział w zabójstwach tajnych współpracowników polskiej policji na mocy wyroków KPP. Zob. M. Piotrowski, *Ludzie bezpieki w walce z narodem i Kościołem*, Lublin 2000 (biogram Wacława Komara).

[116] Notatka służbowa z 7.09.1981, AIPN BU 01228/183.

[117] Doniesienie źródła „Kawa" z grudnia 1960; teczka tajnego współpracownika ps. „Kawa", AIPN 00169/64.

[118] Pod tym pseud. zarejestrowany był Daniel Passent.

[119] Doniesienie źródła o ps. „Daniel", lipiec 1961, AIPN 2082/151.

[120] Raport z rozmowy por. SB P. Adacha z Danielem Passentem, 2.01.1961, AIPN 2082/151. Nie przeczy to wcześniej cytowanej notatce z czerwca 1966 r., która wskazywała jako *spiritus movens* ściągnięcia Passenta do redakcji przedwojenną komunistkę Romanę Granas.

[121] Pismo Dyrektora Departamentu II MSW płk. Matejewskiego do Dyrektora Departamentu I płk. Sokolaka, AIPN 2082/151.

[122] F. Gańczak, op. cit., s. 99.

[123] IPN BU 00200/1346.

[124] Notatka informacyjna z 6.06.1978, AIPN 00200/1346.

[125] M. Jaranowski, *Po śmierci Jurija Andropowa*, „Polityka" z 15 lutego 1984.

[126] B. Pietkiewicz, *Koszary, służba, dom*, „Polityka" z 19 kwietnia1986.

[127] S. Cenckiewicz, P. Gontarczyk, *Agent „33" stopnia*, s. 212–215.

[128] Raport z pozyskania, 31.07.1981, IPN BU 01593/689.

[129] IPN BU 00170/964.

[130] IPN BU 910/16044.

[131] Notatka służbowa z 4.07.1957, IPN BU 00170/964.

[132] Notatka ze spotkania z J. B. w dniu 12.06.1969, IPN BU 00170/964.

[133] Notatka z rozmowy z J. B. w dniu 27.02.1969, IPN BU 00170/964.

[134] Irena Rybczyńska-Holland (ur. 1925, Łuck): pierwsza żona przedwojennego komunisty Henryka Hollanda (1920–1961), który zasłynął z opluwania AK i Żołnierzy Wyklętych. Później należał do Puławian. W 1961 r. przekazał „Le Monde" tekst tajnego referatu Chruszczowa na XX Zjazd KPZR. Wyskoczył przez okno w czasie rewizji. W 1968 r. Rybczyńska została zwolniona z „Nowej Wsi" i otrzymała pracę w miesięczniku „Ty i Ja". Córkami Rybczyńskiej i Hollanda są reżyserki Agnieszka Holland i Magdalena Łazarkiewicz.

[135] IPN BU 00170/964.

[136] Akta paszportowe Jacka Mojkowskiego, AIPN BU 001043/1528.

[137] AIPN BU 00191/23.

[138] Ibidem.

[139] Notatka operacyjna, 1975 r., AIPN BU 00191/23.

[140] Notatka służbowa, 1975 r., AIPN BU 00191/23.

[141] *Niepubliczne media niejednomyślnie o lustracji dziennikarzy*, depesza PAP, 4 stycznia 2000.

[142] M. Radgowski, op. cit., s. 231.

[143] Marek Ostrowski pisał już w „Polityce" w duecie ze swoim synem Rafałem, dziennikarzem tygodnika „Podróże".

[144] Raport z rozmowy pozyskaniowej kandydata na TW nr 44344 z 1976 r., AIPN 002082/257/1.

[145] Teczka pracy KO Bast, pismo do Dyr. Departamentu II MSW gen. bryg. Z. Sarewicza z dn. 6 lipca 1982 r., AIPN 002082/257/2.

[146] Marek Ostrowski był wówczas członkiem PZPR, a więc formalnie nie mógł być TW bez zgody nadrzędnej jednostki partyjnej.

[147] Andrzej Rayzacher (zm. 2012) jest bratem Macieja Rayzachera (ur. 1940), aktora STS i Teatru Powszechnego (do 1980), który od 1976 r. współpracował z KOR, w stanie wojennym będąc internowanym; później występował w kościołach, po 1989 r. działacz samorządowy w Warszawie.

[148] Raport ze spotkania z KO „Bast", październik 1979, AIPN BU 002082/257.

[149] AIPN BU 002082/257.

[150] Notatka informacyjna, czerwiec 1980. Ocena wizyty papieża Jana Pawła II, AIPN BU 002082/257.

[151] Raport ze spotkania z KO „Bast", marzec 1982, AIPN BU 002082/257.

[152] Rozmowa Macieja Marosza z Markiem Ostrowskim, Warszawa, czerwiec 2012.

[153] „Misja specjalna" w TVP 1, PAP (30.11.2006).

[154] IPN BU 00191/290.

[155] K. T. Toeplitz, *Nie zamierzam sądzić się z gówniarzami*, „Przegląd" 2006, nr 50.

[156] „Polityka" z 18 lipca 1992.

[157] Wojciech Giełżyński (ur. 1930) zaczął pisać do „Gazety Ludowej", organu PSL, gdy jej redaktorem naczelnym – po aresztowaniu Zygmunta Augustyńskiego w 1946 r. – został jego ojciec Witold (1886–1966), przedwojenny socjalista. Po Październiku, oprócz publikacji w „Polityce", był także redaktorem pisma „Dookoła Świata", szefem działu Azja w „Kontynentach". W stanie wojennym redagował podziemny „Vacat" (kontrolowany przez SB) i współredagował „PWA", następnie pracował w „Tygodniku Solidarność" (1989–1992). Giełżyński brał udział w reaktywacji PPS (1987) i działalności Unii Pracy. Jest autorem ponad 60 książek, w większości o krajach Azji i Afryki. Przyznaje się do członkostwa w masońskiej Wielkiej Loży Francji.

[158] Teczka pracy AIPN, MSW, 001043/1096.

[159] Henryk Frydlender (1917–2003): w 1940 r. zaciągnął się ochotniczo do wojska polskiego we Francji. Jako żołnierz Brygady Strzelców Karpackich walczył pod Narwikiem. Po kapitulacji Francji schronił się w jej południowej części. Tam związał się z ruchem komunistycznym. Deportowany do Polski w 1952 r., podjął pracę dziennikarską. W 1968 r. usunięty z pracy; wyjechał w 1969 r. z dokumentem podróży w jedną stronę. We Francji pracował do emerytury jako archiwista w „Le Nouvel Observateur".

[160] Notatka z marca 1968 r., AIPN BU 001043/1096.

[161] AIPN, MSW, 01435/29.

[162] AIPN 01911/24.

[163] MAPAM została założona w 1948 r. przez komunizujących syjonistów. W I Knesecie miała 19 posłów i drugi pod względem wielkości klub parlamentarny. Pozycja tego prosowieckiego ugrupowania systematycznie malała. Po procesach praskich z 1953 r. i aresztowaniu w bloku sowieckim wielu żydowskich komunistów, MAPAM po 1956 r. zerwała z Sowietami i stała się – według Moskwy – „najbardziej reakcyjną na lewicy" (1972). W 1988 r. partia uzyskała tylko 3 mandaty, następnie z dwoma innymi ugrupowaniami utworzyła lewicowo-syjonistyczną partię Merec (Energia).

[164] W. Władyka, *Czasy i ludzie*, „Polityka" 2007, nr 11.

[165] J. Cieśla, *50 lat «Polityki». Debata o «Polityce»*, „Polityka" 2007, nr 9.

[166] B. Romiszewska, *Nowe czasy „Polityki"*, Lublin 2005, s. 17.

[167] W. Władyka, „Polityka" i jej ludzie, s. 6.

[168] J. Bijak, W Rzeczpospolitej, „Polityka" 1990, nr 5.

[169] Ibidem.

[170] Monitor Polski 1997, nr 29.

[171] Biuletyn Informacji Publicznej IPN, http://katalog.bip.ipn.gov.pl/showDetails. do?lastName=Belka&idx=&katalogId=0&subpageKatalogId=3&pageNo=1&osobaId=34304& (dostęp: 24 października 2013).

[172] S. Mizerski, Był(lże) bal, „Polityka" 2007, nr 10.

[173] „Press", marzec 2011, s.16–17.

[174] Notatka z 31.01.1972, AIPN 01286/2616.

[175] Był taki dziennik „Sztandar Młodych". Praca zbiorowa, red. W. Borsuk, Warszawa 2006, s. 270.

[176] AIPN BU 01286/2616.

[177] Notatka z maja 1970 r., AIPN BU 01228/183.

[178] Marek Borowski, późniejszy współzałożycielem SdRP i SDPl oraz wicepremier (1993–1994), marszałek Sejmu (2001–2004).

[179] Aleksander Bekier (1907–1963): przed wojną członek Komunistycznej Partii Francji (FPK), komisarz polityczny XIV, a następnie XIII Brygady (1936–1938). Po wojnie I sekretarz ambasady PRL w Paryżu, od 1948 r. w Polsce – m.in. z-ca redaktora naczelnego „Chłopskiej Drogi" (1952–1955), kierownik redakcji w wydawnictwie „Książka i Wiedza", radca ambasady PRL w Meksyku (1958–1962) i od września 1962 r. wicedyrektor Departamentu Ameryki Łacińskiej w MSZ. Jego syn Stefan Bekier ożenił się w 1969 r. z Krystyną, córką Jerzego Albrechta, sekretarza KC PZPR (1956–1961), przedwojennego komunisty należącego do frakcji Puławian, który po Marcu wycofał się z polityki.

[180] Henryk Daszkiewicz (1947–2006) na emigracji występował jako Henryk Dasko. Autor książki Dworzec Gdański o emigracji 1968 roku, krytyk literacki, tłumacz Nabokowa i Kosińskiego, przygotował wydanie wersji oryginalnej Dziennika 1954 Leopolda Tyrmanda. Jego żoną była pisarka Agata Tuszyńska, autorka m.in. Oskarżona: Wiera Gran (2010), Tyrmandowie. Romans amerykański (2012).

[181] AIPN BU 01286/2616.

[182] Doniesienie z 13 marca 1968 r., AIPN BU 01286/2616.

[183] Wniosek o przeprowadzenie rozmowy operacyjnej, 18.08.1972, AIPN 01286/2616.

[184] M. Komar, Bestiariusz codzienny, Warszawa 2003, s. 38–42.

[185] B. Polewoj, Opowieść o prawdziwym człowieku, Warszawa 1954 – powieść o młodym lotniku, który został zestrzelony i utracił obie nogi, ale dzięki hartowi ducha i ćwiczeniom wrócił do latania.

[186] D. Kania, M. Marosz, Żakowski i nowozelandzkie masło, „Gazeta Polska", 17 lutego 2010.

[187] Zob. rozdz. 1, s. 41.

[188] Akta paszportowe Jacka Żakowskiego, EAWA 144336.

[189] Sprawy krypt. „Żak" zarejstr. pod nr 39596.

[190] Notatka służbowa z dnia 20.12.1983, sprawy krypt. „Żak" zarejstr. pod nr 39596.

[191] Podanie-kwestionariusz o paszport, 1975 r., akta paszportowe Jacka Żakowskiego, EAWA 144336.

[192] Podanie-kwestionariusz o paszport, 1978 r., akta paszportowe Jacka Żakowskiego, EAWA 144336.

[193] J. Żakowski, *Przebudzenie*, „Na Przełaj", 7 września 1980.

[194] J. Żakowski, *Cisza przed*, „Na Przełaj", 8 marca 1981.

[195] J. Żakowski, *Obok kolejki*, „Na Przełaj", 15 sierpnia 1981.

[196] J. Żakowski, *Którędy?*, „Na Przełaj", 5 kwietnia 1981.

[197] „Gowin to gorszy chwast polityczny niż Jan Rokita czy Zyta Gilowska", gazeta.pl, 24 sierpnia 2013, http://wiadomosci.gazeta.pl/wiadomosci/1,114871,14487069,Zakow-ski__Gowin_to_gorszy_chwast_polityczny_niz_Jan.html?lokale=warszawa#BoxWiad-Txt (dostęp: 25 sierpnia 2013).

[198] Prof. Nowak o mowie nienawiści na przykładzie Jacka Żakowskiego: „To przypadek spełniający kryteria najgorszej nazistowskiej propagandy", wPolityce.pl, 25 sierpnia 2013, http://wpolityce.pl/wydarzenia/61005-prof-nowak-o-mowie-nienawisci-na-przy-kladzie-jacka-zakowskiego-to-przypadek-spelniajacy-kryteria-najgorszej-nazistow-skiej-propagandy-nasz-wywiad (dostęp: 25 sierpnia 2013).

[199] Wypowiedź Janiny Paradowskiej w programie „Puszka Paradowskiej", Superstacja, 13 lutego 2011.

[200] Wspomnieć można choćby przykład umorzenia w czerwcu 2012 r. procesu o rzekome nadużycia prawa w związku z działaniami CBA ws. „afery gruntowej", czy skazanie b. poseł PO Beaty Sawickiej i burmistrza Helu Mirosława Wądołowskiego.

[201] D. Kania, M. Marosz, *Akt erekcyjny Gagarina*, „Gazeta Polska", 7 kwietnia 2010, nr 10.

[202] Według Macieja Łukasiewicza Paradowska rozważała oddanie legitymacji dopiero 22 lutego 1982 r., gdyż był to warunek otrzymania nowej pracy, M. Łukasiewicz, *Wery-fikacja. Z notatnika stanu wojennego 1981–1982*, Warszawa 1994, zapis z 22 lutego 1982.

[203] Stępień Tadeusz Michał, IPN BU 001198/7227.

[204] Ibidem.

[205] Ibidem.

[206] *A chciałam być aktorką. Z Janiną Paradowską rozmawia Marta Stremecka*, Warszawa 2011, s. 81.

[207] M. Łukasiewicz, op. cit., zapis z 1 lutego 1982.

[208] Ibidem.

[209] J. Paradowska, *Jaka szkoła wyższa w roku 2000?*, „Życie Warszawy", październik 1986. Cyt. za: D. Kania, M. Marosz, *Akt erekcyjny Gagarina*.

[210] J. Paradowska, *Jak SB obaliła komunizm*, „Polityka" 1999, nr 49.

[211] J. Paradowska, *Cepem w Belkę*, „Polityka" 2005, nr 25.

[212] J. Paradowska, *Bitwa na miny*, „Polityka" 1999, nr 27.

[213] J. Paradowska, *Asy i lisy wywiadu. Ananicz i poprzednicy*, „Polityka" 2004, nr 34.

[214] J. Paradowska, *WSI życie po życiu*, „Polityka" 2010, nr 10.

[215] „Nie" 1993, nr 51–52.

[216] „Polityka", 21 stycznia 1995.

[217] A. Bartosiak, Ł. Klinke, Wywiad z Markiem Raczkowskim, „Playboy" 2007, nr 7.

[218] S. Mizerski, współpr. W. Markiewicz, *Niedobry „Zły"*, „Polityka" 2003, nr 12, s. 18.

[219] Cyt. za: G. Wierzchołowski, *Bojownicy o pamięć Żołnierzy Wyklętych*, „Nowe Państwo – Niezależna Gazeta Polska" 2009, nr 12, s. 26.

[220] Cyt. za: G. Wierzchołowski, op. cit.

[221] IPN By 082/98, t. 3.

[222] Piotr Pytlakowski, AIPN 0806/2436.

[223] Pismo N-ka Wydziału I Departamentu I MBP ppłk. Krakusa, AIPN 0208/983, t. 1.

[224] Sprawa Agenturalnego Sprawdzenia krypt. „Kwartet". Notatka MON Głównego Zarządu Informacji z 20.06. 1951, Wydział „A" MBP Sekcja II; AIPN 0208/983, t. 1.

[225] AIPN BU 01286/955.

[226] J. Baczyński, *Lista Wildsteina*, „Polityka" 2005, nr 5.

[227] P. Pytlakowski, E. Winnicka, *W służbie narodu*, „Polityka", 12 lutego 2005.

[228] P. Pytlakowski, E. Winnicka, *Buszujący w teczkach*, „Polityka", 15 stycznia 2005.

[229] A. Szostkiewicz, *Głos ostateczny*, „Polityka" 1999, nr 23.

[230] S. Podemski, *Pułapka*, „Polityka" 1999, nr 42.

[231] J. Paradowska, *Loteria teczkowa*, „Polityka" 1999, nr 20.

[232] W. Władyka, *Grzebanie żywcem*, „Polityka", 12 sierpnia 2000.

[233] J. Baczyński, *„Alek" i „Bolek". Lustracyjny Sąd Ostateczny*, „Polityka" 2000, nr 32.

[234] J. Baczyński, *Sprawa Oleksego: na kogo popadnie*, „Polityka" 2000, nr 45.

[235] S. Cenckiewicz, *Życie nieznanego tenora*, „Rzeczpospolita", 16 lipca 2009.

[236] P. Pytlakowski, *Krzywda niepokrzywdzonych. Konspira według IPN*, „Polityka" 2004, nr 42.

[237] Ibidem.

[238] J. Żakowski, *Defilada połamanych szkieletów. Na kogo te teczki?*, „Polityka" 2005, nr 3.

[230] S. Mizerski, *Batman nadleciał*, „Polityka" 2005, nr 7.

[240] K. Burnetko, *Żegnaj TW, witaj OŹI. Lista Kurtyki*, „Polityka" 2006, nr 31.

[241] K. Burnetko, *I zrobił się kłopot*, „Polityka" 2006, nr 37.

[242] Zobowiązanie do współpracy ze Służbą Bezpieczeństwa – osobiście, AIPN BU – IPN Wr 0095/4348, t. 1.

[243] Leszek Czarnecki – zobowiązanie do współpracy z wywiadem PRL – podpisał osobiście – Wrocław 9.09.82 r., AIPN BU 01789/390.

[244] J. Solska, *Prawda kogoś wzbogaci*, „Polityka" 2008, nr 28.

[245] T. Olszański, *Hajra na premiera!*, „Polityka" 2007, nr 27.

[246] T. Olszański, *Gabinety pełne agentów*, „Polityka" 2002, nr 38.

[247] AIPN BU 01944/165.

248 J. Baczyński, *Moje ostatnie spotkanie z ubecją*, „Polityka", 20 stycznia 2008.
249 J. Baczyński, A. Friszke, *Kto i z kim współpracował*, „Polityka" 2008, nr 5.
250 D. Passent, *Wesołe jest życie staruszka*, „Polityka" 2005, nr 26.
251 A. Garlicki, *List prof. Andrzeja Garlickiego*, „Polityka" 2005, nr 9.
252 J. Jakimczyk, *Profesor z SB*, „Wprost" 2005, nr 9; Kryptonim „Pegaz". Służba Bezpieczeństwa wobec Towarzystwa Kursów Naukowych 1978–1980, wybór, wstęp i oprac. Łukasz Kamiński, Grzegorz Waligóra, Warszawa 2008, s. 195.
253 D. Passent, *Codziennik*, Warszawa 2006, s. 63.
254 D. Passent, *Wzruszenie odbiera głos*, „Polityka", 30 czerwca 2006.
255 Akta Krzysztofa Mroziewicza, IPN-BU 00464/126/66; W. Wybranowski, *Mroziewicz to agent „Sengi"*, „Nasz Dziennik", 27 października 2006; idem, *Teczki na stół*, „Nasz Dziennik", 3 listopada 2011.
256 Raport z weryfikacji WSI, przypis 146, http://www.raport-wsi.info/TVP.html (dostęp: 30 września 2013).

Rozdział 4

DZIELENIE PRASOWEGO TORTU

„Dziennikarstwo to jest zawód, w którym pierwszą kwalifikacją jest dyspozycyjność i posłuszeństwo. Jeśli poza tym ktoś umie pisać, to dobrze, ale to jest sprawa pomocnicza i dodatkowa"[1] (1983)

Jerzy Urban

Styczeń roku 2000. W redakcji jedynego komunistycznego tygodnika, który zwycięsko przeżył „obalenie komunizmu" i nadal był najpoczytniejszym czasopismem III RP, wybuchła panika.

Komisja Likwidacyjna RSW „Prasa-Książka-Ruch" właśnie ujawniła protokół z posiedzenia ostatniego komunistycznego Zarządu RSW, który na siedem dni przed uchwaleniem ustawy o likwidacji koncernu podjął decyzję o usamodzielnieniu się „Polityki". Nie tylko przekazano prawa do tytułu nowemu Wydawnictwu „Polityka", ale zadbano o papier i środki na płace, a nawet umorzono długi i postanowiono udzielić kredytu.

Redaktor naczelny „Polityki" Jerzy Baczyński pisze w pośpiechu artykuł, w którym tłumaczy, że nikt nic o tym nie wie i żąda od Komisji pokazania decyzji Zarządu RSW dotyczącego „Polityki".

Tymczasem wystarczyło rozejrzeć się wokół i zapytać kolegów obecnych podczas rozpatrywania wniosku w roku 1990 – ówczesnego redaktora naczelnego Jana Bijaka oraz Podemskiego i Stefanka, którzy w owym posiedzeniu zarządu RSW uczestniczyli jako zaproszeni goście redakcji.

Po wyborach czerwcowych 1989 roku najważniejszym zadaniem była demonopolizacja rynku medialnego i zalegalizowanie drugiego obiegu. Celu tego nie osiągnięto. Drugi obieg, pozbawiony zasobów i pomocy, poniósł całkowitą klęskę na rynku legalnym i setki tytułów prasy niezależnej przestały istnieć. Redakcje i tytuły stanu wojennego nadal funkcjonowały przez kilka lat, zanim nie zbankrutowały lub nie zostały przejęte przez koncerny zachodnie, głównie niemieckie. Przedstawiamy tutaj przebieg tego procesu.

Obecny kształt rynku prasowego jest konsekwencją prac Komisji Likwidacyjnej RSW „Prasa-Książka-Ruch". Przez dziewięć lat działania, do września 1999 roku, skład Komisji się zmieniał, jednak najpoważniejsze decyzje podjęła ona w swym pierwotnym składzie. Pierwszym przewodniczącym Komisji został Jerzy Drygalski, a w jej skład weszli Kazimierz Strzyczkowski, Andrzej Grajewski, Jan Bijak, Alfred Klein, Krzysztof Kozieł-Poklewski, Maciej Szumowski i prawie nikomu wówczas nieznany młody liberał Donald Tusk. Komisja miała za zadanie zlikwidować istniejący od 1947 roku komunistyczny koncern prasowy i doprowadzić do przekształceń własnościowych istniejących tytułów prasowych. Jaki był skutek tej prywatyzacji można się było przekonać dopiero po pewnym czasie, a fatalny przebieg prac komisji i efekty jej działania totalnie skrytykowała Najwyższa Izba Kontroli, o czym zaświadcza protokół kontroli NIK z lipca 1992 roku. Na zakończenie swych prac Komisja Likwidacyjna (już w składzie z 1997 roku) wydała Raport z likwidacji Robotniczej Spółdzielni Wydawniczej „Prasa-Książka-Ruch".

Komunistyczny koncern prasowy

Pierwszym koncernem działającym na rzecz komunistycznej władzy była Spółdzielnia Wydawnicza „Czytelnik". Decyzję o założeniu wydawnictwa podjął Bolesław Bierut 18 września 1944 roku. W październiku na Walnym Zgromadzeniu członków-założycieli spółdzielni wybrano Radę Nadzorczą. Weszli do niej m.in. Bierut, oficjalnie przewodniczący KRN, Edward Osóbka-Morawski, przewodniczący PKWN, Stefan Matuszewski, minister informacji i propagandy PKWN i inni komuniści. Prezesem zarządu został Jerzy Borejsza[2]. „Czytelnik" szybko odniósł sukces. Wydawał 11 dzienników, 13 tygodników i 5 miesięczników oraz setki książek (przeważnie klasyki literatury pięknej), zakładał biblioteki itp. Do spółdzielni przystąpiło 100 tys. członków. Borejsza w zawoalowany sposób, pod pozorem przekazywania treści demokratycznych i upowszechniania kultury polskiej, miał za zadanie pozyskiwanie inteligencji dla systemu sowieckiego i władzy ludowej. Gdy jednak pierwszy okres dyktatury sowieckiej dobiegł końca i elastyczna polityka kulturalna stała się niepotrzebna wobec utrwalenia się władzy komunistycznej w Polsce i stalinizacji ustroju, zmieniono taktykę. W październiku 1947 roku Sekretariat KC PPR podjął uchwałę nr 52, oskarżającą Borejszę o odchylenia od linii partii: sprzyjanie „wojującemu katolicyzmowi" i „wzrostowi niekontrolowanej inicjatywy prywatnej". W rzeczywistości chodziło też o bardzo mocną pozycję Borejszy i to nie tylko na rynku wydawniczym – skupienie tylu tytułów w jednej spółdzielni wydawniczej sprawiło, że „Czytelnik" stał się faktycznym monopolistą. Rok później, w październiku 1948, Borejszę odwołano, a później spółdzielnię podzielono.

Pół roku przed opisanym zwrotem – 25 kwietnia 1947 roku uchwałą Sekretariatu KC PPR (sekretarzem był wówczas Władysław Gomułka) powołano Robotniczą Spółdzielnię Wydawniczą „Prasa", która w całości była kontrolowana przez PPR. Do Spółdzielni należało indywidualnie 49 funkcjonariuszy najwyższych władz komunistycznych. W Radzie Nadzorczej znaleźli się wyłącznie komuniści – członkowie władz PPR, w tym wielu przedwojennych członków KPP: Jakub Berman, w Politbiurze odpowiedzialny za bezpiekę, Roman Zambrowski, Aleksander Zawadzki, odpowiedzialny za pracę polityków w wojsku, Zenon Kliszko, współpracownik Gomułki, Stefan Jędrychowski, Franciszek Mazur i Jerzy

Albrecht – sekretarze KC, Aleksander Kowalski, członek Grupy Inicjatywnej PPR i przewodniczący ZWM, Leon Kasman, kierownik wydziału organizacyjnego PPR, Leon Bielski, prezes Zarządu Generalnego RSW i jednocześnie naczelnik Urzędu Informacji i Propagandy, Ferdynand Chaber i inni.

Już w maju 1947 roku RSW „Prasa" przejęła 6 spółdzielni wydawniczych z terenu Warszawy, Łodzi i Katowic. Czasopisma wydawane przez RSW „Prasę" były wyłącznie pismami politycznymi. Jednocześnie z wchłonięciem w grudniu 1948 roku Polskiej Partii Socjalistycznej przez PPR i utworzeniem Polskiej Zjednoczonej Partii Robotniczej, której I sekretarzem został Bolesław Bierut, prowadzono zglajszachtowanie rynku wydawniczego. Organ PPS „Robotnika" połączono z dziennikiem PPR „Głos Ludu" i utworzono „Trybunę Ludu", najważniejszą gazetę partyjną.

Komunistyczną Spółdzielnię Wydawniczą „Książka" połączono z PPS-owską „Wiedzą" i tak powstało Wydawnictwo „Książka i Wiedza".

RSW wzmocniła swoją pozycję w 1951 roku, kiedy to włączono do niej cały pion prasowy „Czytelnika". W 1953 roku RSW wchłonęła z kolei spółdzielnię Stronnictwa Demokratycznego „Nowa Epoka", a w 1961 roku przejęła czasopisma Ligi Kobiet. Od tego momentu Robotnicza Spółdzielnia Wydawnicza kontrolowała wszystkie tytuły prasowe poza tymi, które wydawało Zjednoczone Stronnictwo Ludowe, Stronnictwo Demokratyczne, wydawnictwa wojskowe i religijne. Dodatkowo RSW dysponowała czterema agencjami-przybudówkami: Polską Agencją Interpress, Centralną Agencją Fotograficzną, Młodzieżową Agencją Wydawniczą i Krajową Agencją Wydawniczą.

Gdy elita komunistyczna tworzyła RSW „Prasę", przewidziano, iż istnieje także możliwość przyjmowania osób prawnych. W 1958 roku zmieniono jej statut i teraz członkami spółdzielni były: PZPR, organizacje polityczne i społeczne oraz przedsiębiorstwa, nie wykluczono jednak jeszcze osób fizycznych. Doszło do tego dopiero w 1972 roku.

Odtąd RSW należała wyłącznie do PZPR i innych organizacji popierających jej program. Dopiero jednak ustawa spółdzielcza z 1982 roku dopuściła członkostwo organizacji politycznych nie posiadających osobowości prawnej, a do tej kategorii należała partia komunistyczna. RSW sprzedawała codziennie miliony egzemplarzy gazet, a dochód z nich zasilał kasę PZPR. Ta sytuacja nie zmieniła się po „odwilży" w 1956 roku – wpływy z RSW były bardzo ważną częścią partyjnego budżetu. W roku 1973 połączono RSW „Prasa" z Wydawnictwem „Książka i Wiedza" oraz z Przedsiębiorstwem Upowszechniania Prasy i Książki „Ruch". W ten sposób w początkowej fazie gierkowskiej propagandy sukcesu powstał koncern RSW „Prasa-Książka-Ruch". Lata 1973–1980 były najlepszym okresem dla koncernu – polityka Edwarda Gierka znalazła odzwierciedlenie w gazetach, w których publikowano nie tylko wystąpienia pierwszego sekretarza i sprawozdania z kolejnych plenów PZPR. W „lżejszych" gazetach można było znaleźć zakazane za czasów Gomułki nowinki z Zachodu i kolorowe zdjęcia zza „żelaznej kurtyny". Gazety świetnie się sprzedawały, a ogromne wpływy zasilały partyjną kasę. Krach nastąpił w okresie pierwszej „Solidarności" – sytuacja koncernu, który praktycznie należał do PZPR, stała się fatalna. Od 1983 roku RSW „Prasa-Książka-Ruch" przynosiła straty – były okresy, gdy wstrzymywano druk niektórych czasopism, mimo olbrzymich dotacji z budżetu. W sierpniu 1989 roku, z powodu braku papieru, przez dwa tygodnie nie ukazywały się m.in. „Przyjaciółka", „Przekrój", „Film", „ITD" i „Przyjaźń", pismo Towarzystwa Przyjaźni Polsko-Radzieckiej. Mimo tego w 1989 roku RSW wydawała jeszcze 244 tytuły prasowe, w tym 219 własnych (co stanowiło 90 proc. jednorazowego nakładu dzienników i 42 proc. jednorazowego nakładu czasopism), kolportowała prawie 100 proc. prasy i zatrudniała 100 tys. pracowników. Zysk za ostatni rok wyniósł 163,6 mld starych złotych, ale w połowie został osiągnięty dzięki zwolnieniom podatkowym i ulgom przyznanym przez ministerstwo finansów. Jeszcze 22 marca 1990 roku, a więc w dniu uchwalenia ustawy o likwidacji RSW, Rada Nadzorcza podjęła decyzję o wypłaceniu SdRP 46,5 mld starych złotych z niezweryfikowanej nadwyżki bilansowej za rok 1989[3]. Dywidendy wypłacane przez koncern partii komunistycznej były dla SdRP podstawowym źródłem dochodu obok dotacji budżetowych i składek.

W RSW „praktycznie wszystkie stanowiska kierownicze objęte były ścisłą nomenklaturą, a taktyczne decyzje nie były podejmowane przez statutowe organy RSW, tylko przez Wydział Prasy KC PZPR i jego terenowe odpowiedniki"[4]. Dziennikarze RSW tak utożsamiali się z władzą, że na zjeździe Stowarzyszenia Dziennikarzy Polskich w październiku 1980 roku, a więc już po strajkach sierpniowych, żądali „pragmatyki emerytalnej na wzór wojska i milicji, gdyż stanowią front ideologiczny"[5].

Pierwsze próby przejęcia

Pierwsze próby prywatyzacji nomenklaturowej RSW podjęto już w 1988 roku.

Polegały one na zakładaniu spółek, do których będzie można przepompować kapitał i sprywatyzować je. W sumie RSW wniosła wkłady do 22 spółek przed 31 sierpnia 1989 roku i do 4 po tej dacie[6].

Pierwszą spółką powołaną przy pomocy pieniędzy RSW „Prasa--Książka-Ruch" była słynna Transakcja założona 18 maja 1988 roku i zarejestrowana 26 lipca, a więc między dwoma falami strajków. RSW było udziałowcem większościowym (100 mln zł), a Akademia Nauk Społecznych przy KC PZPR mniejszościowym (50 mln zł). Faktycznie spółka powstała wyłącznie kosztem RSW, ponieważ KC poleciło jej przekazać Akademii owe 50 mln na pokrycie wkładu w Transakcji. Do końca roku Transakcja powołała 60 spółek-córek, w tym Muzę, Transrad, Transpol, Transbiel, Topexim. Na mocy decyzji KC w grudniu 1988 roku spółka otrzymywała od RSW 1 mld zł, a w kwietniu 1989 roku 2,1 mld starych złotych. Transakcja, dofinasowana w taki sposób przez RSW, sprzedała 24 listopada

KC PZPR 99 udziałów jedynie za 99 mln starych złotych. Jeszcze 15 lutego 1990 roku RSW przekazała Transakcji 3,9 mld, a do 31 marca 5 mld starych złotych[7].

Transakcja handlowała alkoholem sprowadzanym z ZSRS, a także meblami, dywanami i sprzętem RTV oraz reeksportowała do Sowietów komputery sprowadzane z Dalekiego Wschodu. Towar sprzedawano za pośrednictwem państwowych i spółdzielczych sieci handlowych oferujących Transakcji preferencyjne warunki. Transakcja była „niekonwencjonalnym rozwiązaniem", stawianym za wzór komitetom wojewódzkim[8], które stawały się współudziałowcami firm-córek. Prezesem zarządu Transakcji został Wiktor Pitus[9], który rok później wszedł także do rady nadzorczej założonego wówczas BIG Banku. W radzie nadzorczej Transakcji znaleźli się ludzie, którzy mieli po demontażu komunizmu zająć kluczowe pozycje w aparacie władzy[10]: Wiesław Huszcza, Marek Siwiec i Jerzy Szmajdziński[11].

Wiesław Huszcza był ostatnim skarbnikiem PZPR i pierwszym skarbnikiem SdRP, wchodził w skład władz prawie wszystkich spółek tworzonych przez partię komunistyczną w okresie przełomu 1988–1990. Huszcza był synem ppłk. Jana Huszczy, który pracował na WAT, podobnie jak jego młodszy brat Zbigniew. Wiesław miał jednak większe aspiracje i powoływał się na „bliskie powiązania" z elitą władzy. Często też podkreślał swoje rzekome powiązania z gen. dywizji Zygmuntem Huszczą[12], absolwentem szkoły w Riazaniu (1943) i tzw. Woroszyłowki w Moskwie (1950).

Wiesław Huszcza po ukończeniu AWF (1972–1978) pracował w Centralnym Ośrodku Sportu, jednak jego prawdziwym powołaniem była praca na bramce w klubach studenckich. Został nawet nieoficjalnym „królem bramkarzy" i stąd zapewne przydomek „Generał". W 1976 roku został zwolniony z klubu „Stodoła", gdyż zarzucano mu wpuszczanie na imprezy osób bez biletów i „pobieranie opłat do własnej kieszeni, w tym również od obywateli państw zachodnich w walucie obcej". Następnie Huszcza był bramkarzem w klubach „Stolica" i „Nimfa". Kandydaci na bramkarzy „musieli najpierw wyrazić zgodę na opodatkowanie własnych dochodów na rzecz W. Huszczy"[13].

Od 1981 roku zaczęła się jego błyskawiczna kariera w ZSMP dzięki kontaktom z Jerzym Jaskiernią (KO „Prym", „Prymus"[14]), przewodniczącym ZSMP w latach 1981–1984. W tym czasie Huszcza awansował od stanowiska przewodniczącego Zarządu Dzielnicowego Warszawa-Śródmieście do członka Zarządu Głównego ZSMP (1985). I w tym momencie Departament III zablokował wyjazd Huszczy do Moskwy na studia do Akademii Dyplomatycznej z powodu jego „businessowej przedsiębiorczości". Wtedy Huszcza poświęcił się rozwijaniu swoich naturalnych zdolności w partyjnym biznesie, tym bardziej że miał już pewne doświadczenie w działalności handlowej. W 1974 roku został przyłapany na próbie przemytu do Austrii lisich skórek.

Na wniosek z 25 stycznia 1986 roku skierowany do Biura „C" MSW o sprawdzenie Huszczy w związku z planowanymi studiami w ZSRS, w odpowiedzi z 27 stycznia SB stwierdziła: „proszę porozumieć się z Wydz. II Dep. I MSW do nr 82764"[15]. Wydział II Departamentu I zajmował się działaniami wywiadowczymi przeciwko Stanom Zjednoczonym.

Marek Siwiec, późniejszy szef BBN (1997–2004), należał, obok Andrzeja Gduli i Marka Ungiera, do najbliższych ludzi prezydenta Kwaśniewskiego. Według dokumentów IPN w roku 1986 Siwiec, kiedy był redaktorem naczelnym dwutygodnika „Student", został zarejestrowany przez Służbę Bezpieczeństwa w Krakowie jako tajny współpracownik „Jerzy"[16]. Wyrejestrowano go dopiero w roku 1990. Później Siwiec był m.in. prezesem spółki Art-B Press, powiązanej z Bogusławem Bagsikiem i Andrzejem Gąsiorowskim. Gdy obaj oszuści uciekli z kraju, przejął ich udziały i stał się likwidatorem spółki. W BBN Siwiec na swojego zastępcę powołał oficera wywiadu wojskowego PRL, a w III RP żołnierza WSI Marka Dukaczewskiego[17].

Na marginesie warto zauważyć, iż Ungier ukończył w 1977 roku kurs WSW w stopniu majora, Gdula zaś był zastępcą gen. Kiszczaka, a następnie kierownikiem Wydziału Administracyjnego (w 1986 roku przemianowanego na polityczno-prawny), któremu podlegała bezpieka, wojsko, prokuratura, sądy i sport (1986–1990).

Jerzy Szmajdziński był wówczas przewodniczącym zarządu Głównego ZSMP (1984–1989), a później – w rządzie Leszka Millera – został ministrem obrony (2001–2005). W roku 2002 kontaktował się z Walerym Topałowem, byłym szefem Komsomołu i – według źródeł WSI – emerytowanym „pracownikiem radzieckich służb specjalnych, prawdopodobnie GRU". Topałow był gościem na 50-tych urodzinach Szmajdzińskiego i rozmawiał z nim „w cztery oczy"[18].

Było więc to jednorodne środowisko młodej nomenklatury, powiązane z Centrum.

Trzy miesiące po utworzeniu Transakcji, 17 sierpnia 1988 roku założono spółkę Orbita z 50-procentowym udziałem kapitału sowieckiego reprezentowanego przez firmę Sovexportkniga. „Orbita" była znana z drukowania komiksów.

3 sierpnia 1989 roku RSW, jako udziałowiec większościowy, założyła spółkę PolOlimp z Polskim Komitetem Olimpijskim reprezentowanym przez Aleksandra Kwaśniewskiego i Totalizatorem Sportowym. PKOl nigdy jednak nie wpłacił swego udziału. Nie przeszkodziło to temu, aby szefem spółki został Wojciech Jędrzejewski, szef Komitetu Wyborczego Kwaśniewskiego w wyborach do Senatu w 1989 roku. Kilka lat po bankructwie spółki Jędrzejewski został wiceszefem Rady Fundacji Jolanty Kwaśniewskiej „Porozumienie bez barier".

Kapitał RSW stanowił 100 proc. w pięciu spółkach. Najwygodniejsze do wyprowadzania funduszy były jednak spółki z udziałem osób fizycznych. We Wrocławiu RSW powołała spółkę informatyczną Promet-Soft z udziałowcem mniejszościowym Zenonem Michalakiem[19], późniejszym posłem KLD.

W kwietniu 1989 roku utworzono spółkę Con-Lex z udziałem 3 osób fizycznych, a w listopadzie spółkę Pozgraf w Poznaniu z 97 osobami fizycznymi. W Rzeszowie RSW założyła spółkę konfekcyjną LesKon z Maciejem Czernowem. We wszystkich wymienionych RSW miała udziały większościowe.

Sławomir Tabkowski, szef Wydziału Propagandy KC i były redaktor naczelny „Gazety Krakowskiej" (1983–1987) oraz oddziału KAW w Krakowie (1974–1983), przygotował plan przejęcia koncernu, który Politbiuro zaakceptowało 17 października 1989 roku. Pierwszym krokiem było mianowanie Tabkowskiego już 4 listopada prezesem (jak się miało okazać – ostatnim) Zarządu i Rady Nadzorczej RSW „Prasa-Książka-Ruch". Plan przewidywał utrzymanie koncernu, który nadal zasilałby finansowo partię komunistyczną. Mieczysław Wilczek już wtedy proponował podzielić RSW i przekazać tytuły prasowe spółdzielniom dziennikarzy. W ten sposób właścicielami prasy stałyby się zespoły ukształtowane w okresie stanu wojennego.

15 grudnia, prawie w trzy miesiące po powstaniu rządu wielkiej koalicji premiera Mazowieckiego, Zarząd RSW podjął decyzję o utworzeniu nowych spółek i wyprowadzeniu do nich kapitału. W Warszawie na Starym Mieście działalność gastronomiczną i hotelarską miała podjąć spółka z udziałem kapitału zagranicznego. Młodzieżową Agencję Wydawniczą miano przekształcić w spółkę akcyjną oraz utworzyć Międzynarodową Prasę i Książki (MPiK). Tydzień później Rada Nadzorcza RSW postanowiła tworzyć spółki, które przejęłyby aktywa koncernu, a 28 grudnia Zarząd podjął decyzję o utworzeniu pod kierownictwem Jerzego Urbana agencji informacyjnej, która konkurowałaby z rządową PAP[20].

Jednym z podmiotów, który miał zapewnić komunistom kontrolę nad RSW po restrukturyzacji, była Fundacja Wschód-Zachód. Powstała ona na mocy decyzji z dnia 27 grudnia 1989 roku ministra współpracy gospodarczej z zagranicą, którym był wówczas Marcin Święcicki, były sekretarz KC PZPR i późniejszy działacz Unii Demokratycznej i Unii Wolności, a od 2011 roku poseł PO. Decyzję podpisał jednak Marek Dąbrowski, działając w imieniu Święcickiego i ministra finansów Leszka Balcerowicza. Jak się później okazało ministerstwo nie otrzymało żadnych sprawozdań dotyczących działalności Fundacji.

Marek Dąbrowski został I zastępcą Balcerowicza w rządzie Mazowieckiego, a później był działaczem i posłem Unii Demokratycznej i przewodniczącym Rady Przekształceń Własnościowych. Już w listopadzie 1991 roku wszedł w skład grupy ekonomistów pracujących nad planem transformacji w Rosji, m.in. razem z Jeffreyem Sachsem doradzał premierowi Gajdarowi, a później pomagał wielu rządom postsowieckim.

Fundacja Wschód-Zachód miała prowadzić działalność gospodarczą, głównie rozwijając współpracę ze Związkiem Sowieckim, by realizować cele partii polskiej lewicy, które wskażą fundatorzy. Zgodnie ze statutem w skład Rady Fundacji weszli fundatorzy, którymi byli: Mieczysław Wilczek, Włodzimierz Natorf i Wojciech Pietrusiński oraz osoby delegowane przez Biuro Polityczne KC PZPR, którymi okazali się być Aleksander Kwaśniewski i Wiesław Huszcza[21].

Wilczek, były minister przemysłu w rządzie Mieczysława Rakowskiego, był wówczas pełnomocnikiem KC ds. działalności gospodarczej. 26 listopada 1969 roku zastępca naczelnika Wydziału III Departamentu I MSW, a więc jednostki wywiadu zajmującej się działalnością przeciwko NATO i instytucjom rządowym Francji, Wielkiej Brytanii, Włoch, Belgii oraz Watykanu, zapytał Zarząd II Sztabu Generalnego (czyli wywiad wojskowy) o Wilczka, wpisując jako powód: „przed rejestracją". Wywiad wojskowy odpowiedział 1 grudnia, iż Wilczek w ich kartotece nie figuruje. Na karcie dopisano: „Otrzymaną kartę E-14 na wymienioną na odwrocie osobę [tj. Wilczka – *aut.*] włączono do kartoteki dnia 23 maja 1970 roku"[22]. Karta E-14 dotyczyła osób, których sprawy zakończono, a akta złożono do archiwum. Na karcie E-14 znajdowały się informacje o charakterze zainteresowania i przebiegu kontaktów SB z obywatelem.

Włodzimierz Natorf po szkole średniej został kierownikiem wydziału ZMP w Łodzi i po roku skierowano go na studia w Związku

Sowieckim. Po ukończeniu Uniwersytetu Leningradzkiego (1950–1959) pracował w MSZ; dwukrotnie był wysyłany do agend ONZ: najpierw był ambasadorem w Stałym Przedstawicielstwie PRL w Nowym Jorku (1959–1965), a następnie przedstawicielem przy Biurze Europejskim ONZ w Genewie (1969–1973). Kiedy działacz młodzieżowy przygotowywał się w Sowietach do kariery w MSZ, „w latach 1952–1960 mieszkanie [jego ojca – *aut.*] było wykorzystywane przez Służbę Bezpieczeństwa jako L[okal – *aut.*] K[kontaktowy – *aut.*]".

Natorf ożenił się w Leningradzie, a jego małżonka znalazła pracę w Redakcji Kontroli Audycji na Zagranicę Polskiego Radia.

Po powrocie ze Szwajcarii Natorf został dyrektorem Departamentu MSZ ds. stosunków z ZSRS (1977–1981) i po krótkim kierowaniu Wydziałem Zagranicznym KC (1981–1982, 1985), w kluczowym okresie pieriestrojki, został ambasadorem PRL w Moskwie (1986–1990).

Departament I, zapytany przez MSZ o sprawdzenie danych dotyczących Natorfa, odpowiedział, że wymieniony „figuruje w kartotece Biura «C» MSW. Mat. Wydz. II Biura «C» dot. 42554/II oraz wg infor. Wydz. VIII Dep. I. 9 grudnia 1976"[23].

Osoby zaangażowane w Fundację Wschód-Zachód miały więc powiązania ze służbami i moskiewskim Centrum.

PZPR przekazała 100 mln starych zł Fundacji Wschód-Zachód za pośrednictwem Agencji Gospodarczej Sp. z o.o. zarejestrowanej w grudniu 1989 roku przez Leszka Millera i Mieczysława Wilczka. Właścicielem Agencji było KC PZPR, a od maja 1990 roku – SdRP[24].

Wiosną 1990 roku, kiedy RSW była już zagrożona nacjonalizacją, jej Zarząd zaproponował spółdzielni „Czytelnik" przejęcie 7 kamienic o bardzo dużej wartości, 17 tytułów prasowych i drukarni przy ul. Marszałkowskiej w Warszawie. W ten sposób chciano wyprowadzić majątek. Rozmów już nie sfinalizowano, ale Komisja Likwidacyjna oddała później „Czytelnikowi" nieruchomości formalnie w zamian za rezygnację ze zwrotu tytułów prasowych[25].

Na ostatnim zjeździe partii komunistycznej Tabkowski wypowiedział się za uwłaszczeniem redakcji i wydawnictw w formie akcjonariatu pracowniczego i za przejęciem przez pracowników jako udziałowców większościowych poszczególnych tytułów i wydawnictw[26]. Był to więc wariant propozycji Wilczka – dziennikarze stanu wojennego staliby się udziałowcami większościowymi. 13 lutego 1990 roku Rada Nadzorcza RSW zaakceptowała propozycje Tabkowskiego[27].

Generalna próba przejęcia nastąpiła na Walnym Zebraniu Spółdzielni w dniu 16 marca 1990 roku, kiedy dokonano zmian właścicielskich. Najpierw przyjęto rezygnację ZHP i skreślono z listy członków PZPR oraz wpisano do spółdzielni SdRP i wspomnianą już Fundację Wschód-Zachód. Nieistniejąca już PZPR, która posiadała 95,2 proc. udziałów, bezprawnie przekazała SdRP 51 proc., a Fundacji – 10 proc. udziałów, zaś pozostałe 34,2 proc. rozdzieliła tak, że Liga Kobiet miała teraz 12 proc., natomiast Związek Socjalistycznej Młodzieży Polskiej, Zrzeszenie Studentów Polskich i Związek Młodzieży Wiejskiej po 9 proc. każdy. Premier Mazowiecki wiedział, iż majątek przekazany SdRP przez PZPR na ostatnim zjeździe obejmował także udziały w RSW[28] i nie podjął żadnych działań.

Kiedy w 1992 roku Fundacją Wschód-Zachód zainteresował się likwidator mienia byłej PZPR i zwrócił się 17 lipca do Ministerstwa Współpracy Gospodarczej z Zagranicą o przekazanie danych na temat jej działalności gospodarczej, w odpowiedzi został poinformowany, że nie można mu udostępnić materiałów takich jak sprawozdania Fundacji, ponieważ ministerstwo żadnych nie otrzymało.

15 marca 1990 roku, gdy sejmowa Komisja Kultury i Środków Przekazu obradowała nad losem RSW, zebrał się zarząd koncernu i dokonał próby uwłaszczenia kilku kluczowych redakcji: „Polityki", „Forum", „Słowa Ludu", „Głosu Pomorza" i „Dziennika Lubelskiego". Wymienione redakcje złożyły wnioski o utworzenie wydawnictw. Ponadto „Wieczór Wybrzeża" chciał przekształcić się w spółkę.

Załącznik nr 71   537

P r o t o k ó ł nr 3/90

posiedzenia Zarządu RSW"Prasa-Książka-Ruch" w dniu 15.03.1990 r.

o b e c n i: 1) Członkowie Zarządu:

                    Prezes   - Sławomir J.Tabkowski
                    Wiceprezesi: - Zdzisław Paprocki
                                    - Alina Tepli
                    Dyr.Generalny   - Tadeusz Kucharek
                    Dyrektorzy: - Zbigniew Frąc
                                    - Bogusław Kucab
                                    - Marek Rosiecki

                    2) Rzecznik RSW - Franciszek Lewicki
                    3) Dyrektorzy Biura
                       Prezydialnego - Irmina Sawicka
                                     - Mirosław Borowski

                    4) Zaproszeni:
                       Dyrektor Wyd.
                       Współczesnego - Romuald Surowiec
                       Kierownictwo
                       Red."Polityka" - Jan Bijak
                                      - Jerzy Podemski
                                      - Krzysztof Stefanek

Przyjęto następujący porządek dzienny:

1. Wniosek redakcji tygodnika "Polityka"
   w sprawie utworzenia Wydawnictwa
   "Polityka"

2. Projekt uchwały Zarządu w sprawie
   utworzenia "Agencji - Świat Młodych"

3. Wniosek redakcji tygodnika "Forum"
   w sprawie utworzenia Wydawnictwa
   "Forum"

4. Wniosek redakcji "Słowo Ludu" w sprawie utworzenia oficyny pn. "Słowo" -
   Świętokrzyska Oficyna Wydawnicza

5. Wniosek Koszalińskiego Wydawnictwa
   Prasowego w sprawie utworzenia
   Wydawnictwa "Głos POmorza"

6. Wniosek redakcji "Dziennik Lubelski"
   w sprawie utworzenia samodzielnej
   jednostki organizacyjnej pn.Lubelska
   Oficyna Wydawnicza

7. Projekt uchwały Zarządu w sprawie
   utworzenia Wydawnictwa "Edytor 90"

8. Projekt uchwały Zarządu w sprawie
   zmian w Aktach Założycielskich PZG
   w Katowicach i Śląskiego Wydawnictwa
   ꟷꟷꟷꟷꟷꟷ

Stenogram z posiedzenia Zarządu RSW „Prasa-Książka-Ruch" 15 marca 1990 roku

Zarząd zaaprobował wniosek redakcji „Polityki" o wydzielenie z Wydawnictwa Współczesnego i utworzenie Wydawnictwa „Polityka", a ponadto postanowił pokryć ze środków RSW deficyt tygodnika powstały do 31 marca 1990 roku oraz udzielić pożyczki w wysokości 1 mld starych złotych na pokrycie wydatków związanych z początkowym okresem wydawania tygodnika „Polityka". Zobowiązał także Wydawnictwo Współczesne m.in. do wydzielenia 43 ton papieru oraz funduszu bazowego na uzgodnioną liczbę etatów[29]. „Polityka" miała więc wystartować w samodzielność z pozycji uprzywilejowanych.

Według Jerzego Baczyńskiego, decyzja z 15 marca nigdy do redakcji „Polityki" nie dotarła, a redakcja o żadnym wniosku nic nie wiedziała[30]. Niewiedza Baczyńskiego jest o tyle zaskakująca, że w posiedzeniu Zarządu uczestniczyli wspomniani już trzej zaproszeni członkowie kierownictwa „Polityki": redaktor naczelny Jan Bijak, Jerzy Podemski[31] i Krzysztof Stefanek[32].

Na wspomnianym posiedzeniu Zarząd RSW „wyraził zgodę na wydzielenie z Wydawnictwa Współczesnego i utworzenie Wydawnictwa «Forum» w oparciu o zespół tygodnika" oraz zdecydował się pokryć deficyt i udzielić pożyczki. Pomyślano też o funduszu płac jak w wypadku „Polityki".

Zarząd zatwierdził także wniosek „Słowa Ludu" i Akt Założycielski Wydawnictwa „Głos Pomorza", podjął uchwałę o powołaniu Lubelskiego Wydawnictwa Prasowego dla redakcji „Dziennika Lubelskiego" oraz zgodził się na przekształcenie redakcji „Wieczoru Wybrzeża" w spółkę z o.o. W miejsce likwidowanej „Trybuny Ludu" powołano Wydawnictwo „Edytor 90". Widzimy więc, że starano się w ostatniej chwili dokonać skoku na majątek koncernu.

Komisja Mazowieckiego

23 stycznia 1990 roku, na sześć dni przed „wyprowadzeniu sztandaru" PZPR, swoją działalność rozpoczęła Komisja Rządowa do

spraw ustalenia stanu prawnego majątku partii politycznych i organizacji młodzieżowych oraz odzyskania mienia państwowego. W jej skład weszli: Jacek Ambroziak jako przewodniczący oraz członkowie Aleksander Hall, Jerzy Ciemieniewski i Marek Dąbrowski, ówczesny I wiceminister finansów – ten sam, który 27 grudnia 1989 roku podpisał się pod Decyzją nr 18 powołującą Fundację Wschód-Zachód. Prawdziwą przyczyną powołania Komisji przez Mazowieckiego było dążenie do zapobieżenia nacjonalizacji majątku PZPR i partii koncesjonowanych, co mogłoby prowadzić do rozpadu wielkiej koalicji. Dlatego na prośbę premiera poseł Komitetu Obywatelskiego Jan Łopuszański wycofał swój projekt ustawy o przejęciu przez Skarb Państwa całego majątku partii politycznych PRL[33].

Komisja Ambroziaka pracowała do 30 marca, w tym odbyła jedno spotkanie z przedstawicielami RSW. 17 marca Hall zaproponował RSW jedną drukarnię, jeden dziennik ogólnopolski, jeden tygodnik i miesięcznik, kilka dzienników terenowych i jedno wydawnictwo. Pozostały majątek RSW miał zostać znacjonalizowany. Brak zgody w ciągu doby oznaczałby likwidację spółdzielni.

Następnego dnia, po naradzie z kierownictwem SdRP, Zarząd RSW zaproponował „zaporowe" warunki: m.in. oddanie 19 z 44 gazet, 7 z 30 tygodników i 34 z 86 innych periodyków (m.in. dwutygodników). Według wstępnych szacunków SdRP utrzymałaby 40 proc. posiadanego majątku.

Gra na zwłokę nie powiodła się i 19 marca rząd skierował do Sejmu swój projekt ustawy o likwidacji komunistycznego koncernu. Jednak mało kto wie, że oprócz rządowego projektu w Sejmie powstał również poselski projekt likwidacji RSW.

> Kilka dni wcześniej w Sejmie pojawił się radykalny projekt likwidacji RSW opracowany przez 20 posłów z SD i OKP, który – jak się dowiaduje «Gazeta» – był konsultowany z SDP [Stowarzyszeniem Dziennikarzy Polskich – *aut.*]

– czytamy w artykule „Koniec RSW"[34]. Nacjonalizacji komunistycznego koncernu chciała „Solidarność", ale nie mogła narzucić swego stanowiska rządowi i posłom.

21 marca 1990 roku sejmowe komisje Kultury i Środków Przekazu oraz Ustawodawcza rozpatrywały oba projekty. Różnice między nimi sprowadzały się do dwóch punktów: rząd nie zgadzał się na rozwiązanie spółek utworzonych z udziałem majątku RSW po 31 sierpnia 1989 roku, chciał też, by SdRP uczestniczyła w podziale majątku RSW, i wprowadzał komisję zamiast jednoosobowego likwidatora w osobie ministra finansów. W wyniku dyskusji następnego dnia przedstawiono Sejmowi projekt kompromisowy, który został uchwalony.

W czasie sejmowych obrad poseł Michnik stwierdził:

> Gdyby rzeczywiście w wyniku postanowień Komisji Likwidacyjnej miało się okazać, że dla tego głosu («Trybuny» i «Żołnierza Wolności»), dla tych idei w polskim życiu publicznym by miało zabraknąć miejsca, to najpierw na początku oferuję łamy «Gazety Wyborczej»[35].

Poseł Michnik niepotrzebnie się zamartwiał – miejsca „dla tych idei" nigdy nie zabrakło.

Komisja Likwidacyjna

Ustawa z 22 marca 1990 roku o likwidacji RSW przewidywała trzy rozwiązania: nieodpłatne przekazanie wydawnictw spółdzielniom dziennikarskim, o ile zostały założone przez co najmniej połowę pracowników, sprzedaż w drodze przetargu lub przekazanie na rzecz Skarbu Państwa. Wniosek o przekazanie spółdzielnie miały składać do 6 lipca, a wysokość wkładu na członka powinna była wynosić trzy średnie pensje. Później wprowadzono wymóg wykazania się wiarygodnym źródeł finansowania działalności wydawniczej. Warunków przekazania nikt jednak nie sprawdzał i zadowalano się deklaracją. Ustawa nie przewidywała tworzenia nowych tytułów i udzielenia im na starcie pomocy, co przekreśliło szanse prasy podziemnej na rzeczywistą legalizację, natomiast otworzyło możliwości przez zespołami dziennikarskimi stanu wojennego zakonserwowania rynku prasy. Przewodniczący Komisji Likwidacyjnej Jerzy Drygalski zdawał sobie sprawę z tego stanu rzeczy. Za osiągnięcie uważano fakt, iż nie przyjęto żądania SdRP, by przekazanie tytułów spółdzielniom dziennikarskim było obowiązkowe.

Spółki utworzone przez RSW podzielono według cezury czasowej – powstałe po 31 sierpnia 1989 roku miały ulec likwidacji, zaś wkłady we wcześniejszych przeznaczono do sprzedaży.

Decyzja o likwidacji RSW „Prasa-Książka-Ruch" spotkała się z gwałtowną reakcją ówczesnych władz koncernu medialnego.

> Komisja rządowa do spraw majątku partii politycznych uległa neobolszewickim naciskom i dążyła jedynie do stworzenia uproszczonego trybu legitymizacji działań będących w praktyce odwetem politycznym, lekceważeniem praw i zamachem na własność

– mówił dziennikarzom Sławomir Tabkowski.

Jego zdaniem likwidacja przedsiębiorstwa spowoduje masowe zwolnienia i przyczyni się do upadku wielu pism. Jako przykład wskazał... „Politykę" i „Trybunę", które „są deficytowe i RSW je dofinansowuje"[36].

Chcąc jeszcze ratować RSW dla postkomunistów, 27 marca Walne Zgromadzenie wybrało nową Radę Nadzorczą. Jej przewodniczącym został Wiesław Huszcza, a jego zastępcami Marek Siwiec (w dokumentach IPN zarejestrowany jako TW „Jerzy") i Jan Bijak, redaktor naczelny „Polityki" (w dokumentach IPN zarejestrowany jako kontakt służbowy II a później III Departamentu MSW). Rada wybrała nowy Zarząd w starym składzie z przewodniczącym Tabkowskim[37].

6 kwietnia premier Mazowiecki powołał Komisję Likwidacyjną RSW „Prasa-Książka-Ruch". Szefem Komisji został Jerzy Drygalski,

a w jej składzie znaleźli się: Kazimierz Strzyczkowski, Alfred Klein, Krzysztof Kozieł-Poklewski, Maciej Szumowski, Andrzej Grajewski, Jan Bijak i Donald Tusk.

W publikacjach prasowych członkowie Komisji jawili się jako naukowcy i bezpartyjni fachowcy, prawda wyglądała jednak zupełnie inaczej.

Jerzy Drygalski, zanim został przewodniczącym Komisji, był działaczem Wojewódzkiego Komitetu Obywatelskiego w Łodzi, zaprzyjaźniony z działaczami KLD, w tym z Januszem Lewandowskim. Kandydaturę Drygalskiego zaproponował Waldemar Kuczyński, ówczesny szef doradców Mazowieckiego i sekretarz stanu w URM[38]. Kazimierz Strzyczkowski był przed 1990 rokiem prominentnym działaczem PZPR – grupowym partyjnym w Instytucie Nauk Prawno-Administracyjnych[39]. Maciej Szumowski w okresie „Solidarności" był redaktorem naczelnym „Gazety Krakowskiej", ówczesnego organu KW PZPR. Po 13 grudnia 1981 roku zerwał z partią i związał się z „Solidarnością".

Jan Bijak, redaktor naczelny „Polityki", jako członek Komisji Likwidacyjnej był jej pełnomocnikiem ds. Wydawnictwa „Polityka". Tygodnik miał więc pełne zabezpieczenie swoich interesów i nie dziwi, że Komisja umorzyła „Polityce" wszystkie należności i udzieliła kredytu[40].

Ustawa z 22 marca stwierdzała, że z dniem powołania Komisji Likwidacyjnej „ulegają rozwiązaniu statutowe organy Spółdzielni oraz wygasają udzielone przez nie pełnomocnictwa"[41]. W ten sposób przestał istnieć wybrany 27 marca Zarząd i Rada Nadzorcza RSW, której Bijak był wiceprzewodniczącym. Jak sam tłumaczył:

> Mazowiecki chciał mieć kogoś w Komisji, co by poszerzało, powiedzmy sobie w duchu okrągłostołowym, skład tej Komisji o ludzi, których trudno było uznać, że są z nowego nadania[42].

Komisja powołała swoich etatowych pełnomocników w terenie, np. pełnomocnikiem ds. Gdańskiego Wydawnictwa Prasowego był etatowy prezes Zarządu Spółdzielni Usług Wysokościowych w Gdańsku (miejsca, w którym zatrudniony był wcześniej Donald Tusk).

W lipcu 1990 roku posłowie ziemi łódzkiej: Bogdan Łukaszewicz (Polskie Stronnictwo Ludowe), Bogdan Osiński (Stronnictwo Demokratyczne), Andrzej Kern (OKP) i jego partyjny kolega Stefan Niesiołowski wystąpili o odwołanie przewodniczącego Komisji Likwidacyjnej Jerzego Drygalskiego. Zarzucili mu, że jest udziałowcem spółki akcyjnej Edytor, która w tym czasie chciała nabyć część łódzkich gazet należących do RSW, w tym najbardziej poczytny „Dziennik Łódzki". I chociaż Jerzy Drygalski twierdził, że jest w porządku, ponieważ 14 kwietnia, gdy był już przewodniczącym Komisji, przekazał swoje udziały w Edytorze innemu udziałowcowi, posłowie nadal mieli wątpliwości.

Jerzy Drygalski kierował Komisją przez siedem miesięcy – do 20 listopada 1990 roku, kiedy to Tadeusz Mazowiecki mianował go podsekretarzem stanu w Ministerstwie Przekształceń Własnościowych. Miejsce przewodniczącego Komisji zajął Kazimierz Strzyczkowski, do tej pory szef doradców prawnych.

Od momentu podania do publicznej wiadomości składu Komisji Likwidacyjnej RSW „Prasa-Książka-Ruch" konserwatywni posłowie mieli zastrzeżenia do jej członków, co szczególnie było widoczne 27 lipca 1991 roku, podczas dyskusji w Sejmie po złożeniu sprawozdania przez przewodniczącego Kazimierza Strzyczkowskiego.

> Dlaczego w komisji likwidacyjnej są ludzie reprezentujący środowisko czołowych działaczy komunistycznych? Mam na myśli takie osoby jak red. Bijak czy red. Szumowski? W takiej komisji nie powinni zasiadać ludzie, którzy nigdy nie walczyli w obronie prześladowanej w Polsce wolnej prasy

– mówił w Sejmie w lipcu 1991 roku poseł OKP-ZChN Marek Jurek podczas debaty nad sprawozdaniem Komisji Likwidacyjnej RSW „Prasa-Książka-Ruch".

Komunistycznych dziennikarzy wziął w obronę Jan Lityński, wówczas poseł Unii Demokratycznej, który zaatakował Marka Jurka nazywając jego poglądy – nie wiadomo dlaczego – „starociami komunistycznymi"[43].

Podział łupów

W październiku Komisja Likwidacyjna przyjęła plan zagospodarowania majątku. Pion kolportażu, oprócz jednej jednostki, przekazano Skarbowi Państwa. W ten sposób utrzymano monopol na rynku i w praktyce zablokowano jego pluralizację, gdy tymczasem zakładanie firm kolportażowych od zera wymagało wielkich nakładów.

Komisja Likwidacyjna RSW „Prasa-Książka-Ruch" była jednym z najpotężniejszych instrumentów ówczesnej władzy. Przez cztery miesiące działalności – do 20 sierpnia 1990 roku – Komisja wymieniła w sumie ponad stu dyrektorów wydawnictw i redaktorów naczelnych. Głównym kryterium zmian miało być usunięcie funkcjonariuszy aparatu propagandy PZPR, którzy jednak bez problemu wrócili po prywatyzacji, gdy poszczególne tytuły zostały sprzedane – tym razem powracali nie jako propagandziści, ale jako „fachowcy". Komisja Likwidacyjna RSW w pierwszym składzie (zmienił się on na początku 1992 roku, już po objęciu przez Jana Olszewskiego funkcji premiera) podjęła kluczowe decyzje, które całkowicie zmieniły rynek medialny.

Do 30 kwietnia 1992 roku Komisja zadecydowała o losach 178 tytułów prasowych: 89 sprzedała, 70 przekazała 60 spółdzielniom dziennikarskim, a 4 Skarbowi Państwa, np. „Literaturę na świecie". „Żagle" przejęło Warszawskie Towarzystwo Wioślarskie, a 14 tytułów, których nikt nie chciał kupić, przekazano ostatecznie na Skarb Państwa, podobnie postąpiono z Krajową Agencją Wydawniczą. CAF z kolei przekazano PAP[44]. Nieodpłatnie przekazano spółdzielniom pracy kilka innych jednostek, np. fabrykę mebli czy Biuro Wycinków

Prasowych „Glob". W sumie 71 spółdzielni pracy przejęło jednostki RSW lub ich części. Jednocześnie odrzucono wnioski 65 spółdzielni, w tym 55 dziennikarskich (30 z powodu braku wiarygodnego źródła finansowania działalności wydawniczej).

19 spółdzielni dziennikarskich otrzymało prawa do tytułu i majątek ruchomy, czyli wyposażenie redakcji, zaś pozostałe jedynie prawo do tytułu. Nie przekazano środków obrotowych, więc spółdzielnie nie miały za co prowadzić działalności wydawniczej. Z 15 spółdzielni, które uzyskały w 1991 roku pożyczki od Komisji, zwróciło je tylko trzy. Pouczający jest dalszy los spółdzielni dziennikarskich, które w większości okazały się fikcyjnymi.

7 czerwca 1990 został zarejestrowany statut Spółdzielni Pracy „Polityka", która następnie złożyła wniosek o przekazanie jej praw do tytułu. 11 stycznia 1991 roku Komisja Likwidacyjna zawarła ze spółdzielnią umowę o przekazaniu tygodnika.

Ze znanych tytułów, oprócz „Polityki", bez warunku wykazania się wiarygodnymi źródłami finansowania przekazano spółdzielniom np. „Kobietę i Życie", „Życie literackie" i „Literaturę". Pod tym zaś warunkiem spółdzielnie otrzymały „Forum", „Szpilki", „Wiedzę i Życie" oraz „Przekrój".

W styczniu 1991 roku tygodnik „Wprost" przekazano Spółdzielni Pracy „Wprost" pod warunkiem wykazania się wiarygodnymi źródłami finansowania działalności wydawniczej, tym bardziej, że tygodnik miał 2,6 mld starych złotych długu.

We „Wprost" powstała spółdzielnia pracy, a jednocześnie Marek Król, od lutego 1989 roku redaktor naczelny tygodnika a od lipca do stycznia 1990 roku sekretarz KC nadzorujący prasę, założył Agencję Reklamowo-Wydawniczą. Król był prezesem i głównym udziałowcem ARW, Piotr Gabryel, zastępca redaktora naczelnego, został jej wiceprezesem, żona Marka Króla Paulina dyrektorem marketingu, a syn Amadeusz wiceprezesem i dyrektorem generalnym wydawnictwa. Nie wiemy, w jakim momencie udziałowcem mniejszościowym ARW stał się Lech Kruszona, wiceprezes Rok Corporation.

21 lutego 1991 roku Spółdzielnia Pracy „Wprost", reprezentowana przez Króla i Gabryela, podpisała ze spółką Rok Corporation umowę, w myśl której spółka brała na siebie koszty działalności wydawniczej, a zyski dzielono po połowie między spółdzielnie i spółkę. Tydzień później, 28 lutego, Król i Kruszona zawarli umowę z ARW, reprezentowaną przez Kruszonę, w myśl której już całość zysków przypadała ARW, koszty pokrywała nadal Rok Corporation.

Rok Corporation finansowała wydawanie tygodnika do 1993 roku, kiedy obowiązek ten przejęła ARW. Z tego powodu powstał spór o roszczenie finansowe Rok Corporation wobec ARW w wysokości ok. 4 mln zł. Skutkiem było tymczasowe aresztowanie Marka Króla. Po przeniesieniu redakcji tygodnika do Warszawy Król spłacił mniejszościowego udziałowca Lecha Kruszonę, który kontynuuje własną działalność wydawniczą w Poznaniu[45].

Komisja Likwidacyjna złożyła pozew, gdyż okazało się, że spółdzielnia dziennikarska *de facto* nie powstała, a chodziło jedynie o przejęcie tygodnika. Spółdzielnia była wydmuszką i powinien nastąpić zwrot tytułu. Wydawca „Wprost" złożył kasację od wyroku orzekającego, że przekazanie tytułu spółdzielni było niezgodne z prawem, i podjął negocjacje, w wyniku których zapłacił Komisji Likwidacyjnej 1 mln dolarów.

W 1996 roku w tygodniku „Nie" Jerzego Urbana zarzucono Królowi, że był on tajnym współpracownikiem SB o ps. „Rycerz". Spór sądowy trwał siedem lat i wreszcie 13 czerwca 2003 roku Sąd Okręgowy w Warszawie oczyścił Marka Króla z zarzutu współpracy ze służbami bezpieczeństwa w okresie PRL-u, podważając wiarygodność świadka Witolda N. – byłego oficera SB, na którego powołał się tygodnik „Nie".

Tymczasem IPN, na wniosek Króla, przeprowadził kwerendę archiwalną. W jej wyniku w 2007 roku znaleziono w kartotece odtworzeniowej Biura „C" MSW zapis następującej treści:

Król Marek, s. Kazimierza ur. 24.02.1953 r. Tajny współpracownik «Adam» Wydz. III WUSW Poznań [Wydział III na poziomie województwa zajmował się ściganiem opozycji i podlegał Departamentowi III MSW – *aut.*] nr rejestracyjny 36374 w zag.[adnieniu – *aut.*] konflikty społeczne. Współpraca dobra. Wyeliminowany 1.08.89 z powodu wyboru na posła sejmu PRL. Maat. [Materiały – *aut.*] złożono i sfilmowano. Arch[iwum – *aut.*] Wydz. «C» WUSW Poznań nr 38529/1R Ar mat. 2000, mikrofilm 2010.

Marek Król opublikował tę informację we „Wprost" i jednocześnie oświadczył:

Stanowczo jednak zaprzeczam, aby moje relacje ze Służbą Bezpieczeństwa miały charakter tajnej współpracy. Spotkania odbywały się w siedzibie «Wprost», a ja – będąc wówczas zastępcą redaktora naczelnego – zostałem do nich «oddelegowany»[46].

Komisja przekazywała tytuły dziennikarskim spółdzielniom pracy, chociaż „miała rozeznanie, że w wielu przypadkach rzeczywistym kontynuatorem działalności wydawniczej będzie nie spółdzielnia, lecz spółka z udziałem spółdzielni"[47].

Spółdzielnie pracy nie dysponowały kapitałem, co zmuszało je do zawierania umów z inwestorami spółek, którym przekazywały prawa do tytułu. W 20 przypadkach Komisja Likwidacyjna zmusiła spółdzielnie do takich umów, żądając przedstawienia wiarygodnych źródeł finansowania działalności wydawniczej.

Spółdzielnie pozbawione pomocy były w wielu wypadkach już na starcie tworami fikcyjnymi, a ich prawa przejmowały spółki. Spółdzielnie, którym przekazano tytuły prasowe, nie działały, zajmowały się tylko zarządzaniem spółką albo działalnością reklamową, bądź też wydzierżawiały tytuł w zamian za zatrudnienie członków w spółce czy prowadziły sprzedaż chociażby w 2 kioskach. Bardzo często spółdzielnia przekazywała spółce prawo do tytułu np. za zlecanie składu i korekty, czyli gwarancje zatrudnienia.

Jak stwierdziła kontrola NIK, do wiosny 1992 roku 13 spośród 30 skontrolowanych (z ogólnej liczby 60) spółdzielni dziennikarskich przeniosło już prawo do tytułu na spółki. W rezultacie powstał wtórny obrót tytułami prasowymi.

Gazety PRL w rękach „zachodnich kapitalistów"

Część dawnych tytułów trafiło w ręce kapitału zagranicznego, często w procesie obrotu wtórnego, gdyż przy wyprzedaży majątku RSW Komisja Likwidacyjna wspierała przede wszystkim polskich inwestorów. Zjawisko to miało miejsce również w przypadku spółdzielni dziennikarskich, które w wyniku słabych wyników finansowych były po jakimś czasie prywatyzowane.

Klasycznym przykładem był los „Słowa Polskiego". Spółdzielnia dziennikarska miała w spółce 4 udziały na 12, zarejestrowane przed przekazaniem spółdzielni przez Komisję praw do tytułu. Po jego uzyskaniu przeniesiono prawo do tytułu na spółkę, a ta z kolei zawarła spółkę z norweską Orklą. W ten sposób w pierwszym etapie prawo do tytułu przechodziło na spółkę, która następnie wchodziła w spółkę z koncernem zagranicznym i ten ostatecznie przejmował pismo.

Prostszy sposób polegał na tym, że inwestorzy po uzyskaniu prawa do tytułu szybko sprzedawali go zagranicznym nabywcom, głównie Orkli i francuskiemu Hersantowi, a ci z kolei odsprzedawali prasę lokalną koncernom niemieckim. W rezultacie polska prasa terenowa, np. prasa śląska, znalazła się w rękach głównie koncernów niemieckich, czemu Komisja Likwidacyjna chciała zapobiec i odrzucała oferty niemieckie.

W lutym 1991 roku Komisja Likwidacyjna postanowiła za 12 mld starych złotych sprzedać „Sztandar Młodych" Fundacji Edukacji Ekonomicznej, Fundacji Kultury Polskiej i Polskim Nagraniom. Decyzję tę poparły „Solidarność" i zespół redakcyjny. Tymczasem w kwietniu tytuł sprzedano spółce SM-Media, która po kilku miesiącach odsprzedała 39 proc. udziałów kapitałowi austriackiemu. W początku 1994 roku „Sztandar Młodych" kupiła spółka

Fibak-Marquard Press i JMG Ost Presse Jörga Marquarda. Nastąpiła wówczas zmiana tytułu na „Sztandar" i odejście od formuły pisma młodzieżowego. W 1997 roku „Sztandar" przestał się ukazywać.

Sprzedaż tytułów prasowych

Ze znanych tytułów sprzedano m.in. „Gazetę Współczesną", „Dziennik Bałtycki", „Głos Wybrzeża", „Nowiny", „Film", „Ekran", „Życie Warszawy", „Express Wieczorny". Do listopada 1991 roku Komisja sprzedała w trybie przetargu 71 tytułów – w tym te najważniejsze i najbardziej cenne, a poza przetargiem 6 pism.

Według Najwyższej Izby Kontroli wiele tytułów zostało sprzedanych po zaniżonych cenach.

> Gdyby wyłącznym kryterium wyboru oferty była najwyższa cena, to wpływy ze sprzedaży w tych przetargach byłyby wyższe o 72 miliardy [starych – *aut.*] złotych tj. około 55 procent w stosunku do uzyskanych

– napisali kontrolerzy NIK w sprawozdaniu pokontrolnym RSW „Prasa-Książka-Ruch"[48].

Najwięcej kontrowersji wzbudzał fakt, że Komisja Likwidacyjna podejmowała samodzielnie decyzje o sprzedaży tytułów, wśród których znalazły się najpopularniejsze pisma, m.in. „Życie Warszawy" – ówczesny potentat na rynku ogłoszeń prasowych, które przejęła „Gazeta Wyborcza" i „Express Wieczorny". Można się o tym przekonać czytając archiwalne numery „Gazety Wyborczej", która sporo miejsca poświęciła tym dziennikom, relacjonując na bieżąco prace Komisji Likwidacyjnej.

Za rządów Mazowieckiego najbardziej dochodowym pismem było wielonakładowe – w weekendy mające 700 tys. egzemplarzy – „Życie Warszawy". Jego roczny dochód w 1989 roku to blisko 10 miliardów złotych.

W pierwszej połowie 1990 roku o przejęcie „Życia Warszawy" starały się trzy podmioty, w których pojawiały się te same osoby: Oficyna Wydawnicza „Życie Warszawy", spółka założona przez Artura Howzana, redaktora naczelnego „ŻW" (1989–1990), „Dom Pracy" oraz spółdzielnia „Życie Warszawy". Po sprawdzeniu okazało się, że Oficyna Wydawnicza „Życie Warszawy" została zarejestrowana jako spółka z 25-procentowym udziałem RSW „Prasa-Książka-Ruch", a ponieważ powstała prawdopodobnie po 31 sierpnia 1989 roku, podlegała likwidacji[49]. Nie doszło jednak do niej, gdyż koncern nie wpłacił swego wkładu. Była to więc spóźniona próba przejęcia dziennika przez nomenklaturę RSW. Ostatecznie Howzan został zwolniony z funkcji redaktora naczelnego, a na jego miejsce Komisja mianowała Kazimierza Wóycickiego (1990–1993), zaś Tomaszowi Wołkowi powierzyła stanowisko zastępcy redaktora naczelnego i wystawiła tytuł na sprzedaż.

Dziennik sprzedano za 40 miliardów starych złotych spółce Życie-Press, utworzonej przez 5 udziałowców: włoską firmę STEI Nicoli Grausa (400 udziałów), spółdzielnię wydawniczą „Czytelnik" (160), Wielkopolski Bank Kredytowy (150), spółkę Varsovia-Press – własność Kazimierza Wóycickiego i jego zastępcy Tomasza Wołka (90), Lexecom sp. z o.o. (40) oraz 45 osób fizycznych (160). Oficjalnego poparcia spółce Życie-Press udzieliła Unia Demokratyczna. Na zakup tytułu Życie-Press zaciągnęło pożyczkę w WBK. W maju 1993 roku Nicola Grauso odkupił udziały WBK, a następnie od kilku innych współwłaścicieli i na początku 1994 roku dysponował już 800 z 1000 udziałów.

Grauso, będący również właścicielem Polonii 1, próbował stworzyć w ten sposób szeroki koncern medialny, którego jedną z perełek miało być właśnie „Życie Warszawy". Kiedy jednak plany medialne Grauso załamały się po odmowie udzielenia mu koncesji na ogólnopolską telewizję, przestał finansować dziennik i wiosną 1996 roku sprzedał „Życie Warszawy" biznesmenowi Zbigniewowi Jakubasowi. Zanim doszło do sprzedaży dziennika, Grauso zwolnił

Tomasza Wołka, co spowodowało odejście grupy dziennikarzy (m.in. Bronisława Wildsteina) solidaryzujących się z usuniętym redaktorem naczelnym. Wkrótce utworzyli oni „Życie" (zwane „Życiem z kropką"), którym pokierował Wołek.

W grudniu 1999 roku Jakubas pozbył się „Życia Warszawy" na rzecz przyjaciela Marka Ungiera (majora Wojskowej Służby Wewnętrznej, czyli kontrwywiadu wojskowego, szefa gabinetu prezydenta Aleksandra Kwaśniewskiego) Michała Sołowowa, a ten w roku 2007 odsprzedał tytuł Presspublice, wydawcy „Rzeczpospolitej". W 2011 roku dziennik ostatecznie przestał się ukazywać.

W wypadku sprzedaży „Expressu Wieczornego" Komisja wybrała ofertę związanej z Porozumieniem Centrum Fundacji Prasowej „Solidarność"[50], wynoszącą 16 mld starych złotych, a odrzuciła ofertę dziennikarskiej Spółdzielni Pracy „Express Wieczorny" wspartej przez Zjednoczone Przedsiębiorstwa Rozrywkowe. Wtedy jednak, za zgodą Komisji i Drygalskiego, należące do RSW Warszawskie Wydawnictwo Prasowe zawarło ze Spółdzielnią Pracy „Express Wieczorny" ugodę w sprawie wydawania nowego „Expressu". Według niej koszty pokrywało Wydawnictwo, a Spółdzielnia zrzekła się na jego rzecz zysków. W ciągu dwóch miesięcy straty RSW wyniosły ponad 0,5 mld starych złotych i 1 marca 1991 roku wydawanie dziennika przejęła Spółdzielnia[51]. Później „Express" zmienił nazwę na „Express Poranny" i ostatecznie na jego bazie powstał „Super Express". „Express Wieczorny" natomiast stał się w połowie 1993 roku własnością kapitału zagranicznego: pakiet większościowy nabył szwajcarski koncern JMG Ost Presse Jörga Marquarda, a mniejszościowy Wojciech Fibak, zamieszkały wówczas w Monte Carlo.

Komisja sprzedała z kolei „Trybunę" spółce Ad Novum, której współwłaścicielem był Marek Siwiec, a przewodniczącym rady nadzorczej Aleksander Kwaśniewski. Nadal jednak Komisja finansowała wydawanie „Trybuny", ale pieniądze ze sprzedaży wpływały do nowego właściciela, czyli Ad Novum. Dopiero gdy wybuchł skandal, spółka miała uregulować długi.

Co ciekawe, po nieudanych eksperymentach „partyjnych" zarówno „Sztandar Młodych" jak i „Express Wieczorny" stały się własnością spółki JMG Ost Presse szwajcarskiego magnata prasowego Jörga Marquarda, z którym współpracowały również przedsiębiorstwa należące do Wojciecha Fibaka.

Wszystkie trzy omówione „stare" tytuły, będące ważnymi elementami systemu prasowego PRL, po perturbacjach lat 90. zostały zamknięte: „Sztandar Młodych" w roku 1997, „Express Wieczorny" w 1999, zaś wydawanie „Trybuny" zawieszono w 2009 roku.

Na marginesie warto wspomnieć, że „Rzeczpospolita", jako organ rządowy, nie należała do RSW, nie podlegała więc ustawie z 22 marca 1990 roku. W celu jej wydawania powołano w 1991 roku spółkę z o.o. Presspublica, w której 51 proc. udziałów miał dotychczasowy wydawca Państwowe Przedsiębiorstwo Wydawnicze „Rzeczpospolita", zaś 49 proc. sprzedano Robertowi Hersantowi za 19 mld starych złotych. W roku 1996 francuski koncern wycofał się i odsprzedał swoje udziały norweskiej Orkli, która z kolei w 2006 roku sprzedała swe udziały angielskiej firmie Mecom Poland (Grupa Mecom). W lipcu 2011 roku, pod naciskiem rządu, Mecom sprzedał udziały spółce Gremi Media Grzegorza Hajdarowicza. W październiku z kolei rząd sprzedał swoje udziały – także Gremi Media.

Inne składniki

Udziałów RSW w spółkach nie sprzedano w drodze przetargu, jak stwierdzała ustawa, gdyż jednocześnie przyjęto zasady kodeksu handlowego, a ten dawał wspólnikom prawo pierwokupu. Likwidacja i wycofanie się ze spółek oznaczała „ostateczną utratę środków finansowych wyprowadzonych z RSW", ale plusem ustawy było uniemożliwienie zakładania nowych spółek i dalszego wyprowadzania kapitału[52].

Do 30 kwietnia 1992 roku Komisja sprzedała 11 zakładów w pionie poligraficznym. Do najbardziej skandalicznych należała sprawa przejęcia Zakładów Prasowo-Fotopoligraficznych w Gdańsku i Praso-wych Zakładów Graficznych w Krakowie przez Polsko-Amerykańskie Towarzystwo Prasowe kontrolowane przez Polsko-Amerykański Fundusz Przedsiębiorczości. Nie dość, że zaniżono cenę nieruchomości, to jeszcze umowa sprzedaży precyzowała, iż 84,5 proc. ceny zostanie zapłacona za 10 lat, czyli w roku 2001. W ten sposób nabywca uzyskał zakłady w praktyce za darmo, gdyż mógł spłacić należności z dochodów.

Zachodni przedsiębiorcy przejęli także należące do RSW niezwykle cenne nieruchomości. Było to możliwe na skutek decyzji podejmowanych przez członka KLD Jacka Dębskiego, późniejszego ministra sportu (1997–2000), który w październiku 1991 roku, jako prezes „Ruchu", został współzałożycielem spółki EMPIK.

Dębski na stanowisko prezesa „Ruchu" został mianowany przez Jerzego Drygalskiego (obydwaj pochodzili z Łodzi). „Ruch" stał się samodzielnym przedsiębiorstwem po decyzji Komisji Likwidacyjnej o wydzieleniu działu kolportażu i przekazaniu go z całym majątkiem do Skarbu Państwa.

Jacek Dębski zadecydował, że „Ruch", w zamian za 40 procent udziałów, wniósł aportem do spółki EMPIK Klub Międzynarodowej Prasy i Książki 10 nieruchomości, które mieściły się w centrum największych polskich miast. Większość udziałów, 60 procent, objęła zarejestrowana w Szwajcarii firma Kaufring, która należała do izraelskiego biznesmena Yarona Brucknera, bliskiego znajomego późniejszego prezydenta Kwaśniewskiego i Marka Siwca. Udziały Kaufring miały być opłacone gotówką: 1,17 miliona nowych złotych. Jednak prawnicy Brucknera zakwestionowali wycenę aportu RSW „Prasa--Książka-Ruch" i do całkowitej zapłaty nie doszło (zabrakło 400 tys.). Najwyższa Izba Kontroli, która kontrolowała RSW „Prasa-Książka--Ruch", skierowała zawiadomienie o popełnieniu przestępstwa do warszawskiej prokuratury, która umorzyła postępowanie ze względu na znikomą społeczną szkodliwość czynu. W czerwcu 1992 roku rada nadzorcza „Ruchu" odwołała Jacka Dębskiego z funkcji prezesa spółki i członka zarządu. „Przedsiębiorstwo było w fatalnym stanie, zawierano skrajnie niekorzystne umowy, dlatego ówczesny prezes został odwołany" – wspomina Krzysztof Wyszkowski[53]. Legendarny działacz opozycji był wówczas członkiem rady nadzorczej RSW „Prasa-Książka-Ruch". Inni członkowie rady dodają, że Dębski zajmował się głównie grą w piłkę ze swoim partyjnym szefem Donaldem Tuskiem. Jacek Dębski, zastrzelony 11 kwietnia 2001 roku przez Tadeusza Maziuka (ps. „Sasza") na polecenie swego kuzyna Jeremiasza Barańskiego (ps. „Baranina"), w dokumentach IPN widnieje zarejestrowany jako TW „Adam". Wiemy tylko, że rejestracja nastąpiła w drugiej połowie lat 80., w czasie gdy Dębski był studentem wydziału polonistyki Uniwersytetu Łódzkiego i został kolporterem wydawnictw niezależnych[54]. Polityczna droga Dębskiego prowadziła od NZS, przez Ruch Młodej Polski, Narodowe Odrodzenie Polski, UPR, do KLD, Koalicji Konserwatywnej w AWS i skończyła się na Ruchu Społecznym AWS.

Historia Komisji Likwidacyjnej pokazuje, że od samego początku III RP nie było żadnych liczących się sił po stronie opozycji, które chciałyby lub potrafiły złamać monopol prasowy byłych dziennikarzy frontu ideologicznego i redakcji ukształtowanych w stanie wojennym przez kontrolerów ze Służby Bezpieczeństwa.

PRZYPISY

[1] Cyt. za: B. Dąbrowa-Kostka, *«Dziennikarze»*. *Weryfikacje 1982*, konspekt filmu dok., Kraków 2008.

[2] Jerzy Borejsza, właśc. Beniamin Goldberg (1905–1952): stalinowski działacz kultury, młodszy brat stalinowskiego oprawcy Józefa Różańskiego, właśc. Józef Goldberg (1907–1981), oficera NKWD i kierownika VIII, a później X Departamentu MBP. Jerzy i Józef byli synami działacza syjonistycznego i redaktora naczelnego dziennika w jidysz „Der Hajnt" Abrahama Goldberga (1880–1933). Jerzy Borejsza początkowo fascynował się hiszpańskim anarchizmem, ale ostatecznie wybrał „skuteczność" bolszewików

i wstąpił do KPP (1929). Za działalność przeciwko państwu polskiemu przebywał w więzieniu (1933–1935). We wrześniu 1939 r. przedostał się do Lwowa, został mianowany dyrektorem Ossolineum, podpisał się pod rezolucją popierającą aneksję Ukrainy przez ZSRS. Borejsza był członkiem ZPP i PPR, redagował organ PKWN „Rzeczpospolita", w 1944 r. założył tygodnik „Odrodzenie", który miał pozyskiwać lewicową inteligencję dla komunizmu. Po zaostrzeniu linii partii przejął redagowanie „Odrodzeniem" (1948–1950). Zmarł na raka. Jego syn prof. Jerzy Wojciech Borejsza (ur. 1935) jest historykiem, przewodniczącym komisji obchodów 150-lecia Powstania Styczniowego.

³ *Raport z likwidacji Robotniczej Spółdzielni Wydawniczej „Prasa-Książka-Ruch"*, Warszawa 2001, s. 14 i załącznik nr 60.

⁴ Ibidem, załącznik nr 10, s. 45.

⁵ *Stenogram Nadzwyczajnego Zjazdu Delegatów Stowarzyszenia Dziennikarzy Polskich, 29–31 października 1980 r.*, Warszawa 1980, cz. II, s. 30.

⁶ *Informacja o wynikach kontroli działalności Komisji Likwidacyjnej Robotniczej Spółdzielni Wydawniczej „Prasa-Książka-Ruch"*, Najwyższa Izba Kontroli, Zespół Edukacji, Nauki i Kultury, Warszawa 1992, s. 34. Liczba podpisanych umów była większa, ale nie wniesiono w kilku wypadkach wkładów.

⁷ *Raport z likwidacji*, załącznik nr 63.

⁸ A. Dudek, *Reglamentowana rewolucja. Rozkład dyktatury komunistycznej w Polsce 1988–1990*, Kraków 2004, s. 194.

⁹ Wiktor Andrzej Pitus (ur. 1950) ukończył ekonomię na UW (1973), obecnie pracuje w Towarzystwie Biegłych Rewidentów Sp. z o.o.

¹⁰ A. Bečka, J. Molesta, *Sprawozdanie z likwidacji majątku byłej Polskiej Zjednoczonej Partii Robotniczej*, Sopot–Warszawa 2001, cz. 1, s. 28.

¹¹ Pozostałych trzech członków Rady Nadzorczej Transakcji nie odegrało ważnej roli po roku 1989: Leszek Tadeusz Biały (ur. 1940), ukończył historię na UW (1963), był etatowym pracownikiem PZPR, a później posłem SdRP (1991–1993), Janusz Basiak został doradcą podatkowym.

¹² Opinia Departamentu III MS z 22 marca 1986, Huszcza Wiesław, IPN BU 01896.

¹³ Ibidem.

¹⁴ 4.12.1973–06.03.1980, następnie od 1981 Departament I. Rozpracowywanie KPN, rozpracowywanie amerykańskich instytutów politologicznych podczas stypendium w USA

¹⁵ Huszcza Wiesław, IPN BU 01896.

¹⁶ W dniu 21.03.1986 r. zarejestrowany pod nr. 32287 przez Wydz. III-1 WUSW Kraków jako TW o ps. „Jerzy". Przekazany w dniu 24.09.1987 r. do Wydz. VII Dep. III MSW i w dniu 20.11.1987 r. zarejestrowany pod nr. 104466 jako TW ps. „Jerzy". W dniu 19.01.1990 r. został wyeliminowany z powodu rezygnacji. Materiałów brak. W 1987 r. sprawdzany w kartotece ogólnoinformacyjnej Biura „C" MSW przez

Wydz. III Dep. III MSW. Wcześniej miał kontakty z kontrwywiadem: Meldunek operacyjny nr 121/83 Wydz. II Dep. II MSW, w którym zrelacjonowano odbytą w marcu 1983 r. rozmowę M. Siwca, przebywającego w Australii w ramach Międzynarodowej Organizacji Wymiany Praktyk Studentów Organizacji i Zarządzania, z przedstawicielem Australian Security Intelligence Office. Meldunek operacyjny nr 121/83 z dn. 11.05.1983 r. z kartoteki meldunków operacyjnych Biura „C" MSW.

[17] D. Kania, M. Marosz, *Kwaśny dwór*, „Gazeta Polska", 8 grudnia 2009.

[18] Raport z weryfikacji WSI, s. 81–83, z 374, http://www.raport-wsi.info/TVP.html (dostęp: 30 września 2013).

[19] Zenon Michalak w 2001 r. został tymczasowo aresztowany pod zarzutem wyłudzenia 5 mln zł. W latach 1992–1994 Michalak sponsorował klub koszykarski Śląsk Wrocław. Zajmował 72 pozycję na liście 100 najbogatszych Polaków tygodnika „Wprost" (1993).

[20] *Raport z likwidacji*, s. 83, załącznik nr 44 i 45.

[21] A. Bečka, J. Molesta, op. cit., cz. 1, s. 39–40.

[22] Mieczysław Wilczek, IPN BU 0197/486 (mf).

[23] Notatki biograficzne dotyczące osób zajmujących wyższe stanowiska w urzędach państwowych, Włodzimierz Natorf, IPN 01210/24; Włodzimierz Natorf, IPN BU 01945/ (mf).

[24] A. Bečka, J. Molesta, op. cit., cz. 1, s. 29.

[25] *Raport z likwidacji*, s. 101, załącznik nr 77.

[26] Ibidem, s. 84.

[27] *Gruntowna przebudowa struktury RSW „Prasa-Książka-Ruch"*, „Głos Pomorza", 15 lutego 1990, nr 39, s. 1–2.

[28] M. Polaczek-Bigaj, *Robotnicza Spółdzielnia Wydawnicza „Prasa-Książka-Ruch" u schyłku okresu PRL i przyczyny jej likwidacji*, „Kultura i Wychowanie" 2013, nr 5 (1), s. 62.

[29] *Raport z likwidacji*, s. 87, załącznik nr 71.

[30] J. Baczyński, *Prawdziwa historia „Polityki"*, „Polityka", 15 stycznia 2000.

[31] Chodzi prawdopodobnie o Stanisława Podemskiego, wieloletniego członka redakcji „Polityki".

[32] Protokół posiedzenia Zarządu z dnia 15 marca 1990, Załącznik nr 71 do *Raportu z likwidacji*.

[33] A. Bečka, J. Molesta, op. cit., cz. 1, s. 13.

[34] PAC, abo, *Koniec RSW*, „Gazeta Wyborcza", 20 marca 1990, nr 67, s. 1.

[35] *Raport z likwidacji*, s. 89.

[36] Konferencja prasowa Sławomira Tabkowkiego 20 marca 1990 r.

[37] *Raport z likwidacji*, s. 14; A. Bečka, J. Molesta, op. cit., s. 49.

[38] *Raport z likwidacji*, załącznik nr 70, s. 204.

[39] Strzyczkowski Kazimierz, AIPN BU 797/44305.

[40] Raport z weryfikacji WSI, s. 89, załącznik nr 89, 89 a, 89 b.

[41] Ustawa z dnia 22 marca 1990 r. o likwidacji Robotniczej Spółdzielni Wydawniczej „Prasa-Książka-Ruch", w: *Raport z likwidacji*, załącznik nr 30, s. 189.

⁴² *Raport z likwidacji*, załącznik nr 71, s. 215.

⁴³ Stenogram dyskusji na posiedzeniu Sejmu dnia 27 lipca 1991 r. w sprawie sprawozdania przewodniczącego Komisji Likwidacyjnej RSW „Prasa-Książka-Ruch" Kazimierza Strzyczkowskiego.

⁴⁴ *Raport z likwidacji*, s. 33, załącznik nr 20, 13.

⁴⁵ T. Mielczarek, *Współczesna polska prasa opinii*, „Roczniki Prasoznawcze" 2007, s. 37–38; Stenogram z posiedzenia Sejmu, 3 kadencja, 6 posiedzenie, 2 dzień (18.12.1997), 4 punkt porządku dziennego: Pytania w sprawach bieżących, wystąpienie Zastępca Prokuratora Generalnego Stefan Śnieżko.

⁴⁶ *Marek Król ujawnia materiały IPN na swój temat*, „Wprost", 12 grudnia 2007, http://www.wprost.pl/ar/119548/Marek-Krol-ujawnia-materialy-IPN-na-swoj-temat/ (dostęp: 28 września 2013).

⁴⁷ *Informacja o wynikach kontroli*, s. 15–16.

⁴⁸ Ibidem, s. 23.

⁴⁹ Nie ma żadnych dokumentów dotyczących daty zawartej umowy. Jedyny dokument dotyczący spółki, jakim dysponujemy, datowany jest na 12 marca 1990 r.

⁵⁰ Fundatorami było sześć osób związanych z Porozumieniem Centrum: Jarosław Kaczyński, Sławomir Siwek, Maciej Zalewski, Krzysztof Czabański, Maria Stolzman i Bogusław Heba.

⁵¹ *Raport z likwidacji*, s. 111.

⁵² Ibidem, s. 51.

⁵³ D. Kania, *Cień tajnych służb*, Warszawa 2012, s. 79.

⁵⁴ Kartoteka zniszczeniowa Wydziału „C" Wojewódzkiego Urzędu Spraw Wewnętrznych w Łodzi. Dziennik rejestracyjny nr 56802 WUSW Łódź – Jacek Dębski TW „Adam".

Rozdział 5

WOJNA SŁUŻB.
KONCESJA DLA POLSATU

Początek lutego 1994. Pomiędzy prezydentem RP Lechem Wałęsą a szefem Krajowej Rady Radiofonii i Telewizji Markiem Markiewiczem trwa burzliwa rozmowa telefoniczna:
– Panie prezydencie, koncesję na telewizję otrzyma Polsat – mówi Markiewicz i słyszy w słuchawce śmiech a zaraz potem wrzask:
– Komu przyznaliście koncesję, kto to jest, ile wam dał? Ile wziąłeś – atakuje Wałęsa.
– Panie prezydencie, nic nie wziąłem, od nikogo nic nie wziąłem – odpowiada Markiewicz.
– Polsce nie pomożesz i sobie nie załatwisz. Ze mną nie wygrasz, za mały jesteś – grozi Wałęsa i rzuca słuchawką[1].
Niemal miesiąc po rozmowie, 1 marca 1994 roku, Marek Markiewicz w świetle jupiterów podpisuje koncesję dla telewizji Polsat i ujawnia dziennikarzom, że Wałęsa mu groził. Kilkanaście minut później Wałęsa, łamiąc ustawę, odwołuje Markiewicza z funkcji przewodniczącego KRRiT.

Początki

Pierwszą firmę z udziałem kapitału zagranicznego Zygmunt Solorz założył w 1991 roku. Agencja ds. Inwestycji Zagranicznych wydała Solorzowi zezwolenie na utworzenie spółki z o.o. Solar z siedzibą we Wrocławiu. W dokumentach AIZ w związku z Solarem pojawia się nazwisko Jerzego Maślankiewicza, dyrektora Biura Analiz i Wniosków Inwestycyjnych Agencji ds. Inwestycji Zagranicznych. Szkolony przez KGB i działający pod przykryciem funkcjonariusz Służby Bezpieczeństwa Jerzy Maślankiewicz w 1990 roku w stopniu majora pracował w Departamencie II MSW, gdzie był zastępcą naczelnika i jednocześnie dyrektorem w AIZ[2].

Jednym z najważniejszych ludzi w biznesie Zygmunta Solorza był Piotr Nurowski, w latach 1981–1984 I sekretarz ambasady PRL w Moskwie, od samego początku związany z Polsatem. Nurowski jako szef Polskiego Komitetu Olimpijskiego był członkiem oficjalnej delegacji udającej się 10 kwietnia 2010 roku do Katynia i zginął w katastrofie pod Smoleńskiem.

W słynnej rozmowie Adama Michnika z Lwem Rywinem z 22 lipca 2005 roku ten drugi mówi:

> Solorz jest człowiekiem, który rozpierdala każdy interes. Polsat po prostu był trafiony. Nurowski załatwiał te sprawy politycznie i organizacyjnie.

Na zadane przez Michnika pytanie: „Kto mu poradził [tj. Solorzowi – *aut.*], żeby wziął się za telewizję, przecież to jest człowiek w ogóle z innej łapanki", Rywin odpowiada:

> Nurowski. Nurowski to wtedy przez Majkowskiego i poprzez te, twierdzi, że to on załatwiał wszystko. I był układ taki z Universalem, nie wiem, czy siedzi, czy nie siedzi, pierwsze pieniądze stamtąd dostał. Jak on się nazywał [...] Przywieczerski[3].

W Raporcie z weryfikacji WSI Nurowski figuruje jako tajny współpracownik wywiadu wojskowego PRL o pseudonimie „Tur". W Raporcie zamieszczono informację, że wiedza na temat „Tura" pochodzi z jego teczki personalnej. Wynika z niej, że Piotr Jan

Nurowski został zwerbowany do współpracy z wywiadem wojskowym PRL w 1985 roku, realizując m.in. zadania dla Agenturalnego Wywiadu Strategicznego (Oddział „Y"). Decyzja o powołaniu Oddziału „Y" zapadła na poziomie szefów wywiadów państw Układu Warszawskiego[4], a więc na polecenie Sowietów w czasie sprawowania władzy przez Andropowa. Oddział „Y" pierwotnie miał zajmować się werbowaniem i przerzutem nielegałów[5], ale już w 1985 roku zmieniono jego zadania, skoro od listopada tego roku na osobnym koncie Oddziału zaczęto gromadzić wpływy pozabudżetowe, wynikające z jego działalności operacyjnej. To owa działalność operacyjna stała się głównym celem oddziału „Y" od roku 1985. Powierzono mu bowiem realizację zadania reorientacji wywiadu i stworzenia sieci przedsiębiorstw mających stanowić tajne ekspozytury komunistycznych służb[6]. Po roku 1991 Nurowski kontynuował współpracę z Zarządem II WSI.

W grudniu 2006 roku na konferencji prasowej zorganizowanej przez Polsat Nurowski przyznał się do współpracy ze służbami PRL i wydał oświadczenie, że „w latach 1986–1990, będąc na placówce zagranicznej MSZ, wykonywał powierzone mu zadania w zakresie obronności i bezpieczeństwa Polski"[7].

W jednej z notatek czytamy, że „Gen. Malejczyk poprosił współpracownika o zdjęcie z anteny kontrowersyjnego programu o tzw. fali w wojsku. «Tur» obiecał to uczynić"[8]. Oficerowie WSI liczyli m.in. na to, że Nurowski pomoże im w nawiązaniu współpracy z właścicielem Polsatu Zygmuntem Solorzem[9]. Nie były to rachuby bezpodstawne, skoro już w roku 1991 Nurowski został dyrektorem biura handlowego spółki Solorza Solpol. Firma ta wcześniej dostała pożyczkę z Funduszu Obsługi Zadłużenia Zagranicznego[10].

Warunkiem technicznym nadawania satelitarnego przez Polsat był dostęp do tzw. transpondera, czyli przekaźnika satelitarnego. W roku 1992, celem nawiązania kontaktu z konsorcjum Eutelsat, „Nurowski zwrócił się o pomoc do swojego francuskiego przyjaciela Zygmunta Olawińskiego. Był to człowiek z wyjątkowo barwną przeszłością. Polak z pochodzenia, urodzony we Francji, w czasie wojny służył w armii polskiej w Anglii. Potem pracował w przemyśle, będąc równocześnie oficerem służb specjalnych"[11].

W latach 1984–1986 Nurowski pracował w Departamencie Azji, Afryki i Australii w MSZ. Z tego powodu został skierowany do Maroka na stanowisko radcy w tamtejszej ambasadzie PRL (1986––1990). I właśnie w Rabacie miał poznać Olawińskiego. Solorz i córka Olawińskiego założyli spółkę Polbred, która wykupiła prawa do transpondera.

> Polsat pierwszy program pokazał w niedzielę 5 grudnia 1992 roku. Transponder był wynajęty od początku miesiąca, jednak nie udało się przygotować do emisji żadnego programu. Postanowiono więc, że przez pierwsze cztery dni pokazywana będzie tylko zielona plansza z napisem, że na tym kanale rozpocznie wkrótce nadawać polska telewizja satelitarna. Aby plansza nie była zupełnie «niema», w tle miała rozbrzmiewać muzyka Chopina w wykonaniu Janusza Olejniczaka. [...] 1 grudnia Piotr Nurowski pojechał z drogocenna kasetą do ośrodka nadawczego holenderskiej stacji NOB w miasteczku Hilversum. [...] W studiu nadawczym zebrało się kilkanaście osób, które chciały obejrzeć start nowej telewizji. Nurowski był w tym gronie jedynym Polakiem. Wyjął ze swojej teczki kasetę z planszą i muzyką Chopina, po czym włożył ją do magnetowidu. Dokładnie o godz.16:29:59 nacisnął zielony guzik z napisem «Play». Polsat zaczął nadawać[12].

Polską wersję językową zachodnich filmów nadawanych przez Polsat nagrywano w studiu, które mieściło się w pokoju na Saskiej Kępie w Warszawie. Konsultantem studia był Edward Mikołajczyk, znajomy Nurowskiego[13].

Edward Mikołajczyk w przeszłości był prezenterem w kierowanym przez Mariusza Waltera „Studio 2" i pisywał do pisma młodzieżowego „Walka Młodych", które wówczas podlegało Nurowskiemu jako kierownikowi Wydziału Propagandy i Prasy Zarządu Głównego Związku Młodzieży Socjalistycznej. Później Mikołajczyk pracował w ambasadzie PRL w Jugosławii. W 2007 roku Raport z weryfikacji WSI umieszcza Mikołajczyka w Aneksie pt.: „Zidentyfikowane osoby współpracujące niejawnie z żołnierzami WSI w zakresie działań wykraczających poza sprawy obronności państwa i bezpieczeństwa Sił Zbrojnych RP"[14].

Co do legalności nadawania w Polsce Polsatu zdania w tym czasie były podzielone: jedni uważali, że jest to czyste piractwo, jak w przypadku wszystkich innych stacji telewizyjnych nadających przy pomocy satelity z zagranicy, inni wyznawali zasadę – „co nie jest zabronione, jest dozwolone". Sprawa była tym bardziej skomplikowana, że dopiero 29 grudnia 1992 roku uchwalono ustawę o radiofonii i telewizji, która weszła w życie 3 stycznia 1993 roku[15].

W pierwszym okresie nadawcą telewizji Polsat była spółka Vireco powołana przez grupę biznesmenów, wśród których był Zbigniew Niemczycki – według znajdujących się w IPN dokumentów zarejestrowany od 1972 roku przez Służbę Bezpieczeństwa jako TW „Jarex"[16]. Zdjęto go z ewidencji kontrwywiadu w październiku 1982 roku. Akta sprawy przekazano do Wydziału II Departamentu I MSW. Wydział II wywiadu cywilnego zajmował się działaniami wywiadowczymi przeciwko USA, dokąd Niemczycki wraz żoną Katarzyną wyjechali. Powrócili do Polski w latach 80.

Niemczyckiego pozyskano w 1972 roku na zasadzie dobrowolności „do zagadnienia dziennikarze i studenci do sprawy" o kryptonimie „Mendoza". Materiały przesłano do Departamentu I MSW w październiku 1982 roku. W 1989 roku pojawia się informacja, że Niemczycki zarejestrowany jest przez wywiad MSW. Z karty z 1990 roku wynika, że tym razem jako rozpracowanie operacyjne o kryptonimie „Jarex". Akta sprawy zostały zniszczone[17].

Spółka Vireco, jak wynika z dokumentów firmy[18], powstała 20 listopada 1990 roku. Jej głównym udziałowcem był Zbigniew Niemczycki, mieszkający wówczas w USA. 15 listopada 1990 roku Prezes Agencji ds. Inwestycji Zagranicznych wydał zezwolenie na działalność w Polsce spółki Vireco, która posiadała kapitał zagraniczny.

W imieniu AIZ sprawą Vireco zajmował się – podobnie jak w przypadku Solaru – Jerzy Maślankiewicz.

Po dwóch latach, w listopadzie 1992 roku, Zygmunt Solorz stał się jedynym udziałowcem Vireco Sp. z o.o. Jak wynika ze znajdujących się w KRS dokumentów, Solorz posługiwał się wówczas paszportem konsularnym wydanym przez Konsula RP w Paryżu. Jest to o tyle ciekawe, że 23 listopada 1990 roku Wojewódzki Urząd Spraw Wewnętrznych w Radomiu przesłał do tamtejszego Urzędu Miasta paszport konsularny na nazwisko Zygmunt Solorz wydany przez misję wojskową w Berlinie. „[...] W/w powrócił ze stałego pobytu i uzyskał zgodę na osiedlenie się w Radomiu [...]" – czytamy w dokumencie, który aktualnie znajduje się w zasobach Instytutu Pamięci Narodowej[19].

21 września 1993 roku spółka Vireco przekształciła się w PAI-Film i pod tą nazwą funkcjonowała do momentu likwidacji, co nastąpiło w grudniu 2000 roku.

Polsat jako odrębna spółka została zarejestrowana w marcu 1993 roku. Jej udziałowcami, oprócz Solorza, zostali Andrzej Rusko i Józef Birka. Kiedy 2 marca 1993 roku na posiedzeniu KRRiT Bolesław Sulik i Andrzej Zarębski zapytali Solorza „czy w PTS Polsat są pracownicy związani ze służbami bezpieczeństwa, wywiadu czy kontrwywiadu", usłyszeli w odpowiedzi „nazwiska p. Rusko, p. Birki, p. Nurowskiego, p. Majkowskiego". Solorz

stwierdził, że pracuje z nimi od dłuższego czasu, są jego najbliższymi współpracownikami, trudno natomiast powiedzieć – odnosząc się do tego pytania – o wszystkich pracownikach POLSAT-u[20].

W firmach Zygmunta Solorza zatrudnienie znaleźli ludzie związani z komunistycznym systemem, m.in. były PRL-owski dyplomata, absolwent Akademii Dyplomatycznej w Moskwie Andrzej Majkowski. W 1968 roku „zasłynął" on z antysemickich wystąpień, później został zarejestrowany jako kontakt operacyjny SB[21], co sam potwierdził w złożonym oświadczeniu lustracyjnym.

W gronie najbardziej zaufanych ludzi właściciela Polsatu, którzy znaleźli zatrudnienie w firmie Solorza, znalazł się również gen. Jerzy Ćwiek – w okresie stanu wojennego komendant KSMO i jednocześnie zastępca komendanta głównego MO. Przeszkolony w ZSRS i na Kubie Jerzy Ćwiek od 1985 roku pracował na etacie niejawnym w Głównym Urzędzie Ceł[22].

O Jerzym Ćwieku zrobiło się głośno w latach 90., w związku z jego udziałem w aferze alkoholowej – jednej z pierwszych afer w Polsce po 1989 roku. Dotyczyła ona działalności byłych ministrów rządu Mieczysława F. Rakowskiego oraz pracowników GUC, związanej z nieprawidłowościami przy imporcie napojów alkoholowych. Aferą zajął się Trybunał Stanu, który 18 czerwca 1997 roku skazał Dominika Jastrzębskiego, b. ministra współpracy gospodarczej z zagranicą, oraz Jerzego Ćwieka, prezesa GUC, na kary pozbawienia biernych praw wyborczych oraz zakaz piastowania funkcji publicznych przez pięć lat.

Rozgrywki UOP

W połowie 1993 roku, gdy KRRiT wyłoniła dziesięciu kandydatów na ogólnopolskich nadawców, jej szef – Marek Markiewicz – zwrócił się do służb specjalnych o sprawdzenie.

> Poszedłem najpierw do ówczesnego ministra spraw wewnętrznych Andrzeja Milczanowskiego, który skierował mnie do szefa Urzędu Ochrony Państwa Koniecznego. Przedstawiłem wniosek o sprawdzenie kandydatów i byłem przekonany, że otrzymam pełną informację

– wspomina Markiewicz[23].

Już po przyznaniu koncesji okazało się, że UOP na ten sam temat, czyli opracowania informacji odnośnie kandydatów na ogólnopolskich nadawców, sporządził trzy różne wersje notatki.

Ogólną, przez nikogo nie podpisaną notatkę przyniósł mi ówczesny szef kontrwywiadu Konstanty Miodowicz. Później okazało się, że inną notatkę na ten sam temat dostał premier Waldemar Pawlak a jeszcze inną prezydent Lech Wałęsa

– wspomina Markiewicz.

Pierwsza z tych notatek, przeznaczona dla szefa KRRiT, zawierała ogólne dane, z których – jak mówi Markiewicz – niewiele wynikało. Druga notatka trafiła do ówczesnego premiera Waldemara Pawlaka i była *de facto* analizą dokumentów, które KRRiT dostała od wnioskodawców ubiegających się o koncesję telewizyjną. Kolejna notatka trafiła do Lecha Wałęsy i zawierała informacje operacyjne na temat kandydatów.

Premier Pawlak pokazał mi notatkę sporządzoną przez UOP i oniemiałem – była ona kompletnie inna od tej, którą dostałem

– wspomina Marek Markiewicz.

Gdy do mediów przeciekła informacja o trzech notatkach, wybuchł skandal, a ówczesny szef UOP Gromosław Czempiński, były oficer komunistycznego wywiadu, musiał się tłumaczyć przed sejmową komisją administracji i spraw wewnętrznych, której posiedzenie w tej sprawie odbyło się w kwietniu 1994 roku, już po odwołaniu Markiewicza.

Na konferencji prasowej Gromosław Czempiński przyznał, że „notatki były identyczne, ale nie identyczne w treści". Szef Urzędu potwierdził, że były trzy notatki, z których każda była przeznaczona wyłącznie dla konkretnego adresata, z tym że do premiera i prezydenta trafiły z klauzulą: „ściśle tajne specjalnego znaczenia".

Pytany przez dziennikarzy, czy przyznanie Zygmuntowi Solorzowi koncesji na ogólnopolską telewizję zagraża bezpieczeństwu państwa, Czempiński odparł enigmatycznie, że nie ma na to „wystarczająco mocnych materiałów", chociaż wcześniej zapewniał on, że w Urzędzie Ochrony Państwa nie ma sprawy Polsatu. Według nieoficjalnych informacji Czempiński miał zmienić zdanie po rozmowie z Wałęsą.

Jeszcze przed przyznaniem koncesji przeszłością właściciela Polsatu, czyli Zygmuntem Solorzem, zainteresowali się dziennikarze „Rzeczpospolitej" i „Życia Warszawy", które wówczas należało do Nicoli Grauso – włoskiego przedsiębiorcy. Wystąpił on o koncesję dla stacji Polonia 1, której był właścicielem. Grauso był jednym z faworytów – tajemnicą poliszynela były jego świetne kontakty z Lechem Wałęsą i Mieczysławem Wachowskim, o czym świadczyła m.in. obecność Wałęsy na antenie pirackiej Polonii 1, której udzielał wywiadów.

O ile było powszechnie wiadomo, że Grauso jest właścicielem sardyńskiej telewizji, o tyle o Solorzu nie wiedziano nic poza tym, że jego telewizja Polsat nadaje z Holandii za pośrednictwem satelity. Dopiero wyścig po koncesję, która zapewniła naziemny sygnał i legalne nadawanie, sprawił, że dziennikarze zainteresowali się Solorzem.

W czasie gdy KRRiT decydowała o tym, kto dostanie ogólnopolską koncesję, 27 stycznia 1994 roku w „Rzeczpospolitej" ukazał się artykuł autorstwa Anny Wielopolskiej i Rafała Bubnickiego pt. „Polsat: czysty polsko-niemiecki kapitał", w którym czytamy:

> Jeszcze dwa lata temu prasa pisała o nim «nikomu nieznany biznesmen z Wrocławia», myląc na dodatek jego nazwisko. Na arenie prasowej pojawił się dość nagle, ale wejście to było znaczące. Zygmunt Solorz kupił wówczas 51 procent udziałów w dzienniku «Kurier Polski», związanym ze Stronnictwem Demokratycznym. Dziś przygoda z mediami sięga starań o koncesję na ogólnopolską telewizję prywatną i według wszelkich prognoz oraz rozmaitych wypowiedzi Pol Sat Zygmunta Solorza jest, jeżeli nie faworytem, to przynajmniej jednym z czterech asów.

W kolejnych artykułach dziennikarze „Rz" pisali, że

> Solorz jest postacią dosyć zagadkową, wokół której mnożą się niejasności dotyczące jego tożsamości i obywatelstwa, przeszłości,

sposobu, w jaki doszedł do swego majątku oraz sposobu, w jaki prowadzi interesy w kraju i za granicą. Właściciel Pol Satu używał co najmniej czterech nazwisk i co najmniej kilku dowodów tożsamości. Zanim uzyskał koncesję telewizyjną był zamieszany w sprawy sądowe związane z przemytem papierosów i alkoholu oraz ze spekulacyjnymi transakcjami rublowymi. Korzystał z pożyczki udzielonej mu przez FOZZ, a częstą praktyką było operowanie gotówką pochodzącą z walizki. W dokumentach sądu wrocławskiego występował jako obywatel niemiecki. Równie często, jak nazwiska, zmieniał adresy i miejsca zamieszkania. Niektóre z adresów, jak stwierdziliśmy, były fikcyjne. Był aresztowany przez policję niemiecką i karany przez tamtejszy sąd. Drugie z jego nazwisk (Piotr Podgórski) figurowało na liście osób poszukiwanych listem gończym przez policję austriacką. [...][24].

Właściciel Polsatu podał do sądu wydawcę „Rzeczpospolitej". W trakcie procesu okazało się, że Solorz rzeczywiście został skazany przez austriacki sąd za przemyt papierosów z terenu RFN do Austrii w okresie od 31 marca do 2 kwietnia 1983 roku (600 tys. sztuk papierosów marki Marlboro 100 S)[25].

Do swoich związków z FOZZ[26] Solorz przyzna się dopiero po latach:

Mój jedyny kontakt z FOZZ polegał na uzyskaniu jednej krótkoterminowej pożyczki z moim zabezpieczeniem, oferowanej na warunkach rynkowych, którą w terminie spłaciłem. Zygmunt Solorz-Żak[27].

Warto jednak zwrócić uwagę na fakt, że latem 1994 roku 20 proc. udziałów w Polsacie miał Universal, którego prezesem był Dariusz Przywieczerski, były aparatczyk Komitetu Centralnego PZPR i od roku 1987 tajny współpracownik Departamentu II MSW o ps. „Grabiński"[28], jeden z głównych „bohaterów" Funduszu, skazany w procesie FOZZ. Dyrektorem generalnym Polsatu został zaś znany z „afery karabinowej" Jerzy Napiórkowski, który w czasie działania Funduszu Obsługi Zadłużenia Zagranicznego był wiceministrem finansów[29]. To on również uczestniczył w rozmowie z byłym oficerem SB Aleksandrem Gawronikiem w sprawie otwarcia kantorów po zmianie prawa dewizowego, tak by SB mogło zarobić na już legalnym handlu dewizami[30].

Sprawa koncesji dla Polsatu nieoczekiwanie wróciła w lipcu 2008 roku za sprawą ujawnionych przez „Dziennik" zeznań Krzysztofa Baszniaka, wiceministra pracy w rządzie Waldemara Pawlaka (26 października 1993–1 marca 1995).

[...] Wachowski wzywał na dywanik Koniecznego, wówczas szefa UOP-u, kazał sobie dostarczać materiały z rozpracowań Solorza i Nurowskiego. Wachowski leżał pijany w wannie, a Konieczny stał nad nim i czytał. [...] Wachowski wymuszał na Iwanickim, żeby zamknął Solorza i Nurowskiego. Solorz i Nurowski ukrywali się w hotelu «Perła» w Oleśnicy – można przeczytać w zeznaniach Baszniaka, który w rozmowie z «Dziennikiem» przyznaje, że to przyjaciel Wachowskiego i Solorza, radomski poseł Porozumienia Centrum Tadeusz Kowalczyk, pomógł załatwić koncesję dla Polsatu.

„«Ja nie zwariowałem. Wiem o tym od Kowalczyka. Taka chyba była III RP» – tak swoje zeznania Baszniak skomentował w rozmowie z «Dziennikiem» [...]"[31].

Zamrożona koncesja

Mimo przyznania koncesji Polsatowi jego konkurenci nie złożyli broni. Do Wojewódzkiego Sądu Administracyjnego zaczęły napływać skargi właścicieli telewizji, którzy nie dostali koncesji, m.in. od Nicoli Grauso.

[...] Dnia 5 sierpnia (1994 r.) nieoczekiwanie NSA (Naczelny Sąd Administracyjny) na niejawnym posiedzeniu wstrzymał wykonanie koncesji przyznanej Polsatowi. Ponieważ decyzja była precedensowa, nie wiedziano, co ona w praktyce oznacza. W najbardziej skrajnym wariancie można było rozumieć jako wstrzymanie nadawania naziemnego programu, co mogło być śmiertelnym ciosem dla tej stacji. Mogło to jednak zaowocować wnioskiem o odszkodowanie ze strony Skarbu Państwa z tytułu poniesionych już przez Polsat kosztów. Krajowa Rada orzekła więc, że stacja może nadal nadawać, wszelako do chwili rozstrzygnięcia sprawy nie otrzyma nowych częstotliwości oraz nie może uruchomić nowych nadajników. [...] Zamrożenie koncesji dla Polsatu było sygnałem, że może być ona cofnięta. [...][32].

Niespodziewanie dla graczy medialnego rynku ówczesny minister sprawiedliwości w rządzie PSL–SLD Włodzimierz Cimoszewicz podjął decyzję o wyłączeniu wszystkich nielegalnych nadawców.

Była to decyzja bez precedensu – w ciągu jednego dnia zapanowała cisza w eterze zajmowanym przez nielegalnych nadawców – widzowie mogli tylko oglądać te stacje, które miały koncesje

– wspomina Marek Markiewicz.

[...] Do wtorku Ministerstwo Łączności zawiadomi Ministerstwo Sprawiedliwości o wszystkich stacjach telewizyjnych nadających na częstotliwościach należących do MON i na częstotliwościach nie objętych ofertą Krajowej Rady Radiofonii i Telewizji. Wiadomo, że na tej liście znajdzie się 12 stacji lokalnych sieci Polonia 1 należącej do sardyńskiego biznesmena Nicoli Grauso oraz warszawska stacja Jacka Żelezika Top Canal. Będzie to wystarczająca podstawa do tego, by prokuratura rozpoczęła ściganie pirackich stacji. [...] Naczelna Prokuratura Wojskowa – ustalono na wczorajszej naradzie – ma zbadać, jak to się stało, że przez dwa lata Polonia 1 działała w eterze m.in. na czterech częstotliwościach będących w dyspozycji wojska i czy władze wojskowe zrobiły wszystko, aby temu zapobiec. Uczestnicy narady wezwali przedstawicieli państwa, aby nie występowali więcej przed kamerami pirackich stacji. Jak wiadomo, niedawno w sieci Grauso wystąpili m.in. prezydent Lech Wałęsa i prezes Trybunału Konstytucyjnego Andrzej Zoll [...]

– pisała 20 sierpnia „Gazeta Stołeczna", warszawski dodatek do „Gazety Wyborczej"[33].

Kilka dni po wyłączeniu z eteru Polonii 1 w mediach ukazał się list pracowników 12 stacji telewizyjnych nadających w sieci Polonia 1 należącej do Nicoli Grauso. List otwarty podpisany przez Komitet Koordynacyjny Pracowników Polonii 1 był skierowany do władz państwa, by

> jak najszybciej i z korzyścią dla wszystkich zainteresowanych stron rozwiązać konflikt. Obecnie dowiadujemy się, że Rada, by móc rozpatrzyć ponownie podanie stacji Polonii 1 o koncesje, wymaga, by nasze telewizje wyłączyły swe nadajniki. Gdyby do tego doszło, stanowiłoby to poważną krzywdę dla naszych telewidzów, klientów reklamowych, a przede wszystkim dla nas i dla naszych rodzin, ponieważ podobna decyzja oznaczałaby utratę miejsc pracy[34].

List był też odpowiedzią na skierowanie do warszawskiej prokuratury zawiadomienia o popełnionym przestępstwie przez właścicieli Polonii 1 oraz telewizji Top Canal, które nadawały bez koncesji.

Walka Solorza przed NSA trwała do 21 września 1994 roku – w tym dniu Naczelny Sąd Administracyjny wydał ostateczny wyrok. Sąd utrzymał w mocy koncesję odrzucając wnioski konkurencji z wyjątkiem jednego. „NSA unieważnił obietnicę, że Polsat otrzyma w przyszłości częstotliwości pozwalające mu objąć zasięgiem 80% terytorium kraju"[35].

Żemek w grze o telewizję

Krajowa Rada Radiofonii i Telewizji nie przyznała koncesji Polonii 1, ponieważ – zdaniem Rady – zbyt dużo udziałów należało do sardyńskiego biznesmena. Gdy Grauso przekonał się, że nie ma szans na koncesję i na dodatek ma przeciw sobie prokuraturę i służby specjalne, sprzedał najpierw Polonię 1 a później „Życie Warszawy" likwidując tym samym wszystkie swoje interesy w Polsce.

6 września 1994 roku Polonia 1 trafiła do Polskiej Korporacji Handlowej. Na jej czele stanął biznesmen Rudolf Skowroński, którego nazwisko figuruje w archiwum wywiadu PRL.

> W. w. [Rudolf Skowroński – *aut.*] został przejęty na kontakt z Dep. III MSW. Zrealizował w trakcie współpracy z nami zadania wywiadowcze w kraju i za granicą. Od roku jest nim utrzymywany kontakt tylko sporadyczny ze względu na utratę możliwości wywiadowczych, przy czym nie przewiduje się ew. wznowienia sprawy

– napisał 11 stycznia 1990 roku por. Piotr Filanowski, inspektor Wydziału XI Dep. I MSW w postanowieniu o zniszczeniu akt sprawy czynnej o kryptonimie „Setti"[36].

Co ciekawe, w spółkach Rudolfa Skowrońskiego zasiadał Aleksander Makowski, były esbek, wieloletni funkcjonariusz wywiadu PRL, naczelnik Wydziału XI Departamentu I MSW, w którym była prowadzona sprawa „Setti". Wydział XI zajmował się przeciwdziałaniem dywersji ideologicznej, infiltracją środowiska emigracyjnego, rozpracowywaniem kontaktów Zachodu z opozycją, szlaków przerzutowych, kontrolą łączności między podziemiem w kraju i placówkami „S" za granicą (m.in. Bruksela, Paryż) i w związku z tym ośrodkami „S" w Warszawie, Gdańsku, Szczecinie, Poznaniu i Wrocławiu.

Niemal pewne jest, że Polska Korporacja Handlowa została założona z myślą o uzyskaniu koncesji telewizyjnej. Według dokumentów PKH powstała 25 kwietnia 1994 roku, a więc już po przyznaniu koncesji Polsatowi 1 marca i przed decyzją NSA o jej zamrożeniu z 5 sierpnia. Założyciele PKH, zdając sobie sprawę z siły kontrakcji Wałęsy, który oskarżył Solorza o tworzenie zagrożenia dla bezpieczeństwa państwa, liczyli na odebranie koncesji i wejście na miejsce Polsatu. Okres szczytowych działań PKH przypadł między 5 sierpnia a 21 września. Przejęcie Polonii 1 przez PKH 6 września świadczy o tym, że właściciele Korporacji mieli pewność, iż NSA odbierze koncesję Polsatowi. Poparcie dla PKH miało zapewnić zwiększenie kapitału w sierpniu i wydanie 300 akcji serii B, które objęło 300 przedstawicieli świata telewizji i polityki.

Prezesem PKH został Rudolf Skowroński. W Radzie Nadzorczej zasiadła m.in. Bożena Marta Stanescu z Financial Management Technology (FMT) – firmy związanej z FOZZ i Grzegorzem Żemkiem („Dik"[37]). Udziały w FMT mieli: żona Grzegorza Żemka Kamila Dorota Żemek (20 udziałów), córka Żemków Izabela (10 udziałów) i Bożena Stanescu (10 udziałów). Grzegorz Żemek był wówczas szefem Rady Nadzorczej FMT. Co ciekawe, kiedy NSA „zamroził" koncesję dla Polsatu (co odczytywano jako szansę na koncesję dla Polonii 1), z PKH wycofali się przedstawiciele FMT[38].

Niewykluczone, że ludzie związani z FOZZ chcieli usunąć się w cień – gdyby doszło do postępowania koncesyjnego dla Polonii 1, jej związki z FOZZ byłyby zabójcze, jednak faktycznie poprzez inne firmy Rudolfa Skowrońskiego wojskowa bezpieka miała ogromne wpływy na PKH. Co ciekawe, Grzegorz Żemek podczas swojego procesu w 2005 roku powiedział wprost:

> FOZZ powstał między innymi po to, abym mógł kontynuować zadania zlecone mi przez wojskowe służby specjalne[39].

W zarządzie PKH w sierpniu zasiadali: Rudolf Skowroński jako prezes (do stycznia 1995), January Gościmski, Leonard Praśniewski i Lech Jaworowicz.

W radzie nadzorczej znaleźli się: Jacek Merkel jako przewodniczący (do stycznia 1995), Aleksander Makowski, Beata Tyszkiewicz, Kazimierz Morawski, Aleksander Pociej, Stanisław Jegier.

Bardzo ciekawie wyglądała również lista posiadaczy akcji A Polskiej Korporacji Handlowej. Znaleźli się na niej m.in. Mieczysław F. Rakowski, Romuald Szeremietiew, Leonard Praśniewski, January Gościmski, Lech Jaworowicz, Tadeusz Jastrzębski, Zbigniew Grycan,

Adam Kozłowski, Holding Wars, Izba Kupców i Przemysłowców, Jerzy Krogulec, Grażyna Wencel, Beata Tyszkiewicz, Kazimierz Morawski, Marek Mikuśkiewicz, Elżbieta Wiśniewska, Anna Woźniak-Starak.

Biorąc pod uwagę archiwa komunistycznej bezpieki śmiało można powiedzieć, że dobór osób zaangażowanych w PKH nie był przypadkowy. I tak m.in. według znajdujących się w IPN dokumentów January Gościmski to TW „Jan"[40], który działalność biznesową zaczynał już w PRL jako dyrektor w przedsiębiorstwie polonijnym „Sofa", zajmującym się produkcją farb eksportowanych do państw zachodnich. Po upadku PRL Gościmski znalazł się w gronie najbogatszych Polaków jako współwłaściciel Legic Ltd., kompanii importowej towarów luksusowych. We władzach PKH znalazł się także jego pasierb Aleksander Pociej[41], adwokat, senator VIII kadencji, którym został startując z list Platformy Obywatelskiej.

W radzie nadzorczej PKH, obok Aleksandra Pocieja, zasiadał ówczesny polityk Unii Wolności Jacek Merkel, późniejszy współzałożyciel Platformy Obywatelskiej, a także członek rady nadzorczej spółki ochroniarskiej kpt. Jerzego Koniecznego Konsalnet. Z dokumentów IPN wynika, że Aleksander Makowski, naczelnik Wydziału XI komunistycznego wywiadu, rozpracowywał Biuro Koordynacyjne „Solidarności" za Granicą w Brukseli, z którym w latach 80. współpracował Merkel[42].

W latach 90. Merkel zasiadał w radzie nadzorczej Universalu – w czasie kampanii wyborczej 1993 roku firma „Dukat" należąca do prezesa Universalu przekazała pieniądze na kampanię Kongresu Liberalno-Demokratycznego (we władzach którego zasiadał Jacek Merkel) oraz Unii Demokratycznej. Cztery lata później, w 1997 roku, dziennik „Życie" ujawnił, że partnerem biznesowym Universalu był radziecki szpieg z paszportem Belize – Siergiej Gawriłow[43] (według „Życia" jego spółka Wnieszmaszexport zajmowała się handlem bronią), wydalony z Polski jako *persona non grata* – jego nazwisko pojawiło się w związku z zagrożeniem prowokacją ze strony rosyjskich służb specjalnych[44].

W zarządzie PKH zasiadał partner biznesowy Merkla, Gawriłowa i Przywieczerskiego – Leonard Praśniewski, założyciel banku Leonard (zmienił on później nazwę na Bank Powierniczo-Gwarancyjny).

Kolejna osoba zasiadająca we władzach PKH a figurująca w archiwach IPN to Zbigniew Grycan, właściciel „Zielonej Budki" – według dokumentów IPN w latach 1977–1988 zarejestrowany przez kontrwywiad jako TW „Zbyszek"[45]. Miał on wówczas pomagać w rozpracowaniu pracowników ambasady Wielkiej Brytanii, którym wynajmował swój segment. Z dokumentów zachowanych w IPN wynika, że bezpieka dobrze oceniała współpracę. Grycan wyrejestrowany został dopiero, gdy ambasada zrezygnowała z wynajmu segmentu[46].

W radzie nadzorczej PKH zasiadała aktorka Beata Tyszkiewicz, która w dokumentach komunistycznej bezpieki figuruje jako Kontakt Poufny (rejestrowana kategoria współpracy) „Ela"[47]. Według znajdujących się w IPN dokumentów „Ela" przekazywała funkcjonariuszom bezpieki informacje na temat obcokrajowców, z którymi się spotykała.

Kazimierz Morawski, bliski wspólnik biznesowy Rudolfa Skowrońskiego, został w roku 1968 – dzięki związaniu się z grupą moczarowską – sekretarzem generalnym Chrześcijańskiego Stowarzyszenia Społecznego, czyli grupy katolików rządowych. Na spotkaniach z członkami ChSS w 1968 roku Morawski tłumaczył, że syjoniści „chcieli koniecznie doprowadzić do rozruchów w Polsce" i w tym celu „napuścili niepoczytalną grupę młodzieży"[48]. W 1974 roku Morawski został prezesem ChSS.

Ostatecznie władze Polskiej Korporacji Handlowej z planów telewizyjnych zrezygnowały po decyzji NSA, na mocy której Polsat utrzymał koncesję – władze PKH zajęły się wówczas m.in. inwestycjami na rynku nieruchomości. Sam Rudolf Skowroński zniknął w 2005 roku i ślad po nim zaginął. Jest poszukiwany listem gończym za wręczanie łapówek.

Solorz w archiwach bezpieki

W 2006 roku decyzją prof. Janusza Kurtyki, ówczesnego prezesa Instytutu Pamięci Narodowej, zostały „otwarte" archiwa bezpieki wojskowej i cywilnej. Badacze (w tym także dziennikarze) mogli zapoznać się z teczkami funkcjonariuszy służb specjalnych PRL, a także osób zarejestrowanych w ich kartotekach. Wśród nich był Zygmunt Solorz – według dokumentów zachowanych w IPN zarejestrowany jako tajny współpracownik o pseudonimie „Zeg"[49].

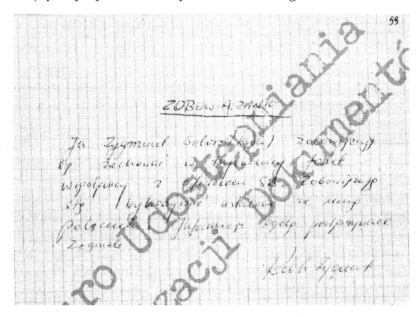

Deklaracja współpracy z SB Zygmunta Solorza (IPN BU 00221/6). „Ja, Zygmunt Solorz (Krok), zobowiązuję się zachować w tajemnicy fakt współpracy z oficerami SB. Zobowiązuję się wykonywać ustalone ze mną polecenia. Informacje będę podpisywać [lub: będą podpisywane – *aut.*] Zegarek."

Służby zainteresowały się Zygmuntem Solorzem wiosną 1983 roku, kiedy ten przyjechał do Polski po uzyskaniu paszportu konsularnego wystawionego przez konsulat PRL w Wiedniu na jego rodowe nazwisko

Krok (nazwisko Solorz przyjął po małżeństwie z Iloną Solorz). Była to jego pierwsza wizyta w Polsce po blisko sześciu latach nieobecności. Wykorzystano fakt, że młody biznesmen pojawił się w Biurze Paszportowym – porucznik Eugeniusz Gurba z Wojewódzkiego Urzędu Spraw Wewnętrznych w Radomiu, funkcjonariusz Inspektoratu I Wojewódzkiego Urzędu Spraw Wewnętrznych, czyli wywiadu, przeprowadził z nim kilka rozmów sondażowych. Służba Bezpieczeństwa stwierdziła, że Solorz ma duże możliwości wywiadowcze. Funkcjonariusze wywiadu PRL uznali, iż Solorz pomoże im rozpracować pracowników polskiej sekcji Radia Wolna Europa, korzystających z usług firmy Zygmunta Solorza – Solorz Export-Import, oraz będzie informował na temat działalności Polskiej Misji Katolickiej w Monachium i Bawarskiego Komitetu „Solidarności". Za szczególnie cenne uznano kontakty Solorza z szefem Misji, ks. Jerzym Galińskim; komunistyczny wywiad chciał także, by Solorz nawiązał kontakty z kapelanem RWE księdzem Janem Ludwiczakiem i aktorką Barbarą Kwiatkowską-Lass, znaną z aktywnej działalności w środowiskach Polonii. Już wtedy SB doskonale wiedziała o tym, że Zygmunt Krok posługuje się dokumentami na nazwisko Piotr Podgórski oraz Zygmunt Solorz (później do tego dojdzie nazwisko Żak, po ślubie z Małgorzatą Żak). Kontaktami z Solorzem zajmowali się trzej funkcjonariusze peerelowskiego wywiadu (Departamentu I MSW): Henryk Bosak, Zbigniew Poławski i Eugeniusz Fulczyński.

15 lipca 1983 roku SB pobrała od Zygmunta Solorza zobowiązanie o zachowaniu w tajemnicy faktu współpracy:

> Ja, Zygmunt Solorz (Krok), zobowiązuję się zachować w tajemnicy fakt współpracy z oficerami SB. Zobowiązuję się wykonywać ustalone ze mną polecenia. Informacje będę podpisywać [lub: będą podpisywane – *aut.*] Zegarek.

Z zachowanych w IPN dokumentów wynika, że Zygmunt Solorz wielokrotnie spotykał się z funkcjonariuszami wywiadu PRL i przekazywał im informacje. Sprawę zakończono i złożono do archiwum Departamentu I 28 czerwca 1985 roku.

63 X

" Z A T W ~~E R D~~ Z A M "

Warszawa, dnia 2 stycznia 1984 r.

JAWNE

Tajne spec. znaczenia
Egz. poj.

Z-CA DYREKTORA DEPARTAMENTU I MSW

Tow. Płk Bronisław Z Y C H

R a p o r t :

ze spotkania ze współpracownikiem wywiadu ps. "ZEG".

I. Spotkanie.

1/ kategoria źródła : agent;

2/ data, godzina, m-ce spotkania : Warszawa, MDM, 30.XII.1983, godz.
   10.00-12.00;

3/ sposób przejęcia informacji : podczas spotkania.

II. Rezultat spotkania.

1/ podczas spotkania odebrano informacje dotyczące ks. Stanisława Ludwiczaka - kapelana sekcji polskiej Radia "Wolna Europa", Polskiej Misji Katolickiej w Monachium i jej szefa ks.
   Jerzego Galińskiego oraz działalności bawarskiego komitetu
   "Solidarności". W załączeniu informacje sporządzone ze słów
   agenta.

2/ przekazane współpracownikowi zadania, instrukcje : agent otrzymał zadanie nawiązania bezpośredniego kontaktu z ks. Ludwiczakiem /RWE/ poprzez powołanie się na jego znajomego z Warszawy
   oraz reaktywowania kontaktów z poznanymi wcześniej aktywistami bawarskiego komitetu "Solidarności". Agent wzmocni znajomość
   z kadrowym pracownikiem RWE Wojciechem SŁOMKOWSKIM /zadania zlecone przez Wydział XIV Dep.I/.

3/ zmiany w systemie łączności z współpracownikiem :

Raport z 2 stycznia 1984 roku ze spotkania ze współpracownikiem
wywiadu ps. „Zeg" (IPN BU 00221/6)

Na początku br. z innych jednostek krajowych nadeszły informacje o zainteresowaniu osobą «Zega» ze strony policji RFN i Berlina Zachodniego. Ujawniony też został fakt posługiwania się przez źródło sfałszowanym prawem jazdy na terenie RFN. O wyjaśnienie tej sprawy zwracał się do polskich władz administracyjnych Wydział Prawno-Administracyjny Ambasady RFN w Warszawie. Podane powyżej fakty jak również posługiwanie się przez źródło trzema nazwiskami stanowią zagrożenie dla dekonspiracji jego współpracy z naszą Służbą. Wobec powyższego postanowiono zakończyć współpracę ze źródłem kryp. «Zeg» i sprawę przekazać do archiwum Departamentu I MSW

– napisał por. Andrzej Przedpełski, inspektor Wydziału XI Departamentu I MSW[50]. Tę decyzję zaakceptował jego przełożony, wspomniany wcześniej płk Aleksander Makowski.

Przeszłość Solorza była znana funkcjonariuszom Urzędu Ochrony Państwa w czasie, gdy Polsat zaczął się ubiegać o koncesję telewizyjną. W grudniu 1993 roku szefem UOP został Gromosław Czempiński, wieloletni funkcjonariusz wywiadu PRL. Jego koledzy z komunistycznej bezpieki stanowili trzon służb III RP. Henryk Bosak, do którego w latach 80. trafiały raporty ze sprawy „Zega", był na początku lat 90. prominentnym działaczem SLD, mającym doskonałe kontakty z kolegami, którzy zostali funkcjonariuszami „nowych" służb.

Dziś nie ma jednoznacznej odpowiedzi na pytanie, dlaczego zawartość teczki Zygmunta Solorza nie została opisana w notatkach do szefa Krajowej Rady Radiofonii i Telewizji. Wiele poszlak wskazuje na to, że doszło do rozgrywki pomiędzy częścią tajnych współpracowników a ich oficerami prowadzącymi z Zarządu II Sztabu Generalnego oraz Wojskowej Służby Wewnętrznej (większość z nich trafiła po 22 lipca 1991 roku do Wojskowych Służb Informacyjnych, które powstały w wyniku reorganizacji wojskowych służb specjalnych – Zarządu II Sztabu Generalnego oraz Wojskowej Służby Wewnętrznej). Ci, którzy chcieli mieć realne wpływy, „postawili" na Polsat, blokując jednocześnie

76

Z A T W I E R D Z A M

[podpis]

85. 06. 24.

Warszawa, 1985-06-*22*.

TAJNE SPECJALNEGO ~~ZNACZENIA~~ JAWNE

Egz. pojed.

Z-CA DYREKTORA DEPARTAMENTU I MSW

Tow. płk Bronisław Z Y C H

A N A L I Z A

rozpracowania operacyjnego nr rej. 15562 krypt. "Żeg".

I. Podstawa współpracy

　　　Do współpracy z naszą Służbą "Żeg" pozyskany został w październiku 1983 r. na zasadzie dobrowolności. Podczas rozmowy werbunkowej wykorzystano fakt prowadzenia przez "Żega" interesów handlowych z PRL i zagwarantowano mu nasze przychylne stanowisko w tej sprawie.

　　　Werbunek został ugruntowany spisaniem umowy o współpracy ze Służbą Wywiadu PRL oraz odebraniem informacji dot. kontaktów źródła z pracownikami RWE i *Polskiej Misji Katolickiej w Monachium*

II. Łączność

　　　Zgodnie z zaleceniami Kierownictwa Departamentu spotkania z "Żegiem" odbywają się na terenie kraju podczas każdorazowego przyjazdu źródła . W początkowym okresie współpracy "Żeg" dysponował miejskim numerem telefonu Departamentu I /28-13-24/ a obecnie posiada nr 458-50-25.

　　　Kontaktujący źródło oficer Oficer Centrali posiada też nr telefonu do warszawskiego przedstawicielstwa firmy "Żega".

78 z 91

Analiza z 22 czerwca 1985 roku rozpracowania operacyjnego
nr rej. 15562 krypt. „Żeg" (IPN BU 00221/6)

innym dostęp do koncesji i naziemnej telewizji, czego klasycznym przykładem jest PKH, gdzie Grzegorz Żemek nie miał żadnych szans w rozgrywce z Dariuszem Przywieczerskim, którego Universal był udziałowcem Polsatu, czy też z Piotrem Nurowskim, który – jak już wspominaliśmy – figuruje w Raporcie z weryfikacji WSI jako tajny współpracownik wywiadu wojskowego PRL o pseudonimie „Tur".

„Kurier Polski" i służby przeciw lustracji i Porozumieniu Centrum

Od roku 1957 organem prasowym koncesjonowanego Stronnictwa Demokratycznego był „Kurier Polski". Służba Bezpieczeństwa szczególnie kontrolowała tzw. stronnictwa sojusznicze, stąd nasycenie agenturą było tam większe od przeciętnej. W lipcu 1991 roku, na trzy miesiące przed wolnymi wyborami, to „Kurier" jako pierwszy rozpoczął akcję ujawniania rzekomej afery w spółce Telegraf, co stanowiło początek kampanii przeciwko Porozumieniu Centrum oraz Jarosławowi i Lechowi Kaczyńskim. Autorem zniesławiającej serii artykułów był Jacek Podgórski, jak się później okazało oficer UOP, pracujący na etacie niejawnym.

Podgórski rozpoczął swoją karierę od pracy w spółce Telegraf, założonej w 1990 roku, a następnie przeszedł do „Kuriera". Tutaj spotkał się z Aleksandrą Jakubowską, która właśnie w 1991 roku odeszła z TVP, manifestacyjnie zabierając torebkę na wizji ze studia „Wiadomości", protestując w ten sposób przeciwko zastąpieniu Andrzeja Drawicza (w dokumentach IPN zarejestrowanego jako TW „Kowalski", „Zbigniew") przez Mariana Terleckiego.

W „Kurierze Polskim" Jakubowska została szefem reporterów. Miała już za sobą dziesięcioletni staż w PZPR oraz doświadczenie dziennikarskie z pracy w „Sztandarze Młodych" (1977–1981), „Przyjaciółce" (1981–1987) i „Dzienniku Telewizyjnym", do którego została przyjęta w 1987 roku, gdy w Polsce ruszyła pieriestrojka.

Do kupna „Kuriera Polskiego" i budowy koncernu medialnego miał przekonać Solorza Piotr Nurowski. W 1992 roku spółka Solorza PAI-Media nabyła 85 udziałów w „Kurierze Polskim". W październiku nowy właściciel mianował prezesem zarządu spółki Andrzeja Majkowskiego, który w latach 1968–1972 zasiadał w radzie nadzorczej RSW „Prasa" i radzie programowej Radiofonii i Telewizji, a następnie do roku 1992 pracował w MSZ, m.in jako I sekretarz ambasady PRL w Moskwie. Majkowski był też członkiem Prezydium PKOl-u w czasie, gdy kierował nim Aleksander Kwaśniewski, nie dziwi więc, że w 2006 roku został on prezesem fundacji Kwaśniewskiego „Amicus Europae". Zanim jednak do tego doszło, Majkowski z „Kuriera" przeszedł na stanowisko podsekretarza stanu w kancelarii prezydenta Kwaśniewskiego i gdy w 1999 roku weszła w życie ustawa lustracyjna, w oświadczeniu lustracyjnym przyznał się do współpracy z tajnymi służbami wojska w PRL.

W „Kurierze Polskim" pracował także Andrzej Nierychło, który 11 sierpnia 1983 roku został współpracownikiem Zarządu II, a konkretnie Oddziału „X", czyli krajowego, w kategorii agent-adresówka o ps. „Sąsiad". Jego zadaniem było przyjmowanie korespondencji. Trzy lata później Nierychło awansował z sekretarza redakcji na redaktora naczelnego tygodnika „ITD", którym w latach 1981–1984 był także Aleksander Kwaśniewski.

W roku 1987 „Sąsiada" przeniesiono do Oddziału „P", czyli zamorskiego, i jego oficerem prowadzącym został kpt. Marek Dukaczewski. Prowadził on Nierychłę do roku 1996, gdyż „Sąsiad" kontynuował współpracę z „wojskówką" po połączeniu Zarządu II z WSW i utworzeniu WSI. Nierychło współpracował z WSI jako dziennikarz i komentator polityczny co najmniej do roku 1999. W „Kurierze Polskim" miał instalować dalszych „dziennikarzy" WSI i „opiekować się" nimi (np. Krzysztofem Krzyszychą ps. „Teron")[51]. Po odejściu z „Kuriera" Nierychło był wydawcą „Pulsu Biznesu" i innych stacji Polsatu.

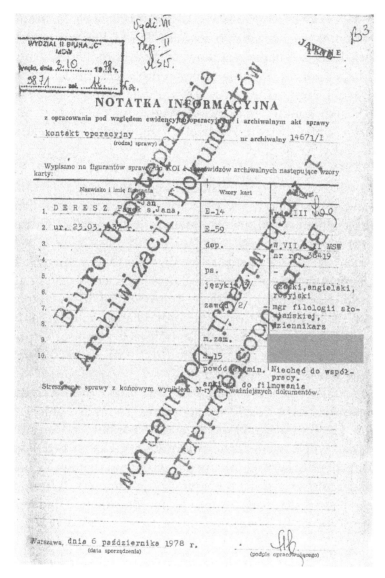

Notatka informacyjna z 6 października 1978 roku dotycząca
kontaktu operacyjnego Pawła Deresza (IPN BU 00191/27)

Od 1984 roku w „Kurierze Polskim" pracował na stanowisku zastępcy redaktora naczelnego również Paweł Deresz, mąż Jolanty Szymanek-Deresz, znany z ataków na zespół parlamentarny Antoniego Macierewicza. Według dokumentów SB przechowywanych w IPN Paweł Deresz został zarejestrowany 13 sierpnia 1973 roku pod nr 36419 jako kontakt operacyjny Wydziału VII Departamentu II MSW, czyli kontrwywiadu. Wydział VII zajmował się m.in. korespondentami prasy zachodniej i zachodnimi przedstawicielami handlowymi, a KO miał znajomego korespondenta z RFN. Deresz pracował wówczas także w „Kurierze Polskim". Wprawdzie jego wyeliminowanie z sieci SB nastąpiło już w 1978 roku, ale w roku 1988 Dereszem jako potencjalnym współpracownikiem zainteresował się Oddział „Y" Zarządu II[52].

Oddział „Y", czyli Agenturalny Wywiad Operacyjny Zarządu II Sztabu Generalnego, postanowił wykorzystać Deresza jako tzw. adresówkę, czyli potrzebował jego prywatnego adresu do wysyłania zakodowanych listów od agentów z Zachodu. Dlatego mjr Ryszard Barski postanowił pozyskać Deresza do współpracy i napisał odpowiedni wniosek do szefa Oddziału „Y" płk. Zdzisława Żyłowskiego, który propozycję Barskiego zatwierdził[53].

18 października 1989 roku, a więc już po powstaniu rządu Tadeusza Mazowieckiego, doszło do spotkania Deresza z mjr. Barskim. Następnie mjr Barski złożył meldunek ze spotkania z Dereszem.

Wywiad wojskowy jeszcze sprawdził, czy Deresz będzie przekazywał korespondencję w stanie nienaruszonym i dlatego 13 listopada 1989 roku „Zelt" wysłał list kontrolny ze śródmieścia Kolonii. Deresz przekazał list 18 listopada osobiście mjr Barskiemu. Badanie laboratoryjne stwierdziło, iż nie był on otwierany. Próba przeszła więc pomyślnie[54].

IPN BU 003179/375

"Z A T W I E R D Z A M"
SZEF ODDZIAŁU "V"

Płk dypl. Zdzisław ŻYŁOWSKI

TAJNE SPEC. ZNACZENIA
Egzemplarz pojed.

WNIOSEK O ZWERBOWANIE
kandydata na adresówkę ps. "REDAKTOR".

1.Dane personalne.

DERESZ Paweł, ur. 23.03.1937r.w Warszawie,
narodowość i obywatelstwo polskie,
wykształcenie wyższe - mgr filologii sło-
wiańskiej, dziennikarz, ppor.rez.;

. Z-ca redaktora naczel-
nego KURIERA POLSKIEGO (tel. 27-80-81 w.
80); aktywny członek PZPR;znajomość j.
obcych: czeski, rosyjski, słowacki-bdb,
angielski,niemiecki-dst.

2. Okoliczności wytypowania kandydata.

Kandydata znam z kontaktów osobistych od roku 1976. Dane
personalne niezbędne do wykonania sprawdzeń kartotekowych
uzyskałem z Biura Ewidencji Ludności oraz w wyniku przeglądu
akt paszportowych.
W trakcie spotkań towarzyskich uzyskałem bliższe dane dot.
rodziny kandydata, jego warunków życia i pracy, cech charakteru, kariery zawodowej i politycznej.

3.Dane uzyskane w toku rozpracowania.

Kandydat ukończył studia wyższe na Uniwersytecie
Jagiellońskim w roku 1964. W latach 1962-1967 pracował jako
dziennikarz Od roku 1967 do 1977 pracował na stanowisku
kierownika działu zagranicznego w redakcji Kuriera Polskiego.
W latach 1978-1982 delegowany był przez PA INTERPRESS
do Czechosłowacji gdzie był korespondentem tej agencji w

strona: 0046

Wniosek o zwerbowanie kandydata na adresówkę ps. „Redaktor"
(IPN BU 003179/375) (strona 1)

IPN BU 003179/375

- 2 -

Pradze i Budapeszcie.

Po powrocie w roku 1982 ponownie objął stanowisko kierownika działu zagranicznego KURIERA POLSKIEGO.

Od roku 1988 jest zastępcą redaktora naczelnego tego dziennika.

Kandydat jest członkiem PZPR od roku 1961. Pełnił szereg odpowiedzialnych funkcji partyjnych. M.in. :

- członek KZ PZPR przy PAP;
- II Sekretarz POP w KP;
- II Sekretarz POP w PA INTERPRESS;
- Sekretarz propagandy w Ambasadzie PRL w Pradze;
- I Sekretarz POP w Kurierze Polskim.

Za działalność zawodową i partyjną był wielokrotnie wyróżniany i odznaczany. M.in. w roku 1973 Srebrnym Krzyżem Zasługi a w roku 1984 Krzyżem Kawalerskim Orderu Odrodzenia Polski.

Kandydat posiada łatwość nawiązywania kontaktów i jest bezpośredni w stosunku do poznawanych ludzi. Nałogów nie posiada.Żonaty , jedno dziecko. Żona - Jolanta DERESZ-SZYMA-NEK ur 12.07.1954 z wykształcenia prawnik zatrudniona jest w jednym z Zespołów Adwokackich w Warszawie w charakterze adwokata.Córka Katarzyna - ur. 1978 uczęszcza do szkoły podstawowej.

4.Cel zwerbowania.

Celem pozyskania kandydata jest wykorzystanie go w charakterze adresówki krajowej. W chwili obecnej posiada on ku temi niezbędne możliwości wywiadowcze. Można również liczyć na jego pomoc w przypadku realizacji naszych zadań w miejscu pracy kandydata.

5.Przesłanki zwerbowania oraz sposób przeprowadzenia werbunku.

Proponuje się pozyskać kandydata na motywach patriotycznych. Po wyrażeniu zgody na współpracę zostanie mu przedstawiona do podpisania Deklaracja. Propozycja współpracy

strona: 0047

Wniosek o zwerbowanie kandydata na adresówkę ps. „Redaktor"
(IPN BU 003179/375) (strona 2)

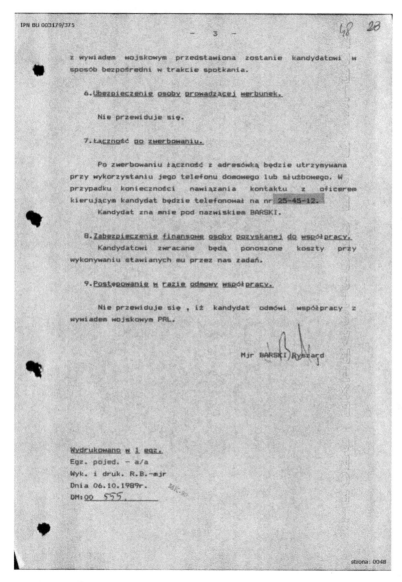

IPN BU 003179/375

− 3 −

z wywiadem wojskowym przedstawiona zostanie kandydatowi w sposób bezpośredni w trakcie spotkania.

6. Ubezpieczenie osoby prowadzącej werbunek.

Nie przewiduje się.

7. Łączność po zwerbowaniu.

Po zwerbowaniu łączność z adresówką będzie utrzymywana przy wykorzystaniu jego telefonu domowego lub służbowego. W przypadku konieczności nawiązania kontaktu z oficerem kierującym kandydat będzie telefonował na nr 25-45-12.
Kandydat zna mnie pod nazwiskiem BARSKI.

8. Zabezpieczenie finansowe osoby pozyskanej do współpracy.
Kandydatowi zwracane będą ponoszone koszty przy wykonywaniu stawianych mu przez nas zadań.

9. Postępowanie w razie odmowy współpracy.

Nie przewiduje się , iż kandydat odmówi współpracy z wywiadem wojskowym PRL.

Mjr BARSKI Ryszard

Wydrukowano w 1 egz.
Egz. pojed. − a/a
Wyk. i druk. R.B.−mjr
Dnia 06.10.1989r.
DM:00 555

strona: 0048

Wniosek o zwerbowanie kandydata na adresówkę ps. „Redaktor"
(IPN BU 003179/375) (strona 3)

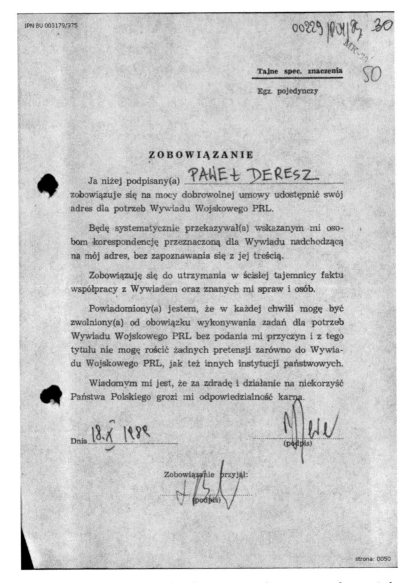

IPN BU 003179/375

00229 IPM/87 30

Tajne spec. znaczenia

Egz. pojedynczy

ZOBOWIĄZANIE

Ja niżej podpisany(a) **PAWEŁ DERESZ** zobowiązuje się na mocy dobrowolnej umowy udostępnić swój adres dla potrzeb Wywiadu Wojskowego PRL.

Będę systematycznie przekazywał(a) wskazanym mi osobom korespondencję przeznaczoną dla Wywiadu nadchodzącą na mój adres, bez zapoznawania się z jej treścią.

Zobowiązuję się do utrzymania w ścisłej tajemnicy faktu współpracy z Wywiadem oraz znanych mi spraw i osób.

Powiadomiony(a) jestem, że w każdej chwili mogę być zwolniony(a) od obowiązku wykonywania zadań dla potrzeb Wywiadu Wojskowego PRL bez podania mi przyczyn i z tego tytułu nie mogę rościć żadnych pretensji zarówno do Wywiadu Wojskowego PRL, jak też innych instytucji państwowych.

Wiadomym mi jest, że za zdradę i działanie na niekorzyść Państwa Polskiego grozi mi odpowiedzialność karna.

Dnia 18.X 1988

(podpis)

Zobowiązanie przyjął:

(podpis)

strona: 0050

Zobowiązanie Pawła Deresza do udostępnienia adresu na potrzeby wywiadu wojskowego PRL (IPN BU 003179/375)

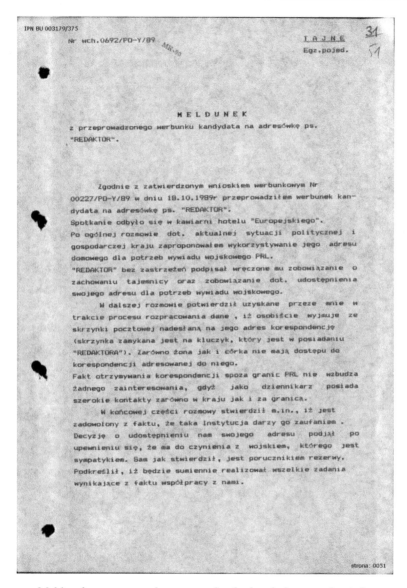

Nr wch.0692/PO-Y/89   T A J N E   31
                                                       Egz.pojed.   51

                        M E L D U N E K
    z przeprowadzonego werbunku kandydata na adresówkę ps.
    "REDAKTOR".

        Zgodnie z zatwierdzonym wnioskiem werbunkowym Nr
    00227/PO-Y/89 w dniu 18.10.1989r przeprowadziłem werbunek kan-
    dydata na adresówkę ps. "REDAKTOR".
    Spotkanie odbyło się w kawiarni hotelu "Europejskiego".
    Po ogólnej rozmowie dot. aktualnej sytuacji politycznej i
    gospodarczej kraju zaproponowałem wykorzystywanie jego adresu
    domowego dla potrzeb wywiadu wojskowego PRL.
    "REDAKTOR" bez zastrzeżeń podpisał wręczone mu zobowiązanie o
    zachowaniu tajemnicy oraz zobowiązanie dot. udostępnienia
    swojego adresu dla potrzeb wywiadu wojskowego.
        W dalszej rozmowie potwierdził uzyskane przeze mnie w
    trakcie procesu rozpracowania dane , iż osobiście wyjmuje ze
    skrzynki pocztowej nadesłaną na jego adres korespondencję
    (skrzynka zamykana jest na kluczyk, który jest w posiadaniu
    "REDAKTORA"). Zarówno żona jak i córka nie mają dostępu do
    korespondencji adresowanej do niego.
    Fakt otrzymywania korespondencji spoza granic PRL nie wzbudza
    żadnego zainteresowania, gdyż jako dziennikarz posiada
    szerokie kontakty zarówno w kraju jak i za granicą.
        W końcowej części rozmowy stwierdził m.in., iż jest
    zadowolony z faktu, że taka Instytucja darzy go zaufaniem .
    Decyzję o udostępnieniu nam swojego adresu podjął po
    upewnieniu się, że ma do czynienia z wojskiem, którego jest
    sympatykiem. Sam jak stwierdził, jest porucznikiem rezerwy.
    Podkreślił, iż będzie sumiennie realizował wszelkie zadania
    wynikające z faktu współpracy z nami.

                                                       strona: 0051

Meldunek z przeprowadzonego werbunku kandydata na adresówkę
ps. „Redaktor" (IPN BU 003179/375) (strona 1)

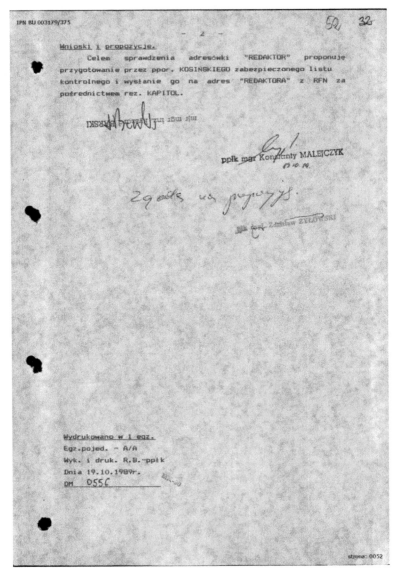

IPN BU 003179/375

- 2 -

Wnioski i propozycje.

Celem sprawdzenia adresówki "REDAKTOR" proponuję przygotowanie przez ppor. KOSIŃSKIEGO zabezpieczonego listu kontrolnego i wysłanie go na adres "REDAKTORA" z RFN za pośrednictwem rez. KAPITOL.

inż mgr inż. ...

ppłk mgr Konstanty MALEJCZYK
13.10.14.

Zgoda na propozycję.

mjr ... Zdzisław ŻYŁOWSKI

Wydrukowano w 1 egz.
Egz.pojed. - A/A
Wyk. i druk. R.B.-ppłk
Dnia 19.10.1989r.
DM 0556

strona: 0052

Meldunek z przeprowadzonego werbunku kandydata na adresówkę
ps. „Redaktor" (IPN BU 003179/375) (strona 2)

Nie dziwi zatem, że w 1992 roku „Kurier Polski" stał się medialnym orężem służb w walce przeciwko lustracji i Porozumieniu Centrum. Główną rolę odgrywał tu Jacek Podgórski, który był członkiem tzw. zespołu Lesiaka, czyli Zespołu Inspekcyjno-Operacyjnego, podporządkowanego bezpośrednio szefowi UOP. Zespół miał „osłaniać" UOP z zewnątrz, a zajmował się utrzymywaniem kontaktów z dziennikarzami oraz od roku 1992 prowadził akcję dezintegrowania prawicy, przede wszystkim Porozumienia Centrum, i zwalczania braci Kaczyńskich.

W ramach Zespołu grupą, która prowadziła akcję propagandową w mediach przeciwko lustracji i dekomunizacji, kierował Jacek Podgórski. Później, w 1993 roku, powrócił on do oficjalnej pracy w UOP, a następnie znów został „dziennikarzem" „Życia Warszawy", „Super Expressu" oraz tygodników „Cash" i „Fakty", przez cały ten czas pracując jednak i dla zespołu Lesiaka[55].

Już w 1992 roku Podgórski wydał z Jakubowską książkę poświęconą służbom specjalnym[56] i kiedy w 2003 roku Jakubowska została szefem gabinetu politycznego Leszka Millera, były „dziennikarz" UOP został doradcą premiera. Podgórski został wówczas oskarżony przez „Gazetę Wyborczą" o kierowanie prowokacją przeciwko Tomaszowi Nałęczowi. Miał dzwonić do mediów, by przekazać sensacyjną wiadomość jakoby żona przewodniczącego Sejmowej Komisji Śledczej ds. afery Rywina Tomasza Nałęcza była współautorką rządowego projektu noweli ustawy o RTV[57]. „Gazeta Wyborcza" z sympatią pisała o Aleksandrze Kwaśniewskim, z którym rywalizował o rzeczywistą władzę premier Miller.

Solorz wydawał „Kurier Polski" do roku 1999.

Partia przyjaciół Solorza

Ta nazwa funkcjonowała w mediach od 1997 roku.

Od początku działalności na rynku mediów Zygmunt Solorz starał się przekonywać opinię publiczną, że Polsat jest apolityczny. W jego otoczeniu już wtedy można było znaleźć z jednej strony wysoko postawionych ludzi dawnego aparatu komunistycznego, np. Piotra Nurowskiego, z drugiej zaś działacza Porozumienia Centrum Tadeusza Kowalczyka czy Ryszarda Czarneckiego, lidera ZChN. Po nieprzychylnych ocenach, jakie Polsatowi wystawili biskupi, Ryszard Czarnecki zrezygnował z kierowania redakcją katolicką, która wkrótce zakończyła swój żywot. Pierwszym dyrektorem stacji został Wiesław Walendziak, który angażował do pracy w Polsacie osoby ze środowiska kojarzonego z konserwatywno-liberalną prawicą, m.in. Jarosława Sellina. Kiedy jednak Polsat dostał koncesję, jego szefowie okazywali względy raczej rządzącej wtedy koalicji SLD-PSL. Sygnały o tym, że Solorz stawia zdecydowanie także na polityków AWS, pojawiły się wczesną wiosną 1997 roku. W marcu działacz AWS Andrzej Anusz występujący, jak to określił Marian Krzaklewski, jako «polityk działający na własną rękę», obwieścił, że jeden z polskich biznesmenów gotów jest kupić Stocznię Gdańską. Informacje te potwierdził członek Koła Nowa Polska, Tadeusz Kowalczyk[58].

Ten poseł z „partii Solorza" należał do najbardziej kontrowersyjnych polityków polskiego parlamentu. Deklarujący prawicowe przekonania Kowalczyk zakładał Porozumienie Centrum w dawnym województwie radomskim – z listy POC pełnił funkcję posła I kadencji. W trakcie kadencji opuścił PC, a w 1993 roku uzyskał mandat poselski na Sejm II kadencji z ramienia Bezpartyjnego Bloku Wspierania Reform. Po rozpadzie BBWR współtworzył Partię Republikanie. Później należał do Nowej Polski i Federacyjnego Klubu Parlamentarnego na rzecz AWS. 9 lipca 1997 roku około godz. 14.00 w Pachnowoli na trasie Radom-Puławy prowadząc lancię thema zderzył się czołowo z lancią coupé, którą prowadził Mariusz S. W wypadku została ciężko ranna żona Tadeusza Kowalczyka Alicja. Po wypadku okazało się, że samochód, którym jechało małżeństwo Kowalczyków, należał do Polsatu, gdzie pracowała żona posła. O nieumyślne spowodowanie śmiertelnego wypadku został oskarżony Mariusz S.

Z Zygmuntem Solorzem już na początku lat 90. związał się Krzysztof Turkowski – opozycjonista, współpracownik KOR, SKS we

Wrocławiu i NOWej, w sierpniu 1980 roku współorganizator strajków we Wrocławiu, wiceprzewodniczący Komitetu Założycielskiego NSZZ „Solidarność" Dolny Śląsk, a następnie rzecznik Zarządu Regionu NSZZ „Solidarność" Dolny Śląsk, delegat na I zjazd „Solidarności" w Gdańsku w 1981 roku.

Blisko piętnaście lat później, 22 lutego 1995 roku, Krzysztof Turkowski został prezesem PAI-Filmu, a dwa lata później był już doradcą prezesa TV Polsat, czyli Zygmunta Solorza.

> [...] Tuż po wyborach [1997 roku – *aut.*] pojawiły się prasowe spekulacje o wsparciu, jakiego udzielać miał Solorz lub związane z nim firmy poszczególnym parlamentarzystom. [...] W Sejmie karierę robiły określenia «lista Solorza» czy «Polska Zjednoczona Partia Solorza». Jako politycy związani z Solorzem wymieniani byli przede wszystkim posłowie AWS ze stowarzyszenia Nowa Polska założonego przez Andrzeja Anusza: Piotr Wójcik, Joanna Fabisiak, Tomasz Wełnicki. [...] Za człowieka blisko związanego z Solorzem uważany jest Marek Markiewicz. Rychło pojawił się na antenie Polsatu, gdzie przez ponad półtora roku prowadził program «Sztuka informacji»[59].

„Po odejściu z Rady [Krajowa Rada Radiofonii i Telewizji – aut.] nikt nie interesował się, co się dzieje ze mną i z Maciejem Iłowieckim. Jedną z nielicznych osób, które zadzwoniły, był Solorz" – mówi Markiewicz[60].

Markiewicz opowiada, że projekt programu został wcześniej odrzucony przez telewizję publiczną jako „nieinteresujący". Zygmunt Solorz zdecydował się na jego emitowanie.

> Solorz spotyka się z najbardziej prominentnymi postaciami polskiej sceny politycznej. Często ma to miejsce na oficjalnych imprezach, gdzie obecność szefa największej prywatnej telewizji łatwo zrozumieć. Zaliczyć można do nich ostatnią rocznicę Polsatu, na której obecni byli liczni przedstawiciele rządu z premierem Jerzym Buzkiem, czy odbywającą się cztery lata wcześniej z obecnością ówczesnego ministra sprawiedliwości Włodzimierza Cimoszewicza, który

bal zapamiętał zapewne na długo, bo skradziono mu w czasie imprezy służbowego mercedesa. Solorz spotyka się jednak z politykami również na prywatnych imprezach[61].

W lutym 2001 roku szefem Agencji Informacyjnej Polsat został Dariusz Szymczycha, były członek PZPR, rzecznik sztabu wyborczego Aleksandra Kwaśniewskiego podczas wyborów prezydenckich w 2000 roku. Szymczycha z Polsatu odszedł wprost do polityki – w 2002 roku został sekretarzem stanu w Kancelarii Prezydenta RP. W należących do Solorza firmach zatrudnienie znalazł także Krzysztof Bondaryk, który w 1999 roku odszedł z hukiem ze stanowiska wiceministra spraw wewnętrznych i administracji. Według nieoficjalnych informacji przyczyną dymisji było tworzenie Krajowego Centrum Informacji Kryminalnej, w którym miano gromadzić informacje z archiwów peerelowskiej milicji, mogące kompromitować polityków. Po odejściu z MSWiA pomocną dłoń Bondarykowi podał Zygmunt Solorz, zatrudniając go m.in. w telefonii komórkowej Era. W związku z jego pracą wybuchła afera, która zaowocowała prokuratorskim śledztwem.

[...] na przełomie lutego i marca 2005 r. Bondaryk, który właśnie rozpoczął pracę w Erze, miał się dopominać od Władysława Nai – pełnomocnika do spraw informacji niejawnych – informacji o zainteresowaniach służb specjalnych abonentami sieci komórkowej Era GSM. Bondaryk nie miał wówczas ważnego poświadczenia bezpieczeństwa osobistego umożliwiającego dostęp do informacji niejawnych. Sam zeznał, że otrzymał je dopiero w kwietniu 2005 roku. Podczas konfrontacji w prokuraturze z Nają utrzymywał jednak, że informacjami niejawnymi zaczął się interesować dopiero po otrzymaniu poświadczenia bezpieczeństwa. Według Nai, Bondaryk wypytywał go, czym interesowały się służby specjalne, a szczególnie, czy były zainteresowane osobą właściciela Polsatu Zygmunta Solorza. W tej sprawie Bondaryk zeznawał w towarzystwie adwokata. Zasłaniał się brakiem pamięci. «Nie pamiętam, żebym pytał p. Naja o kierunki zainteresowań uprawnionych organów ścigania wynikających z nadsyłanych przez nie zapytań. Nie pamiętam, żebym pytał go również o to, czy ktoś, i do jakich spraw, interesuje się osobą p. Zygmunta Solorza, właściciela Polsatu»

– czytamy w protokole zeznań. Zygmunt Solorz został przesłuchany w tej sprawie 12 lipca 2007 roku. Przyznał, że zna Krzysztofa Bondaryka, który dla niego pracował.

«Nikogo nie prosiłem, by sprawdził, czy ktoś zbiera na mnie materiały. Ja nie mam nic do ukrycia. Nie interesują mnie sprawy związane z polityką» – zeznał Solorz. [...] Krzysztof Bondaryk przejął władzę w ABW wkrótce po wygranych przez Platformę wyborach jesienią 2007 roku. Początkowo był jedynie pełniącym obowiązki szefa. Formalnie jako nowy szef Agencji rozpoczął urzędowanie 16 stycznia 2008 roku. Dwa tygodnie później prokuratura umorzyła śledztwo w sprawie wycieku z Ery «wobec braku ustawowych znamion czynu zabronionego»[62].

Wiele faktów związanych z funkcjonowaniem Polsatu wyszło na jaw podczas afery Rywina, która zaczęła się od korupcyjnej propozycji, jaką w lipcu 2002 roku złożył kierownictwu spółki Agora (wydawcy „Gazety Wyborczej") znany producent filmowy Lew Rywin – według dokumentów IPN w latach 1982–1986 zarejestrowany przez Departament II MSW jako tajny współpracownik o pseudonimie „Eden"[63]. Jego zadaniem było wówczas m.in. donoszenie na pracowników amerykańskich stacji telewizyjnych, którzy relacjonowali wizytę papieża w Polsce.

Propozycja padła w kontekście projektu nowej ustawy o radiofonii i telewizji opracowywanej przez rząd Millera, a ściślej zawartego w nim przepisu antykoncentracyjnego, zabraniającego firmie posiadającej ogólnopolski dziennik posiadania stacji telewizyjnej. W praktyce ten ogólny przepis dotyczył głównie «Agory», która nie ukrywała, że jest zainteresowana kupnem udziałów w telewizji «Polsat», a jej przedstawiciele wiosną 2002 r. prowadzili w kręgach rządowych aktywny lobbing na rzecz nadania ustawie pożądanego przez nich kształtu. W czerwcu 2002 r., po spotkaniu Millera z przedstawicielami prywatnych mediów, wydawało się, że premier – pod silnym naciskiem środowiska «Gazety Wyborczej» – podjął decyzję o wycofaniu się rządu z antykoncentracyjnych zapisów. Później jednak okazało się, że w projekcie, który miał być przedmiotem obrad rządu, znów znalazł się wymierzony w «Agorę» kluczowy zwrot «lub czasopisma». Tymczasem Rywin, najpierw w rozmowie z prezes «Agory"» Wandą Rapaczyńską, a następnie podczas spotkania z Adamem Michnikiem 22 lipca, sformułował propozycję nadania ustawie takiego kształtu, który pozwoliłby «Agorze» na kupno «Polsatu». W zamian, występując w imieniu anonimowej, ale mającej wedle niego poparcie premiera «grupy trzymającej władzę», domagał się 17,5 mln dolarów dla swoich mocodawców, dla siebie stanowiska prezesa «Polsatu», a dla Leszka Millera życzliwości ze strony «Gazety Wyborczej»[64].

Sprawa zakończyła się ogromnym skandalem, upadkiem potęgi „GW" i powołaniem komisji śledczej.

Kolejnym wstrząsem, który osłabił Polsat, było ogłoszenie Raportu z weryfikacji WSI oraz informacje dotyczące znajdujących się w IPN dokumentów na temat Zygmunta Solorza. Te wstrząsy mocno nadwyrężyły wizerunek Polsatu, ale nadal jest on jednym z głównych graczy na multipleksowym polskim rynku telewizyjnym.

PRZYPISY

[1] Relacja Marka Markiewicza przytoczona w rozmowie z Dorotą Kanią, Warszawa, 25 września 2013.

[2] Jerzy Maślankiewicz ukończył Studium Podyplomowe w OKKW MSW (25.08.1978– –13.07.1979). Już po dojściu do władzy Michaiła Gorbaczowa został oddelegowany służbowo na pięciomiesięczne przeszkolenie w Wyższej Szkole KGB w ZSRS (30.08.1985), IPN BU 003088/126 (21885/V). Z dniem 1 maja 1989 r., a więc tuż przed czerwcowymi wyborami kontraktowymi, skierowano go do pracy w Agencji ds. Inwestycji Zagranicznych na etacie niejawnym w charakterze dyrektora Biura Analiz i Wniosków Inwestycyjnych, IPN BU 003088/126, k. 205.

³ *Przychodzi Rywin do Michnika – pełna wersja. Zapis rozmowy*, „Rzeczpospolita", 18 stycznia 2003.

⁴ E. Koj, *Zarząd II Sztabu Generalnego WP (Schemat funkcjonowania w latach 1981– –1990)*, „Biuletyn Informacyjny Instytutu Pamięci Narodowej" 2007, nr 12 (83), s. 81–82.

⁵ Ibidem, s. 83.

⁶ Raport z weryfikacji WSI, Aneks nr 3, http://www.raport-wsi.info/TVP.html (dostęp: 30 września 2013).

⁷ *Sylwetki agentów WSI w mediach*, „Dziennik", 29 stycznia 2007; J. Murawski, *Nurowski: współpracowałem*, „Rzeczpospolita", 23 grudnia 2006.

⁸ Raport z weryfikacji WSI, s. 91, http://www.raport-wsi.info/TVP.html (dostęp: 30 września 2013).

⁹ Ibidem.

¹⁰ *Sylwetki agentów WSI w mediach*.

¹¹ T. Święchowicz, *Pod słońcem Polsatu*, Wydawnictwo Akwilon Bogusław Kiernicki, Poznań 2000, s. 22.

¹² Ibidem, s. 25.

¹³ J. Murawski, *Piotr Drugi*, „Press", 15 listopada 2003, nr 94.

¹⁴ Raport z weryfikacji WSI, s. 341, http://www.raport-wsi.info/TVP.html (dostęp: 30 września 2013).

¹⁵ Dz. U. z 1993 r., nr 7, poz. 34.

¹⁶ Wypis z kartoteki odtworzeniowej Biura „C" MSW; wypis z karty Dziennika Rejestracyjnego SUSW; wypis z karty Dziennika Rejestracyjnego MSW; wypis z bazy protokołów brakowania Departamentu I; kserokopia karty z kartoteki paszportowej Biura Paszportów MSW; kserokopia karty z kartoteki paszportowej SUSW; sygnatura zniszczenia akt sprawy czynnej „Jarex" 15.01 1990 – Zbigniew Niemczycki, IPN BU 017 46/4.

¹⁷ D. Kania, M. Marosz, *Grupa trzymająca pieniądze*, „Gazeta Polska", 11 września 2013, nr 37.

¹⁸ Krajowy Rejestr Sądowy RHB 24864.

¹⁹ IPN BU PF1054/37179.

²⁰ Protokół posiedzenia KRRiTV z 2 marca 1994 r., s. 8.

²¹ Andrzej Majkowski, IPN BU 00335/160.

²² Jerzy Ćwiek, IPN BU 0604/1919 t. 1–2 (24225/V: służba w MO (14.12.1954– –30.06.1974), zastępca komendanta/komendant KGMO w Warszawie (1.07.1974– –4.02.1990), na etacie niejawnym – pełnił funkcję prezesa Głównego Urzędu Ceł (15.08.1985–4.02.1990). Delegowany służbowo: do ZSRS (5.04.1983–8.04.1983 oraz 28.08.1983–2.09.1983), na Kubę (3.01.1984–9.01.1984).

²³ Rozmowa Marka Markiewicza z Dorotą Kanią, wrzesień 2013.

²⁴ A. Wielopolska, R. Bubnicki, *Zarzuty podtrzymujemy*, „Rzeczpospolita", 1 marca 1995, por. *Skąd przybywa Zygmunt Solorz*, „Rzeczpospolita", 25 luty 1994; *Cztery nazwiska, osiem paszportów*, „Rzeczpospolita", 19–20 marca 1994.

[25] A. Wielopolska, J. Ordyński, *Solorz karany za przemyt*, „Rzeczpospolita", 5 lipca 1995.

[26] Fundusz Obsługi Zadłużenia Zagranicznego (FOZZ) – fundusz powołany na mocy ustawy z 15 lutego 1989 r. przez Sejm PRL IX kadencji jako jeden z państwowych funduszy celowych, którego oficjalnym zadaniem była spłata polskiego zadłużenia zagranicznego oraz gromadzenie i gospodarowanie środkami finansowymi przeznaczonymi na ten cel. Rzeczywistym zadaniem funduszu było skupowanie na wtórnym rynku zagranicznych długów PRL po znacznie obniżonych cenach, wynikających z niskich notowań długu. Dyrektorem generalnym FOZZ został Grzegorz Żemek, zaś jego zastępcami Janina Chim i Marek Gadomski. Głównym celem FOZZ było obniżenie wielkości długu wobec zagranicznych wierzycieli, którzy *de facto* zgadzali się na utratę dużej części swoich wierzytelności w zamian za szybkie odzyskanie na wtórnym rynku ich stosunkowo niewielkiej części. Wykup długów odbywał się przez „podstawione", często stworzone w tym celu spółki. Operacja ta była niezgodna z obowiązującym prawem międzynarodowym, stąd też przeprowadzana była w tajemnicy. Działalność Funduszu doprowadziła do jednej z największych w historii III RP defraudacji środków publicznych oraz kilkunastoletniego procesu sądowego i niewiele brakowało, by sprawa się przedawniła. 29 marca 2005 r. sędzia Andrzej Kryże wydał wyrok skazujący oskarżonych na kary więzienia i grzywny. Był on nieprawomocny – został częściowo zmieniony przez prawomocne orzeczenie sądu drugiej instancji, które zapadło dnia 25 stycznia 2006 r. Kasacje od tego orzeczenia do Sądu Najwyższego złożyli prokurator i obrońcy skazanych. W dniu 21 lutego 2007 r. Sąd Najwyższy w Izbie Karnej rozpoznał kasacje obrońców skazanych i kasację prokuratora od wyroku Sądu Apelacyjnego w Warszawie z dnia 25 stycznia 2006 r. zmieniającego wyrok Sądu Okręgowego w Warszawie z dnia 29 marca 2005 r. Sąd Najwyższy wyrokiem uchylił zaskarżony wyrok w części III. 2 (dotyczącej umorzenia postępowania) i w tym zakresie przekazał sprawę do ponownego rozpoznania Sądowi Apelacyjnemu w Warszawie w postępowaniu odwoławczym oraz oddalił wszystkie kasacje obrońców skazanych (sygnatura II KK 261/06). Ostatecznie w aferze FOZZ skazano: Grzegorza Żemka (9 lat pozbawienia wolności – za defraudację publicznego mienia), Janinę Chim (6 lat pozbawienia wolności), Zbigniewa Olawę, Irene Ebbinghaus i Krzysztofa Komornickiego. Jeden z głównych oskarżonych w procesie, Dariusz Przywieczerski, wyjechał do USA wkrótce po rozpoczęciu śledztwa i został skazany zaocznie na 2,5 roku więzienia. FOZZ funkcjonuje wciąż jako instytucja „w likwidacji", a utrzymanie biura likwidacyjnego kosztuje ok. 1 mln zł rocznie. 1 lutego 2012 r. minister finansów Jan Vincent Rostowski powołał Martę Maciążek na nowego likwidatora FOZZ.

[27] Odpowiedź właściciela Polsatu z 15 maja 2003 roku zamieszczona na łamach „Rzeczpospolitej" w związku z artykułem *Lawiny sensacji ciąg dalszy* z 6 maja 2003 r.

[28] Dariusz T. Przywieczerski był zarejestrowany przez Wydział I Departamentu II MSW (czyli działania wywiadowcze przeciwko RFN) w latach 1987–1989, czyli w okresie transformacji, gdy był dyrektorem CHZ Universal, A. Chmielecki, *Centrale*

businessu PRL, „Bibuła – pismo niezależne", 24 listopada 2011, http://www.bibula. com/?p=47463 (dostęp: 28 sierpnia 2013).

[29] A. Marszałek, A. Wielopolska, *Kto kupił Polonię 1*, „Rzeczpospolita", 8 września 1994. Jerzy Napiórkowski był wiceministrem finansów w latach 1986–1990.

[30] V. Krasnowska, *Rezydent „Pruszkowa"*, „Wprost" 2001, nr 20.

[31] L. Kraskowski, A. Marszałek, *Co minister Ziobro zaniósł prezesowi Kaczyńskiemu*, „Dziennik", 7 lipca 2008.

[32] T. Święchowicz, op. cit., s. 65.

[33] krzem, „Gazeta Stołeczna" nr 193, dodatek do „Gazety Wyborczej", 20 sierpnia 1994.

[34] „Rzeczpospolita", 25 sierpnia 1994.

[35] T. Święchowicz, op. cit., s. 67.

[36] Rudolf Skowroński, IPN BU 01746/4.

[37] Grzegorz Żemek deklarację o współpracy z Zarządem II Sztabu Generalnego podpisał 14 marca 1972 r. Pracownik ambasady PRL w Belgii i dyrektor pionu kredytowego spółki zależnej Banku Handlowego w Luksemburgu – Banku Handlowego Internationale (1983–1988), jeden z najbardziej zaufanych współpracowników Oddziału „Y" o ps. „Dik", Teczka pracy „DIK", IPN BU Z/001257/505, 00704/16; S. Cenckiewicz, *Długie ramię Moskwy*, Warszawa 2011, s. 345. W procesie FOZZ Grzegorz Żemek został skazany na 9 lat więzienia i 720 tys. zł grzywny.

[38] PKH założyły trzy spółki: wspomniana FMT, Ralco z Grodziska Wielkopolskiego, które wycofało się w tym samym czasie, co FMT, i spółka Skowrońskiego Inter Commerce for Shops. Pierwotnie każda posiadała 667 akcji imiennych serii A. Kapitał założycielski wyniósł w przeliczeniu na dolary 200 tys.

[39] S. Cenckiewicz, *FOZZ – matka afer i korupcji*, „Nowe Państwo – Niezależna Gazeta Polska" 2012, nr 9.

[40] IPN BU 001134/3085, mf 19209/1.

[41] Według dokumentów znajdujących się w IPN ojciec Aleksandra Pocieja – Władysław – został zarejestrowany jako KO „Lucky" w roku 1947, a jego kontakty ze służbami PRL są udokumentowane aż do końca lat 80., IPN BU 001043/1381.

[42] http://www.encyklopedia-solidarnosci.pl/wiki/index.php?title=Jacek_Merkel

[43] Artykuły J. Łęskiego i R. Kasprówa w dzienniku „Życie": *W sieci Gawriłowa*, 11–12 lutego 1997; *Samba Gawriłowa*, 13 lutego 1997; *Rosyjski cień nad Polską*, 17 lutego 1997; *Policja Gawriłowa*, 19 lutego 1997; (wraz z A. Kacperską) *Koncesja Gawriłowa*, 19 lutego 1997; *Krętactwa niemieckiej firmy Gawriłowa*, 22–23 lutego 1997; *Wspomnienie: Herman Schmidtendorf*, 24 lutego 1997; *Za pieniądze z Moskwy*, 25 lutego 1997; *Biesiadnicy Gawriłowa*, 25 lutego 1997; *Pożegnanie z Belize*, 1–2 marca 1997; (wraz z R. Kiedrzyńskim) *Ucieczka od Gawriłowa*, 10 marca 1997.

[44] *Siemiątkowski podaje nazwiska*, „Gazeta Wyborcza", 21 lutego 1997, s. 1.

[45] Zbigniew Grycan, IPN BU 001102/4/D.

[46] M. Marosz, *Jak Zbyszek kręcił lody*, „Gazeta Polska", 27 maja 2009.

[47] Beata Tyszkiewicz, IPN BU 01434/394/k.

[48] Doniesienie TW „Postępowy" z dn. 13 maja 1968, IPN BU 01283/1430.

[49] IPN BU 00221/6.

[50] Ibidem.

[51] Andrzej Nierychło, IPN BU 003179/623; „Misja specjalna", TVP 1, 30 listopada 2006; Raport z weryfikacji WSI, s. 91, 96, 271, 341, http://www.raport-wsi.info/TVP.html (dostęp: 30 września 2013); M. Argus, *Paweł Deresz – w uścisku tajnych służb*, Niezalezna.pl, 3 lutego 2011, http://niezalezna.pl/5276-pawel-deresz-w-uscisku-tajnych-sluzb (dostęp: 29 września 2013).

[52] IPN BU 00191/27; IPN BU 001043/1848.

[53] Zeszyt kandydata na adresówkę „Redaktor", IPN BU 003179/375.

[54] Ibidem.

[55] L. Zalewska, *Druga twarz doradcy premiera. Dziennikarz czy funkcjonariusz służb specjalnych?*, „Rzeczpospolita", 19 września 2003.

[56] Ibidem.

[57] A. Kublik, *Kto dzwonił do mediów?*, „Gazeta Wyborcza", 17 września 2003.

[58] J. Łęski, R. Kasprów, *Partia Solorza*, „Rzeczpospolita", 28 października 1998.

[59] Ibidem.

[60] Rozmowa Marka Markiewicza z Dorotą Kanią, wrzesień 2013.

[61] J. Łęski, R. Kasprów, *Partia Solorza*, „Rzeczpospolita", 28 października 1998..

[62] C. Gmyz, *Czego Bondaryk szukał w Erze*, „Rzeczpospolita", 16 czerwca 2009.

[63] IPN BU 00200/253, IPN BU 001052/909.

[64] A. Dudek, *Historia polityczna Polski 1989–2012*, Kraków 2013, s. 487–488.

Rozdział 6

„TRÓJKA" – WENTYL BEZPIECZEŃSTWA

12 grudnia 1991. Czwartek, wczesny wieczór. Za kilkanaście godzin rozpocznie się dziesiąta, okrągła rocznica wprowadzenia stanu wojennego. W siedzibie Programu III Polskiego Radia przy ul. Myśliwieckiej w Warszawie w programie „Zapraszamy do Trójki" właśnie dobiega końca rozmowa na ten temat. Prowadzi ją Monika Olejnik, a jej gośćmi są: Jerzy Urban, rzecznik junty Wojciecha Jaruzelskiego, i Adam Michnik, redaktor naczelny „Gazety Wyborczej". Przed siedzibą radia czekają z kamerą Jacek Kurski i Piotr Semka – dziennikarze programu „Reflex" TVP 1. Pierwszy wychodzi Adam Michnik, który widząc kamerę i pytających go dziennikarzy, przebiega na drugą stronę ulicy i znika w ciemności. Za chwilę wychodzi Jerzy Urban z Moniką Olejnik i wsiadają do czekającego na Urbana samochodu. Kilkanaście metrów dalej samochód się zatrzymuje, z ciemności wyłania się Adam Michnik i dosiada się do towarzystwa. Samochód odjeżdża[1].

[...] Program był wówczas szokiem, bo stopień fraternizacji Michnika z Urbanem nie był jeszcze powszechnie znany. Uparta sejmowa plotka głosiła potem, że cała trójka udawała się na imieniny do Aleksandra Kwaśniewskiego – istotnie 12 grudnia imieniny obchodzi właśnie Aleksander. Sama Monika Olejnik w jednej z wypowiedzi prasowych kilka lat temu orzekła, że odwieziono ją wtedy jedynie do domu. Dodała, że kto będzie twierdził, iż pojechała wówczas do

Kwaśniewskiego, będzie przez nią ścigany sądownie. Godna uwagi determinacja[2].

Program z udziałem Michnika i Urbana w radiowej „Trójce" nie był zaskoczeniem – od lat stacja była nieformalnie nazywana „wentylem Bezpieczeństwa", głównie z powodu osób tam pracujących.

Program III ma najkrótszy żywot ze wszystkich programów rozgłośni Polskiego Radia, ale jego oddziaływanie na życie publiczne miało największe znaczenie. Podobnie jak i ludzie, którzy po wprowadzeniu stanu wojennego trafili do „Trójki". Stacja stała się kuźnią kadr mediów III RP.

Włodzimierz Sokorski, PRL-owski minister kultury i przewodniczący Komitetu ds. Radia i Telewizji, twierdził, że pomysłodawcą „Trójki" był Stanisław Stampf'l, współautor słuchowiska „Matysiakowie"[3].

Niewykluczone, że Stampf'l rzucił pomysł stworzenia nowego programu, ale nad koncepcją „Trójki" i przekonaniem do tego pomysłu Władysława Gomułki, ówczesnego I sekretarza KC PZPR, pracowali Włodzimierz Sokorski oraz Jan Mietkowski[4]. Obydwaj znali się doskonale z Gomułką, który traktował ich jako swoich zaufanych ludzi, o czym świadczą funkcje, które im powierzał. Sokorski w momencie tworzenia Programu III Polskiego Radia był przewodniczącym Komitetu ds. Radia i Telewizji, natomiast Mietkowski – działu publicystyczno-kulturalnego Polskiego Radia.

Radio w Resorcie Informacji i Propagandy

Gomułka i Sokorski przed wojną byli członkami Komunistycznej Partii Polski. Włodzimierz Sokorski na początku lat 40. ubiegłego stulecia był m.in. członkiem kolegium redakcyjnego propagandowego pisma „Wolna Polska" w Moskwie, w roku 1943 został zastępcą dowódcy ds. polityczno-wychowawczych 1. Dywizji Piechoty im. T. Kościuszki, a później 1. Korpusu Polskiego w ZSRS. Jako członek Zarządu Głównego Związku Patriotów Polskich w Moskwie popierał sowiecką dominację w Polsce, do której przybył razem z Sowietami[5].

Sokorski, podobnie jak inni komuniści z ZPP, znał doskonale rolę propagandy i mediów. Dlatego jeszcze w Moskwie Związek powołał Polską Agencję Prasową Polpress, a po zdobyciu Lublina komuniści z ZPP i PPR-u zaczęli tworzyć media – najpierw zajęli się prasą, a niedługo później radiem. Jedną z pierwszych powołanych przez nich do życia instytucji był Resort Informacji i Propagandy, który powstał 7 września 1944 roku na mocy dekretu Polskiego Komitetu Wyzwolenia Narodowego i w którego powołaniu uczestniczyli komuniści z ZPP. Resort miał swoje struktury terenowe zarówno wojewódzkie jak i powiatowe[6]. Z kolei 22 listopada 1944 roku utworzono Przedsiębiorstwo Państwowe „Polskie Radio", a majątek przeznaczony na jego działalność wyodrębniono z ogólnego majątku Skarbu Państwa. Polskie Radio podlegało pod Wydział Radiowy Resortu Informacji i Propagandy[7].

W nowo utworzonym Polskim Radiu w Lublinie rozpoczął pracę Jan Mietkowski, już wówczas członek PPR. W roku 1944 był dziennikarzem, a w kilka miesięcy później, w 1945 roku, został kierownikiem wydziału informacji Polskiego Radia. Po przeniesieniu siedziby Polskiego Radia do Warszawy był zastępcą kierownika działu literackiego, a po powrocie Gomułki do władzy został kierownikiem działu. publicystyczno-kulturalnego Polskiego Radia.

Audycje testowe Programu III Polskiego Radia pojawiły się w eterze 1 marca 1958 roku, natomiast regularne nadawanie „Trójka" rozpoczęła 1 kwietnia 1962 roku. Program miał być adresowany do młodych ludzi i miał zastąpić niezwykle popularne na przełomie lat 50. i 60. XX wieku audycje Radia Luxembourg – kultową stację radiową, lansującą modę muzyczną wśród europejskich nastolatków. Pod pozorem „nowoczesności" i otwarcia się na nowe nurty muzyczne ówczesna władza nie zamierzała jednak rezygnować z sączenia propagandy, oddziaływania ideologicznego oraz indoktrynowania młodego pokolenia.

Pierwszym redaktorem naczelnym „Trójki" (1962) został Edward Fiszer, jeden z pomysłodawców powstania Programu. Jego kariera rozpoczęła się jeszcze przed II wojną światową, gdy będąc studentem na Uniwersytecie Poznańskim (studiował prawo i filologię polską) publikował w poznańskich gazetach wiersze satyryczne. Po przegranej kampanii wrześniowej, podczas której walczył w 70. Pułku Piechoty, Fiszer dostał się do niewoli. Przebywał m.in. w obozie jenieckim w Dobiegniewie, gdzie powstała grupa literacka Zaułek Poetów – Fiszer był jednym z jej członków. W 1945 roku został kierownikiem literackim Centralnego Domu Żołnierza w Warszawie. Pisał teksty piosenek i scenariusze programów estradowych dla wojskowych teatrów i zespołów estradowych. W latach 1946–1952 kierował Redakcją Artystyczną Rozgłośni Polskiego Radia w Gdańsku, a od roku 1952 związany był z PR w Warszawie[8].

Kolejnym szefem „Trójki" (1965–1966) był Jerzy Jesionowski, pisarz i scenarzysta[9].

W 1966 roku dyrektorem Programu III Polskiego Radia został wspomniany wcześniej Jan Mietkowski, który funkcję tę sprawował do 1972 roku, kiedy to awansował na zastępcę przewodniczącego Komitetu ds. Radia i Telewizji „Polskie Radio i Telewizja". Miejsce Mietkowskiego zajęła Ewa Ziegler-Brodnicka, dziennikarka prasowa i radiowa, tłumaczka z języka niemieckiego[10]. Odwołano ją ze stanowiska po tym, jak w 1980 roku zapisała się do „Solidarności", a jej miejsce w 1980 roku zajął Janusz Domagalik.

W latach 60. i 70. „Trójka" była zupełnie odmiennym programem od pozostałych emitowanych przez Polskie Radio. Na jej sukces złożyły się doskonałe audycje muzyczne, z których pierwszą była „Mój magnetofon" (prowadzona przez Mateusza Święcickiego i Wojciecha Manna, dyrektora muzycznego programu, jedną z największych osobowości „Trójki"), audycje literackie i rozrywkowe, wśród których niekwestionowanym liderem był magazyn „60 minut

na godzinę" tworzony m.in. przez Marcina Wolskiego, Jacka Fedoro-
wicza, Andrzeja Zaorskiego, Piotra Fronczewskiego i Mariana Koci-
niaka.

Swój najlepszy okres „Trójka" przeżywała w latach 1980–1981
po powstaniu „Solidarności". Mało kto zdawał sobie wtedy sprawę,
jak ówczesna władza traktuje ten program i dopiero przeprowadzona
po 13 grudnia 1981 roku weryfikacja dziennikarzy pokazała, że nie-
winne z pozoru audycje rozrywkowe były tym, czego komuniści oba-
wiali się najbardziej.

Nowe rozdanie na Myśliwieckiej

W nocy z 12 na 13 grudnia 1981 roku przeprowadzono akcję o kryptonimie „Azalia". Pierwotnie operacja ta otrzymała w MSW kryptonim „Malwa", ale po ucieczce z Polski do USA płk. Ryszarda Kukliń-
skiego (co miało miejsce 7 listopada 1981 roku) i przekazaniu CIA
planów stanu wojennego, zmieniono nazwę na „Azalia"[11], tak aby
Amerykanie nie zorientowali się, jaką operację rozpoczęto.

Pół godziny przed wprowadzeniem stanu wojennego, 12 grudnia 1981 roku o godz. 23.30 oddziały wojska zablokowały węzły
łączności, a o godz. 00.00 13 grudnia zajęły obiekty należące do
Polskiego Radia i Telewizji Polskiej[12]. Obie instytucje zostały zmi-
litaryzowane. Ponad 60 proc. pracowników Radiokomitetu (w jego
skład wchodziły radio i telewizja) zostało „urlopowanych", a dwu-
stu otrzymało zakaz wstępu do pracy „ze względu niewłaściwych
postaw politycznych oraz aktywnej działalności realizacji niezgod-
nej z linią partii celów i zadań programowych [tak w oryginale
– *aut.*]"[13].

Te zarzuty były skierowane głównie pod adresem „Trójki", której
emisję całkowicie wstrzymano po 13 grudnia 1981 roku. W lutym
1982 roku w informacjach dziennych Gabinetu Ministra Spraw
Wewnętrznych znalazły się zapiski dotyczące Programu III Polskiego

Radia, który „jest w trakcie opracowywania koncepcji. Termin jego uruchomienia zależy od wariantu charakteru tego programu oraz skompletowania odpowiedniego zespołu"[14].

Skompletowaniem „odpowiedniego" zespołu zajął się Andrzej Turski, który 5 kwietnia 1982 roku został nowym dyrektorem Programu III Polskiego Radia. Aktywny członek PZPR (był w partii do momentu jej rozwiązania), jako zaufany człowiek Radiokomitetu wyjeżdżał służbowo do Moskwy i Leningradu (1975), gdzie zbierał materiały do „Tygodnia Kultury Radzieckiej" emitowanego na antenie Polskiego Radia. Z kolei w latach 80. Turski był delegowany do m.in. Finlandii oraz Korei Południowej[15].

O tym, że był to zaufany człowiek władzy wojskowej, świadczą najlepiej dokumenty na jego temat zachowane w Instytucie Pamięci Narodowej.

Pracę dziennikarza radiowego zna od podstaw, przez przełożonych i dziennikarzy jest uważany za najwybitniejszego fachowca w dziedzinie radiowej. Wyrobiony politycznie […]. Był jednym z twórców udanej reformy radia (likwidacja- ustawienia programowe). […] Rodzice A. Turskiego pracowali w dawnym Urzędzie Bezpieczeństwa Publicznego. […] Zarejestrowany w Biurze C MSW w charakterze K[kontakt – aut.] O[operacyjny – aut.] nr rej. 6758. Rozumie potrzebę istnienia SB, chętnie udziela interesujących nas informacji

– napisał 26 lutego 1986 roku kpt. Lech Zderkiewicz, inspektor Wydziału VI Departamentu III MSW[16].

Andrzej Turski miał za zadanie pozbycie się „starego" i stworzenie zupełnie nowego zespołu, nad czym czuwała wszechobecna wówczas bezpieka. W „Trójce" po wznowieniu działalności 5 kwietnia 1982 roku, w czasie stanu wojennego, spotkali się: syn oficera SB z Wydziału IV do walki z Kościołem, córka pułkownika MSW z wydziału „B", aktywistka PZPR, syn reżimowego literata, a na dokładkę dziennikarz zarejestrowany jako kontakt operacyjny wywiadu PRL.

Warszawa, 1986-02-26

JAWNE   T A J N E

Egz.nr 1

C H A R A K T E R Y S T Y K A

dyrektora Programu I Polskiego Radia

TURSKI Andrzej s. Władysława i Emilii Mackiewicz,
ur. 1943-01-25, żonaty, dziennikarz, mgr filologii
polskiej 1967 r., studium dziennikarskie 1969 r.,
członek PZPR, DO - SJ6084510,

    W trakcie studiów odbywał praktykę w redakcji młodzieżo-
wej Programu I PR. Zaczynał pracę w radiu od gońca poprzez mł.redak-
tora, kierownika redakcji do dyrektora Programu III PR. W 1984 r.
został mianowany dyrektorem Programu I PR. Pracę dziennikarza radiowego zna od podstaw, przez przełożonych i dziennikarzy uważany jest
za najwybitniejszego fachowca w dziedzinie radiowej. Wyrobiony politycznie, w dalszym ciągu przełożeni polecili mu prowadzić przegląd
wydarzeń międzynarodowych w Programie III PR z najbardziej znanymi
komentatorami - dziennikarzami /Morowski, Szeliga itp./,pomimo że
program ten już mu nie podlega. Był jednym z twórców udanej reformy
radia /likwidacja redakcji - ustawienie programowe/. Przez dziennika
rzy uważany był za człowieka prezesa J.Grzelaka. W ostatnim czasie
ceniony bardzo przez prezesa M.Wojciechowskiego, co komentowane jest
w środowisku pracowników radia i telewizji jako zmiana frontu, pos-
tawienie na przewodniczącego.
Rodzice A.Turskiego pracowali w dawnym Urzędzie Bezpieczeństwa Publicznego. Żona - Zofia Turska, lekarz - okulista, zatrudniona jest
w lecznictwie podległym MSW, Córka - 10 lat - uczęszcza do szkoły
podstawowej. Siostra w/w Elżbieta Turska /ur. 1941 r./ w 1967 r. wyjechała do Norwegii i odmówiła powrotu do kraju. Aktualnie zamieszku
je w Finlandii, gdzie wyszła za mąż. W 1985 r. wymieniony przebywał
w Finlandii na zaproszenie siostry.
Zarejestrowany w Biurze "C" MSW w charakterze ko. nr rej. 67581. Rozumie potrzebę istnienia SB, chętnie udziela interesujących nas informacji.

                INSPEKTOR WYDZIAŁU VI DEP.III MSW

                    Kpt. Lech ZDERKIEWICZ

Wykonano 2 egz. ES

Charakterystyka Andrzeja Turskiego (IPN BU 0365/111/2)

Bodaj najbardziej rozpoznawalną osobą pracującą w nowej ekipie dziennikarzy Programu III Polskiego Radia, którzy pojawili się tam po wprowadzeniu stanu wojennego w miejsce negatywnie zweryfikowanych dziennikarzy, jest Monika Olejnik. Dziś niemal każdy zna ją jako redaktor prowadzącą wywiady z politykami w Radiu Zet i „Kropce nad i" w TVN 24.

> [...] W 1982 r. pojawiła się w radiowej Trójce. Wchodzenie do propagandowych mediów było wówczas potępiane – było tuż po weryfikacjach i nowi przybysze zajmowali miejsce po tych, którzy demonstracyjnie odchodzili. Olejnik spełniała się wówczas jako reporterka trójkowego magazynu «Sprawa dla reportera». Ale trzymała się z dala od politycznych tematów. Jeden z niewielu śladów jej ówczesnej kariery – Polska Kronika Filmowa z połowy lat 80. – pokazuje, że w tym czasie jej dociekliwość dotyczyła działalności skupu butelek[17].

Gdy Monika Olejnik zaczęła pracować w „Trójce", była już absolwentką zootechniki, którą ukończyła w Szkole Głównej Gospodarstwa Wiejskiego, i podyplomowego studium dziennikarstwa i nauk politycznych na Uniwersytecie Warszawskim, które było przesiąknięte indoktrynacją socjalistyczną.

W dokumentach Instytutu Pamięci Narodowej zachowały się dokumenty komunistycznej bezpieki na temat Moniki Olejnik, z których wynika, że od momentu uzyskania pełnoletności wyjeżdżała do krajów kapitalistycznych, co było wówczas rarytasem. Co ciekawe, pierwsze dokumenty paszportowe wystawione na nazwisko Monika Praczuk (nazwisko po pierwszym mężu) zostały zniszczone – zachowała się jedynie obwoluta akt wpięta do kolejnej „paszportówki" wydanej na nazwisko Monika Ewa Olejnik[18].

Dokumentacja jej wyjazdów zagranicznych w latach 80. zachowała się w aktach osobowych jej ojca – Tadeusza Olejnika, pułkownika Służby Bezpieczeństwa, członka aktywu partyjnego (PZPR) w resorcie spraw wewnętrznych. Informował on swoich przełożonych

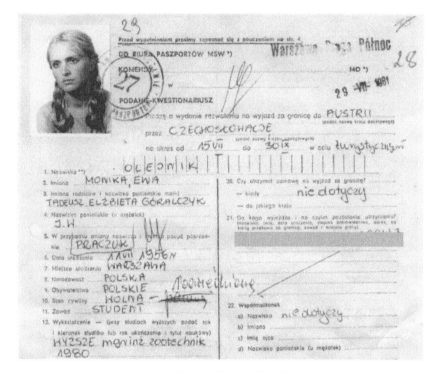

Akta paszportowe Moniki Olejnik (IPN BU 1002/7966)

nie tylko o wyjazdach prywatnych syna (m.in. do Danii), córki (do Nepalu i Turcji) i żony (do Danii, Turcji), ale także o wyjazdach służbowych.

> Uprzejmie informuję, że moja córka Monika Wasowska (z d. Olejnik) ur. [...] zam. [...], zatrudniona w Polskim Radiu i Telewizji wyjeżdża służbowo do Finlandii w terminie 23–30 listopada 1986 r. Koszty przejazdu i pobytu pokrywa delegująca instytucja

– pisał w raporcie do naczelnika wydziału kadr SUSW mjr Olejnik[19].

Płk Tadeusz Olejnik (IPN BU 0242/669)

Świadectwo ukończenia Szkoły Oficerskiej SB MSW (IPN BU 0242/669)

Rok później mjr Olejnik meldował o służbowym wyjeździe córki na Maltę.

Zatrudniona w Polskim Radiu i Telewizji w charakterze redaktora zamierza wyjechać służbowo na Maltę. Wyjazd ma nastąpić w ramach wycieczki zbiorowej organizowanej przez Państwowe Przedsiębiorstwo Orbis

– pisał mjr Olejnik już nie do swojego szefa, ale do dyrektora Departamentu Kadr MSW[20].

W tym czasie Tadeusz Olejnik był funkcjonariuszem Wydziału XIII Biura „B" Ministerstwa Spraw Wewnętrznych. Wydział ten zajmował się m.in. osobowymi źródłami informacji związanymi z lokalami kontaktowymi i punktami obserwacyjnymi, planowaniem działań operacyjnych i podglądem audiowizualnym opozycji demokratycznej. Kogo dokładnie śledził i filmował mjr Olejnik, których działaczy opozycji – nie wiadomo, bo w ogromnej większości materiały bezpieki zostały zniszczone, a w IPN zachowały się jedynie protokoły brakowania (według nieoficjalnych informacji część materiałów nie została jednak zniszczona – jak podawano oficjalnie – ale miała trafić do prywatnego archiwum gen. Czesława Kiszczaka). Także w przypadku własnych zagranicznych wyjazdów – m.in. do Związku Sowieckiego – Olejnik informował o tym swoich przełożonych. Z pracy w MSW Tadeusz Olejnik odszedł w maju 1988 roku – ze stanowiska zastępcy naczelnika Wydziału III Biura „B" MSW, który zajmował się m.in. cudzoziemcami oraz dziennikarzami krajów kapitalistycznych. W latach 80., kiedy Tadeusz Olejnik pracował w ministerstwie spraw wewnętrznych[21], Monika Olejnik była już jedną z najbardziej rozpoznawalnych dziennikarek radiowych – z Programu III Polskiego Radia odeszła w roku 2000. Od początku lat 90. była również związana z Telewizją Polską, a po powstaniu TVN – ze stacją Mariusza Waltera.

Monika Olejnik utrzymywała kontakty z politykami, m.in. z Lechem Wałęsą (bywała nawet na jego urodzinach). Na sześćdziesiąte

Dnia 25 maja 1956 r.

WNIOSEK

Do .... KOMENDANT M.O. m. st. WARSZAWY ....

przeniesienie
przeszeregowanie
zwolnienie   chor. OLEJNIK Tadeusz

stopień, nazwisko i imię, imię ojca

.... referent   - grupa VII ....

stanowisko i grupa uposażenia

jako

1. VI. 1956 r.   w VII grupie uposażenia

Uzasadnienie

(obszerne umotywowanie, oraz kto przychodzi na stanowisko przenoszonego i dokąd odchodzi jego poprzednik)

chor. Olejnik Tadeusz z obowiązków służbowych na stanowisku referenta Sekcji " O " wywiązuje się dobrze Do pracy obserwacyjnej posiada dużo chęci i zamiłowania co pozwala mu jako młodemu pracownikowi tego pionu szybko podnosić swoje kwalifikacje zawodowe. Jest pracownikiem ofiarnym i zdyscyplinowanym, posiadającym dużo własnej inicjatywy i sprytu. Moralnie prowadzi się bez zastrzeżeń. Karany dyscyplinarnie nie był. Na przegrupowanie zasługuje . Należy nadmienić, że w/w ostatnio po koniecznym zakupieniu na raty mebli znajduje się w dość ciężkich warunkach materialnych , a sytuację tą pogarsza fakt , że żona jego na dniach spodziewa się rozwiązania ciąży.

Naczelnik Wydz. Kadr
wg nomenklaturę K.G.M.O.   m. p.

Podpis Kierownika Sam. Jedn. M.O.
Naczelnik Wydziału " A "
Komendy M.O. st. Warszawy
/-/ .... por.

Wniosek ws. przydziału chor. Tadeusza Olejnika (IPN BU 0242/669)

urodziny Wałęsy przyjechała w towarzystwie Gromosława Czempińskiego, na siedemdziesiątych widać ją na zdjęciach obok Hanny Gronkiewicz-Waltz i Donalda Tuska.

> Najważniejsze było dla niej zdobycie sympatii samego Lecha Wałęsy, który wyraźnie ją faworyzował i tym samym pozwolił jej wyprzedzić konkurentki. Symbolem jej statusu dziennikarki nowej epoki było zaproszenie ze strony Wałęsy, aby wraz z innym dzieckiem tamtej epoki Tomaszem Lisem wzięła udział w prezydenckiej defiladzie 3 maja 1991 r. machając do Polaków z zabytkowej karety [...][22].

W stanie wojennym do „trójkowego" zespołu Andrzeja Turskiego (według dokumentów IPN – KO o nr rej. 6758[23]) trafiła Beata Michniewicz, członek najpierw SZSP, a później PZPR[24], rodzinnie powiązana ze Służbą Bezpieczeństwa. Rodzice jej ówczesnego męża Roberta Michniewicza, radcy w Ministerstwie Spraw Zagranicznych, byli wysokimi rangą funkcjonariuszami komunistycznej bezpieki, którzy pracę zaczynali jeszcze w Ministerstwie Bezpieczeństwa Publicznego[25]. Jej teść Romuald Michniewicz rozpoczął pracę w MBP w roku 1949, w wieku 20 lat, później przeszedł do SB (Wydz. VIII Departamentu II), a w latach 1971–1978 był delegowany służbowo do ZSRS, gdzie pełnił m.in. funkcję kierownika grupy operacyjnej „Wisła" ds. łączności z KGB[26].

Z kolei jej teściowa Zofia Osińska, jak wynika z materiałów komunistycznej bezpieki, w latach 40. i 50. „brała udział w walce z bandami i reakcyjnym podziemiem", a w latach 80. pracowała m.in. w Departamencie IV (do walki z Kościołem); jej szefem był gen. Zenon Płatek[27], oskarżony o sprawstwo kierownicze zabójstwa ks. Jerzego Popiełuszki.

Beata Michniewicz w latach 90. zaczęła prowadzić „Puls Trójki" oraz „Śniadanie w Trójce". Za wybitne zasługi dla Polskiego Radia 27 września 2011 roku została odznaczona przez Prezydenta RP Bronisława Komorowskiego Krzyżem Kawalerskim Orderu Odrodzenia Polski[28].

Nr księgi immatr. 27/65/II

MINISTERSTWO SPRAW WEWNĘTRZNYCH

DEPARTAMENT KADR I SZKOLENIA

DYPLOM

UKOŃCZENIA KURSU DOSKONALENIA KADR KIEROWNICZYCH
SŁUŻBY BEZPIECZEŃSTWA MSW

(podstawa — Zarządzenie Nr 087/64 Ministra Spraw Wewnętrznych
z dnia 29 czerwca 1964 roku)

kpt. Romuald Michniewicz
(stopień, imię i nazwisko)

Z-ca Nacz. Wydz. VIII Dep. II M.S.W. – Warszawa
(stanowisko służbowe)

ur. *7. VII. 1929 r.*   w *Wilno*

Ukończył   Kurs Doskonalenia Kadr Kierowniczych
Służby Bezpieczeństwa MSW

w okresie od *12. I.* 196*5* r. do *27. III.* 196*5* r.

z wynikiem ogólnym *bardzo dobrym*

DYREKTOR
DEPARTAMENTU KADR I SZKOLENIA MSW

Warszawa, dn. *27. III.* 196*5* r.

Dyplom ukończenia kursu doskonalenia SB kpt. Romualda Michniewicza
(IPN BU 0949/10 [15789/V])

Warszawa, dnia .... 19 .. r. 105

WNIOSEK

o odwołanie ze stanowiska Zastępcy Dyrektora Departamentu II

Imię i nazwisko   Romuald MICHNIEWICZ
Data i miejsce urodzenia   7.VII.1929 r. Wilno
Wykształcenie   wyższe /SGSB/
Zawód wyuczony   funkcjonariusz MO
Przynależność partyjna   PZPR /PPS/
Wniosek zgłoszony przez   Ministra Spraw Wewnętrznych.

UZASADNIENIE

Płk MICHNIEWICZ posiada duże doświadczenie operacyjne,
jednak stan jego zdrowia /choroba wieńcowa/ wymaga zmiany
pracy i dalszego leczenia.
Biorąc powyższe pod uwagę proponuje odwołać wymienionego
z dotychczasowego stanowiska i skierować do pracy
w Grupie Operacyjnej "Wisła" w Moskwie na stanowisko
kierownika. Znajomość języka rosyjskiego oraz osobiste
predyspozycje i doświadczenie we współpracy z organami
KW Zw. Radzieckiego dają gwarancję prawidłowego realizowania
zadań.

MINISTER SPRAW WEWNĘTRZNYCH

(podpis)   (podpis)   (podpis wnioskodawcy)

/Stanisław KOWALCZYK /

Z A T W I E R D Z O N O

Uchwała

Podpisy sekretarzy KC PZPR:

w dniu

(podpis)

Wniosek o skierowanie płk. Michniewicza do Grupy Operacyjnej „Wisła" w Moskwie
(IPN BU 0949/10 [15789/V])

UMOWA O PRACĘ

164

rta w dniu 24 maja 1982 r.

między Departamentem IV MSW

anego dalej zakładem pracy, reprezentowanym przez

ywatela(kę) płk Z. PŁATKĄ - Dyrektora Departamentu IV

bywatelem(ką) ppłk Zofią OSIŃSKĄ

lad pracy zatrudnia Obywatela(kę) w Wydziale VI Departamentu IV

czas nieokreślony

wymiarze 1/2 etatu

wierzam obowiązki inspektora

ywatel(ka) obowiązany(a) jest zgłosić się do pracy w dniu 25 maja 1982 r.

zasie trwania umowy o pracę Obywatel(ka) będzie otrzymywał(a) wynagrodzenie płatne w sposób

w warunkach przewidzianych uchwałą Nr 17/76 Rady Ministrów z dn. 20.01.1976 r.

Umowa o pracę z ppłk Zofią Osińską z Departamentu IV – zwalczanie Kościoła
(IPN BU 0949/10 [15789/V])

Do „Trójki" w latach 80. trafił również Grzegorz Miecugow, który zajmował się tematyką młodzieżową – jeździł m.in. do NRD (1985), aby zbierać materiały o tematyce młodzieżowej, oraz do Korei Północnej, gdzie w 1989 roku w Phenianie brał udział w Festiwalu Młodzieży i Studentów[29]. Nie bez znaczenia w karierze Grzegorza Miecugowa był fakt, że jego ojciec, Brunon Miecugow, był znanym dziennikarzem doskonale funkcjonującym w socjalistycznej prasie. W archiwach IPN figuruje on jako tajny współpracownik – materiały na jego temat zostały jednak zniszczone w 1990 roku.

Brunon Miecugow (rocznik 1927) według zapisów ewidencyjnych krakowskiej Służby Bezpieczeństwa, do których dotarła „Gazeta Polska", został zarejestrowany 19 września 1962 roku przez Wydział III

Komendy Wojewódzkiej Milicji Obywatelskiej. Według dokumentów znajdujących się w Instytucie Pamięci Narodowej Brunon Miecugow był zarejestrowany jako tajny współpracownik pod pseudonimami: „Lipiński", „Różniczka" oraz „Dziób". W archiwach IPN znajduje się również zapis, że materiały na temat dziennikarza zostały zniszczone 29 stycznia 1990 roku[30]. Brunon Miecugow w latach 50., m.in. obok Wisławy Szymborskiej, podpisał się pod skandaliczną rezolucją Związku Literatów Polskich w Krakowie w sprawie procesu krakowskiego z 8 lutego 1953, potępiającą księży Kurii krakowskiej oskarżonych w sfingowanym procesie, który był elementem akcji represyjnej komunistów wobec Kościoła[31].

Grzegorz Miecugow z Polskim Radiem był związany do 1989 roku, kiedy to rozpoczął pracę w TVP 1, gdzie był prezenterem „Wiadomości". Następnie był dziennikarzem TVN i TVN 24, gdzie został prowadzącym „Szkło kontaktowe". Jego partner z tego programu, Tomasz Sianecki, karierę dziennikarską także zaczynał w „Trójce". Zrobił tam karierę po wprowadzeniu stanu wojennego. Widzowie „Szkła kontaktowego" zapewne nie wiedzą, że ojciec Tomasza Sianeckiego – funkcjonariusz komunistycznej bezpieki – pracował w komórce SB, która prześladowała duchowieństwo i wierzących.

Pułkownik Bolesław Sianecki był funkcjonariuszem m.in. Wydziału IV rozprawiającego się z ludźmi Kościoła – rozpracowywał księży m.in. z terenu diecezji płockiej[32]. Często wyjeżdżał do swojej rodziny pracującej w instytucie jądrowym w Dubnej koło Moskwy, gdzie spędzał dużo czasu. Sianecki pracując w bezpiece był również sekretarzem POP PZPR, członkiem Komitetu Zakładowego Partii, członkiem Plenum KP PZPR i lektorem Komitetu Wojewódzkiego PZPR.

W 1985 roku zastępcą szefa Programu III był Sławomir Zieliński, sekretarz POP PZPR w „Trójce". W swoich wspomnieniach z pracy w radiu Wojciech Reszczyński opisał, jak Zieliński kazał mu odpiąć z klapy marynarki opornik będący symbolem protestu wobec komunistycznej władzy. Zieliński miał bardzo dobre kontakty z MSW: gdy w roku 1985 Marek Sierocki, późniejszy prezenter kącika muzycznego w Teleexpressie, złożył wniosek o paszport na wyjazd do Francji, interwencję w jego sprawie podjął właśnie Zieliński. Co ciekawe, w sprawie Sierockiego, działacza Związku Studentów Polskich na etacie w „Trójce", interweniował także ppłk Andrzej Sadliński, zastępca naczelnika Wydziału Prasowego Gabinetu MSW Czesława Kiszczaka.

Marką „Trójki" stał się twórca listy przebojów Programu Trzeciego – Marek Niedźwiecki. Absolwent Politechniki Łódzkiej nie został budowniczym, zgodnie z zawodem, lecz radiowcem. Zaczynał w studenckim radiu Żak. Pracę w „Trójce" zaczął w cztery miesiące po wprowadzeniu stanu wojennego, 1 kwietnia 1982 roku. Prowadził festiwale, w tym Sopot w 1985 roku. Na wizji pojawiał się po zaproszeniu go do „Magazynu 102".

Według dokumentów komunistycznych służb specjalnych Marek Niedźwiecki został zarejestrowany jako kontakt operacyjny wywiadu PRL o kryptonimie „Bera", nr rejestracyjny 17845[33]. Materiały tej sprawy zostały zniszczone 17 stycznia 1990 roku. Dwa tomy akt wytworzonych w jej trakcie przez funkcjonariuszy Departamentu I MSW „nie przedstawiają obecnie wartości operacyjnej", jak napisał kpt. Zbigniew Klimas w postanowieniu o zniszczeniu akt sprawy czynnej. Niszczenie teczek wywiadu komunistycznego, w tym KO „Bera", zatwierdził płk Bronisław Zych, dyrektor Departamentu I MSW.

W roku 1983, po przejściu Andrzeja Turskiego na stanowisko dyrektora Programu I Polskiego Radia, dyrektorem „Trójki" został Wiktor Legowicz.

> [...] W okresie stanu wojennego jednoznacznie opowiedział się za polityką prowadzoną przez władze. W tym też okresie został wybrany członkiem egzekutywy KZ PZPR w RTV. Pełnił również funkcję sekretarza PZPR w obiekcie radiowym przy ul. Myśliwieckiej 3/5/7

" ZATWIERDZAM "
DYREKTOR DEPARTAMENTU I MSW
2-ca DYREKTORA
DEPARTAMENTU I MSW

plk mgr Bronisław Zych

Warszawa, dnia *17.01.1990*

1990 -01- 2 2   T A J N E

Egz. pojed.

Karty A-14 wysłano z kartoteki
Departamentu Ⅰ do zniszczenia

2 3. STYCZ 1990   Do:

P O S T A N O W I E N I E

o zniszczeniu akt sprawy czynnej   Departamentu I

KPT. ZBIGNIEW KLIMAS, INSPEKTOR
/stopień - imię i nazwisko - stanowisko/

rozpatrzywszy materiały *KONTAKTU OPERACYJNEGO krypt. "BERA" nr 17845*
/rodzaj sprawy - kryptonim - numer/

dot. *NIEDŹWIECKI MAREK s. WOJCIECHA ur. 1954.03.24 Warsz.*
/podać dane personalne figuranta/

i ob. polskie, dziennikarz, zatrudniony w PR:TV zam. Warszawa

tel. 47-66-72 -

stwierdziłem, że *MATERIAŁY SPRAWY NIE PRZEDSTAWIAJĄ OBECNIE*
/krótko obrzecie zawarte w materiałach informacje

WARTOŚCI OPERACYJNEJ
oraz podać ich ogólną ocenę/

Wnoszę o zniszczenie w całości akt sprawy czynnej   Nr *17845*
kryptonim _*"BERA"*_

Zgadzam się z wnioskiem
/ NACZELNIK WYDZIAŁU *VI*   20/01   90 /podpis pracownika/

007-0388/90

2 tomy

136 z 887

Postanowienie z 17 stycznia 1990 roku o zniszczeniu akt sprawy
Marka Niedźwieckiego KO „Bera" (IPN BU 01746/4)

w Warszawie. W 1983 r. Wiktor Legowicz został mianowany dyrektorem Programu III Polskiego Radia. W dalszym ciągu jest on oceniany przez kierownictwo służbowe RTV i organizację partyjną bardzo pozytywnie. [...] nadmieniam, iż Wiktor Legowicz jest synem prof. dr hab. Jana Legowicza, byłego pracownika Wydziału Filozofii UW, popierającego aktualną politykę władz polityczno-państwowych. Jest pozytywnie ustosunkowany do resortu spraw wewnętrznych

– pisał 10 marca 1986 roku st. inspektor Wydziału VI Departamentu III MSW ppłk Piotr Kozłowski w notatce zatytułowanej „Charakterystyka", na której ręcznie napisano TW „Łaskawski"[34]. Legowicz w III RP nadal był dziennikarzem Programu III Polskiego Radia; został także zatrudniony w TV Biznes.

Prezydenckie radio

Przez niemal cały okres III RP „Trójka" była radiem sprzyjającym władzy – inaczej było jedynie w czasach, gdy szefami byli Krzysztof Skowroński i Jacek Sobala. W latach 90. reporterzy Programu III gorliwie walczyli z lustracją i z „ciemnogrodem", w czasach rządów SLD i PO zachowywali polityczną poprawność. Michał Olszański, dyrektor „Trójki" w latach 2000–2001 i wieloletni dziennikarz tej stacji, w roku 2011 zaangażował się osobiście w „Kolorową Niepodległą" – kontrdemonstrację zorganizowaną przez „Krytykę Polityczną" dla powstrzymania patriotycznego Marszu Niepodległości. To wówczas policja odnalazła w siedzibie „Krytyki" pałki, kastety i gaz łzawiący.

Michał Olszański w mediach nie pojawił się jako osoba anonimowa. Jego ojcem jest Tadeusz Olszański – wieloletni dziennikarz „Polityki", zarejestrowany przez SB jako kontakt poufny i kontakt operacyjny „Olcha"[35].

Prezydenckim radiem zaczęto nazywać „Trójkę" po tym, jak prezydentem RP po katastrofie smoleńskiej został Bronisław Komorowski. Stał się częstym gościem tej stacji i objął patronatem akcje organizowane przez Program III Polskiego Radia. Patronował także akcji „Orzeł może" zorganizowanej przez „Trójkę" wspólnie z „Gazetą Wyborczą".

Zorganizowana 2 maja 2013 roku pod Pałacem Prezydenckim akcja zakończyła się kompletną klapą i kompromitacją. W Dniu Flagi zabrakło biało-czerwonych sztandarów, były za to różowe chorągiewki, okulary i tysiące ulotek, które rozrzucały wojskowe śmigłowce. Był również orzeł z białej czekolady, który po imprezie został zabrany. Mimo wielodniowej promocji na imprezę przyszli głównie pracownicy Pałacu Prezydenckiego i obydwu redakcji z rodzinami. Był również Bronisław Komorowski i Magdalena Jethon, szefowa „Trójki", do której trafiła w 1977 roku. Z Programu III odeszła w stanie wojennym – wróciła na początku lat 90. W roku 2006 przeszła do „Jedynki", by wrócić na stanowisko szefa „Trójki" po zwolnieniu Krzysztofa Skowrońskiego w roku 2009. Po kilku miesiącach przestała zajmować to stanowisko, ale nie na długo – ponownie została szefową „Trójki" 9 listopada 2010 roku, po zwolnieniu przez władze Polskiego Radia Jacka Sobali. Magdalena Jethon fotografowała się z Donaldem Tuskiem, ale później zmieniła obiekt swych zachwytów na Bronisława Komorowskiego i Grzegorza Schetynę.

Tajemnicą poliszynela jest fakt, że Jethon ma doskonałe kontakty z politykami SLD i PO. Pytana o to przez Robera Mazurka w wywiadzie dla „Rzeczpospolitej" powiedziała:

[...] Owszem, znam Bronisława Komorowskiego od dwudziestu paru lat, a zetknęliśmy się po raz pierwszy jeszcze na uniwersytecie, choć studiowaliśmy na innych wydziałach. Ale tak naprawdę poznaliśmy się dopiero w «Trójce», gdzie robiłam taką audycję «Polityk też człowiek» [...][36].

Dopytywana przez dziennikarza, dlaczego Komorowski jest mile widzianym gościem jej programów, stwierdziła:

[...] Próbowano mnie namówić, bym zapraszała polityków ze wszystkich opcji, ale w jednej z nich nie było zbyt wielu ludzi z poczuciem humoru. Szłam więc innym kluczem i zapraszałam ludzi inteligentnych, błyskotliwych i dowcipnych [...][37].

W wywiadzie padło pytanie o kontakty szefowej „Trójki" z politykami PO, czego dowodem była jej strona internetowa, na której zamieściła zdjęcia z imprez z politykami Platformy. Strona zniknęła po mianowaniu jej na szefową „Trójki".

[...] W dniu mojej nominacji pojawiła się informacja, że w Internecie są moje zdjęcia z imprezy z Tuskiem i było tyle wejść na moją stronę, że się zablokowała. Nawet sama nie mogłam na nią wejść. A ponieważ informatyk nie był w stanie tego naprawić, to machnęłam ręką i nie uruchomiłam jej ponownie [...]

– stwierdziła Jethon[38].

Magdalena Jethon została doceniona przez prezydenta Komorowskiego. 27 września 2011 roku za wybitne zasługi dla Polskiego Radia została odznaczona Krzyżem Kawalerskim Orderu Odrodzenia Polski[39].

Monika Olejnik, Grzegorz Miecugow, Beata Michniewicz, przygotowani w „Trójce" do nowej epoki, nadawali ton dziennikarstwu politycznemu III RP.

PRZYPISY

[1] „Reflex" – program Piotra Semki i Jacka Kurskiego, TVP 1 (emisja z 13 grudnia 1991, godz. 18.45).

[2] P. Semka, *Olejnik na froncie III RP*, „Uważam Rze" 2011, nr 6.

[3] C. Łazarewicz, *Trójka. Pół wieku na Myśliwieckiej*, „Newsweek Polska", 27 marca 2012.

[4] Jan Mietkowski (1923–1978): dziennikarz Polskiego Radia, przewodniczący Zarządu Głównego Stowarzyszenia Dziennikarzy Polskich (1974–1978), wiceprezes Radiokomitetu (1972–1978), minister kultury i sztuki w rządzie Piotra Jaroszewicza (1978), zastępca członka KC PZPR (1975–1978).

[5] Włodzimierz Sokorski – hasło osobowe w: T. Mołdawa, *Ludzie władzy 1944–1991*, Warszawa 1991.

[6] Dziennik Ustaw z dnia 7 września 1944, nr 4, poz. 20.

[7] Dziennik Ustaw z dnia 22 listopada 1944, nr 13, poz. 69.

[8] Hasło *Fiszer Edward* w: R. Wolański, *Leksykon Polskiej Muzyki Rozrywkowej*, Warszawa 1995, s. 52.

[9] Biogram Jerzego Jesionowskiego w: L. M. Bartelski, *Polscy pisarze współcześni 1939–1991*, Warszawa 1995.

[10] Biogram Ewy Ziegler-Brodnickiej w: E. Ciborska, *Leksykon polskiego dziennikarstwa*, Warszawa 2000.

[11] S. Ligarski, G. Majchrzak, *Polskie radio i telewizja w stanie wojennym*, wyd. Instytut Pamięci Narodowej, Warszawa 2011, s. 28–29.

[12] G. Majchrzak, *Władza w stanie wojennym*, „Arcana" 2001, nr 6, s. 91.

[13] S. Ligarski, G. Majchrzak, op. cit., s. 28.

[14] Projekt ramowych założeń programów Polskiego Radia omawiany podczas posiedzenia prezydium Komitetu do spraw Radia i Telewizji 26 lutego 1982 r., S. Ligarski, G. Majchrzak, op. cit., s. 242.

[15] IPN BU 1386/25393.

[16] Warszawa, 26-02-1986, charakterystyka Andrzeja Turskiego, notatki dotyczące dziennikarzy – zbiór MSW, IPN BU 0365/111/2.

[17] P. Semka, op. cit.

[18] Akta paszportowe Moniki Olejnik, rok 1981 – wyjazd do Austrii przez Czechosłowację, IPN BU 1002/7966.

[19] Raport z 17 listopada 1986, IPN BU 0242/669.

[20] Raport z 12 sierpnia 1987, IPN BU 0242/669.

[21] IPN BU 0242/669.

[22] P. Semka, op. cit.

[23] Warszawa, 26-02-1986, charakterystyka Andrzeja Turskiego, notatki dotyczące dziennikarzy – zbiór MSW, IPN BU 0365/111/2.

[24] IPN BU 1005/55647.

[25] IPN BU 003088/22 (15175/V); IPN BU 0949/10 (15789/V).

[26] IPN BU 003088/22 (15175/V).

[27] IPN BU 0949/10 (15789/V).

[28] „Monitor Polski" 2011, nr 111, poz. 1122.

[29] IPN BU 1386/9992.

[30] D. Kania, J. Targalski, *Podwójne życie Brunona Miecugowa*, „Gazeta Polska", 21 sierpnia 2013, nr 34.

[31] *Duchowni i SB – proces księży z kurii krakowskiej*, Info.wiara.pl, 17 lutego 2006, http://info.wiara.pl/doc/186685.Duchowni-i-SB (dostęp: 29 października 2013).

[32] Bolesław Sianecki, IPN BU 0604/564.

[33] IPN BU 01746/4

[34] Notatki dotyczące dziennikarzy – zbiór MSW, IPN BU 0365/111/2.

[35] AIPN 01944/165.

[36] R. Mazurek, *Orzeł się nie rozpuści*, „Rzeczpospolita", 18 maja 2013.

[37] Ibidem.

[38] Ibidem.

[39] „Monitor Polski" 2011, nr 111, poz. 1122.

Rozdział 7

PROPAGANDA W NATARCIU – TVP

> „Tamta władza lubiła artystów.
> Już nigdy nie będzie nam tak dobrze"
>
> Olga Lipińska

Bolszewicy przykładali taką samą wagę do propagandy jak do skuteczności bezpieki i represji.

Ulubionymi instrumentami propagandy Lenina były film i plakat, czyli na owe czasy bardzo nowoczesne środki wyrazu. Służyły one manipulacji emocjonalnej, gdyż odwoływały się do sfer pozaracjonalnych.

W komunistycznej Polsce za czasów staroświeckiego Gomułki początkowo nie doceniano nowego wynalazku telewizji. Pierwszy sekretarz go nie rozumiał, dzięki czemu panowała tu pewna swoboda i mogły być realizowane programy nieideologiczne, takie jak choćby słynny „Kabaret Starszych Panów".

Dla Gomułki najważniejsze było radio. Dlatego ze szczególną starannością dobierano kadry, kierując tu nie tylko agenturę, ale po prostu towarzyszy przybyłych z ZSRS, w tym „pełniących obowiązki Polaków". Ich dzieci, już zasymilowane, z łatwością dostawały pracę w rozgłośniach Polskiego Radia.

Telewizja stała się najważniejszym narzędziem propagandy i indoktrynacji dopiero za czasów Macieja Szczepańskiego, jednego z najbliższych współpracowników Gierka. To właśnie atak bezpieki na Szczepańskiego w 1980 roku poprzedził upadek I sekretarza „wszystkich Polaków".

Maciej Szczepański zaczynał karierę od szefowania śląskiej „Trybunie Robotniczej". W 1972 roku został przewodniczącym Komitetu ds. Radia i Telewizji i wtedy zyskał przydomek „Krwawy Maciek" z racji swojej bezwzględności i stawiania wysokich wymagań podwładnym. Szczepański z jednej strony znacznie rozwinął telewizję, rozbudowując jej bazę techniczną do poziomu europejskiego, a z drugiej wprowadził nowoczesny przekaz, znacznie skuteczniejszy w indoktrynacji społeczeństwa. Odtąd agentura miała być nie tylko posłuszna, ale też zdolna podobać się widzom.

4 czerwca 1992 roku. W Sejmie od rana kłębi się tłum dziennikarzy. Od kilku dni trwa antylustracyjna histeria wywołana uchwałą zobowiązującą ministra spraw wewnętrznych do podania pełnej informacji na temat urzędników państwowych od szczebla wojewody wzwyż, a także posłów, senatorów, adwokatów i sędziów, będących współpracownikami Służby Bezpieczeństwa w latach 1945–1990. Rano Antoni Macierewicz, minister spraw wewnętrznych, przekazuje w zaklejonych kopertach tajny wykaz osób – posłów, senatorów i urzędników państwowych, którzy w dokumentach figurują jako tajni współpracownicy SB. Koperty trafiają do szefów klubów parlamentarnych i kół poselskich, marszałków Sejmu i Senatu, prezesa Sądu Najwyższego, prezesa Trybunału Konstytucyjnego, premiera i prezydenta. Ubrany w białą koszulę i czerwony krawat młody mężczyzna przypominający działacza Związku Socjalistycznej Młodzieży Polskiej nerwowo rozmawia z posłem KLD Andrzejem Zarębskim. Tym młodym człowiekiem jest Tomasz Lis, wschodząca gwiazda „Wiadomości" TVP. Po schodach wchodzi prezydent Lech Wałęsa. Lis mówi do dziennikarzy: „Trzeba było krzyknąć: Prezydencie, Polska z tobą". Zaaferowany Lis opowiada, że budzi się rano, odsłania okno. „Słyszę śmigłowce, przejeżdżające ciężarówki. Mówię, o k...wa, zaczęło się"[1].

Sceny z filmu „Nocna zmiana" pokazały kondycję telewizji publicznej początku lat 90. i dziennikarzy pracujących w „nowych" mediach.

> Olejnik [Monika – *aut.*] szybko staje się też duszą towarzystwa przy tzw. sejmowym stoliku, gdzie Lis z TVP, Barbara Górska z radia Zet, Maria Bnińska z «Głosu Ameryki» byli wzorem do naśladowania dla dziennikarskiej młodzieży. Tu decydowano, z kogo w sejmie należy kpić, a kogo traktować z nabożnym szacunkiem[2].

Radiokomitet

Skład „towarzystwa dziennikarskiego" początku lat 90. był w pewnej mierze pokłosiem „grubej kreski" Tadeusza Mazowieckiego, premiera rządu wielkiej koalicji (24 sierpnia 1989–12 stycznia 1991). Do mediów „głównego nurtu" trafiali tajni współpracownicy, ludzie bez kręgosłupów i wszelkiej maści karierowicze. Jedną z pierwszych decyzji nowo powstałego rządu było odwołanie z funkcji szefa Komitetu ds. Radia i Telewizji Jerzego Urbana, znienawidzonego rzecznika rządu Jaruzelskiego. W tym czasie trwało w najlepsze niszczenie akt komunistycznej bezpieki. Wśród nich były materiały dotyczące Jerzego Urbana. Zachowały się jedynie akta paszportowe oraz zapisy rejestracyjne, z których wynika, że Departament II MSW prowadził sprawę, w której Jerzy Urban występuje pod pseudonimem „Buran". Dotyczyła ona „kontaktów obywateli polskich z Ośrodkiem Wywiadu Izraelskiego w Wiedniu w latach 58–64"[3].

Jerzy Urban szybko poradził sobie w nowej rzeczywistości: na wniosek Przewodniczącego Komisji Likwidacyjnej RSW 25 kwietnia 1990 roku składa wniosek o przyznanie paszportu w związku z wyjazdem do ZSRS. Urban, wówczas dyrektor, redaktor naczelny Agencji Unia-Press, jedzie na zaproszenie sowieckiej agencji informacyjnej APN w celu nawiązania współpracy[4].

Warszawa, dn. 2013 -07- 1 9

Instytut Pamięci Narodowej
Komisja Ścigania Zbrodni
przeciwko Narodowi Polskiemu

Oddziałowe Biuro Udostępniania
i Archiwizacji Dokumentów
w Warszawie

dot. BUWa-III-55111-530/13

**Wypis z systemu SYSKIN
na podstawie karty nr BU I-187301/10
z dnia 06.04.2010 r.**

Jerzy Urban s. Jana ur. 03.08.1933 r.

1) MSW 49066/II, nr rej. 29142 o. Jan ur. 03.08.1933 , ps. „BURan"

Za zgodność

KIEROWNIK
Referatu Udostępniania Dokumentów
do Celów Naukowych i Dziennikarskich
w Oddziałowym Biurze Udostępniania
i Archiwizacji Dokumentów w Warszawie

Rafał Skrzyniarski

Wyk. w 1egz. – do udostępnienia
Wykonał: R. Sowińska

INSTYTUT PAMIĘCI NARODOWEJ - KOMISJA ŚCIGANIA ZBRODNI PRZECIWKO NARODOWI POLSKIEMU
Oddziałowe Biuro Udostępniania i Archiwizacji Dokumentów w Warszawie
00-839 Warszawa, ul. Towarowa 28, tel. 22 581-89-86, fax. 22 581-89-92

Wypis z elektronicznego systemu informacji SYSKIN MSW
dotyczący Jerzego Urbana

Jego miejsce w Radiokomitecie zajął Andrzej Drawicz.

> Po długim oczekiwaniu znamy wreszcie prezesa Radiokomitetu. [...] Andrzej Drawicz, z pokolenia ZMP (57 lat), w połowie lat pięćdziesiątych autor i aktor Studenckiego Teatru Satyryków, absolwent warszawskiej polonistyki, krytyk, literaturoznawca, tłumacz. [...] Jeden ze współtwórców opozycji demokratycznej lat 70.

– tak o wyborze Andrzeja Drawicza pisała we wrześniu 1989 roku „Gazeta Wyborcza"[5].

Z dokumentów komunistycznej bezpieki wynika, że Andrzej Drawicz od lat 50. był zarejestrowany jako TW „Kowalski", a następnie jako TW „Zbigniew". Ostatnia informacja w teczce pochodzi z lipca 1976 roku, kiedy tworzył się Komitet Obrony Robotników[6].

W Radiokomitecie, mimo pozornych zmian, został utrzymany *status quo* – wiceprezesami telewizji publicznej zostali ludzie PZPR.

> Kasą zajmował się Pilardy – b. szef ośrodka w Katowicach. Królikowski rządził radiem, a telewizją Słabicki – działacz partyjny z Rzeszowa, były z-ca kierownika wydziału prasy KC PZPR. Karol Sawicki został szefem DTV z poręki Mieczysława Rakowskiego, I sekretarza KC. Nominację Sawicki odbierał z rąk Jerzego Urbana[7].

Dyrektorem generalnym programów informacyjnych nadal był Andrzej Bilik (1988–1990), jednocześnie dyrektor Redakcji Programów Informacyjnych (1987–1989) i wiceprzewodniczący Rady Interwizji (1987–1989). Doskonale symbolizował łączność ze stanem wojennym.

Roman Pillardy był w latach 60. I sekretarzem KW PZPR w Opolu. W roku 1972 został redaktorem naczelnym opolskiej Rozgłośni Polskiego Radia, a w roku 1980 redaktorem naczelnym Ośrodka Telewizyjnego w Katowicach. W latach 80. zasiadał w Komisji Informacji KW PZPR w Katowicach. Członek PRON i członek SD PRL, uczestniczył w obradach Okrągłego Stołu w podzespole do spraw

Instytut Pamięci Narodowej
Biuro Udostępniania i Archiwizacji Dokumentów

Warszawa, dn. 23.08.2011

Egzemplarz pojedyncz:

INFORMACJE O OSOBIE
z komputerowego zbioru danych byłej Służby Bezpieczeństwa
(ZSKO)

DANE OSOBOWE:

Płeć: M   Identyfikatory: 32052003557, 3205209992R
Nazwiska: DRAWICZ
Imiona: ANDRZEJ JÓZEF
Rodzice: JOZEF, KRYSTYNA z domu SLAZAK
Urodz. dn.: 20.05.32 w: WARSZAWA (WARSZAWSKIE STOLECZNE)
Narodowość: POLSKA

DOKUMENTY:

- DOWOD OSOBISTY SJ6429362 WARSZAWA OCHOTA [zsko88 i zsko90]

ADRESY ZAMIESZKANIA:

- ███████████████████████████████ (WARSZAWSKIE
- ███████████████████████████████ (WARSZAWSKIE STOLECZNE)

DZIAŁALNOŚĆ:

- DZIALALNOSC - CZLONEK - KOR KKS - WARSZAWA - 81r. [zsko88 i zsko90]

INFORMACJE EWIDENCYJNE:

- ZAINTERESOWANIE CZYNNE - SUSW WARSZAWA WYDZ.III-1, zarejestrowano 23.08.76 pod numerem WA015787. [zsko88]

MATERIAŁY ARCHIWALNE:

- TAJNY WSPOLPRACOWNIK. Dnia 21.05.62r. zdjęto z ewidencji. powód: WYCZERPANIE MOZLIWOSCI OPERACYJNYCH. Materiały archiwalne numer 7638/1 złożono w: SUSW WARSZAWA PION C. [zsko88]
- Pozostawał w zainteresowaniu SB. Dnia 24.07.74r. zdjęto z ewidencji - PRZEKAZANO DO ARCHIWUM. Materiały archiwalne 2668/SK zniszczono w: SUSW WARSZAWA PION C. [zsko88]
- BYŁ INTERNOWANY przez SUSW WARSZAWA PION III. INTERNOWANIE OD DNIA 13.12.81 DO DNIA 20.10.82. [zsko88 i zsko90]

KONIEC INFORMACJI O OSOBIE

Informacje o Andrzeju Drawiczu z bazy danych SB ZSKO
(Zintegrowany System Kartotek Operacyjnych)

środków masowego przekazu. W roku 1989 został wybrany wiceprezesem Komitetu ds. Radia i Telewizji[8].

Andrzej Królikowski – dziennikarz radiowy, zaczynał karierę od prowadzenia autorskiego programu w Polskim Radiu Łódź. Do 1986 roku redagował w Telewizji Polskiej w Warszawie „Studio 2" prowadzone przez Mariusza Waltera. Przygotowywał także i prowadził „Express reporterów – Gorącą linię", a także kierował redakcją reportażu programu II TVP[9].

Jerzy Słabicki był szefem w telewizji wówczas, gdy pierwsze szlify przed kamerą zdobywała Aleksandra Jakubowska. Słabicki to funkcjonariusz partyjny, działający wcześniej w Rzeszowie. Pełnił też ogólnopolską funkcję w KC PZPR jako towarzysz odpowiedzialny za „odcinek prasowy"[10].

Andrzej Bilik miał za sobą grubą teczkę. Gdy w 1965 roku z dziennikarza Polskiego Radia awansował na attaché prasowo-kulturalnego ambasady PRL w Algierii, w lipcu – jak podaje Raport z weryfikacji WSI – został współpracownikiem wywiadu wojskowego o pseudonimie „Gordon". Tak był wierny „wojskówce", że kiedy w latach 1967––1984 wielokrotnie interesował się nim Departament I MSW i proponował mu współpracę, odmawiał. Wówczas wywiad cywilny usiłował go zdyskredytować wobec wywiadu wojskowego. Od 1988 roku Bilik często kontaktował się z kierownictwem wywiadu wojskowego. Z tych spotkań nie sporządzano żadnych notatek[11]. Być może za tę wierność został nagrodzony stanowiskiem ambasadora RP w Algierii (1996–1997). Nazwisko Bilika znalazło się na tzw. liście Kisiela, zatytułowanej „Moje typy" i opublikowanej w 1984 roku przez „Tygodnik Powszechny". Lista ta zwierała bez słowa komentarza nazwiska najgorszych propagandystów reżymowych. W obradach Okrągłego Stołu reprezentował stronę rządową przy podstoliku ds. mediów.

Z zachowanych w IPN dokumentów wynika, że już w roku 1989 tworzono podziały – na spotkania do Sejmu z posłami OKP byli zapraszani przedstawiciele Telewizji Polskiej, „Gazety Wyborczej" (Adam Michnik był wówczas posłem), „Rzeczpospolitej"

i PAP[12]. Inne media, jak np. „Tygodnik Solidarność", nie miały tam wstępu.

Gdy Andrzej Drawicz obejmował funkcję szefa Radiokomitetu, ministrem spraw wewnętrznych i wicepremierem był gen. Czesław Kiszczak, a premierem Tadeusz Mazowiecki. Przed ósmą rocznicą wprowadzenia stanu wojennego Kiszczak napisał list do Drawicza z pytaniem, czy jest prawdą, że na rocznicę stanu wojennego telewizja publiczna chce wyemitować film Agnieszki Holland „Zabić księdza" o księdzu Jerzym Popiełuszko.

Andrzej Drawicz odpisał, że nie ma takich planów, jednocześnie informując Kiszczaka o swoich instrukcjach, które wydał dziennikarzom i pracownikom telewizji, jak mają przedstawiać stan wojenny. Jakby tego było mało do listu Drawicz załączył pismo ze spisem owych sugestii, które zdawały się relatywizować stan wojenny i wybielać Jaruzelskiego i Kiszczaka.

W instrukcji czytamy m.in.:

– należy zachować równowagę dystansu w stosunku do dwóch stron konfliktu tzn. umożliwić przedstawienie racji, które przemawiałyby przeciwko decyzji o stanie wojennym jak i przesłanek, które to pociągnięcie w jakiejś mierze usprawiedliwiają;
– w miarę możliwości należy ograniczyć eksponowanie kwestii formalno-prawnych związanych ze stanem wojennym [stan wojenny został wprowadzony nielegalnie – *aut.*] lecz raczej koncentrować się na aspekcie politycznym i moralnym;
– nie należy szczególnie eksponować kwestii ewentualnego zagrożenia interwencją radziecką jako przesłanki do wprowadzenia stanu wojennego; w przypadku podejmowania tej kwestii należy zadbać o to, aby wyraźnie osadzić problem w ówczesnych realiach (ekipa Breżniewa) tak, aby nie wywołać wśród telewidzów nastrojów antyradzieckich. Programy dotyczące wprowadzenia stanu wojennego powinny być pozbawione akcentów rewanżyzmu, nawoływania do odwetu itd., powinny tworzyć wśród widzów odczucie zadośćuczynienia moralnego i politycznej satysfakcji. Należy wystrzegać się jakichkolwiek ataków personalnych a zwłaszcza ewentualnych prób

dezawuowania osoby prezydenta PRL [był nim wówczas Wojciech Jaruzelski – *aut.*];

– w ewentualnych programach prezentujących wspomnienia byłych internowanych lub w programach pokazujących tłumienie siłą strajku należy zachować szczególna rozwagę i umiar; z drugiej strony należy dać jakiś rodzaj satysfakcji moralnej osobom internowanym.

Drawicz (w aktach SB zarejestrowany jako TW „Kowalski" i TW „Zbigniew") na koniec napisał, że oczekuje pisemnych założeń tych programów „do akceptacji"[13].

Takie „niekonfrontacyjne" podejście do kwestii stanu wojennego zostało już ustalone w czasie rozmów w Magdalence w 1989 roku, w trakcie trwania obrad Okrągłego Stołu.

Do Moskwy wysyłamy „swoich"

W 1990 roku korespondentką TVP w Moskwie została Krystyna Kurczab-Redlich. Według dokumentów komunistycznej bezpieki została ona zarejestrowana jako tajny współpracownik – kontakt operacyjny „Violetta". Dokumenty wskazują, że do współpracy ze Służbą Bezpieczeństwa została pozyskana w roku 1978, a w grudniu 1982 – do współpracy w wywiadem PRL. Kolejna rejestracja – także przez wywiad komunistyczny – nastąpiła 13 grudnia 1984 roku. Krystyna Kurczab pracowała wówczas w biurze rzecznika prasowego ministerstwa oświaty i wychowania.

W niedługim czasie zamierza wyjść za mąż za Jerzego Redlicha. Powinna mieć nadal dotarcie do znanych działaczy emigracyjnych: Pomianowskiego, Kołakowskiego, Grudzińskiego i innych, o których informowała mnie w poprzednim okresie. Oceniając swoje aktualne możliwości dla naszej Służby stwierdziła, że nadal pozostaje w dobrych stosunkach z Wilhelminą Skulską oraz Stefanem Bratkowskim, który powierzył jej pod opiekę swoje archiwum. Po śmierci J. Popiełuszki proponowano jej pełnienie dyżuru w Kościele Św. St. Kostki na Żoliborzu, gdzie przebywali znani działacze opozycji: Kuroń, Onyszkiewicz, Jaworski. Odmówiła uważając, że całość to zwykła maskarada nie mająca sensu. Ocenia jednak, że istnieją duże szanse, aby dotarła do czołowych działaczy opozycji oraz nowo powołanych Komitetów Obrony Praw Człowieka. Jeśli jesteśmy zainteresowani, może podjąć taką próbę

– pisał 29 listopada 1989 roku podporucznik Krzysztof Sałański, inspektor Wydziału XI Departamentu I w raporcie do swojego przełożonego płk. Henryka Bosaka[14].

Z dokumentów IPN dowiadujemy się, że Krystyna Kurczab znała dziennikarzy włoskich oraz Jeana Roberta Suessera, przedstawiciela trockistowskiej IV Międzynarodówki:

Wyjeżdżając za granicę jest w stanie odnowić dawne znajomości z przedstawicielami emigracji we Włoszech, działaczami IV Międzynarodówki w Paryżu oraz przy sprzyjających okolicznościach z pracownikami Watykanu (przez siostrę)[15].

Funkcjonariusz komunistycznej bezpieki podkreślał, że „«Violetta» jest chętna do współpracy z naszą Służbą"[16].

W dn. 27 i 28 listopada br. «V» przekazała mi taśmy z nagranymi gazetkami St. Bratkowskiego, które kolportowane są w różnych częściach kraju. «V» posiada obecnie duże możliwości dotarcia do czołowych działaczy opozycji politycznej w kraju. Stwarza to szansę rozpoznania planów tych ugrupowań, szczególnie pod kątem organizowania nowych akcji wymierzonych w politykę kierownictwa partii i państwa

– meldował ppor. Sałański[17].

W meldunku gen. Zdzisława Sarewicza, dyrektora Departamentu I, czytamy, że „Violetta" na terenie Włoch spotykała się m.in. z Jerzym Pomianowskim, Leszkiem Kołakowskim oraz Marią i Jerzym Kuncewiczami.

JAWNE

Warszawa dn.29 listopada 1984 r. 3

T A J N E
Egz. poj.

Naczelnik Wydziału XI Dep.I MSW

Tow. płk H. B o s a k

R A P O R T

o zatwierdzenie odnowienia współpracy z K.O "Violetta" nr.arch.
J - 8760

Kurczab Krystyna dalej "Violetta",
c.Jana i Janiny Liebling,
ur. 6.12.1945 r. w Zabrzu,
nar.żydowska,obyw.polskie,
wykształcenie wyższe - prawnicze,
zawód - dziennikarz,
zatr. Min.Ośw. i Wychowanie,
zam.Warszawa ▓▓▓▓▓▓▓▓▓▓ /tymczasowo/

I. Przebieg rozmowy.

    Zgodnie z zatwierdzonym raportem,spotkałem się w dn.
26.11.br. o godz.10.00 w kawiarni "Świtezianka" z K.O "Violetta".
Przedmiotem spotkania było wyjaśnienie jej aktualnych możliwości
wywiadowczych oraz obecnej sytuacji osobistej i zawodowej.

    "V" poinformowała mnie,że w okresie przerwy we współpra
cy ze mną nie nastąpiły żadne istotne zmiany w jej sytuacji oso-
bistej.Nadal pracuje w Biurze Rzecznika Prasowego MOiW.Ponadto
pisze,w ramach wolnego czasu,artykuły do "Przekroju" i "Szpilek".
W niedługim czasie zamierza wyjść za mąż za Jerzego Redlicha.
Dotychczas nie wyjeżdżała,mimo planów,do siostry zamieszkałej
we Włoszech.Uważa jednak,że nie nastąpiły żadne istotne zmiany
u niej.Powinna więc nadal mieć dotarcie do znanych działaczy
emigracyjnych:Pomianowskiego,Kołakowskiego ,Grudzińskiego i
innych,o których informowała mnie w poprzednim okresie.

Raport z 29 listopada 1984 roku o zatwierdzenie odnowienia współpracy
z KO „Violetta" – Kurczab Krystyna (IPN BU 01911/122) (strona 1)

- 2 -

Oceniając swoje aktualne możliwości pracy dla naszej
Służby stwierdziła,że nadal pozostaje w dobrych stosunkach z
Wilhelminą Skulską oraz Stefanem Bratkowskim,który powierzył
jej pod opiekę swoje archiwum.Po śmierci J.Popiełuszki proponowano jej pełnienie dyżuru w Kościele św.St.Kostki na Żoliborzu,
gdzie przebywali znani działacze opozycji: Kuroń,Onyszkiewicz,
Jaworski.Odmówiła uważając,że całość to zwykła maskarada,nie
mająca sensu.Ocenia jednak,że istnieją duże szanse,aby dotarła
do czołowych działaczy opozycji oraz nowopowołanych Komitetów
Obrony Praw Człowieka.Jeżeli jesteśmy tym zainteresowani,może
podjąć taką próbę.

Jeśli chodzi o możliwość realizacji naszych zadań za
granicą uważa,że istnieją ku temu warunki.Na terenie Rzymu może
poprzez siostrę,nawiązać odpowiednie kontakty z jej znajomymi,
przedstawicielami emigracji.Zna również kilku dziennikarzy
włoskich /Melo Freni,Valerio Occheto Stefano Munafo/ pracowników
telewizji/RAI/.Ponadto widzi szansę odnowienia kontaktu z Jean
Robert Suesserem,przedstawicielem IV Międzynarodówki oraz jego
kolegami.W tym celu musiałaby pojechać do Rzymu i Paryża.

W dn.27 i 28 listopada br. "V" przekazała mi taśmy z
nagranymi gazetkami St. Bratkowskiego,które kolportowane są w
różnych częściach kraju.

II. Cel odnowienia współpracy.

"V" posiada obecnie duże możliwości dotarcia do czołowych działaczy opozycji politycznej w kraju.Stwarza to szansę
rozpoznania aktualnych planów tych ugrupowań,szczególnie pod
kątem organizowania nowych akcji wymierzonych w politykę kierownictwa partii i państwa.

Wyjeżdżając za granicę jest w stanie odnowić dawne
znajomości z przedstawicielami emigracji we Włoszech,działaczami
IV Międzynarodówki w Paryżu oraz przy sprzyjających okolicznościach z pracownikami Watykanu/poprzez siostrę/.

Poza przekazywaniem informacji o działalności i działa-
czach poszczególnych ugrupowań i organizacji zarówno w kraju jak
i za granicą,"V" może być dobrym źródłem naprowadzeń,szczególnie
na osoby związane z podziemiem.

Raport z 29 listopada 1984 roku o zatwierdzenie odnowienia współpracy
z KO „Violetta" – Kurczab Krystyna (IPN BU 01911/122) (strona 2)

- 3 -

III. Łączność.

Spotkania z "V" odbywać się będą w zależności od potrzeb.Termin każdego kolejnego spotkania ustalany będzie na poprzednim.

IV. Uwagi.

"Violetta" jest chętna do współpracy z naszą Służbą. Podczas spotkania odniosłem jednak wrażenie,że obawia się troc tych,przeciwko którym będzie musiała pracować.Dlatego też uważ że w początkowym okresie może być mniej aktywna,bardziej ostro na w przekazywaniu informacji o podziemiu sprawdzając jednocze nie,jakie reperkusje   wywołały te informacje,które dotyczo przekazała.Zauważyłem również,że "V" kiedy nie ma pewności,czy podoła wykonać zadanie oraz czy jest w stanie dotrzeć do innyc osób,które mogłyby nas interesować,nie deklaruje się,że istnie takie możliwości.W poprzednim okresie wyjaśniła mi,że woli nic nie obiecywać,jeżeli nie jest pewna,czy będzie w stanie to wyk nać.Uważa,że inaczej byłaby nieodpowiedzialna i moglibyśmy mie do niej pretensje.

Początkowy okres współpracy będzie traktowała z pewn ścią jako próbę sprawdzenia ewentualnych konsekwencji dla niej Jeżeli wszystko będzie przebiegało pomyślnie dla niej,wpłynie pozytywnie na jej postawę i zwiększy jej inwencję i zaangażowa w realizację naszych zadań.

Inspektor Wydziału XI Dep.I MSW

ppor K Sałański

Raport z 29 listopada 1984 roku o zatwierdzenie odnowienia współpracy z KO „Violetta" – Kurczab Krystyna (IPN BU 01911/122) (strona 3)

> Na obecnym etapie TW otrzymała zadanie dalszego rozpracowywania działalności Stefana Bratkowskiego oraz dotarcia do aktywistów Komitetu Obrony Praw Człowieka w Warszawie

– pisał gen. Sarewicz[18].

Z dokumentów bezpieki wynika, że sprawa Krystyny Kurczab została zakończona i przekazana do archiwum już po utworzeniu rządu Mazowieckiego, 2 listopada 1989 roku.

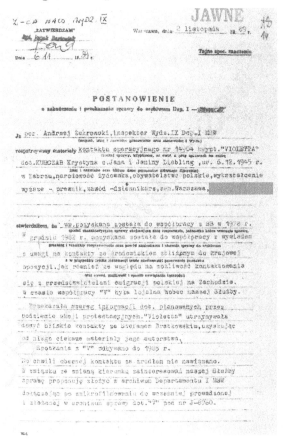

Postanowienie z 2 listopada 1989 roku o zakończeniu sprawy
Krystyny Kurczab (IPN BU 01911/122)

„Róbta co chceta"

W TVP pojawił się Jerzy Baczyński, redaktor naczelny tygodnika „Polityka", który był współredaktorem programu „Listy o gospodarce", a także „Gorącej Linii", prowadzonej przez jego redakcyjną koleżankę Janinę Paradowską.

Na antenie telewizji publicznej można było zobaczyć także Grzegorza Cydejkę (późniejszego szefa Warszawskiego Oddziału Stowarzyszenia Dziennikarzy Polskich), który specjalizował się w dziennikarstwie ekonomicznym. Cydejko studiował na Uniwersytecie Warszawskim, zaś praktyki odbył na Uniwersytecie im. Łomonosowa w Moskwie w roku 1986[19]. W TVP pracowała nadal Wanda Konarzewska, członkini Komitetu Zakładowego PZPR, współautorka programów dokumentalnych m.in. na temat zjawisk paranormalnych[20]. Z Radiokomitetem współpracowała również Olga Braniecka-Moskwiczenko (jej mąż, Rosjanin, na stałe mieszkał w Moskwie), działaczka Związku Socjalistycznej Młodzieży Polskiej, w latach 70. delegowana z ramienia PRiTV m.in. do Etiopii[21]. Cała trójka po 1989 roku znalazła się we władzach warszawskiego oddziału Stowarzyszenia Dziennikarzy Polskich. W 2012 roku głośny był list otwarty podpisany m.in. przez Cydejkę, Konarzewską, Braniecką i Krystynę Kurczab-Redlich, w którym domagali się oni odejścia prezesa Zarządu Głównego SDP Krzysztofa Skowrońskiego[22].

Po 1989 roku w telewizji pojawia się nowa gwiazda – Jurek Owsiak ze swoim zawołaniem „Róbta co chceta". W 1993 roku odbywa się pierwszy finał akcji Wielka Orkiestra Świątecznej Pomocy. Owsiak z dnia na dzień staje się celebrytą. Nikt nie wie wówczas, że jego ojciec – Zbigniew – był pułkownikiem Milicji Obywatelskiej. Jak wynika z archiwów IPN, do pracy w milicji zgłosił się on w 1945 roku mając 19 lat. Jak podał – z zamiłowania[23].

W 1946 roku Zbigniew Owsiak miał już opinię aktywnego działacza partyjnego przychylnie nastawionego do Rządu Jedności Narodowej i Związku Sowieckiego. W opinii służbowej z 1947 roku przełożeni podkreślali, że „w dużej mierze przyczynił się do rozbicia PSL w gminie Mierzeszyn". Piastował też w tym czasie m.in. stanowisko zastępcy komendanta posterunku ds. polityczno-wychowawczych. W napisanych przez siebie życiorysach Zbigniew Owsiak podkreślał swój negatywny stosunek do kleru. Uważał go za „szkodnika państwa demokratycznego". Chwalony był za wykłady w Ośrodku Szkoleniowym ZOMO.

Płk Zbigniew Owsiak, „pogromca" PSL w gminie Mierzeszyn (IPN BU 710/202)

W 1962 roku Zbigniew Owsiak został przeniesiony do KGMO w Warszawie, gdzie w roku 1973 doszedł do funkcji naczelnika Wydziału II Biura Dochodzeniowo-Śledczego. Powierzono mu m.in. sprawowanie nadzoru i udzielanie pomocy praktycznej terenowym jednostkom MO w sprawach o poważniejsze przestępstwa gospodarcze. Przez kilka kadencji pełnił w Komendzie funkcję I, a wcześniej także II sekretarza egzekutywy POP PZPR. Z ramienia resortu został oddelegowany na stanowisko szyfranta w ambasadzie PRL w Bonn[24]. Z kolei matka Owsiaka – Maria Owsiak – również pracowała w MO, w Wydziale I Komendy Wojewódzkiej w Gdańsku, a później jako urzędnik prokuratury wojewódzkiej w Gdańsku. Zbigniew Owsiak podkreślał, że rodzice żony są w partii, a jej siostra – w Komitecie Warszawskim PZPR w Ośrodku Szkolenia Partyjnego[25].

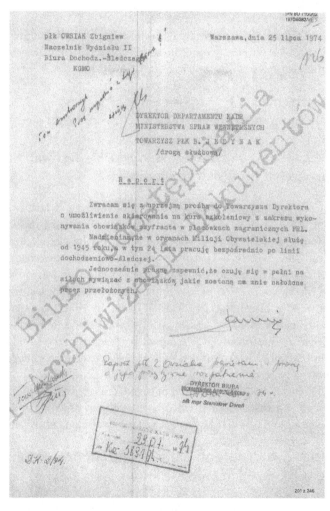

Raport płk. Zbigniewa Owsiaka z 1974 roku ws. skierowania
na kursy dla szyfrantów (IPN BU 710/202)

Sam Jurek Owsiak o polityce mówi rzadko, ale zawsze w momentach newralgicznych. W 1993 roku w programie „Róbta co chceta" pokazano zdjęcia z rozbitej przez policję manifestacji w rocznicę obalenia rządu Jana Olszewskiego. Szła ona pod Belweder, gdzie urzędował Lech Wałęsa.

> Byłem na tej manifestacji, widziałem bicie ludzi i radiowóz wjeżdżający w tłum. A potem «wolnościowego» Owsiaka przestrzegającego przed nienawiścią manifestantów

– mówił Piotr Semka[26].

Owsiak, mimo pozornego „buntu", zawsze starał się być po stronie „słusznej" władzy.

W 2012 roku na Przystanek Woodstock – festiwal, którego jest twórcą – przyjechał Bronisław Komorowski.

> Rzecznik Woodstocku Krzysztof Dobies mówił po jego wizycie: «Jedno ze zdań, które zapadło mi w pamięć ze strony Kancelarii Prezydenta, brzmiało tak: mogłoby nas tu w ogóle nie być. Wy byście tak doskonale poprowadzili tę wizytę... Bardzo dziękujemy woodstokowiczom, bo to ich postawa, ich nieprawdopodobna wręcz życzliwość do tego zdarzenia, ich niesamowita... ich piękno w tym, jak rozmawiali, jak przyjęli... Bili brawo, śpiewali sto lat, pozdrawiali i tam nie zdarzyło się nic, nic, co byłoby podbramkową sytuacją». Historia zatoczyła koło. Rzecznik festiwalu zbuntowanych przemówił bardziej usłużnie niż działacz Komsomołu wobec I sekretarza KPZR. [...] W czasie tego samego festiwalu policja zatrzymała dwóch przedstawicieli Fundacji Pro-Prawo do Życia. Demonstrujących z bannerem przedstawiającym zdjęcie zmasakrowanego w wyniku aborcji dziecka z zespołem Downa, podobiznę Adolfa Hitlera i napis «Hitler też zaczynał od zabijania chorych»[27].

W 2013 roku na festiwalu zorganizowanym przez Owsiaka dochodziło do obrazoburczych zachowań.

> «Biblia nie jest księgą życia. Tam jest tyle nienawiści, przemocy, seksu, brutalności, że nie mógłbym się nią kierować» – mówił podczas

festiwalowego spotkania z młodzieżą celebryta Kuba Wojewódzki. Lewacka ideologia pacyfistyczna, z którą obnoszą się organizatorzy festiwalu, hasła tolerancji i pojednania, nazwa festiwalowych sił porządkowych – Pokojowego patrolu – mają się nijak do tego, co naprawdę dzieje się podczas imprezy w Kostrzynie nad Odrą. Księża i wierni katoliccy odwiedzający namiot religijny Woodstocku spotykają się tam z aktami agresji skierowanymi przeciwko wierze. Krzyż przy namiocie na Przystanku Jezus [festiwal muzyczny organizowany co roku podczas Przystanku Woodstock – *aut.*] jest profanowany. Młodzież rzuca w niego puszkami z piwem, szydzi z symbolu wiary[28].

Syn w „wojskówce", córka w TVP

Wyróżniającą się pod względem popularności postacią telewizji jest też Alicja Resich-Modlińska – córka Zbigniewa Resicha, działacza PZPR. Zbigniew Resich był w PRL pierwszym sędzią Sądu Najwyższego. Brat Alicji Resich – Krzysztof – w czasach PRL przebywał na placówce PLL LOT w USA[29]. Był on tajnym współpracownikiem Zarządu II Sztabu Generalnego WP działającym pod ps. „Saper". Został zdekonspirowany wskutek zdrady innego agenta Zarządu II SG WP – Tadeusza Kondratowicza. Ten ostatni był łącznikiem między Resichem a rezydentem wywiadu PRL w Nowym Jorku. Jak napisał w swojej książce Sławomir Cenckiewicz, zainteresowanie służb specjalnych mogło być w tym przypadku związane z pozycją ojca, byłego I prezesa SN. Gdy we wrześniu 1981 roku brat „Sapera" odmówił powrotu z placówki w Genewie, ten z kolei został odwołany z Nowego Jorku. Nie powrócił jednak na wezwanie przełożonych.

Krzysztof Resich został zwerbowany w 1976 roku przez płk. Bronisława Potockiego. Przed wyjazdem do Nowego Jorku był szkolony przez pracującego w attachacie wojskowym w Londynie kmdr. por. Kazimierza Głowackiego[30], późniejszego szefa WSI.

Osobą, która ułatwiała kariery dzieci prominentów władzy w telewizji, była reżyserka i operatorka TV Barbara Borys-Damięcka, późniejsza senator PO. Sama Borys-Damięcka zaczynała jako operator kamery, ale w telewizji szybko pięła się po szczeblach kariery i wkrótce została reżyserem. Jej ojciec Jakub Wancer był dyrektorem departamentu w Ministerstwie Handlu Wewnętrznego.

To właśnie w programie telewizyjnym „5–10–15" autorstwa Borys-Damięckiej, a przeznaczonym dla młodego widza, rozpoczynały swoje kariery telewizyjne dzieci prominentów PRL.

Borys-Damięcka ściągnęła do programu dzieci Alicji Resich-Modlińskiej, Mariusza i Bożeny Walterów. Były tu też Maria Niklińska (dziś aktorka, córka Jolanty Fajkowskiej), Piotr Kraśko, Justyna Pochanke, Kinga Rusin, Krzysztof Ibisz.

Pierwsze kroki w telewizji stawiała w tym programie także Małgorzata Halber, późniejsza dziennikarka muzyczna i prezenterka stacji muzycznych. Małgorzata Halber to córka polityka i biznesmena Adama Halbera – założyciela Polskiej Partii Przyjaciół Piwa, a w latach 1997–2003 członka KRRiT z ramienia SLD. To właśnie Halber wysłał 5 marca 2003 roku do prezesa TVP Roberta Kwiatkowskiego słynny SMS: „Może byś wrócił do Piotrka Urbankowskiego. To jest świetny koleś – pracowity i lojalny, lubię go i cenię. Precz z siepactwem. Chwała nam i naszym kolegom. Chuje precz!"[31].

Piotr Urbankowski dwa dni przed wysłaniem SMS-a utracił stanowisko wiceministra obrony narodowej z rekomendacji PSL i Halber starał się załatwić mu nową posadę.

Rok 1992 – próba zmian

Po nominacji Jana Olszewskiego na premiera rządu szefem TVP został Marian Terlecki. W TVP pojawiają się wtedy nowe twarze, ruszają nowe programy, m.in. „Reflex" Jacka Kurskiego i Piotra Semki – jeden z najlepszych programów publicystycznych w historii TVP. Nowy prezes ma krytyczny stosunek do „starych" dziennikarzy TVP.

W styczniu 1991 roku prowadząca „Wiadomości" Aleksandra Jakubowska, po otrzymaniu wypowiedzenia, w czasie ostatniego jej programu na wizji żegna się z widzami, zabiera torebkę i wychodzi. Kilka dni później do dymisji podaje się kierownictwo „Wiadomości", ale to nie zmienia sytuacji w TVP. Wystarczy przypomnieć ówczesne wiadomości i sposób relacjonowania polityki rządu Jana Olszewskiego wobec Rosji czy też anylustracyjną histerię.

Po upadku rządu Jana Olszewskiego w czerwcu 1992 roku z TVP zostali zwolnieni ludzie kojarzeni z prawicą. Szefem Radiokomitetu został Andrzej Zaorski, który odszedł w marcu 1993 roku, wraz z rozwiązaniem Radiokomitetu.

Krajową Radę Radiofonii i Telewizji powołano w kwietniu 1993 roku na mocy ustawy z grudnia 1992 roku. Uzyskała ona prawo do powoływania szefa TVP. Po kilku miesiącach zawirowań, w listopadzie 1993 roku, gdy rządziła już koalicja SLD–PSL, prezesem TVP został gdański opozycjonista z Ruchu Młodej Polski dziennikarz Wiesław Walendziak, który przed tą nominacją pracował w Polsacie.

Walendziak mógł zostać prezesem TVP, bo w ówczesnej KRRiT przeważały osoby zbliżone do prawej strony sceny politycznej. W TVP pojawili się wtedy młodzi ludzie nazwani przez lewackie media „pampersami", powstały nowe programy publicystyczne. Największą popularność zdobyły „WC kwadrans" Wojciecha Cejrowskiego oraz wymyślony przez Wiesława Walendziaka flagowy program „Jedynki" – „Puls dnia". Był on absolutną nowością publicystyczną w siermiężnej TVP – emitowano go od poniedziałku do piątku: w każdym programie politycy odpowiadali na pytania dziennikarzy, emitowano w trakcie jego trwania także felieton dotyczący aktualnych wydarzeń. Wydawcami „Pulsu dnia" byli m.in. Amelia Łukasiak, Paweł Nowacki i Andrzej Papierz, a prowadzącymi Jacek Łęski, Marcin Wrona i Piotr Semka. Program wzbudzał kontrowersje wśród polityków rządzącej koalicji SLD–PSL oraz związanych z nimi członków Krajowej Rady Radiofonii i Telewizji. Szczególnie ostro atakowano Piotra Semkę i Marcina

Wronę. Głośna była zwłaszcza sprawa, gdy ówczesny premier Waldemar Pawlak – zdenerwowany sposobem prowadzenia rozmowy przez Wronę – powiedział mu po rozmowie: „Niech pan tak dalej uprawia dziennikarstwo, to daleko pan zajdzie". Innym razem podczas rozmowy na czole Pawlaka siadała mucha, która spacerowała po jego twarzy do końca programu – Pawlak odebrał to jako wymierzony w niego spisek zawiązany przez członków redakcji. Jeszcze kiedy indziej prowadzący Piotr Semka zapytał Pawlaka o aferę Inter Arms (chodziło o wspieranie przez ówczesnego premiera prywatnej firmy kolegi Pawlaka, w której był także zatrudniony komunistyczny szpieg Marian Zacharski).

„A podobno pan zjadł kanapki w sejmowym bufecie i nie zapłacił" – odparował Pawlak, co skończyło się mocnym spięciem. Równie niewygodne pytania Piotr Semka zadał Andrzejowi Olechowskiemu – chodziło o współpracę z komunistyczną bezpieką. Olechowski po raz pierwszy wtedy publicznie przyznał, że współpracował z wywiadem PRL.

Jedna z najbardziej zapamiętanych przez widzów audycji dotyczyła wyjścia ze studia Zbigniewa Siemiątkowskiego w trakcie trwania rozmowy. Siemiątkowski, ówczesny szef MSW, a wcześniej szef kampanii wyborczej Aleksandra Kwaśniewskiego, był pytany przez Jacka Łęskiego o inwigilację obywateli. Sprawa dotyczyła zdjęcia, na której pojawiły się transparenty nieprzychylne Kwaśniewskiemu. Na zdjęciu był kadr z pikiety i własnoręczny podpis Siemiątkowskiego. Prowadzący porównał te działania do metod Służby Bezpieczeństwa: „wiemy o tobie wszystko, znamy twój adres i wizerunek". Łęski zapytał również, czy teraz każdy obywatel, który jest krytyczny wobec władzy, będzie w taki sposób traktowany. Po tym pytaniu Siemiątkowski zerwał się z miejsca, zrzucił mikrofon i wybiegł ze studia.

Program został zdjęty z anteny TVP niedługo po tym, jak 12 kwietnia 1996 roku prezesem telewizji publicznej został Ryszard Miazek[32].

Dziennikarze z „Pruszkowem", a „faszysta" won

Już po wyborze Miazka, w lipcu 1996 roku, „Rzeczpospolita" i „Super Express" ujawniły, że impreza z okazji 10-lecia istnienia „Teleexpressu" została zorganizowana w klubie „Dekadent", gdzie obok dziennikarzy bawili się gangsterzy z „Pruszkowa". Klub był kontrolowany przez Leszka D. ps. „Wańka", który w 2000 roku powędrował na 13 lat do więzienia. „Puls dnia" zrobił felieton oraz rozmowę na temat zabawy dziennikarzy z gangsterami, co wprawiło we wściekłość ówczesne gwiazdy „Teleexpressu" i szefostwo TVP.

Wstrzymanie emisji „Pulsu dnia" nastąpiło jednak dopiero po tym, jak nie dopuszczono do emisji odcinka na temat organizowanego przez Wojciecha Cejrowskiego festiwalu „ciemnogrodu" w Osieku na Kociewiu. Spotykały się tam osoby o konserwatywnych poglądach, które sprzeciwiały się poprawności politycznej i rządom ludzi uwikłanych we współpracę z komunistyczną bezpieką. Gdy ekipa „Pulsu dnia" kręciła reportaż, nie wiadomo skąd pojawił się nagle Jerzy Diatłowicki, zwolennik III RP. Diatłowicki, syn ppłk. Tadeusza Diatłowickiego (1912–1958), pracownika Departamentu I MBP, a następnie Departamentu II MSW, za działalność w Marcu '68 roku trafił do więzienia, później należał do opozycji. Na początku lat 90. prowadził w TVP cykl rozmów zatytułowany „Rzeczpospolita druga i pół", na temat transformacji ustrojowej. Nie dziwi więc, że natychmiast został rozpoznany i pomiędzy nim a jednym z uczestników zjazdu wywiązała się ostra dyskusja.

„Niech mnie pan w d... pocałuję" – krzyknął zdenerwowany Diatłowicki, na co jego interlokutor odparł: „A proszę bardzo". W tym momencie Diatłowicki zdjął spodnie, co uwieczniła kamera rejestrująca całe zdarzenie dla „Pulsu dnia". Po zmontowaniu materiału, na którym było widać m.in. dworowanie z Kwaśniewskiego i polityków SLD, reportaż został oddany do zatwierdzenia m.in. przez nadzorującego program Tomasza Siemoniaka, po latach ministra obrony narodowej w rządzie PO–PSL. Jak się nietrudno domyślić, nigdy nie został on wyemitowany, a „Puls dnia" zniknął z anteny. Diatłowicki nazwał program Cejrowskiego faszystowskim i złożył nawet pozew w sądzie, na co Cejrowski również odpowiedział pozwem.

Ryszard Miazek, w roku 1992 rzecznik rządu Waldemara Pawlaka, partyjną karierę zaczynał jeszcze w Zjednoczonym Stronnictwie Ludowym, satelickiej partii PZPR. W czasach PRL pracował m.in. w radach narodowych – fasadowych instytucjach okresu komunistycznego, mających stwarzać pozory demokracji. W rzeczywistości ich zadaniem było realizowanie polityki rządu, która była całkowicie zależna od PZPR. Ryszard Miazek zajmował także kierownicze stanowisko w kontrolowanym przez ZSL rolniczym czasopiśmie „Plon", które zajmowało się m.in. opisywaniem socjalistycznej wsi.

Na początku prezesury Miazka w TVP swój program stracił także Wojciech Cejrowski, którego (podobnie jak dziennikarzy „Pulsu dnia") atakowała na swoich łamach „Gazeta Wyborcza". W swoim programie Cejrowski promował wartości chrześcijańskie, ostro sprzeciwiając się relatywizmowi i wszystkiemu, co ze sobą niesie ideologia komunistyczna.

„Czołowym «faszystą» lat 90. został jednak nie polityk, ale showman – Wojciech Cejrowski. «Brunatny kowboj RP»" – taki tytuł dała „Gazeta Wyborcza" oskarżycielskiemu artykułowi na temat telewizyjnej audycji „WC Kwadrans".

„On gra na faszystowskiej nucie" – mówił w tekście Krzysztof Piesiewicz, wówczas członek Rady Programowej TVP. „Tak właśnie rodzi się faszyzm i ja normalnie zaczynam się bać" – dodawał kolejny członek Rady, reżyser Piotr Łazarkiewicz.

> Cejrowski, kiedy stoi w rozkroku na tle rancza, przypomina tego młodego blondaska, który w «Kabarecie» na zjeździe ziomkostw śpiewa czystym głosem pieśń o ojczyźnie, a za nim stoją pałki i noże

– oskarżał reżyser Jerzy Markuszewski, przywołując film Boba Fosse'a.

Cejrowski podał do sądu autorkę tekstu i Łazarkiewicza (sam też był pozwany za rzekome propagowanie faszyzmu). W obu sprawach sądy pierwszej instancji przyznawały rację prowadzącemu „WC Kwadrans", ale ostatecznie przegrał on przed sądami apelacyjnymi[33].

Po zdjęciu z anteny programu „WC Kwadrans" Ryszard Miazek, prezes TVP, na konferencji prasowej 5 czerwca 1996 roku mówił:

> Postawa Cejrowskiego, autora programu «WC Kwadrans», nie jest zgodna z zasadami dobrego wychowania, jakim ma hołdować telewizja publiczna.

Powrót „ludzi z teczek"

Rządy następcy Miazka, czyli Roberta Kwiatkowskiego (1998–2004), kojarzą się głównie z powrotem do TVP ludzi figurujących w dokumentach IPN jako tajni współpracownicy, dawnych aparatczyków PZPR i byłych działaczy SZSP.

> 26 czerwca – nowym prezesem zarządu telewizji publicznej został Robert Kwiatkowski (SLD), członek sztabu wyborczego Aleksandra Kwaśniewskiego w 1995 roku, dotychczas członek KRRiT, specjalizujący się w sprawach reklamy. Jego pensja wynosiła, jak oświadczył, 35 tys. zł (równowartość dziesięciu tysięcy dolarów) plus premie[34].

Robert Kwiatkowski to syn pułkownika Stanisława Kwiatkowskiego, teoretyka propagandy, twórcy powołanego w stanie wojennym Centrum Badania Opinii Społecznej (CBOS). Od 1973 roku płk Kwiatkowski był doradcą gen. Wojciecha Jaruzelskiego. Robert Kwiatkowski jako młody człowiek mieszkał wraz z rodzicami w tzw. „zatoce czerwonych świń" przy ul. Wiktorii Wiedeńskiej w Warszawie – osiedlu, gdzie swoje mieszkania mieli m.in. Józef Oleksy, Aleksander Kwaśniewski, a także sowiecki szpieg Władimir Ałganow.

W czasie studiów Kwiatkowski był działaczem SZSP – w stanie wojennym będąc na II roku studiów dziennikarstwa i nauk politycznych wyjeżdżał do Moskwy na międzynarodowe seminarium[35]. Już jako magister politologii w drugiej połowie lat 80. był członkiem PZPR i pracował jako kierownik Wydziału Propagandy Rady Naczelnej Zrzeszenia Studentów Polskich[36].

W 1988 roku Wojskowa Służba Wewnętrzna odnotowała wyjazd Kwiatkowskiego do Korei Północnej (1987) oraz Francji (1988)[37]. W 1988 roku Kwiatkowski wyjeżdżał również do NRD – był w delegacji rządowej razem z Aleksandrem Kwaśniewskim, ówczesnym ministrem ds. młodzieży i kultury fizycznej[38].

Na eksponowane stanowisko wrócił do telewizji także Jacek Snopkiewicz – w okresie prezesury Kwiatkowskiego był szefem Telewizyjnej Agencji Informacyjnej oraz rzecznikiem TVP. Z kolei publicystyką w TVP 1 za czasów prezesury Kwiatkowskiego zajął się Jacek Skorus, pracownik publicznej telewizji od roku 1981. W stanie wojennym robił propagandowe materiały deprecjonujące „Solidarność"[39]. W archiwum IPN zachowały się dokumenty, z których wynika, że był on zarejestrowany jako tajny współpracownik bezpieki ps. „Zbigniew". Miał zostać zwerbowany na początku 1982 roku przez Wydział III SB w Katowicach na zasadach dobrowolności. Zachowały się jedynie nieliczne dokumenty, w tym karta rejestracyjna TW „Zbigniewa". Te wstydliwe fakty z życiorysu szefa „Panoramy" ujawnił dwa lata temu Maciej Gawlikowski, reżyser filmu „Pod prąd". Jego reportaż nigdy nie został wyemitowany w TVP 2, mimo że przeszedł kolaudację. Film Gawlikowskiego zawiera urywki z „Dziennika Telewizyjnego", który w stanie wojennym emitował krótki propagandowy cykl „Archiwum Solidarności". Jego celem było zdeprecjonowanie związku. Jednym z autorów materiałów był właśnie Jacek Skorus[40].

Skorus pracował najpierw w katowickim oddziale TVP. W latach 1998–1999 był wydawcą programu publicystycznego „W centrum uwagi" emitowanego w TVP 1, a w latach 2002–2007 wydawcą programów publicystycznych „Echa dnia" i „Gość dnia" w TVP 3, przekształconej później w TVP Info. W 2009 roku z rekomendacji SLD został szefem telewizyjnej „Panoramy", zastępując na tym stanowisku Jacka Karnowskiego.

Gwiazdą telewizji Kwiatkowskiego był również Bogusław Wołoszański, który karierę telewizyjną zaczynał jeszcze w roku 1973. Wstąpił wówczas do PZPR i od tego momentu błyskawicznie awansował.

> Młody aktywista PZPR szybko podczepił się pod pion propagandy Głównego Zarządu Politycznego W[ojska – *aut.*] P[olskiego – *aut.*] i rozpoczął cykl programów «demaskujących militarystyczną politykę» Stanów Zjednoczonych. Za twórczość propagandową posypał się na Wołoszańskiego deszcz nagród Komitetu ds. Radia i Telewizji oraz Ministerstwa Obrony Narodowej[41].

W grudniu 1985 roku jako zaufany pracownik Radiokomitetu Wołoszański został stałym korespondentem PRiTV w Londynie. Jego przełożeni byli nim zachwyceni – komplementowali nienaganną dykcję, prezencję i zdolności. „Umie trafnie skomentować zarówno wydarzenia wewnętrzne jak i politykę zagraniczną" – pisali członkowie kolegium redakcyjnego w ocenie okresowej 16 stycznia 1988 roku[42].

Według dokumentów IPN Bogusław Wołoszański został zwerbowany jako tajny współpracownik wywiadu PRL i własnoręcznie podpisał zobowiązanie do współpracy, przyjmując pseudonim „Ben".

> Po dopełnieniu wszystkich procedur i wyrażeniu zgody przez przełożonych zarejestrowano Bogusława Wołoszańskiego w ewidencji jako kontakt operacyjny. Na własne potrzeby Służba Bezpieczeństwa nadała mu pseudonim «Rewo»[43].

Po przyjeździe do Londynu Wołoszański spotykał się z rezydentami komunistycznego wywiadu – według dokumentów pobierał od nich pieniądze i miał rozpracowywać środowiska Polaków, co wychodziło mu „średnio".

[...] zdołał nawiązać kontakty tylko z kilkoma osobami, w tym m.in. z prof. Frenkielem z Uniwersytetu Londyńskiego, właścicielką galerii Haliną Nałęcz i rodziną Marka Żuławskiego. Najdłużej chyba utrzymywał związki z polonijną placówką Fawley Court, prowadzoną przez młodych księży. «Rewo» szybko jednak zniechęcił się do ośrodka ze względów światopoglądowych: «rozmówcy okazali się zacietrzewionymi klerykami – twierdził w rozmowie z rezydentem – wygłaszali kazania na temat sytuacji w Polsce»[44].

Wołoszański wrócił do Polski w 1988 roku a jego teczka została złożona do archiwum wywiadu PRL w roku 1989[45].

W TVP brylował też Jerzy Iwaszkiewicz, który karierę zaczynał w roku 1952 w „Głosie Pracy". Później pisał felietony do „Expressu Wieczornego" zatytułowane „Samo życie", a w połowie lat 70. przeszedł do „Sportowca". Był pomysłodawcą „Moto-expressu", a w latach 1985–1991 – razem z Januszem Kosińskim, Jackiem Olszewskim i Markiem Wilhelmim – prowadził magazyn „Winien i ma" w Programie III Polskiego Radia. W swojej twórczości dziennikarskiej w czasach PRL Iwaszkiewicz wpisał się w reżimowy system przedstawiając w superlatywach ówczesną rzeczywistość. W IPN zachowały się dokumenty na temat jego kontaktów z komunistyczną bezpieką – nie będąc zarejestrowanym jako tajny współpracownik chętnie rozmawiał z funkcjonariuszami SB na tematy zawodowe oraz o środowisku, w którym się obracał[46]. Jerzy Iwaszkiewicz w III RP dał się poznać jako zagorzały przeciwnik lustracji prowadzonej przez rząd Jarosława Kaczyńskiego, a także telewizji publicznej (z której odszedł w 2003 roku), o czym można się było przekonać czytając jego cotygodniowe felietony w magazynie dla kobiet „Viva!". 8 maja 2010 roku Iwaszkiewicz został komentatorem programu TVN 24 „Szkło kontaktowe" oraz częstym gościem programu „Dzień dobry TVN".

Za czasów prezesury Kwiatkowskiego został wyemitowany słynny film „Dramat w trzech aktach" sugerujący, że bracia Kaczyńscy i politycy PC mieli związki z FOZZ (patrz: rozdział 3). Sprawa zakończyła się totalną kompromitacją telewizji, która przeprosiła Lecha i Jarosława Kaczyńskich za emisję filmu.

Początkiem końca kariery telewizyjnej Kwiatkowskiego była afera Rywina, podobnie zresztą jak i dla innych jej uczestników. Wynikiem prac komisji śledczej powołanej w związku z aferą był przyjęty przez Sejm raport członka komisji, ówczesnego posła PiS Zbigniewa Ziobro. Według raportu Robert Kwiatkowski był członkiem „grupy trzymającej władzę".

> Leszek Miller pełniący funkcję Prezesa Rady Ministrów RP, Aleksandra Jakubowska pełniąca funkcję sekretarza stanu w Ministerstwie Kultury, Lech Nikolski pełniący funkcję szefa gabinetu politycznego Prezesa Rady Ministrów, Robert Kwiatkowski pełniący funkcję prezesa zarządu TVP S.A. oraz Włodzimierz Czarzasty będący członkiem KRRiT działając w wykonaniu z góry powziętego zamiaru wspólnie i w porozumieniu w lipcu 2002 roku, popełnili przestępstwo łapownictwa czynnego opisane w art. 228 § 5 k.k. w zw. z art. 13 § 1\ k.k. w ten sposób, że wpływając na kształt nowelizowanej ustawy o radiofonii i telewizji oraz przebieg prac legislacyjnych za pośrednictwem Lwa Rywina występującego w imieniu «grupy trzymającej władzę» złożyli w lipcu 2002 roku propozycję korupcyjną przedstawicielom Agora S.A., a to w dniu 15 lipca 2002 roku Wandzie Rapaczyńskiej i Piotrowi Niemczyckiemu oraz w dniu 22 lipca 2002 roku Adamowi Michnikowi, polegającą na zażądaniu korzyści majątkowej w postaci 17,5 mln USD, a nadto uczynieniu Lwa Rywina prezesem spółki Polsat S.A. oraz zobowiązaniu się Agory do nie atakowania premiera i rządu przez «Gazetę Wyborczą» w zamian za zapewnienie w przedmiotowej ustawie korzystnego dla tego podmiotu kształtu przepisów umożliwiających zakup telewizji Polsat[47].

Pierwsze podejście Dworaka

W 2004 roku prezesem TVP został Jan Dworak. W TVP pojawiły się nowe programy: magazyn publicystyczny „Warto rozmawiać" Jana

Pospieszalskiego oraz magazyn śledczy „Misja specjalna" wymyślony przez Andrzeja Godlewskiego. „Misja specjalna" po raz pierwszy została nadana w lutym 2005 roku. Wyemitowała wówczas reportaż śledczy Anity Gargas i Tomasza Skłodowskiego. Ujawniono w nim związki ówczesnego marszałka Sejmu, b. premiera Józefa Oleksego i jego rodziny ze spółkami paliwowymi, które z różnych przyczyn znalazły się pod lupą prokuratury. Żona lidera SLD Maria Oleksy zasiadała w radach nadzorczych firm JK Energy&Logistics i Pollex. Z kolei jego syn Michał Oleksy pracował jako asystent w JK Energy&Logistics oraz zasiadał w radzie nadzorczej innej spółki paliwowej. Sam Józef Oleksy przyjaźnił się z szefem firmy JK Energy&Logistics, która robiła nadzwyczaj korzystne interesy z firmami państwowymi, często bywał w jego posiadłości. Oleksy używał także nieodpłatnie należącej do Pollexu limuzyny prowadzonej przez kierowcę tej firmy (benzyna także szła w koszty firmy). Maria Oleksy przed prokuraturą zaprzeczała, jakoby miała coś wspólnego z Pollexem – choć pobierała wynagrodzenie za zasiadanie w radzie tej spółki.

Już następnego dnia po emisji programu, o godz. 9.00 rano, marszałek urządził konferencję prasową, na której obrzucił autorów reportażu ciężkimi oskarżeniami, m.in. o brak rzetelności dziennikarskiej i konfabulacje – zaprzeczając nawet tak niepodważalnym dowodom przedstawionym przez dziennikarzy, jak zapisy Krajowego Rejestru Sądowego, gdzie Michał Oleksy figurował jako członek rady nadzorczej. W ślad za konferencją Oleksego rozpoczęły się ataki na autorów programu, w szczególności na Anitę Gargas. Presji polityczno-medialnej uległ początkowo nawet prezes TVP Jan Dworak, publicznie deklarując udostępnienie Oleksemu czasu antenowego na złożenie sprostowania – z czego ostatecznie się wycofał, po zapoznaniu się z programem i materiałem dowodowym zebranym przez dziennikarzy.

Józef i Maria Oleksy wytoczyli Anicie Gargas, Tomaszowi Skłodowskiemu i TVP proces. Po paru latach Oleksy przegrali z kretesem. Sąd pierwszej instancji w swym wyroku z października 2008 roku napisał w uzasadnieniu, że podane przez dziennikarzy informacje były prawdziwe oraz że działali oni w interesie społecznym. W grudniu 2009 roku Sąd Apelacyjny uznał, że zostały zachowane wszelkie standardy rzetelności dziennikarskiej a ujawnienie informacji na temat rodziny Józefa Oleksego leżało w interesie społecznym. Co więcej, zeznania Józefa Oleksego sąd uznał za niewiarygodne. Informacje na ten temat przeszły bez echa w mediach mainstreamowych.

Intermedium 2006–2008

„Misję specjalną" na czas wyborów 2005 roku Dworak zawiesił, ale po wygranej przez PiS prezesem TVP został Bronisław Wildstein i program powrócił – już pod redakcją Anity Gargas. Wówczas rozpoczęto też nadawanie nowych programów: magazynu „30 minut" prowadzonego przez Krzysztofa Leskiego, a później pod nazwą „30 minut ekstra" – przez Beatę Mikluszkę, czy „Ring" prowadzony przez Rafała Ziemkiewicza, a później Pawła Paliwodę. W lipcu 2006 roku Arturowi Dmochowskiemu powierzono stworzenie nowego kanału TVP Historia. Nadawanie rozpoczęto 3 maja 2007 roku. TVP Historia pokazywała nieznane wcześniej materiały archiwalne dotyczące historii najnowszej. Dmochowski kierował stworzoną przez siebie anteną do 2009 roku.

W lutym 2006 roku kierownikiem artystycznym Teatru Telewizji mianowano Wandę Zwinogrodzką, która w TVP 1 pracowała od 1994 roku jako zastępca kierownika Redakcji Repertuaru Filmowego i Teatralnego. Odtąd można było zobaczyć spektakle poświęcone Żołnierzom Wyklętym. Jeden z pierwszych dotyczył Danuty Siedzikówny – „Inki", sanitariuszki mjr. Zygmunta Szendzialarza – „Łupaszki", którą w wieku zaledwie 18 lat zamordowali komuniści. Zwinogrodzka została zwolniona z TVP w maju 2012 roku.

Po odwołaniu Bronisława Wildsteina, we wrześniu 2006 roku prezesem TVP został Andrzej Urbański, a po nim Piotr Farfał (2009) i Romuald Orzeł (2010). W telewizji publicznej za prezesury Urbańskiego pojawiły się kolejne nowe programy, m.in.: „Pod prasą" Tomasza Sakiewicza (do marca 2010), „Bronisław Wildstein przedstawia" (do października 2010), czy „Antysalon" Rafała Ziemkiewicza (do stycznia 2011).

Późniejsze władze telewizji szukały pretekstów do zlikwidowania tych programów, mimo ich wysokiej oglądalności. Przesuwano więc godziny nadawania, szukając najbardziej niekorzystnych, i nie informowano o zmianach lub wyznaczano ruchome godziny emisji. Gdy mimo takich zabiegów oglądalność nie spadała, przestano szukać pretekstów i po prostu programy zlikwidowano.

Za prezesury Urbańskiego reaktywowano po latach „Forum", które poprowadziła Joanna Lichocka. Na początku lat 90. „Forum" było programem, w którym brali udział przedstawiciele partii politycznych obecnych w Sejmie. Wcześniejsza formuła pozwalała partiom politycznym decydować o tym, kto bierze udział w programie; partie nieraz także decydowały o doborze tematów. Lichocka zmieniła te zasady – odtąd to redakcja decydowała, kto będzie do programu zaproszony. Lichocka wprowadziła wiele atrakcyjnych zmian także w warstwie merytorycznej, np. dzięki sondażom program był regularnie cytowany i stał się opiniotwórczy. Wprowadziła też do „Forum" publicystów – politycy w studiu mieli możliwość mierzyć się z pytaniami i tezami formułowanymi przez ekspertów. „Forum" szybko stało się jednym z najważniejszych programów publicystycznych TVP i cieszyło się jedną z najwyższych oglądalności w ramówce. Po odwołaniu Urbańskiego nowy prezes Piotr Farfał natychmiast rozwiązał kontrakt z Lichocką w rewanżu za to, że nie zgodziła się ona na próbę narzucenia przez ówczesnego lidera LPR Romana Giertycha gościa do programu. Do TVP Lichocka wróciła jeszcze na kilka miesięcy, gdy prezesem był Romuald Orzeł. Prowadziła w TVP 1 popołudniowe i poranne pasmo publicystyczne, m.in. „Polityka przy kawie".

Lichocka prowadziła także obie debaty wyborcze przed wyborami prezydenckimi w 2010 roku. Grzegorz Miecugow publicznie zarzucił jej wówczas, że uzgadniała pytania z jednym z kandydatów. Dziennikarka wytoczyła mu proces, który wygrała. Przeprosiny Miecugowa w żałosnym, knajackim stylu, można do dziś zobaczyć na YouTube.

Od momentu powołania za rządów PiS nowego składu Krajowej Rady Radiofonii i Telewizji, a następnie nowych rad nadzorczych i władz mediów publicznych, w lewicowych mediach rozpoczęła się jatka. Praktycznie nie było tygodnia, by „Gazeta Wyborcza", „Polityka", „Trybuna", „Przegląd" i podobne im tytuły nie atakowały TVP. Na szczególnym celowniku znalazły się „Misja specjalna" i „Bronisław Wildstein przedstawia" – w totalnej krytyce prym wiedli Daniel Passent (w aktach SB zarejestrowany jako KO „Daniel", TW „John"), Janina Paradowska z „Polityki", Agnieszka Kublik z „GW", a na łamach pism kobiecych – Jarosław Iwaszkiewicz w „Vivie!" i Olga Lipińska na łamach „Twojego Stylu". Najbardziej zwalczanym programem była „Misja specjalna", w którym podawano niewygodne dla mainstreamu fakty. Już w trakcie emisji jednego z odcinków programu, w którym ujawniono nazwiska dziennikarzy zarejestrowanych przez komunistyczną bezpiekę jako tajni współpracownicy, w Internecie rozpoczęła się nagonka. Podobna sytuacja miała miejsce, gdy wyemitowano „taśmy Gudzowatego" – nagraną rozmowę biznesmena Aleksandra Gudzowatego z Adamem Michnikiem, redaktorem naczelnym „Gazety Wyborczej". Poniżej fragment tej rozmowy:

> Gudzowaty: […] *Wiadomo wszystkim, publiczną tajemnicą warszawską jest, że Kublik* [Andrzej, dziennikarz ekonomiczny „GW" zajmujący się rynkiem paliw – *aut.*] *– że tak powiem – nie pisze wyłącznie z woli dziennikarskiej.* […] *236 razy.*
> Michnik: *To niech Kublika przesłuchają. Ja na ten temat nie mam...*
> Gudzowaty: *To niech pan przesłucha Kublika. Kto mu kazał?*
> Michnik: *Ja z Kublikiem na ten temat rozmawiałem. I Kublik powiedział, że prawdę* [...] *To oczywiste. Z informacji* […].
> Gudzowaty: *Gadomski to jest z kierownictwa?*
> Michnik: *Nie...*

Gudzowaty: *A mądry?*
Michnik: *Mądry – tak.*
Gudzowaty: *O kurwa! No to tu był. Dwa dni go pod rząd edukowaliśmy, jaka jest prawda o gazie.*
Michnik: *No i jaki rezultat był?*
Gudzowaty: *Jeszcze gorszy.*
Michnik: *Dobrze, umówię się dzisiaj jeszcze z Gadomskim i go opierdolę.*
[...]
Michnik: [...] *Jak było z Kublikiem? W ramach tego, że nikt z nas się na tym nie zna, nikt, nam łatwo było przyjąć jego hipotezę: że to, co jest dobre dla Gudzowatego, to dobre dla Rosji, a nie dla Polski.*
Gudzowaty: *No i za to powinien na jajach wisieć.*
Michnik: *Dobrze.*
Gudzowaty: *Aż uschnie. A to jest gówno nie dziennikarz.*
Michnik: *A to inna historia*[48].

Po Smoleńsku

Sytuacja w TVP o 180 stopni zmieniła się po katastrofie smoleńskiej. W czerwcu 2010 roku pełniący obowiązki prezydenta Bronisław Komorowski nie przyjął rocznego sprawozdania KRRiT (wcześniej odrzuciły je Sejm i Senat głosami rządzącej koalicji PO–PSL), co otworzyło drogę do totalnych czystek.

Najpierw wymieniono całą KRRiT – wśród nowo powołanych członków znalazł się wybrany przez Sejm Sławomir Rogowski. W dokumentach komunistycznej bezpieki figuruje on jako zarejestrowany tajny współpracownik SB o pseudonimie „Libero"[49]. Drugi z wybranych przez parlament członków Rady to Witold Graboś, który od roku 1979 do rozwiązania PZPR należał do partii, a po jej rozwiązaniu został członkiem SdRP. W latach 1993–1997 był senatorem SLD, a od 1998 do 2001 roku – wiceprzewodniczącym KRRiT, dzięki której Robert Kwiatkowski został prezesem TVP. Nowy skład KRRiT wybrał radę nadzorczą TVP i Polskiego Radia – stanowisko szefa TVP zajął Juliusz Braun, b. polityk najpierw Unii Demokratycznej, a następnie Unii Wolności.

Po kolei pozbywano się niepokornych autorów z ich programami. „Misja specjalna", która mimo przesuwania godziny emisji miała świetną oglądalność, została zdjęta z anteny po tym, jak ujawniono w niej niszczenie przez Rosjan wraku tupolewa.

W TVP rozpanoszyła się ideologia gender i powrócili lewicowi publicyści, a wśród nich m.in. Jan Ordyński, dziennikarz „Rzeczpospolitej", który w swojej macierzystej redakcji w 1989 roku był I sekretarzem POP PZPR. W czasach PRL odznaczony został m.in. Złotą Odznaką SZSP oraz Odznaką im. Janka Krasickiego. Ordyńskiego doceniono także w III RP. Już jako dziennikarz TVP w 2005 roku, w czasie rządów SLD i PSL, został pierwszym laureatem Złotej Wagi, nagrody polskiej adwokatury, oraz Ostrego Pióra, nagrody Business Centre Club, a także Honorowej Akredytacji Marszałka Sejmu. Natomiast w roku 2012 został laureatem nagrody miasta stołecznego Warszawy za rok 2012, a rok później odznaczono go Brązowym Medalem „Zasłużony Kulturze Gloria Artis". Ordyński nie ukrywał swej przyjaźni z politykami SLD, w tym z Aleksandrem Kwaśniewskim i Józefem Oleksym. Zażyła znajomość z b. prezydentem powoduje, że nieraz można zobaczyć go wychodzącego z siedziby Fundacji Aleksandra Kwaśniewskiego „Amicus Europae" przy Alei Przyjaciół.

Ordyński w 2012 roku zakładał Towarzystwo Dziennikarskie, w założeniu mające być w kontrze do Stowarzyszenia Dziennikarzy Polskich (po tym, jak jego szefem został Krzysztof Skowroński). Tworzył je wspólnie z Jackiem Żakowskim i Sewerynem Blumsztajnem. W TVP Info od 2010 roku prowadził programy publicystyczne – do annałów dziennikarskich kompromitacji przejdzie jego rozmowa z Teresą Torańską przeprowadzona we wrześniu 2012 roku na antenie TVP Info. Rozmowa dotyczyła katastrofy smoleńskiej. Jan Ordyński pytał:

– Po co te ekshumacje, po co?

– Bo my lubimy wykopki, bo to taka nasza narodowa specjalność
– odpowiedziała Torańska.

Prowadzący program nie zareagował na te słowa.

Caryca i gwiazda z kabaretu

Grudzień 2003. Imieniny Aleksandra Kwaśniewskiego. Ówczesny
prezydent w prezencie otrzymuje obraz Wojciecha Kossaka „Bitwa
pod piramidami". Załączono do niego dedykację: „Aleksandrowi
Kwaśniewskiemu w dniu imienin grono przyjaciół", wraz z listą ofia-
rodawców prezentu za 87 tys. zł. Na długiej liście znaleźli się znani
ludzie TVP. Wśród nich widniało nazwisko Niny Terentiew.

Luty 2007. Po premierze filmu „Ryś" pod kino Cinema City
Sadyba zajeżdża limuzyna BOR, do której wsiada Jolanta Kwaśniew-
ska, a wraz z nią Olga Lipińska, wieloletnia dyrektor teatru Komedia
w Warszawie, reżyserka popularnego w czasach PRL-u „Właśnie leci
kabarecik". Oficer Biura Ochrony Rządu odwozi Lipińską do domu[50].

Nina Terentiew przez kilkadziesiąt lat „trzęsła" telewizją
publiczną, mając rozległe kontakty na lewicy. Odeszła do Polsatu
w czasie prezesury Bronisława Wildsteina. Niemal tyle samo spędziła
w TVP Olga Lipińska, zajmując się w telewizji polskiej „rozrywką",
która po stanie wojennym i w III RP w rzeczywistości była skrytą
propagandą.

Nina Arcimowicz (nazwisko panieńskie), rocznik 1946, do
Radiokomitetu trafiła w 1971 roku jako dziennikarka Polskiego
Radia Koszalin.

Ani na studiach polonistycznych Uniwersytetu Warszawskiego, ani
później, gdy przez rok pracowała w koszalińskim radiu, nikt nie
przewidywał, że zrobi taką karierę. Do Koszalina małżeństwo Niny

i Roberta Terentiewów pojechało, bo on dostał pracę w lokalnej partyjnej gazecie[51].

Po stażu w Koszalinie Nina i Robert Terentiewowie wracają do Warszawy – w 1974 roku Nina zostaje zatrudniona w telewizji i od tego momentu zaczyna robić błyskawiczną karierę. Z telewizyjnego archiwum trafia do Naczelnej Redakcji Publicystyki Kulturalnej TVP – do pracy przyjmuje ją Janusz Rolicki.

> To właśnie Pikulski oraz Tadeusz Kraśko [zastępca Rolickiego i późniejszy drugi mąż Niny – *aut.*] uczyli ją zawodu. Można powiedzieć, że była ich protegowaną. Wstawiali się za nią, brali ją na zdjęcia, gdzie przede wszystkim kręcono materiały do «Pegaza». Wszystko bacznie obserwowała. Miała też talent do klejenia taśmy – wspomina Rolicki[52].

W roku 1980 Nina Terentiew jest już żoną Tadeusza Kraśki i laureatką licznych nagród, m.in. ministra kultury i prezesa Radiokomitetu[53]. Prowadzi popularny program „XYZ" przybliżający telewidzom polityków i ludzi znanych z mediów, cieszy się zaufaniem przełożonych. W 1980 roku ubiega się o paszport dyplomatyczny – chce wyjechać do Szwecji. Jej ówczesny mąż Tadeusz Kraśko jest radcą ambasady PRL w Sztokholmie i dyrektorem tutejszego Instytutu Kultury Polskiej. Władze odmówiły jednak Ninie Terentiew paszportu dyplomatycznego, ponieważ „nie odpowiada kryteriom", jak napisał 7 sierpnia 1980 roku w piśmie do Ministerstwa Spraw Zagranicznych płk Stanisław Streja z Departamentu I MSW[54].

> Bohaterem ostatniego programu «XYZ» był Jerzy Urban. Nagranie wyemitowano w listopadzie 1981 roku. Krótko potem nastąpił stan wojenny, Urban był wtedy rzecznikiem rządu. Taśma z ostatnim «XYZ» – jak Terentiew mówiła tym, którzy chcieli ją ponownie obejrzeć – zaginęła[55].

Kariera Tadeusza Kraśki nie była przypadkowa, ponieważ jego ojciec, Wincenty, był sekretarzem ds. propagandy KW PZPR w Poznaniu, po

Powstaniu Czerwcowym został I sekretarzem KW, a następnie przerzucił się na kulturę. Najpierw był kierownikiem wydziału kultury KC (1960–1971), a później sekretarzem KC PZPR ds. kultury (1974––1976), w międzyczasie piastując stanowisko wicepremiera.

Dla Niny Terentiew Tadeusz Kraśko rozstał się ze scenarzystką i producentką filmową Barbarą Pietkiewicz. To ich synem jest Piotr Kraśko. Z kolei brat Barbary Pietkiewicz jest ojcem Moniki Richardson. Piotr Kraśko jest jednym z bardziej rozpoznawalnych prezenterów „Wiadomości". Wcześniej był korespondentem TVP w Rzymie, a od 2005 roku w Waszyngtonie. Po powrocie do kraju został skierowany do „Wiadomości".

W 2010 roku Kraśko kierował ekipą TVP relacjonującą wydarzenia po katastrofie smoleńskiej. Zasłynął wówczas iście sowiecką pokazuchą. Polecił ekipie wykupić znicze w Smoleńsku, a następnie przedstawił je w relacji jako przyniesione przez zwykłych Rosjan. Rzecz w tym, że Rosjanie nie mogli kupić zniczy, bo już ich w sklepach nie było, a do miejsca, gdzie ekipa TVP znicze ustawiła, w ogóle nie mieli dostępu. O tym wszystkim opowiedział w rozmowie z Teresą Torańską dziennikarz Wiktor Bater[56]. W styczniu 2012 roku Kraśko został szefem „Wiadomości".

Po wprowadzeniu stanu wojennego Nina Terentiew znalazła się na liście do zwolnienia z TVP.

Demonstracyjny udział w akcjach protestacyjnych «Solidarności», który wyjaśnia podporządkowaniem się dyscyplinie Związku. Jakkolwiek wyraża gotowość podjęcia pracy zawodowej w tematyce kulturalnej – to deklaracje te nie budzą zaufania

– napisali w lutym 1982 roku członkowie Komisji Weryfikacyjnej w protokole z rozmów weryfikacyjnych z kadrą dziennikarską pionu artystycznego Telewizji Polskiej[57].

Mimo tej oceny Nina Terentiew pozostała w Radiokomitecie, po zbadaniu przez komisję weryfikacyjną wniosku dotyczącego rozwiązania z nią umowy o pracę[58].

Według Jacka Snopkiewicza Ninie Terentiew pomógł Urban.

> Po paru miesiącach spotkałem Ninę Terentiew, już pracowała, chociaż i ona nosiła opaskę «Solidarności». Idź do Urbana, radziła, on załatwia powroty, trzeba tylko poprosić[59].

W latach 80. Nina Terentiew była niekwestionowaną gwiazdą publicystyki TVP. W 1984 roku zaczęła prowadzić program „Godzina z …", do którego – podobnie jak w „XYZ" – zapraszała znane osoby. Podróżowała służbowo po świecie, a jej wyjazdy akceptował Departament I MSW. Na wyjazd Niny Terentiew do Moskwy w 1988 roku, gdzie realizowała materiały filmowe z wernisażu, zgodził się Gromosław Czempiński, późniejszy szef Urzędu Ochrony Państwa, a wówczas funkcjonariusz komunistycznego wywiadu[60].

Okrągły Stół i zmiana władzy w żaden sposób nie wpłynęły na załamanie kariery Niny Terentiew – wręcz przeciwnie: na początku w 1991 roku została dyrektorem ds. artystycznych TVP 2, a siedem lat później – dyrektorem programowym TVP 2. Za jej czasów dominującą ofertą „Dwójki" stały się rozmaitego rodzaju biesiady. Wylansowała kilka nazwisk, m.in. Kubę Wojewódzkiego, który w TVP 2 prowadził teleturniej „Pół żartem, pół serial", Edytę Górniak, Michała Wiśniewskiego i jego zespół „Ich troje" (była nawet świadkiem na ślubie Wiśniewskich).

Olga Lipińska (Aleksandra Lipińska) – podobnie jak Nina Terentiew – przez kilkadziesiąt lat nadawała ton telewizyjnej rozrywce, dla odmiany w TVP 1.

Urodzona w Piotrkowie Trybunalskim w 1932 roku w rodzinie robotniczej, w 1949 roku razem z matką – krawcową – zamieszkała w Warszawie[61]. Kompleks pochodzenia u Lipińskiej był bardzo silny, skoro w wywiadzie dla „Wysokich Obcasów", dodatku do „Gazety Wyborczej", mówiła o swojej matce:

> Umiała pięknie haftować, grała na skrzypcach. Skończyła seminarium nauczycielskie. To była szkoła żon i matek, które potem same

potrafią kształcić swoje dzieci. Aż za dobrze. Byłam zbyt wcześniej wszystkiego nauczona i śmiertelnie nudziłam się w szkole. [...] To był dom bez mężczyzn. Dziadek zginął w pierwszej wojnie. Ojciec – pod koniec drugiej. Nawet nie wiemy, gdzie zginął[62].

Według znajdujących się w IPN dokumentów ojciec Olgi Lipińskiej, maszynista, zginął w katastrofie kolejowej w 1941 roku[63].

Zanim Lipińska dostała się na studia, wielokrotnie zmieniała pracę – po raz pierwszy do TVP trafiła w 1955 roku w charakterze inspicjentki. Na przełomie lat 60. i 70., po skończeniu IV roku wydziału reżyserskiego Państwowej Wyższej Szkoły Teatralnej, została redaktorem naczelnym redakcji programów artystycznych. Była również związana ze studenckim teatrem STS, podobnie jak jej mąż Andrzej Wiktor Piotrowski. Według dokumentów SB znajdujących się w IPN został on w roku 1970 zarejestrowany jako tajny współpracownik – kontakt operacyjny komunistycznej bezpieki o pseudonimie „Piotr"[64]. Pracował wówczas w Naczelnej Redakcji Audycji Literackich Polskiego Radia, z którą był związany do końca życia. Zmarł w 1996 roku.

Do historii przeszedł emitowany w latach 70. i reżyserowany przez Olgę Lipińską program rozrywkowy „Właśnie leci kabarecik" z doborową obsadą m.in. Barbary Wrzesińskiej, Krystyny Sienkiewicz, Jana Kobuszewskiego, Piotra Fronczewskiego, Wojciecha Pokory. W 1977 roku program zdjęto z anteny za opowiedziany przez Jana Kobuszewskiego dowcip o pierogach: „Kto prosił leniwe? Nikt, same przyszli" – stało się to na skutek interwencji ambasady radzieckiej, która dopatrzyła się w dowcipie aluzji do obecności wojsk radzieckich w Polsce. Kobuszewski użył bowiem co prawda słowa „leniwe", ale wyraźnie sugerował, że chodziło o „ruskie".

Nie przeszkodziło to Oldze Lipińskiej w karierze – od 1977 do 1990 roku była dyrektorem Teatru Komedia w Warszawie, reżyserowała też spektakle w TVP i zdobywała liczne nagrody (m.in. prezesa Radiokomitetu).

ʋ ↗
17

Sfilmowano: Warszawa   , dnia 2 . 6 ı   198X r.

data: Tajne spec. znaczenia

sfilmował: _____   JAWNE
                (imię i nazwisko)   Nr ewidencyjny

KWESTIONARIUSZ T. W.

CZĘŚĆ I
PERSONALIA TAJNEGO WSPÓŁPRACOWNIKA

1. Nazwisko   **PIOTROWSKI**
   (w wypadku zmiany nazwiska – podać w nawiasie uprzednio używane)

   Imię (imiona)   Andrzej Wiktor

2. Imiona rodziców   Wiktor Janina Kałtańska
   (i nazwisko panieńskie matki)

3. Data urodzenia   22.06.1931 4. Miejsce urodzenia Włocławek

5. Narodowość   polska   6. Obywatelstwo   polskie

7. Rysopis: wzrost średni -185- oczy niebieskie włosy blond

   znaki lub cechy szczególne

8. Wykształcenie   wyższe

9. Zawód: wyuczony filolog   wykonywany dziennikarz

10. Wykształcenie specjalne:

11. Służba wojskowa: oficer rezerwy podporucznik i-3 WKR Mokotów
    (Kategoria, spec. wojskowa, Nr ks. wojskowej, stopień wojskowy)

12. Nr dowodu osobistego i przez kogo wydany

13. Miejsce pracy, zajmowane stanowisko, tel. służbowy Redakcja „SZPILKI"
    z-ca redaktora naczelnego   29-36-21.

Kwestionariusz T.W. Andrzeja Piotrowskiego, męża Olgi Lipińskiej (IPN BU 00170/798)

Pod koniec 1977 roku na antenie telewizji publicznej pojawił się kolejny reżyserowany przez Lipińską kabaret – „Kurtyna w górę", który był emitowany do roku 1984, także w stanie wojennym, kiedy TVP była bojkotowana.

W 1990 roku ówczesny prezes Radiokomitetu Jan Dworak podjął decyzję o emitowaniu w TVP „Kabaretu Olgi Lipińskiej", który był ukierunkowany głównie na krytykę Kościoła i prawej strony sceny politycznej.

Lipińska nie kryła się ze swoimi lewackimi poglądami: w 1992 roku zaangażowała się w inicjatywę Zbigniewa Bujaka na rzecz przeprowadzenia referendum w sprawie ustawy antyaborcyjnej, a w 2002 razem ze stu innymi znanymi kobietami podpisała list domagający się od Parlamentu Europejskiego wpłynięcia na rząd Polski, by zliberalizował prawo aborcyjne w RP.

Była niezwykle krytyczna w stosunku do prezydentury Lecha Wałęsy, co widać było w jej „Kabarecie". W wyborach prezydenckich 1995 roku oficjalnie udzieliła poparcia kandydatowi Unii Wolności Jackowi Kuroniowi, a w wyborach 2000 wspierała Aleksandra Kwaśniewskiego.

W czerwcu 2001 roku w TVP został wyemitowany słynny film „Dramat w trzech aktach" wymierzony w braci Kaczyńskich i środowisko PC. W rządzonej wówczas przez Roberta Kwiatkowskiego TVP nie pozwolono widzom zapomnieć o tych insynuacjach – Olga Lipińska w swoim kabareciku umieściła piosenkę, w której Hanna Śleszyńska śpiewała: „jadą kaczory, a z nimi forsy pełne wory".

Mimo tak politycznego zaangażowania władze TVP nie reagowały na to – emisja „Kabaretu Olgi Lipińskiej" trwała do 2005 roku, kiedy to z anteny zdjął go ówczesny szef Programu Pierwszego TVP Maciej Grzywaczewski.

Olga Lipińska antylustracyjne i lewackie poglądy manifestowała w stałych felietonach zamieszczanych od początku lat 90. na łamach kobiecego miesięcznika „Twój Styl", chętnie też wypowiadała je w innych mediach.

Nie mogę przeboleć, że się dzieci wychowuje na idiotycznych mitach. Na «Trylogii». «Nic to!» – krzyknął Wołodyjowski i zginął. Wychowuje się, że najszczytniejszą sprawą jest umrzeć za ojczyznę. Pomnik Małego Powstańca to hańba. Co to jest? Przecież życie – ŻYCIE – jest najważniejsze![65]

Olga Lipińska jeszcze w czasach PRL zamieszkała w tzw. „zatoce czerwonych świń" – osiedlu prominentów z PZPR. Jej mieszkanie sąsiadowało m.in. z mieszkaniem Aleksandra i Jolanty Kwaśniewskich. O nostalgii Lipińskiej za Polską Ludową najlepiej świadczą słowa wypowiedziane przez nią w roku 2011:

Tam [...] mieszkał Oleksy, dalej Miller. Na dole mieszkał Jurek Kawalerowicz. W tym bloku – Kutz, Szapołowska, Jankowska-Cieślak, obok, na Lentza, mieszkał Romek Wilhelmi. Bo władza powtykała artystów do prominenckich bloków, żeby było po równo. Tamta władza lubiła artystów. Już nigdy nie będzie nam tak dobrze[66].

Fox TV

Tak została nazwana telewizja publiczna po ponownym przyjściu do niej Tomasza Lisa i jego żony Hanny Lis.

Po upadku rządu Jana Olszewskiego zawieszony zostaje „Reflex" – jeden z najlepszych w historii TVP programów politycznych (po paru miesiącach program zostanie ostatecznie zlikwidowany). Pracujący w „Wiadomościach" dziennikarze o konserwatywnych poglądach są całkowicie marginalizowani, na skutek czego część z nich rezygnuje z pracy w TVP. W tym samym czasie kariera Tomasza Lisa rozwija się błyskawicznie – jest gwiazdą numer jeden „Wiadomości", ówczesnego monopolisty informacyjnego, a w 1994 roku wyjeżdża do USA jako korespondent TVP. Po trzech latach rozstaje się z telewizją publiczną w atmosferze konfliktu i bardzo szybko znajduje pracę w TVN – wówczas siermiężnej, niszowej stacji. Jako współtwórca „Faktów" Tomasz Lis ma ambicję, by zdetronizować „Wiadomości", ale to się nie udaje.

W 2004 roku, gdy TVN ma już mocną pozycję na rynku, Lis popada w konflikt z szefami stacji i kontrakt z nim zostaje rozwiązany.

„To był konflikt z człowiekiem chorobliwie ambitnym i egocentrycznym" – tak o Tomaszu Lisie mówi współwłaściciel TVN Mariusz Walter w wywiadzie dla „Przekroju". Wywiad przeprowadza Piotr Najsztub, który obecnie pracuje dla „Wprost". Prawie rok po odejściu z TVN Tomasz Lis zostaje członkiem zarządu i dyrektorem programowym Polsatu, prowadzi też autorski program „Co z tą Polską". Ze stacją Zygmunta Solorza, także w atmosferze konfliktu, Tomasz Lis rozstaje się w 2007 roku. Kilka miesięcy później pomaga mu ówczesny prezes TVP Andrzej Urbański – Lis dostaje własny program w godzinach najlepszej oglądalności: „Tomasz Lis na żywo". W środowisku dziennikarzy krążyła wówczas anegdota, jak Urbański tłumaczył się kolegom z „prawej strony". Pytany, dlaczego to zrobił, Andrzej miał mówić: „Wiecie, Tomek ma kredyt, bo kupił dom w Konstancinie i jeszcze płaci alimenty" – opowiada jeden ze znajomych Andrzeja Urbańskiego.

Przez dłuższy czas wysokość kontraktu, jaki TVP zawarła z Tomaszem Lisem, pozostawała tajemnicą. W marcu 2012 roku „Gazeta Polska", która dotarła do dokumentów finansowych TVP, ujawniła, że za odcinek programu „Tomasz Lis na żywo" firmie Lisa Deadline Productions wypłacano ponad 92 tys. zł brutto, dodatkowe honorarium tylko dla publicysty wynosiło 20 tys. zł, a na ponad drugie tyle opiewały koszty producenckie, co w sumie dawało blisko 300 tys. zł z państwowych pieniędzy[67].

W maju 2010 roku Tomasz Lis został redaktorem naczelnym „Wprost" – wcześniej spekulowano, że ma zastąpić Adama Michnika w fotelu redaktora naczelnego „Gazety Wyborczej". Tak się nie stało i póki co Tomaszowi Lisowi pozostaje stałe komentowanie wydarzeń w piątkowych porankach TOK FM, radiu należącym do Agory, w programie prowadzonym przez Jacka Żakowskiego. Przez 20 lat Trzeciej RP można było zaobserwować krystalizowanie się poglądów Lisa, z których przebija autentyczna nienawiść do konserwatyzmu pod wszelką postacią.

TAJNE SPEC. ZNACZENIA

R A P O R T

o zezwolenie na pozyskanie współpracownika

Część I

PERSONALIA KANDYDATA

Nazwisko _L I S_

Imię (imiona) _Włodzimierz - Kazimierz_

Imiona rodziców _Stanisław i Praksęda Smolinsko_

Data urodzenia _21.05.1944 r._ miejsce ur. _Poznań_

Narodowość _polska_ obywatelstwo _polskie_

Rysopis: wzrost _średni_ oczy _piwne_ włosy _siwawe_

Znaki szczególne

Stan rodzinny _żonaty_

Wykształcenie cywilne _(nie poradą) średnie ogólne_

Znajomość języków obcych _rosyjski - dobrze, niemiecki - słabo_

Miejsce służby (pracy) _M-ce Krosno Odrz. Karwińskiej 13 g/5_

Stopień wojskowy _porucznik_

Zajmowane stanowisko _ośrodek W-F_

Nazwisko, imię i imię ojca współmałżonka _Lis Elżbieta zd. Warczekowska c. Feliksa_

Data i miejsce urodzenia współmałżonka _29.01.1948 r. Kochanyu_

Miejsce pracy współmałżonka

Dzieci (imiona i data urodzenia) _syn Michał-Robert ur. 21.12.1970 r._

Poprzednie miejsce pracy i zajmowane stanowiska

Lp.	Czasokres pracy	Nazwa zakładu pracy	Zajmowane stanowisko
1	29.10.66 - 29.6.74	Mjr 402 Krosno Odrz.	d-ca plutonu wojsk.
2	19.6.74	ośrodek W-F w Mjr 402	szkolnie W-F

Raport o zezwolenie na pozyskanie współpracownika
(IPN BU 2386/3353)

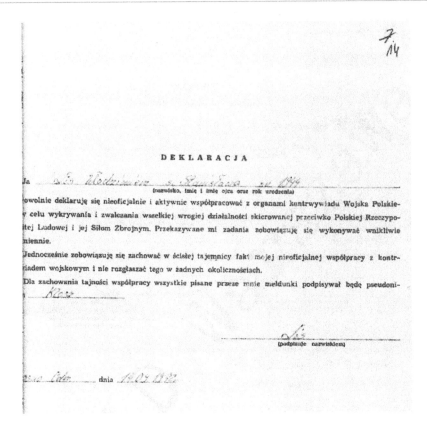

Deklaracja współpracy z kontrwywiadem wojskowym Włodzimierza Lisa
z 14 września 1972 roku (IPN BU 2386/3353)

Dlaczego Tomasz Lis tak nienawidzi prawicy? Być może wynika to z jego rodzinnych uwarunkowań i osobistych doświadczeń. Tomasz Lis – syn prominentnego działacza PZPR-u, dyrektora Stacji Hodowli Zwierząt, jest – jak wynika z dokumentów IPN-u – najbliższym krewnym jednego z tajnych współpracowników Wojskowej Służby Wewnętrznej. Przez lata w środowisku dziennikarskim krążyła informacja, że ojciec Tomasza Lisa był żołnierzem Ludowego Wojska Polskiego. Błąd najprawdopodobniej wziął się stąd, że żołnierzem LWP

był stryj Tomasza Lisa, Włodzimierz Lis, który według znajdujących
się w IPN dokumentów komunistycznej bezpieki został zarejestrowany jako tajny współpracownik wojskowej bezpieki – Wojskowej
Służby Wewnętrznej o pseudonimie „Klosz"[68].
Tomasz Lis w latach 80. w ramach praktyk studenckich był
w NRD na Uniwersytecie im. Karola Marksa w Lipsku. Tam u „przyjaciół" poznawał tajniki dziennikarstwa i nauk politycznych. Lis jako
dziennikarz debiutował w listopadzie 1984 roku w dziale miejskim
„Sztandaru Młodych" tekstem o skomplikowanej sytuacji warszaw-
skich barów mlecznych[69].
Nie krył, że od małego ubóstwiał „Dziennik Telewizyjny".
„Kochałem Dziennik Telewizyjny" – napisał Lis. „Brzmi to dziś bardziej jak deklaracja polityczna niż deklaracja preferencji widza. Ale
nic na to nie poradzę" – dodawał.
Już w wieku 7 lat nie podarował sobie „Dziennika Telewizyjnego"
nawet na wczasach w Dziwnówku – maszerował do sali telewizyjnej
o 19.30. Wpatrzony był w Andrzeja Kozerę, Wojciecha Zymsa czy
Karola Małcużyńskiego[70].
Lis opisał w swojej książce, jak Sławomir Zieliński miał zakazać
mówienia na antenie w czasie papieskiej pielgrzymki: „Ojciec Święty".

Prawdę mówiąc, w późniejszych latach też tego zakazywałem, choć
z zupełnie innych względów. Uważałem po prostu, że możemy kochać
papieża, ale mówiąc «Ojciec Święty» manifestujemy, że jesteśmy członkami religijnej wspólnoty, wychodzimy więc z roli dziennikarzy[71].

Tomasz Lis serwuje nam dziennikarstwo, które do złudzenia
przypomina zamierzchłe czasy PRL. Nie dziwi więc „ugrzeczniony"
wywiad Lisa przeprowadzony pół roku po katastrofie smoleńskiej
z prezydentem Rosji Dmitrijem Miedwiediewem w jego podmoskiew-
skiej rezydencji.
Sześć dni przed wyborami parlamentarnymi w 2011 roku Lis
zaprosił lidera PiS Jarosława Kaczyńskiego. To, że w czasie rządów

PiS nastąpił wzrost gospodarczy, Lis skwitował stwierdzeniem, że to zasługa poprzedników.

„Nie używam przymiotników, podaję liczby" – odrzucił zarzut stronniczości skierowany przez prezesa PiS. A chwilę później atakował Kaczyńskiego: „Mówi pan o ubogich ludziach w Polsce, których jest bardzo wielu, ale jak był pan premierem, troszczył się pan głównie o bogatych".

Upomniał też publiczność, która klaskała liderowi PiS. Uznał, że klaszcząc zagłusza wypowiedzi.

„Ja muszę odwołać się do interesu widzów, a nie tylko państwa" – mówił.

„Pan obrażał Ślązaków. Czy śląskość to zakamuflowana opcja niemiecka?" – oburzał się redaktor, choć prezes PiS wyjaśnił, że to cytat mówiący o RAŚ, a nie o Ślązakach.

„Dlaczego pan mówi o Donaldzie Tusku «ten pan», a nie «premier»?" – dociekał Lis[72].

Natomiast w grudniu 2011 roku, gdy gościem był premier Donald Tusk:

„Kryzys gospodarczy, rząd Tuska wprowadza reformy. Polacy mają obawy, ale miliony Polaków czekają na nadchodzący rok z pewną nadzieją" – zaczął Lis[73].

Po powołaniu rządu Tuska w 2011 roku Lis rozpoczął rozmowę z ministrem Michałem Bonim: „Jak się słuchało exposé premiera, to widać było w premierze i w tym, co mówił, troskę, żeby cięcia, które będą, nie bolały"[74].

Do TVP razem z mężem wróciła Hanna Lis, córka Waldemara i Aleksandry Kedajów, którzy znaleźli się na liście Stefana Kisielewskiego „Kisiela" opublikowanej w 1984 roku i obejmującej najgorliwszych dziennikarzy reżimowych PRL-u.

Waldemar Kedaj w czasach PRL udzielał się jako korespondent PAP skierowany tam przez Zarząd Główny ZMS[75]. W roku 1974, przed oddelegowaniem na korespondenta PAP w Rzymie, Kedaj został zarejestrowany przez wywiad SB jako kontakt operacyjny „Mento". Udał się do Rzymu wraz z żoną i córką Hanną. Nie był opłacany, ale refundowano mu koszty wynikające z realizacji zadań nałożonych przez SB. „Mento" przekazał 31 donosów, z czego wykorzystano 25. Bezpieka za jego udziałem powiększała wiedzę o kulisach rozmów Stolicy Apostolskiej z władzami PRL i o tym, co dzieje się na bieżąco w Watykanie. Po zakończeniu przez „Mento" pracy w Rzymie SB pozytywnie podsumowała współpracę z nim. W 1980 roku złożono jego sprawę do archiwum MSW[76]. Kedaj, członek egzekutywy PZPR w PAP, był również korespondentem agencji w Hanoi. Matka prezenterki Aleksandra Kedaj była korespondentką „Życia Warszawy", a dziadkiem Stanisław Stampf'l – dziennikarz Polskiego Radia, współtwórca słuchowiska „Matysiakowie".

Hanna Lis, *primo voto* Smoktunowicz, zadebiutowała na antenie TVP w 1992 roku. O jej „fachowości" krążą legendy w świecie mediów. Gdy pracowała w „Teleexpressie", do harmonogramu planowanych tematów wpisano nazwisko: „Kutschera", co zapowiadało materiał z okazji rocznicy zastrzelenia kata Warszawy Franza Kutschery.

> Lis biegała po newsroomie, gorączkowo pytając: «Kim jest ten Kutscher? Kto to jest Kutscher?»

– ujawniła dziennikarka Luiza Zalewska, która opisała też inną anegdotę[77]. Gdy Lis pracowała w Polsacie, zdawała relację na żywo z Watykanu. Wielojęzyczne rzesze pielgrzymów, które przybyły do Stolicy Apostolskiej, skojarzyły się jej z wieżą Babilon, zamiast z wieżą Babel.

Hanna Lis po przyjęciu do programu „Wiadomości" w 2008 roku zaledwie po trzech dniach została odsunięta od dalszego ich prowadzenia. Odmawiała udziału w programie ze względu na materiał o zaniechanej reprywatyzacji rządu. Według niej miał być stronniczo nieprzychylny wobec ekipy Donalda Tuska. Z kolei do innego materiału w „Wiadomościach" dodała swoją zapowiedź zmieniając całkowicie wydźwięk informacji dotyczącej przeszłości Lecha Wałęsy na tle jego kontaktów z SB[78]. Manipulacja dotycząca materiałów IPN polegała na wygłoszeniu przez Lis w programie zapowiedzi, iż „dokument znaleziony w archiwum mówi o niewinności Lecha Wałęsy", podczas gdy przez historyków interpretowany był inaczej. Dziennikarka dodała także, że jeszcze trudniej będzie wobec tego wykazać agenturalną przeszłość byłego lidera „Solidarności". Za to zachowanie zawieszono ją w obowiązkach. Wyrzucono ją z TVP jednak za co innego. Bez wiedzy kierownictwa TVP w materiale o raporcie Instytutu Spraw Publicznych na temat europosłów przychylnym Platformie Obywatelskiej Lis pominęła informację, że szefową Instytutu jest Lena Kolarska-Bobińska, która jest kandydatką PO do europarlamentu. Władze TVP uznały, że Lis dopuściła się „poważnego naruszenia zasad rzetelności dziennikarskiej oraz współpracy"[79].

Również w atmosferze skandalu Lis opuszczała wcześniej telewizję Polsat. Gdy w 2007 roku odsunięto od kierowania programem „Wydarzenia" jej męża Tomasza Lisa, odeszła ze stacji wraz z nim atakując PiS. Głosiła opinię, iż decyzja prezesa Solorza była wyłącznie efektem nacisków ze strony PiS, do których rzekomo dochodziło od momentu wygrania wyborów przez tę partię.

W 2007 roku, gdy trwały rządy Prawa i Sprawiedliwości, dziennikarka Hanna Lis opowiadała w wywiadzie dla „Gali", jak bardzo źle się wówczas czuła w Polsce:

> Jestem zasmucona, kiedy słyszę premiera, który mówi, że jeśli opozycja wygra wybory, to będziemy mieli powtórkę z 13 grudnia. Jestem przerażona, gdy Jarosław Kaczyński oznajmia, iż nie rozumie decyzji niezawisłego sądu o wypuszczeniu na wolność doktora G., i zaraz potem dodaje, że prawo nie powinno przeszkadzać w działaniu. [...] Jeśli takie są standardy Czwartej RP, to ja poproszę o Piątą[80].

Hanna Lis po raz kolejny powróciła do TVP w roku 2012. Władze telewizji publicznej, mimo szalejącego kryzysu i kłopotów finansowych, podpisały z nią kontrakt na kilka programów: w maju

2012 została prowadzącą „Panoramę" w TVP 2, a we wrześniu 2012 – programu „Kobiecy punkt widzenia". Rok później, we wrześniu 2013 roku, została prowadzącą „Panoramę dnia" w TVP Info. Media pisały o gwiazdorskim kontrakcie zawartym z Hanną Lis – tego „zaszczytu" dostępują nieliczni – m.in. prezenterka „Wiadomości" Dorota Wysocka-Schnepf, żona Ryszarda Schnepfa, polityka Platformy Obywatelskiej i współpracownika Radosława Sikorskiego, czy też Barbara Czajkowska, bliska znajoma prezesa TVP Juliusza Brauna, która po objęciu przez Brauna prezesury zaczęła prowadzić w TVP Info autorski program „Kod dostępu".

Ludzie „Teleexpressu"

Jest rok 1986 i czasy siermiężnego komunizmu po stanie wojennym. Monopol na programy informacyjne nadawane przez Telewizję Polską ma od początku jej istnienia „Dziennik Telewizyjny". Radiokomitet decyduje, że od teraz propagandowe informacje będą przekazywane także w lżejszej, chwilami rozrywkowej formie. Tak powstaje 15-minutowy „Teleexpress". Program miał za zadanie przekazywać te same, co „Dziennik Telewizyjny", treści peerelowskiej propagandy, tyle że podane w dużym tempie i zwięzłości, nierzadko z dodatkiem akcentów humorystycznych. Poszerzał krąg odbiorców, trafiając także do widza młodego jak i tego uprzedzonego do „Dziennika Telewizyjnego".

Program uruchomił Józef Węgrzyn, szef Warszawskiego Ośrodka Telewizyjnego, w stanie wojennym zastępca redaktora naczelnego „Dziennika Telewizyjnego".

Komisja przeprowadziła rozmowy z następującymi osobami: E.[Erazmem – *aut.*] Fethke – p.o. red. naczelnego, J.[Józefem – *aut.*] Węgrzynem – z-cą red. Naczelnego [...]. Wszyscy wymienieni rozmówcy zaprezentowali prawidłową ocenę polityczną działań „Solidarności" i pozastatutowych poczynań SDP [Stowarzyszenia Dziennikarzy Polskich – *aut.*] w okresie przed 13 grudnia br. Przedstawili również pogląd, że wprowadzenie stanu wojennego było niezbędne dla zapobieżenia dalszemu rozpadowi struktur państwa, upadkowi gospodarki czego następstwem mogła być tragedia narodowa o niewyobrażalnych konsekwencjach. W okresie od sierpnia 1980 jako kierujący dziennikiem telewizyjnym, starali się działać na rzecz socjalistycznej odnowy wspierając politykę partii i rządu. W okresie szczególnie silnych napięć społecznych DTV bez wahań prezentował stanowisko politycznych i administracyjnych władz państwa. Również pozaantenowa działalność członków kierownictwa Naczelnej Redakcji Dziennika Telewizyjnego nie budzi politycznych zastrzeżeń. Poza tow. Woźniakiem wszyscy brali udział w redagowaniu Dziennika od pierwszego dnia obowiązywania stanu wojennego

– napisali członkowie Komisji Weryfikacyjnej w lutym 1982 roku w protokole z rozmów weryfikacyjnych z kadrą kierowniczą redakcji informacyjno-publicystycznych Telewizji Polskiej[81].

   „Teleexpress" stworzył Józef Węgrzyn razem z Andrzejem Turskim (w dokumentach SB KO nr rej. 6758). Tytuł programu wymyślił ówczesny dyrektor generalny TVP Aleksander Perczyński.

   Józefa Węgrzyna, redaktora naczelnego tygodnika „ITD", w roku 1980 do telewizji ściągnął Jerzy Ambroziewicz. Była to znacząca postać w telewizji. Jego współpracownikami byli Mariusz Walter, Eugeniusz Pach czy Edward Mikołajczyk. Natomiast Węgrzyn podsunął do pracy w Radiokomitecie swego kolegę Karola Sawickiego – wsławił się on tłumaczeniami dla Edwarda Gierka[82].

   W 1985 roku Węgrzyn wymyślił nagrodę „Wiktory" dla największych osobowości telewizyjnych, którymi obdarzano ludzi związanych z mainstreamem. Laureatem „Wiktora" był m.in. rzecznik rządu Jerzy Urban. Odbierając w 1987 roku statuetkę stwierdził, że nagrodę dostał za politykę Jaruzelskiego[83].

   Po roku 1989 Józef Węgrzyn nadal był jednym z najważniejszych ludzi w TVP. W 1990 roku został dyrektorem Programu 2 TVP – z tego stanowiska odwołał go dopiero jesienią 1991 roku ówczesny prezes TVP Marian Terlecki.

Rok później Węgrzyn założył firmę Media Corporation, która od drugiej połowy lat 90. stała się jednym z największych producentów programów dla telewizji publicznej. Zyskały one dużą popularność (jak choćby „Jaka to melodia").

W wyprodukowanym przez siebie programie „Europa da się lubić" Węgrzyn wylansował na gwiazdę TV Monikę Richardson, córkę Barbary Trzeciak-Pietkiewicz, dziennikarki radiowej i telewizyjnej we Wrocławiu, internowanej w stanie wojennym do marca 1983 roku. Po wyborach kontraktowych Pietkiewicz została dyrektorem Radia i Telewizji Wrocław (1990–1993), później przeszła do telewizji i kierowała TVP 2, a następnie była dyrektorem programowym Polsatu i ostatecznie została członkiem Rady Fundacji Polsat.

Grono pracowników „Teleexpressu" od początku istnienia programu było starannie dobierane pod kątem lojalności wobec władz PRL. Świadczą o tym nazwiska osób, które przewinęły się przez telewizyjne studio na Placu Powstańców w Warszawie, gdzie od początku realizowany był program.

Pierwszym szefem „Teleexpressu" był dobry znajomy Aleksandra Kwaśniewskiego – Oskar Bramski. Do prowadzenia programu ze „Sztandaru Młodych" ściągnął go Józef Węgrzyn. Bramski był sekretarzem redakcji „ITD", pisma SZSP. Jego naczelnym był wówczas Kwaśniewski. Bramski odszedł z tygodnika, gdy opuścił je Kwaśniewski, który został ministrem ds. młodzieży i sportu[84].

Redakcji programu od roku 1996 przewodził Sławomir Prząda, który zanim trafił do TVP w 1986 roku, był oficerem politycznym – pracował jako instruktor polityczny w jednej z jednostek wojskowych LWP. Ostatnie lata Polski Ludowej i początek III RP przepracował w „Dzienniku Telewizyjnym"[85]. W Raporcie z weryfikacji WSI Prząda figuruje jako tajny współpracownik Wojskowych Służb Informacyjnych w latach 1995–1999, działający pod ps. „Tekla". Jak wynika z Raportu, jego oficerem prowadzącym był jeden z szefów WSI gen. Konstanty Malejczyk. „Tekla" według Raportu przekazywał pisemne analizy rynku prasy w Polsce jak też sytuacji kapitałowej redakcji m.in. po likwidacji RSW „Prasa-Książka-Ruch". Gdy Prząda stracił pracę w TVP, gen. Malejczyk obiecał mu znalezienie pracy w „jednej z gazet"[86]. Jeszcze przed upublicznieniem Raportu Prząda publicznie przyznał się do współpracy z WSI[87].

Po rozwiązaniu WSI znany był bardziej z tego, że wraz z b. szefem Wojskowych Służb Informacyjnych gen. Markiem Dukaczewskim zasiadał we władzach stowarzyszenia SOWA skupiającym oficerów b. WSI.

Według akt IPN Sławomir Prząda to sprawdzony działacz PZPR i ZSMP[88]. Informacji na jego temat dostarcza wydana w 1984 roku opinia okresowa absolwenta Szkoły Podchorążych Rezerwy CSOP w Łodzi. W 1984 roku Prząda pełnił służbę w Naczelnej Redakcji Programów Wojskowych TVP jako dziennikarz[89]. Zrealizował kilkanaście felietonów informacyjnych o tematyce wojskowej emitowanych w „Dzienniku Telewizyjnym".

Socjolog prof. Andrzej Zybertowicz wymienia Prządę jako jedną z osób, które miały wpływ na osoby stykające się z tajnymi służbami i mające swój udział w przedsięwzięciach biznesowych właściciela Polsatu Zygmunta Solorza. Profesor Zybertowicz zwraca uwagę na to, że Prząda w latach 1992–1994 był rzecznikiem prasowym BRE Banku, czyli w okresie, gdy Polsat starał się o uzyskanie koncesji od KRRiT. Wówczas Solorz otrzymał pozytywną opinię od tego banku dotyczącą jednej z jego firm[90].

Z „Teleexpressem" związany był też Sławomir Zieliński, który prowadził również „Panoramę" w TVP 2. W 1991 roku Sławomir Zieliński był dyrektorem-redaktorem naczelnym Dyrekcji Programów Informacyjnych TVP. Za prezesury Roberta Kwiatkowskiego, w latach 1998–2004, jako dyrektor TVP 1 kierował zespołami „Wiadomości", „Teleexpressu" i „Panoramy". W kwietniu 2013 roku został dyrektorem biura koordynacji programowej TVP.

Zieliński był też twórcą kontrowersyjnego programu dla młodzieży „Rower Błażeja". Departament programowy Krajowej Rady Radiofonii i Telewizji na wniosek Jarosława Sellina przeprowadził monitoring „Roweru Błażeja" z powodu treści obyczajowych zawartych w programie.

W stanie wojennym Zieliński prowadził wieczorne wydania „Dziennika Telewizyjnego"[91]. Ma stopień oficerski Żandarmerii Wojskowej, jest członkiem Komitetu Honorowego Międzynarodowego Festiwalu Filmów Historycznych i Wojskowych w 2013 roku.

> Interesy SLD reprezentuje Sławomir Zieliński, który za prezesury Ryszarda Miazka został szefem «Panoramy». Zieliński był zaangażowany w kampanię prezydencką Aleksandra Kwaśniewskiego i z jego upoważnienia podczas telewizyjnych debat zadawał pytania Lechowi Wałęsie. Sekundował mu wtedy Andrzej Kwiatkowski, zastępca redaktora naczelnego «Przeglądu Tygodniowego»[92].

Dzięki częstemu, codziennemu pojawianiu się na wizji w „Teleexpressie" można było szybko wylansować kogoś na rozpoznawalną postać telewizyjną.

Pracę w TVP Piotr Gembarowski zaczął jako dziennikarz i prezenter „Teleexpressu". W 2000 roku zasłynął wywiadem telewizyjnym, w którym – tuż przed wyborami – agresywnie strofował swego rozmówcę, kandydata na prezydenta Mariana Krzaklewskiego. Program „Gość Jedynki" spotkał się z ostrą krytyką. Reakcja nastąpiła także ze strony Rady Etyki Mediów, która w swoim oświadczeniu skrytykowała Gembarowskiego za zachowanie „całkowicie nieprofesjonalne i naruszające podstawowe standardy moralne zapisane w Karcie Etycznej Mediów, jak zasada prawdy, zasada obiektywizmu, zasada szacunku i tolerancji". Dyrekcja telewizyjnej „Jedynki" przepraszała później za postawę Gembarowskiego, a nawet zawiesiła go na pół roku.

Producentem niechlubnego „Gościa Jedynki" był Tomasz Borysiuk. Od roku 1999 pracował w Telewizji Polskiej Roberta Kwiatkowskiego jako producent i wydawca programów „Gość Jedynki" a także „NATO bez granic". Ten drugi cykl współtworzył w czasie, gdy Polska wstępowała do Paktu Północnoatlantyckiego. Od 2006 do 2010 roku

Borysiuk był członkiem Krajowej Rady Radiofonii i Telewizji z rekomendacji Samoobrony RP.

Ojciec Tomasza, Bolesław Borysiuk, w czasach PRL miał liczne zasługi dla systemu władzy komunistycznej jako członek władz Towarzystwa Przyjaźni Polsko-Radzieckiej i członek PZPR. Dał się poznać jako promotor sowieckiej propagandy i doktryny walczącej z NATO[93].

Po odejściu z TVP w 2004 roku Gembarowski założył firmę Art&Media Productions zajmującą się szkoleniami medialnymi dla biznesmenów i polityków, m.in. w pracy przed kamerą telewizyjną (równocześnie prowadził też wywiady z politykami w Antyradiu). Jedną z części szkolenia są techniki manipulacyjne, perswazyjne i techniki wywierania wpływu[94]. Na stronie swojej firmy Gembarowski reklamuje swoją agresywną metodę przeprowadzania wywiadów i chwali się programem z udziałem Mariana Krzaklewskiego[95].

Piotr Gembarowski to syn Karola, a wnuk Bronisława Gembarowskiego – związanych z aparatem bezpieczeństwa PRL.

W 1963 roku, jeszcze przed rozpoczęciem pracy w resorcie bezpieczeństwa, Karol Gembarowski został skierowany do pracy w Domu Kultury Ministerstwa Spraw Wewnętrznych. Stamtąd w 1968 roku przeszedł do MSW, gdzie pozostał do lipca 1990 roku. We wniosku o przyjęcie Gembarowskiego do pracy w resorcie podkreślono, że jego ojciec Bronisław jest wieloletnim funkcjonariuszem SB, pracującym w tym czasie w Biurze „A"[96].

Na miesiąc przed wprowadzeniem stanu wojennego Karol Gembarowski awansował do funkcji inspektora Samodzielnej Sekcji Ogólnej Zarządu Polityczno-Wychowawczego MSW. Kilka miesięcy później dostał jedno z licznych swoich odznaczeń – „Za zasługi w Ochronie Porządku Publicznego".

W roku 1996 Piotr Gembarowski w wywiadzie z „Anteną" tak mówił o swoim ojcu:

> Mój ojciec miał wielkie poszanowanie dla zasad fair play. Wpajał mi, że trzeba grać uczciwie w kontaktach towarzyskich i oficjalnych. Nie

Warszawa, dnia /8, x/ 1981 r.

" Z A T W I E R D Z A M "
yrektor Departamentu
Szkolenia i Doskonalenia
Zawodowego MSW

O P I N I A   S Ł U Ż B O W A

kpt. Karola GEMBAROWSKIEGO - inspektora Domu Kultury MSW

Karol Gembarowski s. Bronisława i Katarzyny
z d. Rusin
urodzony - 15.VII.1942 r. w Szczerzecu k/Lwowa
pochodzenie - inteligencja prac.
narodowość - polska
wykształcenie - wyższe
stan cywilny - żonaty

w MSW pracuje od 1963 r.

Kpt. mgr Karol Gembarowski pracę w Domu Kultury MSW
rozpoczął w 1963 roku na stanowisku pracownika fizycznego.
Systematycznie uzupełniał wykształcenie i awansował. Obecnie
jest magistrem pedagogiki specjalnej ze specjalizacją społecznie niedostosowanych i pełni obowiązki inspektora w Domu
Kultury. Odpowiada za całokształt spraw finansowo-gospodar-
czych, nadzoruje pracę personelu obsługi oraz wykonuje inne
zadania zlecane przez przełożonych.

Sumienny, pracowity, ambitny i zdyscyplinowany. Wywiązuje się dobrze ze wszystkich powierzonych mu obowiązków, wy-
kazuje przy tym dużo inwencji i samodzielności.

Postawa etyczno-moralna i ideowo-polityczna bez zastrzeżeń. Aktywny członek PZPR - pełni obecnie obowiązki
grupowego partyjnego.

KIEROWNIK DOMU KULTURY MSW

płk mgr Władysław PAROL

Opinia służbowa kpt. Karola Gembarowskiego (IPN BU 0242/2594)
(strona 1)

Szczegółowa opinia bezpośredniego przełożonego

Kpt. Karol Gembarowski jest funkcjonariuszem zdyscyplinowa
obowiązkowym; z powierzonych zadań wywiązuje się sumiennie. Wykaz
dobrą znajomość przepisów regulujących jego obowiązki i potrafi z
sować je w praktyce. Zrównoważony i taktowny, w kontaktach ze wsp
cownikami uczynny. Jest członkiem egzekutywy POP. Strona moralna
na nie budzi zastrzeżeń. W pełni zasługuje na awans w stopniu.

Dnia 11. VI. 1984. r.

DYREKTOR
ZARZĄDU POLITYCZNO-WYCHOWAWCZ
płk mgr Eugeniusz Grabo

Stanowisko Kierownictwa Oddz. Kadr KGMO – Dep. Kadr i Szkol. MSW

Data   Data

Opinia służbowa kpt. Karola Gembarowskiego (IPN BU 0242/2594)
(strona 2)

szedł na układy, które mu proponowano i które miały mu coś ułatwić.
Potrafił zaspokoić moją ciekawość świata. Ojciec był prawdziwym
facetem. Chciałem się do niego upodobnić i dorównać mu. Choć cza-
sami zdarzały się pokusy, żeby kogoś oszukać, wiedziałem, że ojciec
byłby niezadowolony. Nie mogłem go zawieść[97].

Major Karol Gembarowski to syn Bronisława Gembarowskiego
– długoletniego funkcjonariusza MSW, byłego inspektora Wydziału II
Departamentu Szkolenia i Wychowania MSW, pracownika Biura „A"
MSW oraz MSZ, członka PZPR.

W latach 1952–1956 Gembarowscy mieszkali w Moskwie, gdyż w tamtejszej ambasadzie PRL pracował Bronisław Gembarowski. Gembarowscy byli związani rodzinnie z komunistycznym aparatem bezpieczeństwa. Brat Karola – Roman – był oficerem Stołecznego Urzędu Spraw Wewnętrznych, a siostra Ludwika z kolei pracownikiem Biura Ochrony Rządu. Również teściowie Karola Gembarowskiego, Mieczysław i Katarzyna Drzewieccy, pracowali w MSW. Podobnie bratowa – Zofia Gembarowska i szwagrowie – Marek Tomporski i Wiesław Machnicki.

Gwiazdą telewizji wylansowaną w „Teleexpressie" jest też Agata Konarska, córka peerelowskiego ministra. Ojcem dziennikarki TVP jest bowiem Włodzimierz Konarski – polityk, wieloletni działacz PZPR, później poseł SLD. Pełnił on funkcję ambasadora PRL przy Konferencji Bezpieczeństwa i Współpracy w Europie. Uczestniczył w negocjacjach w Wiedniu dotyczących ograniczenia sił konwencjonalnych. W latach 80. należał także do negocjatorów tzw. planu Jaruzelskiego. Wobec Włodzimierza Konarskiego wydano prawomocne orzeczenie złożenia oświadczenia lustracyjnego niezgodnego z prawdą.

Agata Konarska od stycznia 2013 roku prowadzi czwartkowe wydania porannego magazynu TVP 1 – „Kawa czy herbata?". Związana z TVP od 1995 roku, prowadziła programy publicystyczne, informacyjne i gospodarcze w TVP 1 i TVP Polonii.

W „Teleexpressie" pracowała także Jolanta Fajkowska – córka innego prominenta PRL – Józefa Fajkowskiego, wiceministra kultury, w czasie stanu wojennego ambasadora PRL w Finlandii, znaczącego działacza ZSL. Fajkowska sama podczas studiów była aktywistką SZSP. Jej brat Janusz Fajkowski był starszym radcą peerelowskiego Ministerstwa Handlu Zagranicznego.

Związana od początku z „Teleexpressem", Fajkowska dziś prowadzi własną agencję, oferuje się jako prowadząca festiwale, koncerty, gale środowisk kulturalnych, gospodarczych i dyplomatycznych.

Córka Fajkowskiej – Maria Niklińska – w 2012 roku wystąpiła na Festiwalu Piosenki Rosyjskiej w Zielonej Górze, zdobywając nagrodę

Brązowego Samowaru. Zielonogórski festiwal jest *de facto* reaktywacją imprezy, która odbywała się tam w czasach PRL-u, czyli Festiwalu Piosenki Radzieckiej.

Inna postać „Teleexpressu", Jerzy Modlinger, wychwalał program, który wystartował przecież na antenie na polecenie towarzyszy z Wydziału Prasy KC PZPR i Radiokomitetu – tak jakby był on ostoją wolnego słowa w PRL i później.

«Teleexpress» mówi ludziom prawdę, przekazuje informacje rzetelne i sprawdzane, ale równocześnie nie przesadzamy w szukaniu dziury w całym, a raczej szukamy wiadomości optymistycznych

– mówił Wirtualnym Mediom.pl Jerzy Modlinger, szef programu[98].

Czyżby nie miało być w jego wypowiedzi żadnego odniesienia do lat minionych? Bynajmniej.

W latach 80. «Teleexpress» był «świeżym powiewem», który miał przyciągnąć młodych widzów przed telewizory. «Dziennika Telewizyjnego» prawie nikt nie oglądał, a wiarygodność tego programu była zerowa. «Teleexpress» zaproponował kilka fajnych chwytów formalnych, które potrafiły zaciekawić. Gdy na przykład pokazywano w «Teleexpressie» dziennikarzy biegających po pakamerze z depeszami, było to grane, ale pomysł był niezły. Dzisiaj uważam, że Józef Węgrzyn – twórca nie tylko «Teleexpressu», ale także «Panoramy» – miał dar – jak to się teraz mówi – do tworzenia formatów.

Kto mówi te słowa?

Jerzy Bernard Modlinger – jak wynika z jego oficjalnej biografii, od roku 1978 związany był z opozycją, w latach 1978–1980 składał „Biuletyn Informacyjny" KSS KOR i jednocześnie w okresie 1979–1980 zatrudniony był w redakcji „Ekspresu Wieczornego". Był współzałożycielem i redaktorem „Serwisu Informacyjnego Mazowsze" i redaktorem „Wiadomości Dnia". W 1981 roku został członkiem redakcji „Tygodnika Solidarność" oraz periodyku

„Niezależność". W okresie od marca 1981 do lipca 1983 roku był jedną z osób rozpracowywanych przez Wydz. III-A KSMO w ramach SOR krypt. „Mazowsze".

W roku 1989 Modlinger zatrudniony został w redakcji „Gazety Wyborczej". Do roku 2001 był kolejno redaktorem, szefem działu, korespondentem i wydawcą „Wiadomości" w TVP. W 2001 roku został właścicielem firmy Jerzy Modlinger Media, a od 2006 roku także doradcą prezesa firmy Frisca.pl.

Na tym poprzestają oficjalnie dostępne źródła. Jego ojciec Jerzy Modlinger był przedwojennym komunistą działającym w Związku Patriotów Polskich[99], przewodniczącym lokalnego oddziału ZPP. Po 1945 roku wstąpił do PPR i PZPR. Przed wojną był aplikantem sądowym we Lwowie. Po 1945 roku całą wiedzę zdobytą w II RP wykorzystywał przeciwko wrogom „władzy ludowej". Od 1958 roku oskarżał wrogów proletariatu w Naczelnej Prokuraturze Wojskowej.

Dzięki mentorowi Józefowi Węgrzynowi w „Teleexpressie" swoją karierę prowadzącą na szczyty władzy telewizyjnej rozpoczynał także Piotr Radziszewski. Węgrzyn ściągnął go do telewizji w drugiej połowie lat 80. i wprowadzał w arkana telewizyjne. Pracę w „Teleexpressie" Radziszewski zaczął niemal od początku istnienia tego programu, w 1987 roku. Następnie przez parę lat był prezenterem i dziennikarzem TVP 2. Tam zdobywał ogładę telewizyjną razem z Jolantą Fajkowską. W roku 1991, nie z własnej woli, musiał opuścić TVP, po czym powrócił do niej w 1994 roku – jako dyrektor Warszawskiego Ośrodka Telewizyjnego. Jego żoną jest dziennikarka i prezenterka WOT Iwona Radziszewska[100].

Osobą nieprzypadkową, jeśli chodzi o dobór kadr, był w „Teleexpressie" nawet rysownik, dziennikarz Jacek Sasin. To on jest autorem pierwszej planszy startowej programu. W latach 1990–1993 rysował dla „Teleexpressu" i programów WOT. Swoje rysunki publikował też w prasie – w tym w „Sztandarze Młodych" (1989–1990), „Polityce" (1989–1994), „Rzeczpospolitej" (1993–1994). Rysował również dla tygodników „Przegląd Tygodniowy" i „Wiadomości Kulturalne".

Od roku 1992 prowadzi własną firmę graficzną Jacek Sasin GRAPHIC-DESIGN, która zajmuje się grafiką reklamową. Zaprojektował m.in. logo kabaretu OT.TO w kształcie żyletki. W latach 1996–2006 wydawał bezpłatny miesięcznik lokalny „Dla Ciebie", ukazujący się na terenie Warszawy. Sasin to członek Stowarzyszenia Dziennikarzy Rzeczypospolitej Polskiej, kontynuacji utworzonego w stanie wojennym Stowarzyszenia Dziennikarzy PRL. Jacek Sasin to wreszcie syn generała bezpieki Józefa Sasina, w latach 1981–1989 dyrektora Departamentu V MSW, zajmującego się represjami wobec „Solidarności". Sasin do MBP poszedł jeszcze w roku 1953. Dodajmy, iż w dniu zabójstwa Papały odbywało się przyjęcie imieninowe żony Sasina, na którym byli: Edward Mazur, Roman Kurnik i sam Papała.

> «Teleexpress» nie mówił niczego takiego, co zagrażało wprost systemowi, pryncypiom komunistycznym. Natomiast na wielką skalę ujawnił absurdy życia gospodarczego w Polsce

– mówił Wojciech Reszczyński[101]. .

O tym, jaką rolę mógł odgrywać Wojciech Reszczyński w programie informacyjnym w PRL, mówi on sam odnosząc się do propagandowego przekazu, jaki wówczas płynął także z „Teleexpressu":

> Oczywiście ja też ponoszę odpowiedzialność za zaniechania. Za to, że nie mówiliśmy o najważniejszych rzeczach. Działałem jak inni dziennikarze w systemie zniewolenia. Może trochę się wyróżniałem odwagą.

„Wiadomości" lepsze od „Dziennika Telewizyjnego"

W 1989 roku w miejsce znienawidzonego „Dziennika Telewizyjnego" na antenie TVP pojawiły się „Wiadomości". Program ten miał większą siłę rażenia, wzbogaconą o kredyt zaufania dany mu przez widzów i przekonanie, że to wizytówka tego, co w kraju jest nowe, co przybyło wraz z przemianami. Propaganda była przyjmowana bezboleśnie. W „Wiadomościach" przeprowadzono kosmetyczne zmiany – dawnych dziennikarzy nie zwalniano, mieli jedynie nie pokazywać się na wizji, co było wynikiem polityki szefa Radiokomitetu Andrzeja Drawicza (w aktach SB zarejestrowanego jako TW „Kowalski", TW „Zbigniew").

Jednym z najważniejszych redaktorów w „Wiadomościach" był Milan Subotić, który w dokumentach IPN figuruje jako tajny współpracownik Zarządu II Sztabu Generalnego o pseudonimie „Milan"[102]. Z zachowanych archiwów wynika, że „Milan" – pozyskany w 1984 roku przez wywiad wojskowy – na bieżąco informował oficerów wojskowych służb specjalnych PRL na temat sytuacji w „Dzienniku Telewizyjnym" oraz planowanych zmianach personalnych, m.in. w roku 1989[103]. Według Raportu z weryfikacji WSI nazwisko Milana Suboticia zostało umieszczone w Aneksie nr 16 zatytułowanym „Zidentyfikowane osoby współpracujące niejawnie z żołnierzami WSI w zakresie działań wykraczających poza sprawy obronności państwa i bezpieczeństwa Sił Zbrojnych RP"[104].

„Wiadomości" nadal prowadziła Aleksandra Jakubowska, od 1987 roku prezenterka „Dziennika Telewizyjnego". Jako dziennikarka DTV jeździła w końcu lat 80. za granicę z ówczesnym premierem rządu PRL Mieczysławem F. Rakowskim jako „obsługa wizyty Prezesa Rady Ministrów"[105].

Na czele „Wiadomości" uplasowano Jacka Snopkiewicza, byłego członka PZPR, delegata na X Zjazd PZPR. Snopkiewicz, absolwent Szkoły Głównej Planowania i Statystyki oraz Studium Dziennikarskiego na Uniwersytecie Warszawskim, karierę zaczynał w tygodniku „Walka Młodych", organie najpierw Związku Młodzieży Socjalistycznej, a od 1976 roku – Związku Socjalistycznej Młodzieży Polskiej. W 1970 roku został laureatem Nagrody im. Janka Krasickiego, a rok później Ogólnopolski Komitet Współpracy Organizacji Młodzieżowych skierował go do ZSRS na międzynarodowy obóz pracy organizowany przez Komitet Centralny Komsomołu[106]. Nie był to pierwszy

OGÓLNOPOLSKI KOMITET WSPÓŁPRACY ORGANIZACJI MŁODZIEŻOWYCH
POLISH NATIONAL COMMITTEE FOR THE COOPERATION OF YOUTH ORGANISATIONS
ВСЕПОЛЬСКИЙ КОМИТЕТ СОТРУДНИЧЕСТВА МОЛОДЕЖНЫХ ОРГАНИЗАЦИЙ
COMITÉ POLONAIS DE COOPÉRATION DES ORGANISATIONS DE JEUNESSE
Warszawa 49, Smolna 40   Telefon: 264927   Telegr. OKWOM Warszawa

Związek
Młodzieży Socjalistycznej
Związek
Młodzieży Wiejskiej
Związek
Harcerstwa Polskiego
Zrzeszenie
Studentów Polskich

Warszawa, 25 czerwca 1971 r.

MINISTERSTWO SPRAW WEWNĘTRZNYCH
Biuro Paszportów i D.O.

Ref. nr KZ/207

W a r s z a w a

Uprzejmie prosimy o wydanie paszportu zwykłego
dla Ob.:

Snopkiewicz Jacek, s. Bronisława, ur. 6 listopada
1942 r. w m. Paplin pow. Węgrów. Zamieszkały:
██████████████████████████ Redakcja
/Walka Młodych/ st. publicysta.
wykształcenie: wyższe - SGPPiS oraz UW St.Dzien -
                                         nikarskie

W/w udaje się do Związku Radzieckiego - na międzynarodowy obóz pracy, organizowany przez Komitet Centralny
Komsomołu.

Wyjazd na okres 3 tygodni planujemy w dniu 5 lipca
br. Koszta związane z wyjazdem pokrywa Komisja Zagraniczn
OKWOM.

Z-ca Sekretarza KZ OKWOM

/ Zbigniew Bielecki /

W.Z.Graf. Zam. 4640.

Wniosek o wydanie paszportu dla Jacka Snopkiewicza celem wyjazdu
na obóz Komsomołu (IPN BU 1005/21345)

kontakt Snopkiewicza z radzieckimi towarzyszami – w 1968 roku, po krwawym stłumieniu praskiej wiosny, Snopkiewicz wyjechał do Czechosłowacji z ramienia KC Komsomołu[107]. Ze znajdujących się w IPN dokumentów wynika, że Snopkiewicz w końcu lat 60. i w latach 70. często wyjeżdżał do ZSRS[108] – najpierw jako działacz młodzieżowy, a później jako aktywista PZPR.

W 1981 roku na X Zjeździe partii komunistycznej Snopkiewicz mówił: „Mam za sobą 15 lat pracy w zawodzie dziennikarskim i tyleż lat w działalności partyjnej. Ten związek nie jest dla mnie przypadkowy". I radził:

> należy z grona towarzyszy nowo wybranego Komitetu Centralnego utworzyć stały zespół problemowy kontrolujący działalność prasy i propagandy, zgodność jej działania z linią partii[109].

Snopkiewicz zawsze działał „zgodnie z linią partii". W 1968 roku zapewniał, że spotkanie „z ministrem Moczarem wyjaśniło wiele spraw związanych z genezą, tłem i przebiegiem wydarzeń marcowych", a 7 października 2013 roku, z okazji 75-lecia Telewizji Polskiej, prezydent Komorowski odznaczył go Krzyżem Oficerskim Orderu Odrodzenia Polski „za wybitne zasługi dla rozwoju telewizji publicznej, za osiągnięcia w pracy zawodowej i działalności społecznej".

Tuż po stanie wojennym, w październiku 1983 roku, Snopkiewicz został stypendystą literackim ministra kultury i sztuki, co dało mu podstawy do starania się o wyjazd do USA wraz z żoną Barbarą Łopieńską, dziennikarką i publicystką[110].

Snopkiewicz koniecznie chciał zatrudnić w „Wiadomościach" Monikę Olejnik i Grzegorza Miecugowa. „Kusił" tych dziennikarzy radiowej „Trójki", ale ostatecznie nie doszło do ich wejścia na wizję[111].

Snopkiewicz zatrudniał też Tomasza Lisa i Jarosława Gugałę. Lis „wykazywał dryg na wizji', „przystojny student dziennikarstwa", zaś Gugała – „absolwent iberystyki, dziennikarz bez stałego zajęcia, ale nad wyraz solidny" – oceniał Snopkiewicz[112].

Snopkiewicz nie krył swojej atencji dla Aleksandry Jakubowskiej, którą określił największym telewizyjnym talentem, jaki znał[113]. Pełen uznania był też dla Ireny Dziedzic, ikony PRL-owskiej telewizji[114], w aktach SB zarejestrowanej jako TW „Marlena"[115].

> W redaktor Jakubowskiej upatrywałem następczynię Ireny Dziedzic, ale w parze z Moniką Olejnik z Programu III Polskiego Radia. Te dwie kobiety dałyby sobie radę z każdym – nawet z Ireną Dziedzic.

Tymczasem, jak utyskiwał, Olejnik marnuje się w radiowej „Trójce", a Jakubowska oddała talent gazecie[116].

Snopkiewicz za jednego z zastępców obrał sobie Zbigniewa Domarańczyka, który pracował wcześniej w dziale zagranicznym „Dziennika Telewizyjnego". W czasach PRL był również nieetatowym instruktorem KC PZPR[117]. Dziś Domarańczyk zajmuje się pisaniem książek. Do niedawna uczył w szkole wyższej im. Giedroycia. W telewizji spędził kilkadziesiąt lat.

„To my ze Snopkiewiczem stworzyliśmy «Wiadomości»" – powiedział nam Domarańczyk. Po pracy w telewizji przeszedł do „Kuriera Polskiego. Później był prezesem Agencji Interpress. Nie pamięta, by w PRL-u współpracował z SB i donosił na dziennikarzy.

> Skąd. Nic podobnego. Ale na pewno mam olbrzymią teczkę. W Radiu byłem przecież szefem redakcji informacji Programu dla Zagranicy. Wystawiałem opinie dziennikarzom wysyłanym za granicę

– mówił nam Domarańczyk[118].

W 1960 roku, przed wyjazdem do Francji, dziennikarz został zarejestrowany jako TW „Krzysztof"[119]. Zwerbowania dokonał Inspektorat Departamentu I Komendy MO w Lublinie. SB wysyłała go do Francji w charakterze „pracownika nielegalnej rezydentury". Domarańczyk informował o niezgodnych z prawem PRL przewozach dewiz i złotówek z Francji do Polski. W oparciu o te dane dokonywano rewizji celnych i odnajdywano ukrytą walutę. Charakteryzował też osoby z polskiej sekcji radia francuskiego. SB odwołała go, gdy utracił pracę. W kraju Domarańczyk przestał być interesujący dla wywiadu. W 1967 roku postanowiono o zakończeniu sprawy i złożeniu akt w archiwum Dep. I Biura „C".

W późniejszej notatce – z 1972 roku – zapisano, iż na wniosek tow. Bieleckiego z Dep. III MSW były TW został wytypowany do pracy w Międzynarodowej Komisji Nadzoru i Kontroli w Wietnamie. Odnotowano jednak, że okres pobytu TW we Francji budził poważne zastrzeżenia:

> Jako tw zaopatrzony w tajne środki łączności nie powinien przede wszystkim angażować się w napad zbrojny na bank w Paryżu.

Notatka służbowa z 1969 roku precyzuje, że „Krzysztof"

> uczestniczył w latach 1962 i 1963 w przygotowaniu i dokonywaniu napadów. Szefem grupy bandyckiej był Jerzy Dobrzański.

SB pisała o napadach na lokal Self Service i kasę metra St. Lazare. Bandyci „posługiwali się bronią i samochodem" – dopisano.

Wymieniony w notatce Jerzy Dobrzański został schwytany w 1969 roku przez władze węgierskie i przekazany do Polski jako podejrzany o uprowadzenie i zabójstwo Bohdana Piaseckiego, nieletniego syna Bolesława, twórcy stowarzyszenia PAX. SB stwierdziła, że „Krzysztof" sam podał jej fakt współuczestnictwa w napadach i dlatego podlega amnestii. Chwalono jednocześnie, że TW udzielał ciekawych informacji SB na temat KUL-u. Dostarczył materiałów kompromitujących na wiele innych osób, w tym rektora ks. Rechowicza i prorektora prof. Papierkowskiego. Gdy TW przyjęto do PZPR, przerejestrowano go na kontakt operacyjny. Później SB wykorzystywała go do 1983 roku jako konsultanta o ps. „Joanna"[120].

Drugi z zastępców Snopkiewicza w „Wiadomościach" to Kazimierz Żórawski, mąż skandalizującej historyk sztuki Andy Rottenberg.

Kazimierz Żórawski był redaktorem naczelnym Redakcji Telewizyjnych Filmów Fabularnych w latach 1974–1982. Był też rzecznikiem prasowym Stowarzyszenia Filmowców Polskich w latach 1988–1989. Od 1989 do 1991 roku Żórawski ponownie znajdował się w Telewizji, mianowany zastępcą naczelnego „Wiadomości". Później został doradcą prezesa Polskiej Agencji Informacyjnej (1992–1993). Gdy do władzy po rządach AWS dochodzi SLD z PSL, w resorcie zdrowia na fotelu ministra zasiada Ryszard Jacek Żochowski. A dyrektorem biura prasowego ministerstwa zostaje właśnie Kazimierz Żórawski (1993–1994). Później był asystentem wicemarszałka Sejmu (1994–1995).

Snopkiewicz, Żórawski i Domarańczyk opuścili „Wiadomości" po tym, jak prezesem TVP został Marian Terlecki. Odejście tej trójki poprzedziło wyjście z „Wiadomości" Aleksandry Jakubowskiej, która jeszcze na wizji pożegnała się z widzami. Jakubowska została zwolniona z TVP, a ówczesny szef „Wiadomości" razem z zastępcami podali się do dymisji. Konflikt na bieżąco relacjonowała „Gazeta Wyborcza" – był to dopiero zwiastun nagonki, która miała się rozpętać wobec rządu Jana Olszewskiego.

Z radiowęzła do TVP

Tadeusza Zwiefkę, byłego członka PZPR, który w poznańskim ośrodku Telewizji Polskiej został zatrudniony w grudniu 1982 roku, ściągnął do warszawskiej telewizji reżyser Stanisław Pieniak – 7 października 2013 roku udekorowany za zasługi przez prezydenta Bronisława Komorowskiego.

Szefowie „Wiadomości" na początku 1990 roku powołali Zwiefkę do prowadzenia programu. Według Jacka Snopkiewicza wcześniejszymi dokonaniami Zwiefki było prowadzenie w stanie wojennym radiowęzła w jednym z poznańskich zakładów pracy. Gdy pokazał się na wizji, z Poznania zaczęły przychodzić listy „uprzejmie donoszące, że prowadził radiowęzeł w jednym z poznańskich zakładów"[121].

Wśród prowadzących „Wiadomości" był też Tomasz Białoszewski z redakcji wojskowej. Jacek Snopkiewicz pisał, iż miał on rzekomo prowadzić festiwale piosenki żołnierskiej w Kołobrzegu. Później założył małą firmę i współpracował z Gwidonem Syczewskim – postacią „Dziennika Telewizyjnego". Białoszewski to także autor książki o katastrofie smoleńskiej, w której przytacza swoją wizję przyczyn rozbicia się samolotu.

W Poznaniu Zwiefka trafił od razu do redakcji programów informacyjnych. Jako reporter przygotowywał informacje dla lokalnego programu „Teleskop" oraz dla ogólnopolskich programów informacyjnych. W 1983 roku został prezenterem telewizyjnym tego popularnego programu informacyjnego, a w 1984 roku prezenterem programu 2 TVP. W 1985 roku Tadeuszowi Zwiefce powierzono szefostwo „Teleskopu". Kierując tym programem realizował się równocześnie dziennikarsko jako redaktor wydania.

Zwiefka należał do PZPR od 1975 roku. Był sekretarzem studenckiej grupy partyjnej, a jednocześnie członkiem egzekutywy POP PZPR. Działalność komunistyczną rozpoczął w 1969 roku, wstępując do ZMS, gdzie pełnił funkcję członka Zarządu Powiatowego Związku w Tucholi. Po dwóch latach był już w SZSP. Pełnił funkcję szefa Komisji Ekonomicznej Rady Wydziałowej na UAM. W latach 1974–1975 pełnił funkcję przewodniczącego Rady Wydziału Prawa i Administracji UAM[122].

Prezenterem programu, a jednocześnie komentatorem sejmowym, Zwiefka był do 1995 roku. Prowadził też transmisje telewizyjne z uroczystości i wydarzeń w Polsce, takich jak pielgrzymka papieża Jana Pawła II czy wizyty prezydentów USA i Rosji. W 1995 roku Tadeusz Zwiefka został dyrektorem Ośrodka Telewizyjnego w Szczecinie, a jesienią 1996 roku objął kierownictwo nowego programu publicystycznego w TVP 1 – „W centrum uwagi". Kierował zespołem dziennikarzy, w skład którego wchodzili m.in. Jarosław Gugała i Grzegorz Miecugow. W roku 2004 Zwiefka zaangażował się w politykę – został europosłem z ramienia PO.

Agnieszka Zwiefka, córka Tadeusza, pracę dziennikarską w TVP uzyskała jeszcze w trakcie studiów.

„Gwiazdy" przejściowe

Wiceszefową „Panoramy" była Katarzyna Nazarewicz-Sosińska. Od roku 1991 współpracowała z Telewizją Polską, najczęściej w programach porannych, od 2002 roku w „Pytaniu na śniadanie", następnie w „Kawie czy herbacie?". Ten ostatni program prowadziła do 2008 roku i – po przerwie – od 2009 roku prezentowała wydania weekendowe. Jednocześnie do 2008 roku pracowała w Polskim Radiu.

W 2008 roku Nazarewicz została zastępcą redaktora naczelnego tygodnika „Machina", który zasłynął obrazoburczą okładką z piosenkarką Madonną w roli Matki Boskiej.

Imponujący jest zestaw tytułów prasowych, w których czekano na Katarzynę Nazarewicz, by ta objęła w nich funkcje kierownicze. Pełniła obowiązki redaktor naczelnej wielu pism: miesięcznika „Premiery", „Na żywo", „Marie Claire", „Expressu Wieczornego" i dwukrotnie tygodnika „Naj". Była również zastępczynią redaktora naczelnego „Super Expressu". Pełniła także funkcję dyrektora wydawniczego magazynów „Playboy" i „Voyage".

Katarzyna Nazarewicz prezentuje ogromny sentyment do „Sztandaru Młodych", do którego przyjmował ją ówczesny naczelny Aleksander Kwaśniewski[123]. Pisze, że dla niego zmieniła zawód – rzuciła pracę w szpitalu psychiatrycznym i została reporterką.

Ojcem Katarzyny jest Ryszard Nazarewicz (właśc. Raps), były funkcjonariusz bezpieki. Ryszard Nazarewicz zaczynał w AL, a od 21 lutego 1945 roku, czyli zaraz po wejściu do Łodzi Sowietów, utrwalał władzę ludową na stanowisku zastępcy kierownika w Miejskim Urzędzie Bezpieczeństwa Publicznego. Szybko awansował do WUBP w Łodzi i w czerwcu 1946 roku przeniósł się do Warszawy, gdzie kierował Wydziałem V UBP, czyli podlegał Departamentowi V ds. społeczno-politycznych Julii Brystiger. Nazarewicz MBP opuścił w okresie destalinizacji w stopniu podpułkownika i został historykiem. Do emerytury pracował w Instytucie Historii Ruchu Robotniczego Akademii Nauk Społecznych.

W okresie prezesury Roberta Kwiatkowskiego jedną z postaci rozpoznawalnych w TVP był Sławomir Jeneralski, syn peerelowskiego dziennikarza Bogusława Jeneralskiego. Sławomir Jeneralski prowadził w TVP 1 „Wiadomości" i „Monitor Wiadomości" oraz prawybory we Wrześni i był szefem działu politycznego Telewizyjnej Agencji Informacyjnej. W 2005 roku Jeneralski z mediów przeszedł do polityki i został posłem SLD. Wówczas okazało się, że w PRL służył w Wojskowej Służbie Wewnętrznej. Przyznał się do tego w oświadczeniu lustracyjnym złożonym w czasie ubiegania się o mandat poselski.

Bogusław Jeneralski był publicystą i sekretarzem redakcji bydgoskiego tygodnika budowlanego „Profile" (1974–1981), współpracował z pismami „Fundamenty", „Ilustrowany Kurier Polski", „Faktami i Kujawami"[124].

Karol senior i Karol junior

Przez pewien czas „Wiadomości" prowadził Karol Małcużyński junior. Z telewizją związany był od roku 1990. Pełnił m.in. funkcję kierownika działu zagranicznego Agencji Produkcji Audycji Informacyjnych w TVP, był zastępcą dyrektora TAI Jarosława Gugały, z którym to jednakże popadł w konflikt, co stało się przyczyną jego odejścia z telewizji. Powrócił do niej na cztery lata w roku 1994, by zostać współproducentem i prowadzącym program „Forum". Wyleciał za udział w reklamie jednego z banków i znów powrócił w roku 2011, by kierować ponownie redakcją „Wiadomości".

Według akt IPN Karol Małcużyński junior w latach 1979–1982 był zarejestrowany w Departamencie II jako KO „Bem", kiedy to pracował w biurze BBC. Według notatek oficera kontrwywiadu, miał on informować o zagranicznych korespondentach w Polsce, w tym o szefie biura BBC Timie Sebastianie. Sąd Lustracyjny orzekł jednak, że Małcużyński nigdy nie był „osobowym źródłem informacji" służb specjalnych PRL i złożył prawdziwe oświadczenie lustracyjne. Jednym z powodów orzeczenia był szczątkowy charakter zachowanych materiałów.

Karol Małcużyński senior nieprzypadkowo był autorem tekstów do Kroniki Filmowej w najcięższym okresie stanu wojennego. To samo bowiem robił w latach 50. Wcześniej był współautorem książki „Józef Pehm-Mindszenty, szpieg w kardynalskiej purpurze". Kardynał József Mindszenty, Prymas Węgier, aresztowany w 1949 roku i skazany przez węgierski Trybunał Ludowy na dożywocie, był zdecydowanym przeciwnikiem komunizmu. W wolnych Węgrzech stał się bohaterem i symbolem oporu wobec tego ustroju. Małcużyński senior opisał Mindszenty'ego jako faszystę, szpiega i handlarza walutą[125]. Nie musiał tego robić. Nawet za Stalina mógł po prostu nie pisać haniebnej książki.

Później w sporach wewnątrz kręgów władzy PRL Małcużyński senior nieraz obierał zdanie nieco inne niż to, które stawało się stanowiskiem oficjalnym.

W okresie wydarzeń marcowych 1968 roku wyrażał opinię, że postępowanie władz było błędne z punktu widzenia interesów PRL.

> Twierdził między innymi, że szkody poniesione przez Polskę na arenie międzynarodowej są dużo większe od korzyści wewnętrznych

– odnotowała SB[126].

Z kolei w lutym 1970 roku poprosił znanego sobie dziennikarza Gustawa Gottesmana, by ten ostrzegł Agnieszkę Osiecką, że jej nazwisko zostało ujawnione w procesie „taterników" jako osoby kontaktującej się z Jerzym Giedroyciem[127]. Rok później odmówił prowadzenia przed kamerami dyskusji na temat działalności kpt. A. Czechowicza z Radia Wolna Europa.

Ta swoboda w ujawnianiu swoich poglądów nie była bez związku z wysoką pozycją zawodową Karola Małcużyńskiego seniora. Praca w roli znaczącego dziennikarza pozwoliła mu na zdobywanie i kontaktów i zaufania u najwyższych rangą ludzi aparatu władzy. W latach 70. prowadził program poświęcony polityce międzynarodowej „Monitor". Trafił też za całokształt zasług dla reżimu komunistycznego na tzw. listę Kisiela. Małcużyński senior był bezpartyjnym posłem na Sejm PRL w latach 1976–1985. W 1974 roku został wybrany w skład Zarządu Głównego Towarzystwa Przyjaźni Polsko-Radzieckiej. Karol Małcużyński był bratem znanego pianisty Witolda Małcużyńskiego.

SB odnotowała, że wśród zażyłych znajomości Karola Małcużyńskiego seniora znajdują się literat Andrzej Szczypiorski (TW „Mirek"), Gustaw Gottesman, redaktor „Polityki" Daniel Passent (według akt SB zarejestrowany jako KO „Daniel", TW „John"), b. sekretarz KW PZPR w latach 1955–1957 w Warszawie i jeden ważnych „puławian" Stefan Staszewski, czy Dariusz Fikus, b. redaktor „Polityki"[128].

Jedną z funkcji pełnionych przez Małcużyńskiego była prezesura w stowarzyszeniu autorów ZAiKS. Jego poprzednikiem był Wincenty Kraśko. Dziś z kolei tę funkcję pełni Michał Komar.

Dziennikarski ród Małcużyńskich uzupełniają siostra i szwagier Karola Małcużyńskiego seniora.

Teresa Minkiewicz *de domo* Małcużyńska była dziennikarką Interpressu, a szwagier Władysław Minkiewicz dziennikarzem, który po 1945 roku pracował w ambasadzie Polski Ludowej we Włoszech.

Pan ambasador

Jednym z bardziej znanych dziś dziennikarzy, swego czasu będącym twarzą „Wiadomości", jest Jarosław Gugała. W latach 1988–1989 Jarosław Gugała był kierownikiem Sceny Piosenki przy klubie Politechniki Warszawskiej „Riviera-Remont". Pracę w TVP rozpoczął w roku 1990. Został szefem reporterów Telewizyjnej Agencji Informacyjnej, a później stanął na czele całego TAI, którym kierował do roku 1995. Następnie został wydawcą programu „W centrum uwagi".

W pierwszej połowie lat 90. Gugała kojarzony był jako jeden z dziennikarzy z otoczenia Lecha Wałęsy i krytykowany przez Karola Małcużyńskiego juniora za uległość wobec nacisków i dyspozycyjność wobec ówczesnych „szarych eminencji" Belwederu – Mieczysława Wachowskiego i Andrzeja Drzycimskiego. Stało się to powodem konfliktu między Gugałą i Małcużyńskim juniorem, co zakończyło się czasowym odejściem tego ostatniego z TVP.

Wygrana Kwaśniewskiego w 1995 roku spowodowała gwałtowną zmianę poglądów i upodobań Gugały. Dzięki nowemu prezydentowi w roku 1999 został ambasadorem w Urugwaju (Gugała z wykształcenia jest iberystą, więc znał przynajmniej język hiszpański).

Po powrocie z Montevideo Gugała dostał pracę w Polsacie jako prezenter i wydawca „Informacji".

> Dziennikarze zajmujący się polityką to dziennikarze z pewnych kręgów. Mają przyjaciół wśród młodych unionistów [z Unii Wolności – *aut.*], wśród części SLD, wśród dawnych liberałów. Oni z nimi piją piwo, w piłkę grają i inne rzeczy robią. I to są ich kolesie. Wszystko to odbywa się na kanapie, z którą polska B lub C nie ma nic wspólnego

– mówił Gugała autorowi książki „Niewiadomości" Pawłowi Kwiatkowskiemu[129]. Gugała opisywał splot towarzyski światów polityki i dziennikarzy.

> Taki dziennikarz dowiaduje się, na przykład, o nadużyciach jakiegoś polityka, ale on o tym nie powie w telewizji, bo Józio Kaziowi tego nie zrobi. Tak to, niestety, wygląda

– mówił z kolei o układach[130].

Teść Jarosława Gugały – Witold Pereta (ur. 1935) był w latach 80. dyrektorem naczelnym CHZ Animex, spółki sprzedającej za granicę artykuły i przetwory pochodzenia zwierzęcego. Animex to firma powstała w 1951 roku jako centrala handlu zagranicznego. W 1983 roku przekształcono ją w spółkę z ograniczoną odpowiedzialnością. W 1995 roku jako Animex S.A. firma znalazła się wśród spółek giełdowych[131]. W 1991 roku Pereta założył kontrolowaną przez siebie spółkę pracowniczą, która od różnych zakładów mięsnych zaczęła odkupować akcje Animexu po wartości księgowej z lat 80. I tak przejął firmę[132]. Witold Pereta stanowisko szefa Animexu stracił w 1998 roku, w okresie rządów AWS–UW – odwołano wtedy także m.in. prezesa Impexmetalu Edwarda Wojtulewicza. Lewicowe media pisały wówczas, że jest to pozbywanie się kojarzonych z lewicą prezesów[133].

Spadek po Kominformie

Włodzimierz Szaranowicz, znany komentator sportowy „Wiadomości", jest z pochodzenia Czarnogórcem. Polskie obywatelstwo otrzymał w 1975 roku. Chwalił się, że jego matka – Bosilijka Šaranović – pracowała w PRiTV jako inspektor programowy w Wydziale Zagranicznym.

Radomir Szaranowicz (Šaranović), ojciec Włodzimierza, przyjechał z rodziną do Polski z Czarnogóry w 1946 roku. Był pracownikiem Jugosłowiańskiego MSZ[134]. W latach 1946–1949 pełnił funkcję I sekretarza Ambasady Jugosławii w Warszawie. Wcześniej był na placówce w Czechosłowacji. Po ogłoszeniu 28 czerwca 1948 roku Rezolucji Biura Informacyjnego potępiającego Titę, odmówił wraz z grupą innych pracowników ambasady powrotu do Jugosławii. Radomir Szaranowicz to także założyciel Związku Patriotów Jugosłowiańskich w Warszawie. Wraz z żoną pracował w Polskim Radiu jako redaktor audycji serbsko-chorwackich. Po przyjęciu do pracy w MSZ należał do Komunistycznej Partii Jugosławii. Pracował także w Towarzystwie Przyjaźni Polsko-Jugosłowiańskiej. W końcu został cenzorem w Głównym Urzędzie Kontroli Prasy, Publikacji i Widowisk.

W mundurze w TVP

W Telewizji Polskiej czasów PRL postacią prominentną był Tadeusz Mosz. Aktywnie działał w PZPR od 1976 roku, m.in. w egzekutywie PZPR w Radiokomitecie jako partyjny sekretarz[135]. Udzielał się też w ZSMP.

Po transformacji kraju z gospodarki planowej na wolnorynkową Mosz lansuje się na eksperta od ekonomii. Obecnie prowadzi swój program gospodarczy w radiu TOK FM. W roku 2011 został jednym ze specjalistów Bronisława Komorowskiego, który mianował go do składu Kapituły Nagrody Gospodarczej Prezydenta RP.

Tadeusz Andrzej Mosz w stanie wojennym pracował w Redakcji Dzienników i Publicystyki. Został redaktorem „Monitora Rządowego" z chwilą powstania tego programu. Mosz miał być żołnierzem, studiował dwa lata w Wyższej Szkole Oficerskiej Wojsk Łączności w Zegrzu. Jednak musiał zrezygnować ze względu na niespełnianie wymogów fizycznych.

„Jest wieloletnim działaczem PZPR", „jest aktywny w partii, pełnił szereg funkcji, wypróbowany członek PZPR" – to przykłady opinii, jakie zebrał na temat przyszłego dziennikarza por. Jerzy Zadora[136].

> Byłem początkującym dziennikarzem i stan wojenny zastał mnie w Telewizji Polskiej. Nie miałem jeszcze wtedy konkretnej historii zawodowej, trudno więc było mnie nie zweryfikować

– mówił Mosz w wywiadzie dla „Press", jak podała Niezależna.pl.[137]

W audycjach Mosza gośćmi są biznesmeni związani z dawnym systemem, tacy jak Aleksander Lesz, Henryka Bochniarz, Andrzej Byrt (według akt SB zarejestrowany w Dep. I jako KO[138]), Sergiusz Najar (według akt SB zarejestrowany w Dep. I jako KO „Sfinx"[139]), czy Witold Orłowski, szef doradców ekonomicznych Aleksandra Kwaśniewskiego w czasach jego prezydentury (według akt SB zarejestrowany w Dep. I jako KO „Wit"[140]).

Kiedy wybuchła afera Amber Gold, w której pojawił się wątek syna premiera Donalda Tuska, cenne stały się opinie publicysty, autora programów ekonomicznych Tadeusza Mosza. Bagatelizował on aferę Amber Gold, twierdząc, że to sprawa małej liczby ludzi chciwych i naiwnych klientów, którzy dali się nabrać na wielką reklamę. Ten sam Mosz, kiedyś aktywny działacz PZPR, narzekał na rodaków: „Polacy są fatalnie wyedukowani ekonomicznie, mają mentalność postkomunistyczną"[141].

Pluralizm w mediach publicznych rozumiany jest tak, że w 2011 roku debatę Balcerowicz-Rostowski prowadzili dziennikarze: redaktor naczelny „Polityki" Jerzy Baczyński i Tadeusz Mosz, prowadzący programy w radiu TOK FM, którego współwłaścicielem jest „Polityka" Sp. z o.o.[142]

PRZYPISY

[1] Opis scen z filmu Michała Balcerzaka, Jacka Kurskiego i Piotra Semki „Nocna zmiana" z 1994 r., dokumentującego wydarzenia z nocy 4 na 5 czerwca 1992 r., gdy odwoływano rząd Jana Olszewskiego.

[2] P. Semka, *Olejnik na froncie III RP*, „Uważam Rze" 2011, nr 6.

[3] Wypis z dziennika archiwalnego MSW.

[4] IPN BU 1386/53634. Agienstwo Pieczati Nowostki, czyli Agencja Druku Prasy, utworzona w 1961 r. w celu „rozpowszechniania za granicą prawdziwych informacji z ZSRS i zapoznawania społeczeństwa sowieckiego z życiem obcych narodów". APN miało przedstawicielstwa w 120 państwach. W 1991 r. APN przekształcono w Rosyjską Agencję Informacji – RIA „Nowosti".

[5] *Nasz prezes*, „Gazeta Wyborcza", 25 września 1989, nr 99, s. 1.

[6] Andrzej Drawicz, IPN BU 7638/1.

[7] A. Jakubowska, J. Snopkiewicz, *Telewizja naga*, Warszawa 1991, s. 24–26.

[8] Roman Edward Pillardy, Biblioteka Sejmowa, http://bs.sejm.gov.pl/F/T3PTJ85NAF7XA YJMSECCXU4LRJ7L83MYEFF4JPYU3MFTP9CVGR-75494?func=find-b&request=Pillardy&find_code=WRD&adjacent=Y&x=46&y=17

[9] Andrzej Królikowski – biografia, Twórcy kultury i sztuki, http://www.art.intv.pl/ Kr%C3%B3likowski_A./Biografia/

[10] M. Subotić, *Kobieta na lekki kryzys*, „Rzeczpospolita", 18 stycznia 2003.

[11] Raport z weryfikacji WSI, przypis 152, http://www.raport-wsi.info/TVP.html; Teczka pracy „Gordona", k. 138–139.

[12] IPN BU 01209/80.

[13] Ibidem.

[14] Krystyna Kurczab, IPN BU 01911/122.

[15] Ibidem.

[16] Ibidem.

[17] Ibidem.

[18] Ibidem.

[19] IPN BU 132/1711, t. 4.

[20] IPN BU 1386/495517.

[21] IPN BU 1535/193334.

[22] http://www.sdpwarszawa.pl/aktualnosci-220,Nie_chcemy_partyjnego_prezesa.html

[23] IPN BU 710/202.

[24] Ibidem.

[25] Ibidem.

[26] P. Lisiewicz, *Ten, który zniszczył bunt*, „Nowe Państwo – Niezależna Gazeta Polska" 2013, nr 1, s. 8.

[27] Ibidem.

[28] M. Jeżewska, M. Marosz, D. Łomicka, *Przystanek Woodstock – profanują krzyż*, „Gazeta Polska Codziennie", 3 sierpnia 2013.

[29] Akta paszportowe, Zbigniew Resich, AIPN 728/25731.

[30] S. Cenckiewicz, *Długie ramię Moskwy*, Warszawa 2011, s. 310–311.

[31] *Halber do Kwiatkowskiego: „chwała nam i naszym kolegom"*, Wp.pl, 28 maja 2005, http://wiadomosci.wp.pl/kat,1342,title,Halber-do-Kwiatkowskiego-chwala-nam-i-naszym--kolegom,wid,978459,wiadomosc.html (dostęp: 28 października 2013).

[32] T. Bochwic, *III Rzeczpospolita w odcinkach. Kalendarium wydarzeń styczeń 1989–maj 2004*, Kraków 2005, s. 137.

[33] P. Gursztyn, *Uważaj, i ty możesz zostać faszystą*, „Rzeczpospolita", 6 maja 2011.

[34] T. Bochwic, op. cit., s. 162.

[35] Robert Kwiatkowski, IPN BU 1386/25361.

[36] Ibidem.

[37] Ibidem.

[38] Ibidem.

[39] A. Borzym, *Dziwne przypadki szefa „Panoramy"*, „Gazeta Polska Codziennie", 25 lipca 2012.

[40] Ibidem.

[41] P. Gontarczyk, *Bogusław Wołoszański – agent wywiadu SB*, „Rzeczpospolita", 17 stycznia 2007.

[42] IPN 0365/111, t. 2.

43 P. Gontarczyk, op. cit.
44 Ibidem.
45 Ibidem.
46 IPN BU 00200/290; IPN BU 001052/1022.
47 Z. Ziobro, *Raport Komisji Śledczej do zbadania ujawnionych w mediach zarzutów dotyczących przypadków korupcji podczas prac nad nowelizacją ustawy o radiofonii i telewizji*, Warszawa 14 kwietnia 2004 r., http://zbigniewziobro.pl/dir_upload/site/141d61508116a51074fe90c3 1204d804/Zbigniew_Ziobro-raport_w_sprawie_Rywina.pdf
48 Zapis rozmowy Adama Michnika z Aleksandrem Gudzowatym, Dziennik.pl, 12 października 2007, http://wiadomosci.dziennik.pl/polityka/artykuly/190733,zapis-rozmowy-adama-michnika-z-aleksandrem-gudzowatym.html (dostęp 30 września 2013).
49 IPN zapisy ewidencyjne.
50 *BOR chroni Olgę Lipińską*, „Dziennk", 12 października 2007.
51 M. Subotić, *Portrety: Nina Terentiew*, „Rzeczpospolita", 20 września 2003.
52 Ibidem.
53 Nina Terentiew, IPN BU 1967/105.
54 Ibidem.
55 M. Subotić, *Portrety: Nina Terentiew*.
56 T. Torańska, *Smoleńsk*, Warszawa 2013, s. 98.
57 S. Ligarski, G. Majchrzak, *Polskie Radio i Telewizja w stanie wojennym*, Warszawa 2011, s. 183.
58 Ibidem.
59 A. Jakubowska, J. Snopkiewicz, op. cit., s. 38.
60 IPN BU 1386/23235.
61 IPN BU 00170/798.
62 G. Sroczyński, *Olga Lipińska – gorsze dziecko*, „Wysokie Obcasy", 25 lipca 2011.
63 IPN BU 00170/798.
64 Wiktor Piotrowski, IPN BU 00170/798.
65 G. Sroczyński, op. cit.
66 Ibidem.
67 D. Kania, M. Marosz, *Ile kosztuje nas Tomasz Lis*, „Gazeta Polska", 7 marca 2012, nr 10.
68 IPN BU 2386/3353.
69 T. Lis, *Nie tylko fakty*, Warszawa 2004, s. 18.
70 Ibidem, s. 6.
71 Ibidem, s. 40.
72 Program „Tomasz Lis na żywo", 5 września 2011.
73 Ibidem, 12 grudnia 2011.
74 Ibidem, 21 listopada 2011.
75 Waldemar Kedaj, IPN BU 001043/2175.
76 Ibidem.

77 L. Zalewska, *Cała prawda o Hannie Lis*, Dziennik.pl, 21 czerwca 2008, http://wiadomosci.dziennik.pl/opinie/artykuly/77396,cala-prawda-o-hannie-lis.html (dostęp: 21 sierpnia 2012).

78 D. Kania, M. Marosz, *Promocja Hanny Lis w TVP*, „Gazeta Polska Codziennie", 3 maja 2012.

79 Ibidem.

80 Z Hanną Smoktunowicz rozmawia Liliana Śnieg-Czaplewska, „Gala" 2007, nr 40.

81 S, Ligarski, G, Majchrzak, op. cit., s. 192.

82 A, Jakubowska, J, Snopkiewicz, op. cit., s. 21.

83 „Dziennik Telewizyjny", uroczystość wręczenia statuetek Wiktora, 1987, http://www.youtube.com/watch?v=3rOfLd4OUFY (dostęp: 9 października 2010).

84 *Chłopcy z tamtych lat*, Kronikatygodnia.pl, http://www.kronikatygodnia.pl/tekst.php?abcd=9838&dz=1

85 Sławomir Prząda był redaktorem „Dziennika telewizyjnego" w latach 1986–1990.

86 Raport z weryfikacji WSI, s. 91–92, 93 zał. 374, przyp. 154, 155, http://www.raport-wsi.info/TVP.html (dostęp 20 sierpnia 2013).

87 P. Pałka, *Współpracował, ale nie chciał przejmować telewizji*, „Rzeczpospolita", 31 stycznia 2007.

88 Sławomir Prząda, IPN BU 2504/119.

89 Prząda pełnił służbę jako redaktor od kwietnia do sierpnia 1984 r.

90 A. Zybertowicz, *Przemoc „układu" na przykładzie sieci biznesowej Zygmunta Solorza*, w: *Transformacja podszyta przemocą. O nieformalnych mechanizmach przemian instytucjonalnych*, red. R. Sojak, A. Zybertowicz, Toruń 2008, s. 234.

91 Sub, *Radziszewski i Zieliński wracają do TVP*, Wyborcza.pl, 12 lipca 2011, http://m.wyborcza.pl/wyborcza/1,105226,9936576,Radziszewski_i_Zielinski_wracaja_do_TVP.html (dostęp: 30 lipca 2013).

92 BM, GS, *Według politycznego klucza. Zmiany personalne w TVP*, „Rzeczpospolita", 11 października 1996.

93 Bolesław Borysiuk (ur. 1948): w latach PRL członek PZPR, w latach 1972–1977 i 1983–1990 był sekretarzem Towarzystwa Przyjaźni Polsko-Radzieckiej. W 2002 r. został doradcą Samoobrony Andrzeja Leppera i objął szefostwo lubelskiego okręgu tej partii. W 2004 r. w wyborach do Europarlamentu kandydował bez powodzenia z list tej partii. Rok później został posłem klubu Samoobrona. W 2007 r. współtworzył w Polsce prokremlowską Partię Regionów. Dwa lata później został jej prezesem. W 2009 r. został zatrudniony w TVP jako doradca prezesa Piotra Farfała.

94 Witryna Art&Media Productions Piotr Gembarowski, http://www.szkoleniamedialne.pl/firma.php?id=1 (dostęp: 21 sierpnia 2013).

95 http://www.szkoleniamedialne.pl/firma.php?id=1 (dostęp: 21 sierpnia 2013).

96 Bronisław Gembarowksi, Akta osobowe, IPN BU 0242/2594, t. 1–2 (22756/V).

97 *Piotr Gembarowski – dziennikarz*, „Antena" 1996, nr 41.

[98] *Jerzy Modlinger: „Teleexpress" unika angażowania się*, Wirtualnemedia.pl, 27 czerwca 2011, http://www.wirtualnemedia.pl/artykul/jerzy-modlinger-teleexpress-unika-anga-zowania-sie (dostęp: 28 października 2013).

[99] Jerzy Modlinger, AIPN 2174/8101.

[100] *Ludzie telewizji*, „Antena" 1996, nr 35.

[101] *PRL – Polska za komuny*, cz. 1, http://www.youtube.com/watch?v=BN_x5kpV8Bg&list=PLREq9yH6pH3bCWxxLF8i58kzsFxSjs5iK (dostęp: 10 października 2013).

[102] Milan Subotić, IPN BU 3179/877.

[103] Ibidem.

[104] Raport z weryfikacji WSI, http://www.raport-wsi.info/TVP.html

[105] IPN BU 1386/490786.

[106] Jacek Snopkiewicz, IPN BU 1005/21345.

[107] Ibidem.

[108] Ibidem.

[109] Fragmenty przemówienia Jacka Snopkiewicza w: *IX Nadzwyczajny Zjazd Polskiej Zjednoczonej Partii Robotniczej 14–20 lipca 1981 r. Stenogram z obrad plenarnych*, wyd. „Książka i Wiedza", Warszawa 1983.

[110] Jacek Snopkiewicz, IPN BU 1005/21345.

[111] A. Jakubowska, J. Snopkiewicz, op. cit., s. 54

[112] Ibidem, s. 55.

[113] Ibidem, s. 5.

[114] Ibidem, s.13.

[115] Sąd Apelacyjny w Warszawie w marcu 2013 roku uznał, że Irena Dziedzic nie była tajnym i świadomym współpracownikiem SB, jednakże w październiku prokurator generalny Andrzej Seremet skierował do Sądu Najwyższego wniosek kasacyjny. Według akt SB Dziedzic została w 1958 r., po dwóch latach pracy w TV, zwerbowana jako TW „Marlena", a następnie rozpoczęła prowadzenie „Tele-Echa". Od SB otrzymała 9 tys. zł na spłatę długów, w sumie zaś do wyrejestrowania w 1966 r. – 15 tys., AIPN 002086/264.

[116] A. Jakubowska, J. Snopkiewicz, op. cit., s. 13.

[117] Zbigniew Domarańczyk, IPN BU 01136/74/J.

[118] Rozmowa telefoniczna Macieja Marosza ze Zbigniewem Domarańczykiem, styczeń 2012.

[119] AIPN 01136/74.

[120] Ibidem.

[121] A. Jakubowska, J. Snopkiewicz, op. cit., s. 54.

[122] Kwestionariusz osobowy: Tadeusz Zwiefka, AIPN 01966/463.

[123] *Był taki dziennik „Sztandar Młodych". Praca zbiorowa*, red. W. Borsuk, Warszawa 2006, s. 270.

[124] E. Ciborska, *Leksykon polskiego dziennikarstwa*, Warszawa 2000.

[125] K. Małcużyński, *Józef Pehm-Mindszenty, szpieg w kardynalskiej purpurze*, Warszawa 1949.

[126] AIPN 0365/111/2.

[127] Kontakty te miały charakter intymny, nie polityczny.

[128] AIPN 0365/111/2.

[129] P. Kwiatkowski, *Niewiadomości. Rzecz o dziennikarzach*, Poznań 1995, s. 128.

[130] Ibidem, s. 124.

[131] Jarosław Gugała, AIPN 01897/882.

[132] *Kapitał Polski*, „Newsweek Polska", 27 lutego 2011.

[133] http://www.przeglad-tygodnik.pl/pl/artykul/strzelanina-skarbie-panstwa

[134] Radomir Šaranović, AIPN 01222/2756/D.

[135] Mosz był sekretarzem POP PZPR (Akta paszportowe Tadeusza Mosza, AIPN 908/25418).

[136] Notatka służbowa z 21.05.1982.

[137] wg, *Z PRL do kapituły Komorowskiego*, Niezalezna.pl, 19 maja 2011, http://niezalezna.pl/10804-z-prl-do-kapituly-komorowskiego (dostęp: 9 września 2013).

[138] Oświadczenie o tajnej i świadomej współpracy Andrzeja Byrta z organami bezpieczeństwa państwa PRL, „Monitor Polski" 2001, nr 45, poz. 740.

[139] Sergiusz Najar, AIPN 02221/38/2.

[140] Witold Orłowski; AIPN 00200/955.

[141] Z. Górniak, *Czy w Polsce jest kryzys? Rozmowa z Tadeuszem Moszem*, „Nowa Trybuna Opolska", 1 stycznia 2010.

[142] red., PSt., *Jerzy Baczyński poprowadzi debatę Balcerowicz-Rostowski*, Polityka.pl, 17 marca 2011, http://www.polityka.pl/opolityce/1514070,1,jerzy-baczynski-poprowadzi-debate-balcerowicz-rostowski.read (dostęp: 18 sierpnia 2013).

Rozdział 8

TELEWIZJA SŁUŻBOWA

„[...] robiliśmy przygotowanie do uroczystego przyjęcia Czerwonej Armii,
nie doczekaliśmy się tego zaszczytu, bo dowiedzieliśmy się,
że Armia Czerwona oswobadza tylko teren do rzeki Bug"

Mozes Mordka-Morozowski

Przedpołudnie 19 października 2010 roku. Centrum Łodzi. Do biura PiS europosła Janusza Wojciechowskiego oraz posła Jarosława Jagiełły wchodzi mężczyzna. Krzycząc, że nienawidzi PiS, wyjmuje pistolet i strzela do Marka Rosiaka, asystenta Janusza Wojciechowskiego. Gdy magazynek pistoletu jest już pusty, rzuca się z nożem na pracownika biura Pawła Kowalskiego, bardzo poważnie go raniąc. Zabójcę – jak się później okazało – byłego członka Platformy Obywatelskiej – zatrzymują wezwani na miejsce tragedii strażnicy miejscy. Prowadzony w kajdankach do samochodu morderca – Ryszard Cyba – mówi do kamery, że już wcześniej chciał zabić Jarosława Kaczyńskiego, ale miał za mały pistolet. Polityczny mord staje się od razu tematem numer jeden wszystkich mediów.

„Jarosław Kaczyński po ataku na biuro poselskie zwołuje konferencję prasową i... sam atakuje" – mówi w programie „Fakty po Faktach" w telewizji TVN Justyna Pochanke[1].

„Mewa" z „Konarskim"

Telewizja TVN jak w soczewce skupia poglądy elit III RP. Nie ma w tym nic dziwnego – stworzyli ją przecież ludzie, którzy Polsce

Mariusz Walter
(IPN BU 728/14020)

Ludowej zawdzięczają kariery i ogromne pieniądze. To w PRL biznesowe skrzydła rozwijał Jan Wejchert, tworząc w 1984 roku firmę ITI (International Trading and Investment), zaś Radiokomitet umożliwił telewizyjną karierę jego wspólnikowi Mariuszowi Walterowi. Z archiwów komunistycznej bezpieki wynika, że obydwaj zostali zarejestrowani przez bezpiekę jako jej tajni współpracownicy.

Według dokumentów znajdujących się w IPN Mariusz Walter został zarejestrowany przez Służbę Bezpieczeństwa w 1983 roku jako tajny współpracownik o pseudonimie „Mewa", natomiast wyrejestrowanie nastąpiło dopiero w roku 1989[2]. Z kolei Jan Wejchert według dokumentów komunistycznej bezpieki to tajny współpracownik Służby Bezpieczeństwa o pseudonimie „Konarski", pozyskany na zasadzie dobrowolności jeszcze 15 marca 1976 roku[3].

W maju 2008 roku „Gazeta Polska" opublikowała informacje pochodzące z IPN-owskich akt Jana Wejcherta, właściciela TVN. Wynika z nich, że w latach 70. Wejchert otrzymał paszport dzięki interwencji kontrwywiadu SB. Na dokumencie z 1972 roku widnieje odręczna notatka: „Wydział II prosi o wydanie paszportu ze względów operacyjnych". W notatce wymienione są dwa nazwiska – tow. Nawrocki oraz T. Grotowski. Adnotacje mówiące o Departamencie II MSW znajdują się także w aktach paszportowych Wejcherta z lat 80. Zachowało się m.in. podanie o paszport wielokrotnego użytku z 20 września 1984 roku dla Jana Wejcherta – dyrektora przedsiębiorstwa zagranicznego ITI w Polsce, na którym jest odręczny zapis: „popiera mjr Więckowski Wydz. II".

Jan Wejchert zaczął wyjeżdżać za granicę w roku 1968, jako 18-letni chłopak. Do 1972 roku odwiedził Anglię, Francję, Szwecję i Włochy. W 1972 roku służby PRL odmówiły mu wyjazdu do RFN. Co ciekawe, w kwestionariuszach paszportowych Wejchert podaje

INSTYTUT PAMIĘCI NARODOWEJ
-Komisja Ścigania Zbrodni przeciwko Narodowi Polskiemu

Oddziałowe Biuro Udostępniania i Archiwizacji
Dokumentów w Warszawie

Warszawa, dn. 16.12.2008 r.

Egz. Nr 1

Wypis z Dziennika rejestracyjnego MSW
sporządzony na podstawie karty K-3
nr BU - I - 107664 z dnia 02.10.2008 r.

Walter Mariusz s. Karola, ur. 04.01.1937 r.

Dziennik rejestracyjny MSW

„Nr rej. MSW 111780 – na podst. dzienn. rej. MSW stwierdzono – rej. z dn. 11.12.89 r. ,
W. III D. II, kategoria zabezpieczenia , brak nr sprawy i pseudonimu."

„Nr rej. MSW 79304 – na podstawie dzienn. rej. MSW stwierdzono : rej. 11.05.83 , jednostka
rej. W III D. II , kat. zabezpieczenia [skreślono] ; od 24.08.83 r. kat. TW , brak nr sprawy ,
pseudonim „MEWA" ; 11.12.89 r. rezygn. , brak sygn. arch."

Za zgodność

Wykonano w 1 egz.: _
- egz. 1 – do udostępnienia

Sporządziła: Katarzyna Walczak

Wypis z Dziennika rejestracyjnego MSW wskazuje, kiedy Mariusz Walter
był zarejestrowany jako TW „Mewa"

Dziennik rejestracyjny, wpis dotyczący TW „W. Konarski"

Karta personalna Jana Wejcherta TW „W. Konarski"

różne daty tej odmowy: raz jest to rok 1972, innym razem – 1973. Z kolei w kwestionariuszach z lat 80. w punkcie „Czy otrzymał odmowę na wyjazd za granicę?" Jan Wejchert wpisywał: „nie". W aktach IPN zachowało się jednak podanie Jana Wejcherta do Ministerstwa Spraw Wewnętrznych z sierpnia 1972 roku, w którym zwraca się on ponownie o rozpatrzenie sprawy przyznania paszportu. Wyjaśniał, że wyjazd posłuży mu do zdobycia materiałów do napisania pracy magisterskiej dotyczącej współpracy gospodarczej Polski z RFN. Zaznaczył, że został zaproszony przez mieszkającego na stałe w RFN wuja Lothara Grabowskiego, biznesmena, który – jak napisał Wejchert – „ma bardzo rozległe kontakty handlowe z wieloma centralami handlu zagranicznego".

Po interwencji SB Jan Wejchert mógł wyjechać – dostał paszport ze „względów operacyjnych". W sprawie wydania Wejchertowi paszportu interweniowała nie tylko SB. W stanie wojennym, w styczniu 1982 roku, z prośbą o wydanie dla niego paszportu do Komendy Stołecznej MO zwrócił się podsekretarz stanu Wiesław Adamski, pełnomocnik rządu ds. współpracy gospodarczej z Polonią Zagraniczną.

> Uprzejmie proszę o wydanie paszportu dla ob. Jana Wejcherta, członka zarządu Polsko-Polonijnej Izby Przemysłowo-Handlowej «Inter-Polcom» – Przedstawiciela Przedsiębiorstwa Polonijno-Zagranicznego «Konsuprod», udającego się do RFN w miesiącu styczniu br. celem omówienia spraw związanych z dostawą paczek żywnościowych dla Polski

– napisał Adamski.

Interwencja była skuteczna – w maju 1982 roku, sześć miesięcy po wprowadzeniu stanu wojennego, Jan Wejchert dostał paszport zezwalający nie tylko na jednorazowy wyjazd do RFN, ale paszport wielokrotny, ważny na wszystkie kraje świata.

„Częste wyjazdy za granicę pana Wejcherta są niezbędne w związku z prowadzoną przez nasze przedsiębiorstwo [Konsuprod – *aut.*] działalnością eksportową [...]" – napisano w podaniu o wydanie paszportu.

O Konsuprod „Gazeta Polska" pisała w październiku 2006 roku. W stanie wojennym Konsuprod – firma polonijna Jana Wejcherta, zajmowała się dostarczaniem paczek wysyłanych z zagranicy dla obywateli PRL. Zdaniem historyków z IPN oznacza to, że musiała współpracować z Biurem „W", jednostką organizacyjną MSW zajmującą się kontrolą korespondencji.

W stanie wojennym Konsuprod był najbardziej liczącą się firmą polonijną. Niemieckim partnerem biznesowym Wejcherta był jego wuj Lothar Grabowski. Trzy tygodnie po wprowadzeniu stanu wojennego, 4 stycznia 1982 roku, spotkał się on z wicepremierem Jerzym Ozdowskim, który zapewnił Grabowskiego o pozytywnej współpracy z firmami polonijnymi[4].

Całe lata 80. to ciąg sukcesów biznesowych Jana Wejcherta, z którymi wszedł do III RP: w 1992 roku na liście stu najbogatszych Polaków, według tygodnika „Wprost", rodzina Wejchertów była umieszczona na trzecim miejscu.

W 1979 roku Mariusz Walter był na Woronicza gwiazdą, a kierowane przez niego „Studio 2" biło rekordy popularności w siermiężnej telewizji publicznej. Nie tylko zdobył wówczas uznanie przełożonych, ale także został zauważony przez służby. Kiedy w listopadzie 1979 roku ówczesny minister spraw wewnętrznych gen. dyw. Stanisław Kowalczyk zatwierdził wniosek komisji nagród MSW, wśród nominowanych do nagrody II stopnia był zespół dziennikarzy, w którym znaleźli się m.in. Mariusz Walter (nagroda 12 tys. zł) i Edward Mikołajczyk[5] (10 tys. zł) – obydwaj członkowie PZPR.

> Poszczególne redakcje zespołu «Studia 2» systematycznie uwzględniają w swoich programach tematykę umacniania ładu i porządku publicznego. Szereg audycji jest bezpośrednio poświęconych działalności resortu spraw wewnętrznych, eksponując osiągnięcia MO i SB w walce z przestępczością i prezentując sylwetki funkcjonariuszy

– napisał w merytorycznym uzasadnieniu do wniosku dyrektor gabinetu ministra spraw wewnętrznych płk Józef Chomętowski[6].

W N I O S E K

o przyznanie nagrody Ministra Spraw Wewnętrznych

Zespół redaktorów Naczelnej Redakcji Informacji i Publicystyki -
Zespół Studia 2

- Mariusz WALTER - redaktor naczelny Naczelnej Redakcji Informacji
i Publicystyki - Zespół Studia 2
- Edward MIKOŁAJCZYK - zastępca redaktora naczelnego Naczelnej
Redakcji Informacji i Publicystyki
- Eugeniusz PACH - zastępca redaktora naczelnego Naczelnej
Redakcji Informacji i Publicystyki - Zespół Studia 2
- Andrzej ZAPOROWSKI - kierownik Redakcji Widowisk Publicystycznych
Zespołu Studia 2

Miejsce zatrudnienia:

Komitet d/s Radia i Telewizji

Krótkie charakterystyki kandydatów:

Mariusz WALTER - s. Karola, ur. 4.01.1937 r. we Lwowie, zamieszkały w Warszawie,
dziennikarz telewizyjny, reżyser, redaktor
naczelny Naczelnej Redakcji Informacji i Publicystyki - Zespół Studia 2. Członek PZPR

Edward MIKOŁAJCZYK - s. Jerzego, ur. 20.10.1940 r. w Czechowicach,
zamieszkały w Warszawie,
dziennikarz telewizyjny, zastępca redaktora
naczelnego Naczelnej Redakcji Informacji
i Publicystyki. Członek PZPR.

Eugeniusz PACH - s. Ferdynanda, ur. 13.10.1929 r. w Warszawie,
zamieszkały w Warszawie,
dziennikarz telewizyjny, zastępca redaktora naczelnego Naczelnej Redakcji Informacji i Publicystyki -
Zespół Studia 2

200 z 275

Wniosek o przyznanie nagrody Ministra Spraw Wewnętrznych zespołowi
„Studia 2" za zasługi dla resortu (IPN BU 1593/400) (strona 1)

Andrzej ZAPOROWSKI - s. Mariana, ur. 2.01.1940 r. w Bochni,
zamieszkały w Warszawie,
dziennikarz telewizyjny, kierownik Redakcji
Widowisk Publicystycznych - Zespół Studia 2

Określenie dzieła

Działalność publicystyczna i organizatorska w TVP wnosząca istotny
wkład w umacnianie porządku publicznego i dyscypliny społecznej,
popularyzacja działań Milicji Obywatelskiej i Służby Bezpieczeństwa,
krzewienie kultury prawnej w społeczeństwie.

Określenie proponowanej nagrody

Nagroda Ministra Spraw Wewnętrznych II stopnia "Za twórczość
i działalność publicystyczną w telewizji służącą umacnianiu ładu i porządku
publicznego oraz podnoszeniu na wyższy poziom kultury prawnej w społeczeństwie."

Merytoryczne uzasadnienie wniosku

Poszczególne redakcje Zespołu Studia 2 systematycznie uwzględniają
w swoich programach tematykę umacniania ładu i porządku publicznego.
Szereg audycji jest bezpośrednio poświęconych działalności resortu
spraw wewnętrznych eksponując osiągnięcia MO i SB w walce z przestęp-
czością i prezentując sylwetki funkcjonariuszy.
W programach poruszane są m.in. zagadnienia bezpieczeństwa w ruchu
drogowym oraz problemy natury prawnej. Służy to profilaktyce społecznej
i kształtowaniu kultury prawnej. Kierownictwo Zespołu Studia 2 przywiązuje
wiele uwagi do tej problematyki współpracując szeroko z jednostkami
resortu spraw wewnętrznych.

DYREKTOR
GABINETU MINISTRA SW
płk. J. CHOMĘTOWSKI

Wniosek o przyznanie nagrody Ministra Spraw Wewnętrznych zespołowi
„Studia 2" za zasługi dla resortu (IPN BU 1593/400) (strona 2)

W dokumentach IPN dotyczących nagród MSW, o które wnioskowano m.in. dla Mariusza Waltera, znalazł się także tekst wystąpienia skierowany do laureatów:

> Zdecydowana i aktywna polityka Związku Radzieckiego, Polski i pozostałych państw socjalistycznych przyczyniła się do powszechnego uznania zasad pokojowego współistnienia. Należy pamiętać, że mimo osiągnięcia postępu w umacnianiu bezpieczeństwa i współpracy w Europie imperialistyczne siły zimnowojenne nie ustają w podejmowaniu prób zmierzających do zahamowania procesu odprężenia. Zachodnie ośrodki dywersyjno-szpiegowskie kontynuują wrogie działania wymierzone przeciwko interesom pokoju i socjalizmu. Jesteśmy świadomi obowiązków. Charakter ich wynika z roli, jaką powierzyła nam partia. We wzbogacaniu naszych osiągnięć wy, laureaci, odgrywacie czołową rolę. Cieszę się serdecznie, że oprócz funkcjonariuszy, pracowników i żołnierzy naszego resortu są naukowcy, inżynierowie i technicy, publicyści i wydawcy, którzy swoją twórczą pracą i działalnością przyczyniają się do umacniania bezpieczeństwa, porządku i socjalistycznych zasad współżycia

– czytamy w przemówieniu ministra[7].

Obok Mariusza Waltera i Edwarda Mikołajczyka wśród nagrodzonych znaleźli się m.in. gen. Konrad Straszewski (15 tys. zł) i gen. Zenon Płatek (14 tys. zł), szef IV Departamentu MSW. Obaj w ramach swoich obowiązków służbowych zajmowali się zwalczaniem Kościoła katolickiego. W uzasadnieniu przyznania nagrody napisano, że laureaci otrzymują ją „w uznaniu za systematyczne doskonalenie form i metod pracy operacyjnej"[8].

Nagrodzony został wówczas także Tadeusz Walichnowski, były funkcjonariusz Ministerstwa Bezpieczeństwa Publicznego, rektor esbeckiej kuźni kadr, czyli Akademii Spraw Wewnętrznych, założyciel Instytutu Żołnierzy Ludowego Wojska Polskiego.

W roku, w którym nastąpiła rejestracja TW „Mewa" (1983), rzecznik rządu Jerzy Urban proponował utworzenie nowego pionu w TVP, który zajmowałby się czarną propagandą. Czołową rolę miał w nim odegrać Mariusz Walter, który wówczas już nie pracował w publicznej telewizji, lecz w firmie polonijnej Konsuprod. Mimo że panował stan wojenny, Mariusz Walter nie miał żadnego problemu z wyjazdem na Zachód, o czym świadczą jego akta paszportowe.

Jerzy Urban w poufnym liście do ówczesnego szefa MSW gen. Czesława Kiszczaka stwierdzał, że decydujące znaczenie w nowym pionie propagandy będzie miała obsada kadrowa. List w całości przytoczył historyk Krzysztof Majchrzak[9].

> Mariusz Walter nadaje się na głównego konsultanta, jakiegoś szefa programowego i TV – jednym słowem nie kierownika pionu propagandy, lecz główną siłę koncepcyjno-fachową.

Zdaniem rzecznika rządu PRL

> Walter to najzdolniejszy w ogóle redaktor telewizyjny w Polsce, który przedstawia tow. Mieczysławowi Rakowskiemu i mnie sporo interesujących koncepcji ogólnopolitycznych i propagandowych.

Urban przypominał, że Mariusz Walter został pozytywnie zweryfikowany w stanie wojennym w 1982 roku, ale „sam usunął się z TV, mając dość nękania go". Według Urbana „sprawę zna gen. Wojciech Jaruzelski; dwukrotnie polecał przyjąć go na powrót do TV. Popiera ten zamysł także Rakowski", ale „Walter zwleka z decyzją powrotu, żądając satysfakcji i pognębienia jego wrogów". Urban w liście pisał, że Walter „na razie pracuje w firmie polonijnej, gdzie robią wideokasety, nie jest tą pracą usatysfakcjonowany".

Gdy w 2002 roku Jerzy Urban został oskarżony o znieważenie Jana Pawła II w artykule „Obwoźne sado-maso", wydawało się, że zostało mu jedynie niszowe, antyklerykalne dziennikarstwo. Do ponownego życia powołała go telewizja TVN. W 2005 roku, zaledwie miesiąc po wyroku skazującym Urbana za obrazę papieża Polaka, w programie TVN „Uwaga!" wyemitowano o nim materiał. Od tego czasu Jerzy Urban stał się częstym gościem w stacji Mariusza Waltera.

Biznesowe drogi Mariusza Waltera i Jana Wejcherta spotkały się w 1984 roku, kiedy to razem założyli spółkę ITI. Firma otrzymała od ówczesnych władz PRL koncesję na import sprzętu elektronicznego i dystrybucję filmów na kasetach video w Polsce. Z zeznań, jakie złożył w sądzie Grzegorz Żemek – współpracownik Zarządu II Sztabu Generalnego o pseudonimie „Dik"[10], koncern medialny był finansowany poprzez Bank Handlowy Internationale w Luksemburgu, służący wywiadowi PRL do dokonywania nielegalnych operacji finansowych. Jasno też określono zadania operacyjne medialnego „konia trojańskiego" – firmy umożliwiającej wprowadzanie agentów służb PRL na teren Zachodu[11]. „Dik" w czasie, gdy powstawało ITI, był dyrektorem pionu kredytowego Banku Handlowego Internationale, więc musiał być doskonale zorientowany, kogo kredytował.

Jedyną firmą zagraniczną w dziedzinie mediów, którą znałem, była firma należąca do Jana Wejcherta[12], ulokowana w Irlandii, na obszarze doków portowych, które stanowiły wydzielony w Irlandii obszar tzw. «raju podatkowego». [...] Ta firma finansowała się z kredytów Banku Handlowego International w Luksemburgu. Zapytałem służb wojskowych czy mogę podjąć kontakt z Wejchertem. Otrzymałem wówczas informację, że on już współpracuje ze służbami wojskowymi, więc będzie to proste. W tym czasie byłem dyrektorem Departamentu Kredytów w BHI. Poznałem w czasie tych rozmów z Wejchertem jego współpracowników m.in. Waltera. Zasugerowali mi, że jeżeli jest potrzeba zorganizowania – znalezienia przykrycia dla agentów działających w dziedzinie mediów i ich finansowanie, to najlepiej stworzyć międzynarodowy koncern z udziałem Filmu Polskiego. [...] Przekazałem te sugestie do wojska, ale postawiłem warunek, że jeżeli mam się tym zająć to muszę dostać ludzi, którzy znają się na mediach i byliby w stanie taki koncern zorganizować

– zeznał Żemek[13].

Sami swoi

Po roku 1989 do władz ITI (jest właścicielem telewizji TVN, która w 1997 roku dostała koncesję KRRiT) trafili m.in. ludzie wywodzący się z PZPR lub rodzinnie powiązani z komunistami i komunistycznymi służbami.

W 1994 roku do rady nadzorczej Grupy ITI trafił dziennikarz Michał Broniatowski, który oprócz tego zajmował się także tworzeniem agencji prasowej Interfax w Europie Środkowej (Interfax Centralnaja Jewropa). Broniatowski wyjechał do pracy w Moskwie w latach 90.[14] W latach 1997–2000 kierował biurem Reutera w Moskwie. W grupie Interfax Broniatowski pracuje od 2004 roku[15].

Ojciec Michała Broniatowskiego – płk Mieczysław Broniatowski – przedwojenny komunista, od listopada 1944 roku był kierownikiem Warszawskiej Grupy Operacyjnej w Wojewódzkim Urzędzie Bezpieczeństwa Publicznego. Następnie był dyrektorem Centralnej Szkoły MBP w Łodzi, a w latach 1947–1948 p.o. dyrektora Centrum Wyszkolenia MBP w Legionowie. Z kolei w latach 1954–1964 Broniatowski był funkcjonariuszem Ministerstwa Spraw Wewnętrznych[16].

W 2001 roku we władzach koncernu ITI znaleźli się m.in. Henryka Bochniarz, była działaczka PZPR, i znany sędzia Trybunału Konstytucyjnego Mirosław Wyrzykowski, który w latach PRL był wykładowcą w Wyższej Szkole Oficerskiej MSW w Legionowie[17]. Z kolei do rady nadzorczej ITI trafił m.in. Jan Zieliński, doradca zarządu BRE Banku, w czasie funkcjonowania FOZZ pracownik Banku Handlowego, a wcześniej I sekretarz podstawowej organizacji partyjnej przy ambasadzie PRL w Bejrucie.

Współtwórcą koncernu medialnego ITI był Paweł Kosmala, późniejszy prezes klubu sportowego Legia Warszawa, którego właścicielem w 2004 roku została firma ITI.

Paweł Kosmala – prawa ręka Mariusza Waltera, wiceprezes spółki ITI, to zasłużony pracownik struktur KC PZPR. W latach

1975–1982 Kosmala umacniał ustrój PRL wspólnie z innymi aktywistami z ZSMP. Był między innymi przewodniczącym Zarządu Warszawskiego tej organizacji. Równolegle, od 1974 roku, sprawdzał się w działalności na rzecz PZPR. W najważniejszym warszawskim komitecie dzielnicowym partii – Warszawa-Śródmieście był członkiem egzekutywy POP i udzielał się jako wiceprzewodniczący Komisji Środowiska. Zawodowo podjął pracę w przedsiębiorstwie Centrali Handlu Zagranicznego Paged. W partii zyskiwał wówczas uznanie jako fachowiec od kontaktów handlowych między Polską a ZSRS. Po siedmiu latach pracy jako kierownik działu w Pagedzie postanowił oddać się całkowicie pracy partyjnej. Przypadło to na czas stanu wojennego w Polsce. W latach 1982–1983 udzielał się w roli inspektora w Komitecie Centralnym PZPR. W 1983 roku przeszedł na funkcję kierownika jednego z sektorów KC PZPR. W 1987 roku został skierowany do pracy w roli radcy handlowego w ambasadzie PRL w Republice Irlandii. Na tym stanowisku w Dublinie zastał go rok 1992. Dwa lata później trafił do ITI.

Istotną postacią w kierownictwie grupy ITI został także Ryszard Sibilski, prywatnie – mąż piosenkarki Ewy Bem, z przedsięwzięciem Wejcherta związany jeszcze w PRL. Sibilski w młodości był aktywnym działaczem komunistycznej młodzieżówki SZSP. W 1988 roku wyjechał do Belgii i został pracownikiem Biura Informacji Technicznej zarejestrowanej w Dublinie firmy Cantal Int. Ltd.

Jego ojciec, Władysław Sibilski, od 1984 roku kierował przedstawicielstwem PHZ Unitra w Belgradzie, wcześniej będąc dyrektorem biura krajowego Unitry, a także attaché handlowym w Biurze Radcy Handlowego w stolicy Jugosławii (lata 1964–1970). Od 1953 roku miał legitymację PZPR.

Według akt IPN, od początku roku 1977 Ryszard Sibilski był zarejestrowanym kontaktem operacyjnym Wydziału III Departamentu I o ps. „Roberta". Wydział III wywiadu PRL zajmował się infiltracją struktur NATO i instytucji rządowych Francji, Wielkiej Brytanii, Włoch, Belgii oraz Watykanu.

Według akt SB zwerbowanie KO „Roberta" miało nastąpić ze względu na jego wyjazdy do USA i Kanady, gdzie przebywał już w roku 1976. Wywiad PRL zaplanował związanie Sibilskiego ze sobą w związku z jego planami dalszych wyjazdów, m.in. do Japonii do jednego z przedstawicielstw handlowych na kilkutygodniową praktykę. Esbek prowadzący sprawę KO „Roberta" polecił mu w marcu 1977 roku, by poznał osoby z grupy studenckiej z Georgetown University w Waszyngtonie. KO „Roberta" miał przekazywać informacje dotyczące obywateli USA, w tym pracowników korpusu dyplomatycznego tego państwa. Współpracę z Ryszardem Sibilskim SB zakończyła już w 1978 roku, gdy miał utracić możliwości zbierania informacji cennych dla wywiadu.

W dossier KO „Roberta" odnotowano, że w czasie II wojny światowej jego dziadek Wawrzyniec Sibilski znalazł się na celowniku wywiadu Armii Krajowej. Jak podają akta SB – ze względu na to, że jako uczestnik kampanii wrześniowej 1939 roku dostał się do niewoli niemieckiej, w 1940 roku powrócił do Warszawy i „rozpoczął pracę w Policji Kryminalnej (Kripo)". W notatkach SB znalazł się opis archiwów AK dotyczących Wawrzyńca Sibilskiego a odnoszących się do wydarzeń z roku 1943.

Jako policjant „pracuje gorliwie na rzecz GO (Gestapo) przy likwidacji Żydów na terenie Warszawy" – pisano w aktach AK o sygnaturze 4324 mj/933-G.

> Organizuje obecnie przy udziale żandarmerii niemieckiej kontrolę na dworcach kolejowych, targowiskach i innych miejscach o dużym ruchu. W dniu 9 bm. podczas kontroli na Dw. Głównym, Zachodnim Sibilski aresztował 70-ciu mężczyzn, którzy nie mogli wylegitymować się i przekazał ich do aresztu Kripo

– napisano w kolejnym z zachowanych dokumentów (sygn. 4311 cz/933-G).

> 3.07.1943 r. informacja z Kripo, Sibilski na Pl. Napoleona brał udział w aresztowaniu 200 osób. Gestapo doniósł, że istnieje tam

konspiracyjna organizacja. Bardzo szkodliwy. Powinien być zlikwidowany

– brzmiała adnotacja wywiadu AK, którą dysponowała esbecja[18].
W 2006 roku do rady nadzorczej ITI trafił Andrzej Rybicki.
Według dokumentów komunistycznej bezpieki został on w roku
1975 zarejestrowany przez kontrwywiad jako tajny współpracownik
o pseudonimie „Rafał". Sprawę tę zakończono dopiero w 1991 roku po
zmianie przez Rybickiego obywatelstwa na amerykańskie. Do współpracy pozyskał go sierżant Zbigniew Królik z Grupy VII wydziału II
KWMO w Poznaniu – wynika z akt IPN[19].

> Kandydat dobrowolnie wyraził zgodę na współpracę ze Służbą Bezpieczeństwa i podpisał zobowiązanie. Informacje będzie przekazywał
> ustnie używając pseudonimu «Rafał»

– zapisano w raporcie z pozyskania.

Z dokumentów wynika, że „Rafał" realizował zadania kontrwywiadowcze rozpracowania środowisk emigracji zarobkowej[20].
W styczniu 1977 roku, w związku z perspektywą dłuższego pobytu
figuranta za granicą i jego możliwościami wywiadowczymi z zakresu
zaawansowanej elektroniki, został on przejęty przez wywiad PRL.
Wtedy Departament I rozpoczął prowadzenie sprawy kontaktu operacyjnego o kryptonimie „Rafat". Ponieważ SB wysoko oceniała omawianą współpracę, postanowiono przerzucić źródło do USA. Celem
przerzutu KO „Rafat" do USA było ulokowanie go w jednym z czołowych ośrodków amerykańskiego przemysłu elektronicznego i uzyskanie w ten sposób możliwości pozyskania ciekawych informacji o osobach, a także dokumentacji technicznej.

Raport dotyczący tej operacji wywiadu PRL podsumował
dotychczasową współpracę źródła. Zapisano w nim, że tuż po studiach przyszły KO wyjechał na praktykę do Holandii. W roku 1973
przez Austrię i ponownie Holandię trafił do Berlina Zachodniego.

W 1975 roku wyjechał do Finlandii i przy pomocy fińskiej znajomej znalazł zatrudnienie w Nokia Electronics. Później pracował również w innych firmach elektronicznych – Stromberg i Salora. Pod koniec 1976 roku „Rafat" został oddelegowany z tej ostatniej firmy do Suazi (RPA) w związku z budową fabryki telewizorów kolorowych. Uzyskał wówczas drogą korespondencyjną przez ambasadę PRL w Finlandii paszport konsularny. W 1978 roku wrócił do Polski, by już po dwóch miesiącach znów udać się w delegację z firmy Salora, tym razem do USA. Miał dla niej dokonać zakupu podzespołów elektronicznych. Jednak, jak wynika z raportu oficera wywiadu J. Bednarczyka, wyjazd „Rafata" do USA odbył się przede wszystkim z inspiracji SB. Zgodnie również z wytycznymi bezpieki KO starał się później w Ameryce o kartę pobytu stałego i zezwolenie na pracę. W 1978 roku KO dostarczył dokumentację, którą w całości wysoko oceniono w kraju – wynika z raportu, którym dysponował w 1979 roku płk Jerzy Cześnik z Departamentu I MSW. W dokumencie tym zaznaczono, że źródło przekazało również szereg informacji o charakterze „polityczno-kontrwywiadowczym". Z dokumentacji komunistycznej bezpieki wynika, że SB wykorzystało liczne podróże „Rafata" – miał on przekazywać informacje o polskich imigrantach za granicą i o obozach dla uchodźców na Zachodzie[21].

Rodzinne związki gwiazd TVN

Przez lata, najpierw w TVN, a później w TVN 24, w codziennym programie widzowie mogli oglądać Monikę Olejnik, córkę jednego z najzdolniejszych funkcjonariuszy Biura „B" Służby Bezpieczeństwa Tadeusza Olejnika[22]. Monika Olejnik od samego początku występów w stacji Mariusza Waltera wpisała się w polityczny profil TVN, atakując projekty antyaborcyjne i poglądy konserwatywne.

Jednym z najważniejszych „żołnierzy" medialnego frontu walczącego z ideą IV RP okazał się Andrzej Morozowski (rocznik 1957), były dziennikarz Radia Zet, absolwent Wydziału Wiedzy o Teatrze Państwowej Wyższej Szkoły Teatralnej w Warszawie.

Morozowski jest synem Mieczysława Morozowskiego, przedwojennego komunisty, od roku 1947 związanego z Ministerstwem Bezpieczeństwa Publicznego[23]. Mieczysław Morozowski (właśc. Mozes Mordka, syn Judka i Maszy) urodził się w wielodzietnej rodzinie piekarza z Mińska Mazowieckiego. W 1928 roku, po aresztowaniu za działalność komunistyczną starszego brata, Mieczysław (Mozes) wstąpił do pionierów.

Mieczysław Morozowski, funkcjonariusz Departamentu V MBP „Krwawej Luny"
– Julii Brystiger (Akta osobowe funkcjonariusza Mieczysława Morozowskiego)

> W 1933 r. zostaję przeniesiony do KZMP [Komunistyczny Zwią-
> zek Młodzieży Polskiej – *aut.*], gdzie pełnię funkcję technika. [...]
> W 1936 mój brat wyjeżdża do Hiszpanii Republikańskiej, gdzie
> walczy w oddziałach Dąbrowszczaków. W 1937 na własne życzenie
> KZMP wysyła mnie do Hiszpanii Republikańskiej. Dojechaliśmy
> tylko do Pragi Czeskiej, musieliśmy wracać, gdyż Partia nie dała mi
> dalej jechać, bo nie służyłem jeszcze w wojsku

– czytamy w życiorysie złożonym 30 listopada 1949 roku w Ministerstwie Bezpieczeństwa Publicznego przez Mieczysława Morozowskiego[24].

Z dokumentów komunistycznej bezpieki dowiadujemy się, że Mozes Mordka został powołany do wojska w 1938 roku. Wojna zastała go we wsi Wizna nad Narwią – po przegranej walce z Niemcami pod Małkinią jego jednostka została rozproszona, a on sam przedostał się do rodzinnego Mińska Mazowieckiego. Zdumienie może budzić reakcja ojca przyszłej gwiazdy TVN na agresję sowiecką 17 września 1939 roku:

> W Mińsku Maz. wraz z tow.[arzyszem – *aut.*] Dąbrowskim Stani-
> sławem i innymi tow.[arzyszami – *aut.*] robiliśmy przygotowania do
> uroczystego przyjęcia Czerwonej Armii, nie doczekaliśmy się tego
> zaszczytu, bo dowiedzieliśmy się, że Armia Czerwona oswobadza
> tylko teren do rzeki Bug. W następnym dniu wyszedłem piechotą
> do Siedlec, gdzie natknąłem się jeszcze na patrole Armii Czerwonej.
> Z Siedlec dostałem się do Brześcia, a stamtąd do Lwowa[25].

Ze znajdujących się w IPN dokumentów wynika, że Mozes Mordka starał się o przyjęcie do Armii Czerwonej, ale ostatecznie trafił do armii gen. Władysława Andersa, z którą wyjechał do Dżalalabadu w południowej Kirgizji.

> Tu zorientowałem się, że armia ta nie jest demokratyczna i nawiąza-
> łem kontakt z oficerem Armii Czerwonej, który był łącznikiem między
> 5-tą dywizją a Armią Czerwoną. [...] Z armią gen. Andersa wyjechałem

do Iranu, nie wiedząc, że pozostał gen. Berling. Dopiero będąc w Iranie dowiedziałem się, że Wasilewska i Lampe [komuniści, członkowie Związku Patriotów Polskich w ZSRS będącego pod całkowitą kontrolą Sowietów – *aut.*] stworzyli dywizję im. Kościuszki. Będąc w Iraku zebrało się kilku naszych tow.[arzyszy – *aut.*], między innymi Web Szmul, radzić, jak się dostać do dywizji im. Kościuszki. W 1943 r. przyjechaliśmy do Palestyny, tu ostatecznie wystąpiłem z armii gen. Andersa. [...] W Palestynie zorganizowaliśmy Związek Uchodźców Demokratycznych zorganizowany przy pomocy ZPP. Oprócz tego brałem udział w KP [Komunistycznej Partii – *aut.*] Palestyny. [...] W 1946 roku pierwszym transportem wracam do kraju, gdzie zatrzymałem się u rodziny. Wstępuję do PPR [Polskiej Partii Robotniczej – *aut.*] w Mińsku Mazowieckim i tu biorę udział w akcji przedwyborczej[26].

Rok później Mozes Mordka już jako Mieczysław Morozowski wstępuje do MBP. 15 października 1948 roku podpisuje zobowiązanie współpracownika MBP. Pozytywną opinię dał mu gen. Wacław Komar (właśc. Mendel Kossoj), enkawudzista mianowany szefem Oddziału II Sztabu Generalnego, czyli wywiadu wojskowego.

19 lutego 1949 roku Morozowski złożył ślubowanie w Departamencie V ds. polityczno-społecznych MBP, którego dyrektorem była Julia Brystiger – „Krwawa Luna". Funkcjonariusze Departamentu V znani byli ze stosowania wyrafinowanych tortur wobec ludzi uznanych za „wrogów ludu" i członków podziemia antyniemieckiego i antykomunistycznego. Kazimierz Moczarski wyliczył 49 sposobów torturowania i znęcania się nad więźniami w Departamencie, gdzie utrwalał władzę ludową Mieczysław Morozowski.

W listopadzie 1954 roku, a więc w okresie, kiedy w Polsce zaczęła się krytyka aparatu bezpieczeństwa i destalinizacja, Morozowski pracował już w Centralnym Archiwum MBP. Wiadomo o tym dzięki podaniu, jakie złożył do swoich przełożonych – była to prośba o wyrażenie zgody na zawarcie związku małżeńskiego z Marią Kozubal, b. towarzyszką z PPR – zgoda taka została udzielona zarówno przez władze partyjne jak i resortowe.

ODPIS   W-wa 30.XI.49 r.

Ż Y C I O R Y S   z akt part.

Urodziłam się 16.V.1918 r. w Mińsku-Mazowieckim w rodzinie robotniczej. Ojciec pracował jako piekarz i matka musiała pomóc aby mogła wyżywić liczną rodzinę, składającą się z 8 osób. Mając lat 7 zaczęłem chodzić do szkoły powszechnej. W 1926 roku ojciec wynajmuje piekarnię i pracuje wraz z matką w tej piekarni. W 1928 roku zostaje aresztowany starszy brat za działalność komunistyczną po raz drugi i w tym roku zaraz po aresztowaniu brata, towarzysze jego wciągają mnie do Pioniera szkolnego. Praca organizacyjna w Pionierze polegała moja na tym, że przed świętami robotniczymi i akcję polityczne Partii chodziliśmy na akcję jak: pisanie haseł na ścianie itp. W 1932 roku kończę szkołę powszechną i zaczynam pracować u ojca w piekarni, w tym samym roku zostaję przeniesiony do przybudówki przy KZM. W 1933 roku zostaję wyznaczony do KZM, gdzie pełnię funkcję technika, a następnie po linii organizacji pracuję jakiś czas w M.W. W 1934 roku zaczynam uczyć się na malarza pokojowego. W 1936 r. brat mój wyjeżdża do Hiszpanii Republikańskiej, gdzie walczy w oddziałach Dąbrowszczaków. W 1937 r. na własne żądanie KZM wysyła mnie do Hiszpanii Republikańskiej. Kontakty w Mińsku Mazowieckim dał nam tow.Fuksowicz Zygmunt. Dojechaliśmy tylko do Pragi-Czeskiej, stamtąd musieliśmy wracać, gdyż Partia nie dała nam dalej jechać, bo nie służyłem jeszcze w wojsku. Po powrocie z Pragi w jesieni podczas udania się do Hiszpanii zostaliśmy aresztowani. Nie mając przeciw nam konkretnych dowodów, po dwóch dniach zwolnili mnie z aresztu. W 1938 r. na wiosnę zostaje powołany do wojska, kartę powołania dostałem z opóźnieniem, służyłem w 71 p.p. w Zambrowie. Kontaktu do KZM w Zambrowie nie dostałem,miano mi go przysłać potem. Zapoznałem w Zambrowie panną,która siedziała 2 lata w więzieniu za działalność komunistyczną /nazwiska nie pamiętam/. Wiele czasu nie miałem, gdyż byłem rekrutem i z nią rzadko się spotykałem. Po przyjeździe z manewrów dowiedziałem się od niej, że Partia została rozwiązana. W 1939 r. w marcu w pułku zostaje zarządzone pogotowie, w maju kompania moja zostaje przerzucona na granicę Prus Wschodnich w miasteczku Wizna. Tu zastaje mnie wojna polsko-niemiecka, gdzie biorę udział w walkach z Niemcami w trójkącie Łomża,Ostrołęka i Zambrowo. Po rozproszeniu naszej 18-tej dywizji resztka chce się dostać do Warszawy, ale pod Małkinią Niemcy nas ostatecznie okrążyli a oficerowie pouciekali. Został się tylko jeden z oficerów rezerwy, który nam powiedział, że możemy robić co nam się podoba, gdyż on nie jest w stanie nas przeprowadzić do Warszawy. W ten nam dzień poszłem z kolegami do okolicznych chłopów u których przebraliśmy się w cywilne ubranie, w cywilnym ubraniu dostałem się do domu.W Mińsku Mazowieckim wraz z tow.Dąbrowskim ostawiałem i innymi tow.robiliśmy przygotowanie do uroczystego przyjęcia Czerwonej Armii, nie doczekaliśmy się tego zaszczytu, bo dowiedzieliśmy się, że Armia Czerwona oswobadza tylko teren do rzeki Bug. W następnym dniu wyszedłem piechotą do Siedlec, gdzie natknąłem się jeszcze na patrole Armii Czerwonej, z Siedlec dostałem się do Brześcia, a stamtąd do Lwowa. We Lwowie byłem kilka dni na ul.Kazimierzowskiej i gdy dowiedziałem się, że przyjmuję na wyjazd do pracy na Donbass napisałem się gdzie też wkrótce wyjechałem i 7 listopada święto rewolucji obchodziłem w kopalni węgla im."Paryskaja-Komuna" w mieście Serga. Tu pracowałem do marca 1941 roku, a następnie pojechałem do Konstantynówka oblast stalino, gdzie pracowałem na fabryce im."Frunze" do chwili napadu niemców na ZSRR. W Konstantynówce wielokrotnie składałem podania do Wojenkomatu aby mnie przyjęto do Czerwonej Armii i walczyć przeciw niemieckim faszystom. Choć byłem zarejestrowany w Wojenkomacie i składałem dokumenty od sekretarza Partii z miejsca pracy i sekretarza WLKZM wzywano mnie kilkakrotnie na komisje lekarskie, ale zawsze odpowiadano mi, że jak będą mnie potrzebować to mnie zawezwą.Aż ewakuowano fabrykę i znów pojechałem

verte

Własnoręczny życiorys Mieczysława Morozowskiego
(Akta osobowe funkcjonariusza Mieczysława Morozowskiego) (strona 1)

do Wojenkomatu, aby mnie przyjęto do wojska i wysłano na front,
tu tym razem dano mi odpowiedź, że istnieje polska armia, do której powinienem się, udać, gdyż jestem Polakiem. Wydano mi odpowiednie dokumenty i pociągami ewakuującymi fabryki w Konstantynówce dostałem się do Saratowa, gdzie w Radołkach stała 5-ta dywizja gen. Andersa, gdzie też wstąpiłem do wojska. Z armią tą pojechaliśmy na południe, gdzie staliśmy w Dżalal-Abadzie. Tu zorientowałem się, że armia ta nie jest demokratyczna i nawiązałem kontakt z oficerem Armii Czerwonej, który był łącznikiem mi, ...
Czerwoną Armią, celem dopomożenia mi odejścia od armii gen. Andersa, bez wiedzy władz, lub Armii Czerwonej nie mogłem odejść od armii gen. Andersa. Wymieniony oficer /nazwisko nie znane mi/ przed naszym wyjazdem do Iranu został odwołany i nie mogłem skontaktować się z następnym łącznikiem Armii Czerwonej. Tak, że z armią gen. Andersa wyjechałem do Iranu, nie wiedząc, że pozostał gen. Berling. Dopiero będąc w Iraku dowiedziałem się o tym, że Wasilewska i Lampe stworzyli dywizję im. Kościuszki. Będąc w Iraku zebrało się kilku naszych tow. między innymi Web Samal radził jak się dostać do dywizji im. Kościuszki. W 1943 r. przyjechaliśmy do Palestyny, tu ostatecznie wstąpiłem z armii gen. Andersa. Przebyłem jakiś czas w Kibucu i potem zacząłem pracować w angielskim obozie wojskowym w Sarafandzie ....
..jon. W Palestynie zorganizowaliśmy związek Uchodźców Demokratycznych na Środkowym Wschodzie, który był zorganizowany przy pomocy Z.P.P. i związek ten czynnie pomagał Z.P.P. Oprócz tego brałem udział w K.P. Palestyny w Nyszon - Le - Cyjon, zwłaszcza w akcjach technicznych. Sekretarzem Partii w wymienionej miejscowości była tow. Ruth. Na terenie Palestyny robiliśmy starania aby jak najwcześniej dostać się do kraju i brać udział w walce przeciw faszyzmowi. W 1946 roku pierwszym transportem wracam do kraju, gdzie zatrzymałem się u rodziny, wstępuję do PPR w Mińsku Mazowieckim i tu biorę udział w akcji przedwyborczej. W 1947 r. w miesiącu lutym zaczynam pracować na kopalni węgla w Wałbrzychu "Victoria" w czerwcu tego samego roku zostaję sekretarzem koła powierzchni im. tow. Minca. W 1948 r, w sierpniu zostawiam pracy w kopalni i przenoszę się do Warszawy, gdzie od 15 października przystępuję do pracy w MBP i jednocześnie chodzę do szkoły. Do obecnej chwili pracuję w MBP w 1949 r. skończyłem małą maturę i uczę się dalej.

/-/ Moronowski Mieczysław.

Za zgodność:

....
4/4-51.

1) Borkowski Roman - 1932 r.
2) Lewczyński Piotr
3) Kurlandzki Marian
....

Własnoręczny życiorys Mieczysława Morozowskiego
(Akta osobowe funkcjonariusza Mieczysława Morozowskiego) (strona 2)

Z O B O W I Ą Z A N I E

Ja ... *Morozowski Mieczysław* ...

współpracownik.Ministerstwa.Bezpieczeństwa Publicznego zobowią
zuję się wiernie służyc sprawie wolnej, niepodległej i demokra
tycznej Polski. Zdecydowanie zwalczac będę wszystkich wrogów
demokracji. Sumiennie wykonywac będę wszystkie obowiązki służbowe. Tajemnicy służbowej dotrzymam i nigdy jej nie zdradzę.
Wrazie rozgłaszania wiadomych mi tajemnic służbowych będę surowo ukarany według prawa o czym zgóry zostałem uprzedzony.

Podpis... *Morozowski Mieczysław*

Warszawa,dnia... *15.X* .... 19*48* r.

Zobowiązanie funkcjonariusza MBP Mieczysława Morozowskiego
(Akta osobowe funkcjonariusza Mieczysława Morozowskiego)

Warszawa,dn." {} " listopada 1954r.

W N I O S E K
----

dot.udzielenia zezwolenia na zawarcie zw.małżenskiego.

        Do Wydziału I Dep.Kadr MBP wpłynął raport ppor.
MOROZOWSKI MIECZYSŁAWA s.Józefa - archiwisty Sekcji 1 Wydziału I Centr.Archiwum MBP o udzielenie zezwolenia na zawarcie
związku małżenskiego z Ob. KOZUBAL MARIA-Grażyną c.Andrzeja
i Natalii z d.Hykiel.

        w/wym. ur.4.IV.1929r. we wsi Grębień
        pow. Wielun, narodowości polskiej, obyw.
        polskiego, czł. PZPR /PPR/ i ZMP /ZWM/
        studentka V roku filologii polskiej
        U.Warszawskiego, panna.

        Matka Ob. KOZUBAL Marii pracuje jako nauczycielk
w pow.Wielun, politycznie i społecznie nie udziela się.
Ojciec do 1939 r. pracował jako urzędnik na poczcie - obecnie
pracuje w charakterze magazyniera żywnościowego - opinią w
miejscu pracy nie cieszy się dodatnią ze względu na niewłaściwe
zachowanie się w stosunku do współpracowników, jak również
postawę moralną.Rodzice od dłuższego czasu nie żyją ze sobą.

        Ob. KOZUBAL do 1945 r. pozostawała na utrzymaniu
matki - uczyła się w domu, następnie uczęszczała do gimnazjum,
po ukończeniu wstąpiła na U.Warszawski - obecnie kończy, pisze
pracę magisterską. Z Uniwersytetu Warszawskiego posiada dodatnią opinię, udzielała się aktywnie po linii partyjnej i społecz
nej.

        Przeprowadzona kontrola specjalna na kandydatkę
zastrzeżeń natury polityczno-moralnej nie podaje.

        Uważam że można udzielić zezwolenia na zawarcie
związku małżenskiego ppor. MOROZOWSKIEMU Mieczysławowi z Ob.
KOZUBAL Marią-Grażyną.-

                              Verus por.
                         Ref Wydz I Dep. Kadr M.BP.

        Poludić zezwolenie
              13·XI·54

Wniosek o udzielenie funkcjonariuszowi MBP Mieczysławowi
Morozowskiemu zezwolenia na zawarcie związku małżeńskiego
(Akta osobowe funkcjonariusza Mieczysława Morozowskiego)

W trakcie reorganizacji MPB Morozowski został skierowany na przeszkolenie zawodowe do Zasadniczej Szkoły Metalowo-Elektrycznej Ministerstwa Przemysłu Ciężkiego. Po jej ukończeniu napisał podanie o ponowne przyjęcie do pracy w organach bezpieczeństwa, które włączone już zostały do Ministerstwa Spraw Wewnętrznych. Podanie rozpatrzono pozytywnie i Mieczysław Morozowski doczekał się resortowej emerytury[27].

Dzieci Mieczysława Morozowskiego utrzymywały ciągłość ideologiczną z ojcem – córka Krystyna Morozowska w latach 80. była pracownikiem politycznym Zarządu Głównego ZSMP, a wcześniej sekretarzem Zespołu przy Zarządzie Głównym ZSMP[28].

Z kolei poglądy Andrzeja Morozowskiego można było poznać już na początku lat 90. – podczas rządów Jana Olszewskiego był zagorzałym przeciwnikiem lustracji.

Na „szerokie wody" Morozowski wypłynął w TVN. W programie „Teraz My" partnerem Morozowskiego był Tomasz Sekielski – razem zrealizowali program o „taśmach Beger". We wrześniu 2006 roku wyemitowano taśmy rozmów Renaty Beger, posłanki Samoobrony, z politykami PiS, które nagrano w porozumieniu z Beger, a w tajemnicy przed jej rozmówcami. Do nagrania doszło w pokoju poselskim Beger w czasie rozmów prowadzonych po zerwaniu koalicji Samoobrony–LPR–PiS. Wyemitowane nagrania, które miały pokazać „polityczną korupcję", w rzeczywistości były rozmowami koalicyjnymi. Program wywołał kryzys polityczny, który miał doprowadzić do wcześniejszych wyborów parlamentarnych, ale tak się nie stało.

W październiku 2006 roku „Gazeta Polska" ujawniła, że Konstanty Malejczyk, były szef Wojskowych Służb informacyjnych, na kilka dni przed programem „Teraz My" spotkał się z posłem Samoobrony Januszem Maksymiukiem, dyrektorem Biura Krajowego tej partii, byłym członkiem PZPR i SLD. To Maksymiuk przyznał się później do zorganizowania prowokacji, a dziennikarze TVN publicznie stwierdzili, że zgłosili się w sprawie jej przygotowania do Maksymiuka.

Według dokumentów SB przechowywanych w IPN Janusz Maksymiuk, zaciekły krytyk rozwiązania WSI, został zarejestrowany jako TW „Roman" (numer rejestrowy 46734). Władysław Serafin twierdził, że w 1992 roku widział kompletną teczkę Maksymiuka[29].

Tuż przed obradami Okrągłego Stołu Janusz Maksymiuk stanął na czele Rady Głównej Krajowego Związku Rolników, Kółek i Organizacji Rolniczych. W tym czasie warszawski oddział organizacji razem z ministerstwem współpracy z zagranicą został współzałożycielem firmy Cenrex, która miała pozwolenie na handel bronią. Dyrektora Cenrexu Jerzego Dembowskiego, byłego oficera II Zarządu Sztabu Generalnego, wytypował płk. Konstanty Malejczyk, w latach PRL szef niezwykle groźnego oddziału „Y" Zarządu II Sztabu Generalnego.

Janusz Maksymiuk do dziś ma doskonałe kontakty z funkcjonariuszami wojskowych służb specjalnych. Nie ma w tym nic dziwnego – w latach 90. zasiadał w radzie fundacji Pro Civili. Założona w 1994 roku przez dwóch obywateli austriackich fundacja była faktycznie przykrywką dla nielegalnych operacji finansowych WSI. Jedną z takich transakcji było zaangażowanie fundacji w handel dyskietką z programem Axis. W rzeczywistości program nigdy nie istniał, a operacje finansowe służyły do uwiarygodnienia zdolności kredytowej założonych przez WSI firm-krzaków, z którymi fundacja prowadziła interesy[30].

W czasie prowokacji z „taśmami Beger" sekretarzem programowym TVN był Milan Subotić, który według dokumentów IPN został zarejestrowany jako tajny współpracownik Zarządu II Sztabu Generalnego (komunistycznego wywiadu wojskowego) o pseudonimie „Milan".

Jednym z oficerów nadzorujących sprawę TW „Milana" był Konstanty Malejczyk, późniejszy doradca Andrzeja Leppera. Subotić doradzał przy akceptacji programów publicystycznych TVN – jednym z nich był program „Teraz My"[31]. Po publikacji „Gazety Polskiej", TVN i Milan Subotić wytoczyli autorom artykułu oraz redaktorowi naczelnemu „GP" Tomaszowi Sakiewiczowi proces, który został wygrany przez publicystów „GP" – wyrok jest prawomocny.

Milan Subotić – kandydat na współpracownika, rok 1983 (IPN BU 003179/877)

Załącznik Nr *1* do pisma Nr...

IPN BU 00 3179/877

ŚCIŚLE TAJNE

Tajne spec. znaczenia

Skopiowano metodą kserograficzną

w *024*

w 1 egz. dnia .... 0 9 WRZ. 2001

pozycja Dz. EWD *N24/0061/2001*

Egz. pojedynczy

por. mgr inż. Piotr PAWLIŃSKI

0 8 MAR. 2001

DEKLARACJA

Ja niżej podpisany(a) _____ Milan Subotić

przystępuję dobrowolnie do współpracy z Wywiadem Wojskowym PRL i jednocześnie zobowiązuje się:

1. Sumiennie i lojalnie wykonywać stawiane mi zadania zgodnie z posiadanymi możliwościami oraz przekazywać Wywiadowi tylko prawdziwe informacje, niczego nie zatajając.

2. Zachować w absolutnej tajemnicy, nawet w obliczu osobistego niebezpieczeństwa, fakt współpracy z Wywiadem Wojskowym PRL oraz znane mi z tego tytułu sprawy i osoby.

Wiadomym mi jest, że zdrada, współdziałanie z wrogiem oraz naruszenie tajemnicy państwowej, stanowią działanie na niekorzyść Państwa Polskiego i jako takie jest karane zgodnie z prawem.

Dnia 28.03.84

M. Sub...
(podpis)

Deklarację przyjął:

ppłk mgr Milan KASTELIK
(podpis)

112 z 123

Deklaracja Milana Suboticia o współpracy z wywiadem wojskowym PRL
z 28 marca 1984 roku (IPN BU 003179/877)

W sieci FOZZ

Justyna Pochanke (rocznik 1972), gwiazda TVN 24, karierę telewizyjną zaczynała w latach 80. – jako dziecko w programie „5–10–15". Co ciekawe, redaktorem programu była Bożena Walter, a występowały w nim przyszłe gwiazdy telewizyjne, m.in. Piotr Kraśko, syn Tadeusza i wnuk sekretarza KC Wincentego czy też Krzysztof Ibisz. W III RP Justyna Pochanke zaczynała od pracy w radiu.

> Wtedy brano nas tak naprawdę hurtem – pierwsze lata, gdy powstawały prywatne rozgłośnie RMF, radio ZET, TVN i Polsat. Tym stacjom zależało na tym, by przyszli do nich dziennikarze nie skażeni poprzednim systemem

– mówiła Justyna Pochanke w wywiadzie dla Merlin.pl[32].

Czy rzeczywiście Justyna Pochanke nie była „skażona" poprzednim systemem?

Matka – Renata Pochanke – była jedną z najbliższych współpracowniczek Janiny Chim, skazanej w aferze FOZZ. Nazwisko matki gwiazdy TVN pojawia się w aktach dotyczących afery Funduszu Obsługi Zadłużenia Zagranicznego. Justyna Pochanke jako dziennikarka TVN-u z wielkim zaangażowaniem zajmowała się m.in. Raportem z weryfikacji WSI. „Czy ten raport jest groźny"? – dopytywała na antenie TVN.

Praca Renaty Pochanke w FOZZ nie dziwi, biorąc pod uwagę uwarunkowania rodzinne. Jej ojciec Zdzisław Gaca (dziadek Justyny Pochanke), działacz PZPR, wieloletni dyrektor państwowych przedsiębiorstw przemysłu ciężkiego, w latach 80. był dyrektorem Bumaru – firmy zbrojeniowej, która zawierała kontrakty na dostawy części do uzbrojenia m.in z Syrią[33]. Kontrakty i sam Bumar były pod kontrolą wywiadu wojskowego PRL, czyli Zarządu II Sztabu Generalnego, jak też wywiadu cywilnego, czyli Departamentu I MSW, co oznaczało kontrolę sowieckich służb specjalnych[34]. W latach 80. Bumar miał bardzo istotny udział w rynku handlu bronią.

«Bumar» podejmował ryzykowne działania, gdyż ingerował w eksport sprzętu wojskowego do Egiptu. [...] Służby cywilne (Wydział VII Departamentu V MSW) zaniepokojone były również kontaktami «Bumaru» z grupą biznesową «Triad» (Triad International Marketing), której wiceprezydentem był Abdul Rahman al-Assir. Niepokój wynikał z wiedzy na temat związków grupy «Triad» z Amerykanami i aferą Iran Contras, przez co firma al-Assira znalazła się «na indeksie wszystkich krajów arabskich». Ponadto «Bumar» za pośrednictwem «Triad» sprzedawał do Egiptu silniki «Wola» do czołgów T-55[35].

Po tragedii smoleńskiej Justyna Pochanke prowadziła rozmowy, które miały na celu udowodnienie, że w Smoleńsku doszło do „zwykłej" katastrofy. Jednym z ekspertów w tych rozmowach był pilot Stefan Gruszczyk, drugi mąż jej matki Renaty Pochanke. Zasłynął on m.in. z totalnej krytyki załogi tupolewa, która 10 kwietnia 2010 roku leciała do Smoleńska. W grudniu 2010 roku w TVN 24 Justyna Pochanke zapowiadając jego występ w studiu powiedziała:

Pułkownik Stefan Gruszczyk. Stefan Gruszczyk, były dowódca eskadry w 36. Specpułku, prywatnie moja bliska rodzina[36].

Pod auspicjami Maleszki i Suboticia

Inną gwiazdą TVN, która wpisała się w ideologiczne sympatie tej stacji, jest Katarzyna Kolenda-Zaleska, wcześniej dziennikarka m.in. TVP i mediów należących do Agory. Jej ojciec, prof. Zygmunt Kolenda, dwukrotnie bez powodzenia kandydował do parlamentu. Raz z listy zorganizowanej przez Mieczysława Gila, a później z rekomendacji Platformy Obywatelskiej. Kolenda pełnił jednocześnie funkcję przewodniczącego okręgowego komitetu wyborczego PO, z którego do Sejmu kandydował Bogdan Klich. W ostatnich wyborach samorządowych był w Komitecie Honorowym kandydata PO na prezydenta Krakowa Stanisława Kracika, a w 2011 roku ponownie w Komitecie Bogdana Klicha.

Córka Zygmunta Kolendy pracując obecnie w „Faktach" TVN nie stara się wyważać proporcji w pochwałach dla PO i krytyce opozycji ani trzymać dystansu w sporach rządzących, szczególnie wobec PiS. Brak obiektywizmu ciągnie się za reporterką od początków jej kariery, zanim jeszcze mogła swoje preferencje wyborcze z Unii Wolności przelać na Platformę Obywatelską. Do dziś wypomina się jej rozlepiany w kraju plakat wyborczy, na którym była w towarzystwie premiera Tadeusza Mazowieckiego.

Kolenda-Zaleska niejednokrotnie w ostrym tonie wypowiadała się jako przeciwnik przeprowadzanej w kraju lustracji i w ogóle wróg rozliczeń z minionym systemem. Dowiodła tego wstawiając się energicznie za Bronisławem Cieślakiem – dziennikarzem i aktorem, odtwórcą roli agenta Borewicza z propagandowego serialu PRL „07 zgłoś się" – gdy „w wolnej Polsce", po latach wysługiwania się komunie, chciano mu podziękować za pracę w mediach.

Katarzyna Kolenda-Zaleska ujawniła też przy jednej z okazji, kto dla niej był mentorem i przewodnikiem w polityce i mediach u początków kariery dziennikarskiej. Tym guru był Lesław Maleszka, jak się później okazało konfident SB zakonspirowany wśród działaczy opozycyjnych. Jego ujawnienie jako agenta było głośnym wydarzeniem, którego echa nie milkną do dziś.

Kolenda-Zaleska przyznała po latach, że także jej myślenie o lustracji ukształtował właśnie Maleszka. Gdy później przeszła do pracy w TVN – miała nad sobą innego „fachowca" medialnego – Milana Suboticia. Do tego faktu odniósł się w piśmie „Press" Tomasz Lis, który skrytykował następujący sposób myślenia:

> Jeśli więc Miecugow, Kolenda-Zaleska czy Lis pracowali z Suboticiem, to przez lata ulegali wpływowi agenta Wojskowych Służb Informacyjnych, a więc byli manipulowani, w konsekwencji pewnie sami manipulowali.

Lis stwierdził, że taką argumentację stosują propisowscy propagandziści[37].

Relacjonując w TVN wypowiedź Jarosława Kaczyńskiego z 10 października 2010 roku Kolenda-Zaleska przytaczała słowa, których prezes PiS nie wypowiedział. Sęk w tym, że w ślad za manipulacją rzekomymi cytatami ruszyła lawina komentarzy piętnujących Jarosława Kaczyńskiego. W rzeczywistości z jego ust nie padły słowa „prawdziwi Polacy", które przypisała mu Kolenda-Zaleska. Oto jak dziennikarka rozumie swoją rolę w sfałszowaniu wypowiedzi:

„Ja Bogu ducha winna, a dostało się mnie" – stwierdziła wypowiadając się dla portalu Blogpress.pl[38].

W „Gazecie Wyborczej" dopisała do tego jeszcze, że „linię podziału na «prawdziwych Polaków» i pozostałych wykreślił nie kto inny jak Jarosław Kaczyński". Przyznała, że nie musiał używać słowa „prawdziwi", bo ludzie pod Pałacem i tak rozumieją kontekst[39].

„Obiektywni"

Reporterem, który dał swoją twarz TVN 24 i był kojarzony z tą stacją w latach 2001–2004, jest Tomasz Machała. Prywatnie – syn poseł PO Joanny Fabisiak. Machała znany jest z uruchomienia wspólnie z Tomaszem Lisem portalu opinii Natemat.pl.

Relacjonując wystąpienie Henryki Krzywonos na obchodach 30. rocznicy podpisania Porozumień Sierpniowych Machała stwierdził w swojej relacji w „Wydarzeniach": „Jako jedyna miała odwagę powiedzieć «Solidarności» kilka nieprzyjemnych słów"[40].

Na prowadzonym przez siebie blogu – „Kampania na żywo" – Machała piętnował Martę Kaczyńską za to, że udzieliła wywiadu „Gazecie Polskiej". „Brutalność, z jaką gazeta atakuje rząd i prezydenta, przekracza w ostatnich miesiącach granice przyzwoitości" – pisał. Wybór Kaczyńskiej był, zdaniem dziennikarza, fatalny, bo w poprzednim numerze tygodnika miała miejsce „haniebna rodzinna lustracja pierwszej damy Anny Komorowskiej"[41].

Orężem walki TVN z IV RP jest późnowieczorny, codzienny program „Szkło kontaktowe". Jednym z jego twórców i szefów jest redaktor Grzegorz Miecugow[42]. Współtwórcą „Szkła kontaktowego" jest również Tomasz Sianecki, reporter „Faktów" TVN, od 1997 roku związany z tą stacją, a później również z TVN 24. Przed przyjściem do telewizji pracował jako reporter radiowej „Trójki". Dziennikarz Tomasz Sianecki jest synem pułkownika MSW Bolesława Sianeckiego, w latach 60. rozpracowującego księży i duszpasterstwo diecezji płockiej. Ostatnie lata służby ojciec dziennikarza spędził jako członek grupy operacyjnej Departamentu V MSW w ZSRS[43].

Zobowiązanie Bolesława Sianeckiego, oficera operacyjnego SB (AIPN 0604/564)

Agresja wobec Prawa i Sprawiedliwości w mediach ITI spowodowała ogłoszenie w 2008 roku ich bojkotu przez polityków partii Jarosława Kaczyńskiego.

„Szkło kontaktowe", w którym padły wtedy słowa przelewające czarę goryczy PiS, prowadził Wojciech Zimiński[44]. O tym zdarzeniu i bojkocie w reakcji mówił prezes Kaczyński.

Ostatnio na antenie TVN-u mogliśmy się dowiedzieć, że jesteśmy rynsztokowymi gnidami. To był głos jednego z widzów «Szkła kontaktowego», ale reakcja prowadzących program była w najwyższym stopniu ograniczona

– stwierdził Jarosław Kaczyński[45].

We wspomnianym programie słuchacz w swoim wywodzie użył też sformułowania „rynsztokowe pisowskie kreatury". Tłumacząc decyzję bojkotu, szef klubu PiS Przemysław Gosiewski mówił o agresji wobec PiS, nierównego traktowania polityków tej partii i łamania podstawowych standardów wobec nich szczególnie w stacjach TVN i TVN 24.

„Zostaliśmy dzisiaj ponownie zaatakowani przez jaśniewielmożnego Jarosława Kaczyńskiego" – drwił w kolejnym wydaniu „Szkła kontaktowego" Grzegorz Miecugow[46].

Ojciec Wojciecha Zimińskiego – Jerzy Maciej Zimiński był redaktorem pisma dla dzieci i młodzieży „Świat Młodych". W Telewizji Polskiej pracował jako prezenter, a w latach 1973–1982 był redaktorem naczelnym programów dla dzieci i programów oświatowych. W okresie stanu wojennego pracujący w Telewizji Polskiej Jerzy Maciej Zimiński opowiedział się za koniecznością wprowadzenia stanu wojennego oraz negatywnie ocenił „Solidarność"[47].

Jerzy Maciej Zimiński był również członkiem PZPR oraz ORMO[48]. W 1970 roku złożył uroczyste przyrzeczenie zaplecza MO:

Ze wszystkich sił służyć będę Ojczyźnie i bronić jej przed zakusami wrogów, być wzorowym ormowcem, ściśle przestrzegać ustaw i zarządzeń władzy ludowej, pomagać aktywnie Milicji Obywatelskiej w strzeżeniu ładu i porządku publicznego, sumiennie wykonywać rozkazy przełożonych, ściśle przestrzegać tajemnicy państwowej i służbowej [...]

Tu przytaczanie dalszej części przyrzeczenia ormowca nie przychodzi lekko. Dzielni funkcjonariusze społeczni zobowiązywali się bowiem do... „strzeżenia godności i honoru członka ORMO".

Po emisji premierowej serialu „Czterej pancerni i pies" w latach 60., pracujący w Telewizji Polskiej Zimiński wpadł na pomysł powołania Telewizyjnego Klubu Pancernych, który przekazywał propagandową, całkowicie zakłamaną przez komunistów wersję historii, jaką karmił widza serial.

TVN w swojej ofercie miał także kanał religijny Religia TV. Jego dyrektorem w 2007 roku został ksiądz Kazimierz Sowa, którego brat Marek Sowa był prominentnym politykiem Platformy Obywatelskiej. Pełnił m.in. funkcję marszałka województwa małopolskiego z ramienia PO, zasiadał też w zarządzie małopolskiej Platformy.

Podczas wieczoru wyborczego w 2005 roku ks. Sowa był obecny w sztabie wyborczym kandydata na prezydenta Donalda Tuska.

„Jestem od wielu lat pod wrażeniem stylu polityki w wykonaniu premiera Tuska" – mówił ks. Sowa w wywiadzie udzielonym na początku 2013 roku dla „POgłosu" – partyjnego pisma Platformy[49]. W jego opinii Donald Tusk poradził sobie z kolesiostwem. PiS natomiast ks. Sowa porównał do sekty, w której lider jest jedynym głosicielem prawdy.

Występując na miesiąc przed wyborami prezydenckimi w roku 2010 dyrektor kanału religijnego koncernu ITI zadeklarował, że będzie głosował na Bronisława Komorowskiego. Jednocześnie potępił księży – wykładowców Uniwersytetu Papieskiego Jana Pawła II, którzy wsparli komitet wyborczy Jarosława Kaczyńskiego. Duchowny użył sformułowania – „wszystkie ręce na ołtarz".

Po wyborach prezydenckich w 2010 roku wygranych przez kandydata Platformy działacze tej partii świętowali w Wałczu na imprezie nazwanej „Błękitny Weekend". Zjawiła się partyjna wierchuszka z prezydentem elektem Bronisławem Komorowskim na czele. Na spotkanie z Młodymi Demokratami przyjechał tam również m.in. ks. Kazimierz Sowa.

Film „Francuski numer", seriale „Brzydula" czy „Na Wspólnej" to tytuły produkcji TVN, które kojarzone są z reżyserem i scenarzystą Robertem Wichrowskim – absolwentem kursu mistrzowskiego reżyserii filmowej Andrzeja Wajdy w Krakowie i Realizacji Telewizyjnej na łódzkiej filmówce. Jak wynika z akt zawartych w zbiorach Komisji Ścigania Zbrodni przeciwko Narodowi Polskiemu bydgoskiej delegatury IPN, Robert Wichrowski w latach 1988–1989 pracował w Służbie Bezpieczeństwa jako wywiadowca wydziału „B"[50].

„Twarzą" TVN został także dziennikarz Marcin Meller – m.in. gospodarz programu publicystycznego „Drugie śniadanie mistrzów", emitowanego w TVN 24. Marcin Meller jest synem byłego ambasadora RP w Rosji i Francji oraz ministra spraw zagranicznych w rządzie Marcinkiewicza Stefana Mellera (działacza PZPR w czasach PRL-u), a wnukiem dyplomaty i działacza komunistycznego Adama Mellera, który był przed II wojną światową zasłużonym działaczem Komunistycznej Partii Zachodniej Ukrainy. Przerzucony przez Komintern do Francji organizował tam dostawy broni dla Brygad Międzynarodowych, biorących udział w hiszpańskiej wojnie domowej. Od roku 1947 Adam Meller służył w Polsce w Informacji Wojskowej, najbardziej zbrodniczej instytucji komunistycznej. Był to kontrwywiad wojskowy bezpośrednio kierowany przez Sowietów, w którym nawet obowiązywał język rosyjski. Po likwidacji Informacji Wojskowej Meller był w latach 1957–1965 przedstawicielem PRL przy Biurze ONZ w Genewie, a w okresie 1966–1968 dyrektorem Departamentu II MSZ zajmującego się Azją[51].

Na koniec naszej książki chcieliśmy krótko zaznaczyć, że postacie w niej zaprezentowane nie wyczerpują plejady kontynuatorów rodzinnych tradycji, dlatego ich poczet w niedalekiej przyszłości będzie nadal rozszerzany. W wielu wypadkach czekamy jeszcze na materiały IPN. Dlatego już teraz przewidujemy wydanie uzupełnione. Niektóre osoby powrócą w kolejnych tomach poświęconych funkcjonariuszom tajnych służb, biznesmenom, ludziom nauki i politykom.

PRZYPISY

[1] „Fakty po Faktach", TVN 24, 19 października 2010.

[2] Zapisy ewidencyjne dotyczące Mariusza Waltera.

[3] Jan Wejchert, kartoteka ogólnoinformacyjna Biura „C" MSW.

[4] D. Kania, *Operacyjny paszport Jana Wejcherta*, „Gazeta Polska", 6 maja 2008.

[5] W 2007 r. Raport z weryfikacji WSI umieszcza Mikołajczyka w Aneksie pt. „Zidentyfikowane osoby współpracujące niejawnie z żołnierzami WSI w zakresie działań wykraczających poza sprawy obronności państwa i bezpieczeństwa Sił Zbrojnych RP", Raport z weryfikacji WSI, s. 341, http://www.raport-wsi.info/TVP.html (dostęp: 30 września 2013).

[6] IPN BU 1593/400.

[7] Ibidem.

[8] Ibidem.

[9] K. Majchrzak, *Towarzysz Urban proponuje*, „Biuletyn Instytutu Pamięci Narodowej" 2006, nr 11–12, s. 104.

[10] Zob. rozdział 5, przyp. 37.

[11] Sygn. akt VIIIK37/98, t. 4.

[12] Jan Wejchert był w latach 80. wpływowym przedstawicielem Polsko-Polonijnej Izby Przemysłowo-Handlowej Inter-Polcom, która zrzeszała przedsiębiorców z firm polonijnych. W PRL był współautorem jednej z ustaw ułatwiających funkcjonowanie takim przedsiębiorcom – przepisu *de facto* działającego na jego własną korzyść.

[13] Aneks nr 9 do Raportu z Weryfikacji WSI, s. 302–303.

[14] V. Makarenko, *Oligarcha lubi Polaków*, „Gazeta Wyborcza", 20 lipca 2007.

[15] MŁ, *Były szef PAP-u dyrektorem rosyjskiej agencji prasowej*, Press.pl, http://www.press.pl/personalia/pokaz/1182,Byly-szef-PAP-u-dyrektorem-rosyjskiej-agencji-prasowej (dostęp: 28 września 2013).

[16] Mieczysław Broniatowski, Biuletyn Informacji Publicznej, http://katalog.bip.ipn.gov.pl/showDetails.do?lastName=Broniatowski&idx=&katalogId=0&subpageKatalogId=2&pageNo=1&osobaId=32209& (dostęp: 10 października 2013).

[17] Karta z kartoteki funkcjonariuszy MSW, akta osobowe sygn. IPN BU 0951/1607 (9023/VII).

[18] Akta KO „Roberta", AIPN 001043/1637.

[19] M. Marosz, *Na Wspólnej z SB*, „Gazeta Polska", 5 września 2009.

[20] Andrzej Rybicki, AIPN 02240/126.

[21] Ibidem.

[22] Zob. rozdział 6, s. 276–279.

[23] Akta osobowe funkcjonariusza Mieczysława Morozowskiego, IPN BU 728/19418.

[24] Ibidem.

[25] Ibidem.

[26] Ibidem.

[27] Ibidem.

[28] Ibidem.

[29] M. Dzierżanowski, *Janusz Maksymiuk został zarejestrowany przez SB jako współpracownik Roman*, Wprost.pl, 8 lipca 2007, http://www.wprost.pl/ar/109810/Janusz-Maksymiuk--zostal-zarejestrowany-przez-SB-jako-wspolpracownik-Roman/ (dostęp: 10 października 2013).

[30] D. Kania, *Człowiek z cienia*, „Gazeta Polska", 17 sierpnia 2011.

[31] K. Górska-Hejke, P. Lisiewicz, T. Wójcik, *WSI na wizji*, „Gazeta Polska", 3 października 2006.

[32] Wywiad dla Merlin.com.pl, 24 marca 2006, za: Justyna Pochanke – serwis nieoficjalny, http://justyna-pochanke.prv.pl/merlinwywiad.php (dostęp: 10 października 2013).

[33] IPN BU 797/19478.

[34] Raport z weryfikacji WSI, s. 108.

[35] S. Cenckiewicz, *Długie ramię Moskwy*, Warszawa 2011, s. 280.

[36] „Fakty po Faktach", TVN 24, 29 grudnia 2010.

[37] T. Lis, *Kłóćmy się!*, „Press" 2006, nr 11, http://www.bankier.pl/wiadomosc/Tomasz-Lis--Klocmy-sie-1510810.html

[38] Katarzyna Kolenda-Zaleska dla Blogpress,pl, YouTube, 17 grudnia 2010, http://www.youtube.com/watch?v=bhccpDIlk5o (dostęp: 10 października 2013).

[39] K. Kolenda-Zaleska, *Niech spadnie!*, „Gazeta Wyborcza", 19 października 2010.

[40] Zjazd „Solidarności" w 30. rocznicę Sierpnia, „Wydarzenia", Polsat, 30 sierpnia 2010.

[41] T. Machała, *Złe wybory Marty Kaczyńskiej. Pierwszy wywiad w „Gazecie Polskiej"*, blog Tomasza Machały – Kampania na żywo, 22 grudnia 2010, https://pl-pl.facebook.com/kampanianazywo (dostęp: 10 października 2013).

[42] *Jeden z najlepszych polskich dziennikarzy. Niegdyś szef bardzo popularnego programu „Zapraszamy do Trójki", potem wydawca „Wiadomości". [...] Wielką popularność przyniósł mu program*

„*Szkło kontaktowe*" – brzmi posłowie książki Miecugowa, z którym rozmawia Violetta Ozminkowski (*Szkiełko i wokół*, Warszawa 2012).

[43] Akta osobowe funkcjonariusza Sianeckiego Bolesława, AIPN 0604/564.

[44] „Szkło kontaktowe", TVN 24, lipiec 2008.

[45] Spotkanie Jarosława Kaczyńskiego z mieszkańcami Poznania organizowane przez Prawo i Sprawiedliwość, 29 lipca 2008.

[46] Grzegorz Miecugow – „Sprostowanie", „Szkło kontaktowe", 28 lipca 2008.

[47] S. Ligarski, G. Majchrzak, *Polskie Radio i Telewizja w stanie wojennym*, Warszawa 2011, s. 206.

[48] Akta osobowe Jerzego Macieja Zimińskiego, AIPN 2198/5581.

[49] Ksiądz Kazimierz Sowa, *Dobrze być etycznym*, „POgłos – Ogólnopolska Gazeta Platformy Obywatelskiej" 2011, nr 1.

[50] Akta osobowe funkcjonariusza Wichrowskiego Roberta, AIPN 0122/3380.

[51] Ł. Kamiński, G. Majchrzak, *Wczoraj figura, dzisiaj figurant*, „Biuletyn Instytutu Pamięci Narodowej" 2005, nr 1–2, s. 98.

INDEKS OSÓB

Numery stron wyróżnione kursywą odnoszą się do przypisów.

Gołębiowski Bronisław 127
Gomułka Władysław 29, 86–87, 90, 95, 100, 108, *179*, *181*, 195, 197, 270–271, 293
Gontarczyk Piotr 10, 65, 90, *180*, *183*, *186–187*, *370–371*
Gorbaczow Michaił 144, *264*
Gorbaczow Raisa 144
Gosiewski Przemysław 407
Gościmski January 241–242
Gottesman Gustaw 119, 364–365
Gowin Jarosław *81*, 155, *190*
Góralska Helena *44*
Górniak Edyta 331
Górniak Zbigniew *374*
Górnicki Wiesław 119, 147, 164–166
Górska Barbara 295
Górska-Hejke Katarzyna *411*
Graboś Witold 326
Grabowski Lothar 379–380
Grajewski Andrzej 194, 211
Granas Romana 86–87, 103, *186*
Grauso Nicola 77, 219, 235, 237–239
Griswold Eleonora 88
Grochola Wiesława 117, *182*
Grochulski Andrzej *82*
Grocki Michał *185*
Gronkiewicz-Waltz Hanna 281
Groński Ryszard Marek 165–166
Gross Jan Tomasz *44*
Grotowski T. 376
Gruber Józef 27–28
Gruber Katarzyna 27–28
Gruber Tadeusz 28
Gruber Wanda zob. Rapaczyńska Wanda
Grudzińska Irena 28, *44*
Gruszczyk Stefan 403

Grycan Zbigniew 241, 243, *267*
Grzesiak Adam 182
Grzędzielewski Władysław *180*
Grzywaczewski Maciej 334
Gudzowaty Aleksander 325–326, *371*
Guevara Ernesto Che 177
Gugała Jarosław 357, 361, 363, 365–366, *374*
Gurba Eugeniusz 245
Guz Leon 14, *16*
Gwiazda Andrzej 56, 61–62, 65

Hajdarowicz Grzegorz 103, 221
Halber Adam 312, *370*
Halber Małgorzata 312
Hall Aleksander 208
Halmin Janina *44*
Harper 119
Hartwig Julia 88
Heba Bogusław *226*
Hemar Marian *177*
Herbert Zbigniew 48
Herer Wiktor 97, *182*
Herling-Grudziński Gustaw 301
Hersant Robert 221
Hitler Adolf 42, 310
Holland Agnieszka *187*, 300
Holland Henryk *187*
Holsztyński Wiktor *44*
Holzer Jerzy *80*
Hołda Zbigniew 161
Hołyst Brunon 161
Honkisz K. 151
Horowitz Lea zob. Skulska Wilhelmina
Howzan Artur 219
Hubner Elżbieta *44*
Huszcza Jan 199